わかって合格る

1級建築施工管理技士基本テキスト

技術士（建設）・一級建築士
1級建築施工管理技士

三浦伸也

licensed building site manager

2025年度版

TAC出版

TAC PUBLISHING Group

はじめに

　1級建築施工管理技士は、ひとことでいえば〝建築施工管理〟のプロフェッショナルです。

　一定の工事では、現場に専任の監理技術者を置く必要がありますが、1級建築施工管理技士は一級建築士とともに、監理技術者になることができます。まさに、**工事現場には欠かせない存在**といっていいでしょう。

　本書はそんな、**1級建築施工管理技士をめざす方のためのテキスト**です。

　本書を手に取ってくださった方はすでにご存知かと思いますが、試験（1級建築施工管理技術検定）では建築学から施工、施工管理法、法規まで、とても広い範囲から出題されます。一次検定・二次検定ともに、60％を得点できれば合格となりますが、こうした幅広い分野を攻略しなければならないため、**いかに効率よく学習を進めていくかが鍵となります。**

　では、もっとも効率よく学習を進めていくにはどうすればよいでしょうか。

1. まずは、試験で何が問われるかを十分に知ることです。
2. その上で、合格に直結する知識だけを蓄えていくことです。
3. 最後に、その知識を実戦で使えるところまで磨き上げることです。

　相手に勝つためには、相手をよく知らなければなりません。試験でも同様に、どんな項目がどんな切り口で問われるのか、最初に全体の傾向をきちんと把握しておくことが重要です。また、勉強に使える時間は限られていますので、試験でめったに問われない項目に時間を割くよりも、合格に必要不可欠な知識だけにしぼり込んで記憶していく方が効果的です。さらに、ただの丸暗記では本番であまり役に立たないため、覚えた知識を使って試験問題が解けるところまで、各項目をしっかりと理解しておく必要があります。つまり〝わかって**合格る**〟です。

本書は学習される方が徹底的に効率よく、理解しながら試験で使える知識が身につけられるよう、以下の工夫をしています。

- 各項目のはじめに、学習のポイントや試験の傾向などを記載しています。

- 合格に直結する事柄だけを厳選して掲載しています。

- 過去8年間の一次検定（学科試験）で出題された箇所にアンダーラインを引いていますので、どこが試験に出たか、すぐに確認ができます。

- 理解の手助けとなるよう、イラストによる図解を豊富に掲載し、〔用語〕〔MEMO〕〔覚え方〕といったさまざまなコーナーで各項目を掘り下げています。

- 重要な語句は赤字で表記しているため、付属の赤シートを使えば、暗記のための反復学習が可能です。

- 持ち運びに便利な3分冊ですので、時と場所を選ばずに学習できます。

TACでは、本書をメイン教材とした1級建築施工管理技士講座を開講しています。独学又は講座を通じ、本書を利用されたみなさんが1級建築施工管理技士の試験で見事合格を勝ち取られ、工事現場で欠かせない重要な技術者として活躍されることを心より願っております。

TAC 1級建築施工管理技士講座
三浦伸也

※本書は、2024年9月現在の法令やデータ等に基づいて記載しています。

1 はじめに各項目の攻略法を記載

はじめに、これから学習する内容のポイントや、関連して理解しておきたい事柄、例年の出題数、出題パターンといった、**各項目の攻略法を記載**しています。合格に向けてどんな点に注意しながら勉強を進めていくべきか、効率よく学習するには何が必要か、まずはしっかりと把握しましょう。

2 本文はできるだけシンプルにわかりやすく、 合格に直結する事柄だけを掲載

本文はできるだけ**シンプルにわかりやすく**、学習される方の負担にならないよう、内容についても徹底的に吟味し、**合格に直結する事柄だけ**にしぼって掲載しています。

3 パッと見てわかるイラスト図解

　1級建築施工管理技士の試験に合格するためには、さまざまな工法や設備、材料や機器についての知識が欠かせません。本書ではそれが実際にどんなものなのか、**豊富なイラストを用いて図解**していますので、パッと見てイメージがつかめます。

4 過去8年間の一次検定（学科試験）で出題された箇所にアンダーライン

　平成29年度から令和6年度まで、過去8年間の**一次検定（学科試験）で出題された箇所**には、アンダーラインを引き、出題年度を表示しています。どこを重点的に覚えるか、どこは軽く済ませるかなど、メリハリをつけた学習にぜひお役立てください。

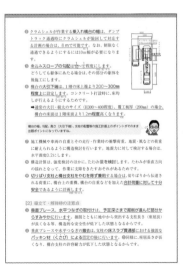

5 さまざまな角度から項目を掘り下げ

知っておいたほうがよい言葉や発展的な内容については〔用語〕〔MEMO〕といったコーナーで説明。試験で必要になる数字などについても〔覚え方〕で語呂合わせを紹介しています。

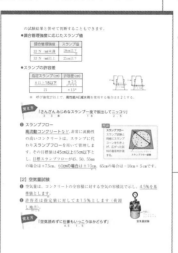

6 理解度を高める "ひとこと"

著者の "ひとこと" には、本文内容の理解を深めるためのヒントやアドバイス、プラスαの知識などが満載です。

7 〔例題〕で本試験レベルの問題にチャレンジ

　知識の定着には、問題演習がとても重要です。テキストを読んだら、すぐに**一問一答形式の〔例題〕**で本試験レベルの問題に挑戦してみましょう。それぞれの問題について、「どうして○なのか」「どこが×なのか」といった、理由を考えながら解答することも大切です。もし間違えてしまった場合は、必ず本文に戻って復習しましょう。

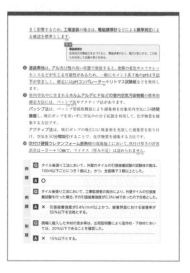

1 1級建築施工管理技士とは

　1級建築施工管理技士は、建築工事の施工計画・工程管理・品質管理・安全管理などを担う建築エンジニアとしての資格です。一定の工事現場には専任の監理技術者を置く必要がありますが、**1級建築施工管理技士は、一級建築士とともに監理技術者になることが可能**です。一次検定・二次検定の両方の試験に合格することで取得でき、建設業界では必須の資格として、毎年多くの方が受検しています。

2 試験の概要

　1級建築施工管理技術検定は、建築業法第27条に基づく技術検定で国土交通省が実施しており、試験事務は国土交通大臣より指定を受けた一般財団法人建設業振興基金が行っています。

　令和3年度から〝学科試験〟〝実地試験〟の名称がそれぞれ〝一次検定〟〝二次検定〟に変更され、**一次検定に合格すると、年数制限なく、所定の実務経験を備えれば、いつでも二次検定を受検できる**ようになりました。

　また一次検定に合格すると、新たに創設された**1級建築施工管理技士補（1級技士補）**の資格が取得できます。1級技士補は監理技術者を補佐する資格で、本来、監理技術者を専任で設置すべき工事現場であっても、1級技士補を置くことで、監理技術者は**2つの現場を兼任**することが可能になります。

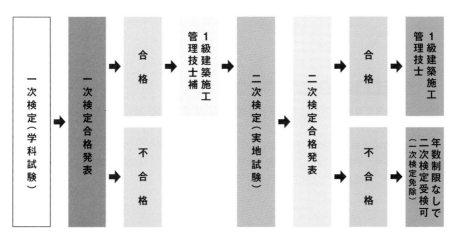

3 試験制度の変更点

　法改正による制度変更で、一次検定では「監理技術者補佐として、建築一式工事の施工の管理を適確に行うために必要な応用能力」を問う問題が出題されています（令和3〜5年度は5肢択二、令和6年度より**5肢択一**）。

　また令和6年度より、一次検定の受検資格が大幅に緩和され、**学歴や実務経験を問わず、19歳以上であれば受検が可能**となっています。なお二次検定については、令和10年度までは制度改正前の受検資格による受検も可能です。

検定区分	検定科目	検定基準	解答形式
一次検定	建築学等	1．建築一式工事の施工の管理を適確に行うために必要な建築学、土木工学、電気工学、電気通信工学及び機械工学に関する一般的な知識を有すること。	4肢択一
		2．建築一式工事の施工の管理を適確に行うために必要な設計図書に関する一般的な知識を有すること。	
	施工管理法	1．監理技術者補佐として、建築一式工事の施工の管理を適確に行うために必要な施工計画の作成方法及び工程管理、品質管理、安全管理等、工事の施工の管理方法に関する知識を有すること。	
		2．監理技術者補佐として、建築一式工事の施工の管理を適確に行うために必要な応用能力を有すること。	5肢択一
	法規	建設工事の施工の管理を適確に行うために必要な法令に関する一般的な知識を有すること。	4肢択一
二次検定	施工管理法	1．監理技術者として、建築一式工事の施工の管理を適確に行うために必要な知識を有すること。	5肢択一
		2．監理技術者として、建築材料の強度等を正確に把握し、及び工事の目的物に所要の強度、外観等を得るために必要な措置を適切に行うことができる応用能力を有すること。	記述
		3．監理技術者として、設計図書に基づいて、工事現場における施工計画を適切に作成し、及び施工図を適正に作成することができる応用能力を有すること。	

4 過去8年間の受検者数・合格者数・合格率

年　度	学科試験（一次検定）			実地試験（二次検定）		
	受検者数	合格者数	合格率	受検者数	合格者数	合格率
平成29年度	24,755人	9,824人	39.7%	16,505人	5,537人	33.5%
平成30年度	25,198人	9,229人	36.6%	15,145人	5,619人	37.1%
令和元年度	25,392人	10,837人	42.7%	15,876人	7,378人	46.5%
令和2年度	22,742人	11,619人	51.1%	16,946人	6,898人	40.7%
令和3年度	22,277人	8,025人	36.0%	12,813人	6,708人	52.4%
令和4年度	27,253人	12,755人	46.8%	13,010人	5,878人	45.2%
令和5年度	24,078人	10,017人	41.6%	14,391人	6,544人	45.4%
令和6年度	37,651人	13,624人	36.1%	―	―	―

※　二次検定の合格発表は、1月初旬となります。

5 一次検定について

　一次検定では「設備・外構・契約他」「施工管理」「施工管理（応用能力）」のように出題された**全問を解く科目**と、「建築学」「躯体施工」「仕上施工」「法規」のように出題された中から**指定の問題数を解く科目**があります。また、試験制度の変更にともない、一次検定の出題数も従来の82問から**72問**へと変更されています（解答数は従来と同じ**60問**）。

　なお、一次検定の合格基準は〝**60問中60％以上の得点**〟かつ〝**5肢択一で10問中60％以上の得点**〟となります。つまり、**全体では36問以上の正解、5肢択一でも6問以上の正解**が必要です。

科目	建築学	設備・外構・契約他	躯体施工	仕上施工	施工管理	施工管理（応用能力問題／5肢択一）	法　規	合計
出題数	15問	5問	10問	10問	10問	10問	12問	72問
解答数	12問（一部指定）	5問	8問	7問	10問	10問	8問	60問

※　上記は令和6年度試験の出題数です。

6 二次検定について

　二次検定は、以下の**6つの科目の大問**があり、それぞれにおいていくつかの小問が出題されます。マークシート形式の一次検定とは異なり、二次検定は記述問題と択一問題が混在する形式のため、記述問題対策として実際に文章を書く練習が欠かせません。二次検定の合格基準も"**60%以上の得点**"となりますが、記述問題で正解が公表されないうえ、各問題の配点も明示されていませんので、概ね**80%以上の正解**を目指して学習する必要があります。

1 本書を繰り返し読む

　最初は、赤字や太字の部分を中心に、用語や数値を確認しながら本書をスピーディに読み進めましょう。1回目から全てを覚える必要はありません。2回目、3回目と読む回数を重ねるごとに、各項目の構成やそれぞれの内容について、理解が深まり、知識も飛躍的に増えていきます。過去の本試験で出題された部分に引かれているアンダーラインも参考にしながら、頻出箇所や苦手なところはぜひ何度でも読むようにしてください。

2 テキストを読んだらすぐに〔例題〕や 『一次検定8年過去問題集』を解く

　学んだ知識を実戦で使えるものにするには、問題演習が欠かせません。本書に掲載されている一問一答形式の〔例題〕はもちろん、ひとつの章や節単位で、テキストを読んだらすぐに本書とリンクした過去問題集『わかって合格る1級建築施工管理技士 一次検定8年過去問題集』（別売り）の該当部分を解きましょう（Webダウンロードサービスでご提供する2年分を追加利用すれば、過去10年分の問題を解くこともできます）。最初は問題に続けて解説を読んでしまってもかまいません。"テキストを読んだら問題集を解く"というサイクルを何度も繰り返すことで、確実かつ試験で使える知識が身につきます。

3 比較する、関連づける

　試験で問われる内容は広範囲にわたるため、自分なりに比較の視点をもち、関連づけながら整理することも重要です。テキストや問題集でも適宜、表などでまとめていますが、自分でも、テキストを読んで似ていると思った項目を比較する、問題集を解いたらテキストでその周辺知識を関連づけるといった作業をすることで、知識が点から線になり、やがて面に、そして立体的な生きた知識へとなっていきます。

4 ウェブを利用する

　1級建築施工管理技士の試験で必要となるさまざまな工法や設備、材料や機器の理解については、本書の**イラスト図解に加え、ウェブを使うのもひとつの手**です。ただし、細かい点にこだわりすぎるのは禁物です。大切な時間を有効に使うためにも、あくまでイメージをつかむことを心がけ、時間をかけずにかしこく利用しましょう。

5 さらに効率を重視する方には……

　本書を読む前に、まずは『一次検定8年過去問題集』をはじめから終わりまで、さっと読んでみることをおすすめします。どんな内容が問われるのか、その範囲や深さなど、**先に試験の全体像を知っておくことで、より効率よく勉強を進めていくことが可能**です。

模試で実力を把握

　TACでは、本試験の約1カ月前に公開模試を行っています。"個人成績表"から自分の弱点を分析・把握し、問題を復習すれば、本番での得点力もアップします。

1級建築施工管理技士 資格講座のご案内

　TACの1級建築施工管理技士講座では、みなさんのニーズにあわせて、総合対策コース（一次対策＋二次対策）、一次検定対策コース（一次検定試験の全範囲をマスターできる講座）、二次検定対策コース（経験記述を含め、二次検定試験の全範囲をマスターできる講座）の3種類をご用意。本書はこれらのコースの使用教材にもなっています。詳細はホームページでご案内していますので、ぜひご活用ください。

www.tac-school.co.jp/kouza_sekokan.html

～タイプにあわせて選べる3つの学習スタイル～

　自分のタイプにあわせて、通って学ぶ教室講座とビデオブース講座、自宅で学ぶWeb通信講座が選べます。万全の態勢で、みなさんを合格までサポートします。

過去8年間の一次検定（学科試験）の出題傾向は次のとおりです。学習にぜひお役立てください。

【注】Hは平成、Rは令和を示しています。また★（応用能力問題の場合は★）は出題数を表しています。

第1編　建築学

		出題項目	H29	H30	R1	R2	R3	R4	R5	R6
第1章 環境工学		1 日射・日照・日影		★		★			★	
		2 採光・照明	★		★		★		★	
		3 熱			★			★		★
		4 空気（換気）	★	★	★	★	★	★		★★
		5 音	★	★		★	★			
		6 色彩								
第2章 一般構造		1 地盤						★		
		2 基礎・杭	★		★	★	★		★	★
		3 各種の構造	★★★	★★★	★★★	★★★	★★★	★★★	★★★	★★★
第3章 構造力学		1 荷重・外力	★	★		★		★		
		2 力のつり合い・反力	★							
		3 応力	★	★★	★★	★★	★★	★★	★★	★★
		4 断面の性質・応力度			★		★		★	
		5 変形・座屈								★
第4章 建築材料		1 セメント・コンクリート							★	
		2 鋼材		★		★		★		★
		3 その他金属	★		★		★		★	
		4 木材								
		5 防水材料	★	★	★	★	★	★	★	
		6 左官材料		★		★		★		★
		7 石・タイル	★		★		★		★	
		8 建具・ガラス	★	★	★	★	★	★		★
		9 内装材料・塗料	★	★	★	★	★	★		★
		10 屋根材								

14

	出題項目	H29	H30	R1	R2	R3	R4	R5	R6
第1章 建築設備	1 給排水設備	★		★		★		★	
	2 空気調和設備		★		★		★		★
	3 電気設備・照明設備・避雷設備	★	★	★	★	★	★	★	★
	4 搬送設備	★		★		★		★	
	5 消火・警報・その他防災設備		★		★		★		★
第2章 外構工事・植栽工事	1 外構工事		★		★		★		
	2 植栽工事・屋外雨水排水							★	
第3章 測量	1 測量	★		★		★			★
	2 工事測量								
第4章 積算	1 積算の概要						★		★
	2 直接工事の数量積算	★			★				
	3 その他								
第5章 契約	（項目なし）		★	★		★		★	

第3-1編 躯体施工

	出題項目	H29	H30	R1	R2	R3	R4	R5	R6
第1章 地盤調査	1 地盤調査	★				★			
	2 土質試験			★					★
第2章 仮設工事	1 ベンチマーク・墨出し								
	2 乗入れ構台・荷受け構台	★	★	★	★	★	★	★	★
第3章 土工事	1 掘削・床付け								
	2 地下水処理			★				★	
	3 埋戻し・盛土・地ならし								
	4 異状現象		★		★		★		
第4章 山留め工事	1 山留め壁		★		★				★
	2 山留め支保工								
	3 計測管理	★					★		
第5章 基礎・地業工事	1 既製杭	★		★		★		★	
	2 場所打ちコンクリート杭		★		★		★		★
	3 杭工事全般における施工管理他								
	4 地盤改良工事								
第6章 鉄筋工事	1 鉄筋の加工・組立て	★						★	
	2 鉄筋の定着・継手	★	★★	★★	★★	★★	★	★	★★
	3 配筋								
第7章 型枠工事	1 材料	★							
	2 型枠の設計と加工・組立て		★	★	★	★	★	★	★
	3 型枠の存置期間								

	出題項目	H29	H30	R1	R2	R3	R4	R5	R6
第8章 コンクリート工事	1 コンクリートの調合	★		★	★	★	★	★	
	2 製造・受入れ・運搬・打込み・養生	★	★★	★	★	★	★	★	★★
	3 各種コンクリート								
第9章 鉄骨工事	1 工場作業	★							★
	2 溶接	★		★		★		★	
	3 防錆処理								
	4 建方		★	★	★	★	★	★	★
	5 高力ボルト接合		★		★		★		
	6 耐火被覆工法								
第10章 木造建築物等	1 大断面木造建築物								
	2 木質構造のポイント		★	★	★	★	★	★	★
第11章 耐震改修工事	1 あと施工アンカー								
	2 現場打ち鉄筋コンクリート壁の増設工事							★	
	3 柱補強工事	★				★			
	4 鉄骨ブレース増設工事								
	5 耐震スリット新設工事								
第12章 解体工事	1 躯体解体工法								
第13章 建設機械	1 土工事用機械							★	
	2 揚重運搬機械	★	★	★	★	★	★		★

	出題項目	H29	H30	R1	R2	R3	R4	R5	R6
第1章 防水工事	1 防水工事の種類・下地								
	2 アスファルト防水	★				★		★	
	3 改質アスファルトシート防水			★					
	4 合成高分子系シート防水		★		★		★		★
	5 塗膜防水	★		★		★			★
	6 その他の防水(ステンレスシート防水)								
	7 シーリング工事		★		★		★	★	
第2章 屋根工事	1 下葺								
	2 金属板葺	★	★		★		★		★
	3 折板葺			★		★		★	
第3章 左官工事	1 下地								
	2 作業条件								
	3 左官塗りの種類	★		★		★		★	
	4 セルフレベリング材塗り								
	5 仕上げ塗材		★		★		★		★
第4章 タイル工事	1 壁タイル張り工法		★		★		★		★
	2 タイル工事一般								
第5章 石工事	1 下地ごしらえ								
	2 工法の種類	★		★		★		★	
	3 石材の清掃								
第6章 金属工事	1 軽量鉄骨下地(天井・壁)	★	★		★	★	★	★	★
	2 天井の脱落防止措置			★					
	3 その他の金属工事								
第7章 建具工事	1 アルミニウム製建具		★		★		★		★
	2 鋼製建具・鋼製軽量建具	★		★		★		★	
	3 自動ドア開閉装置								
	4 シャッター								
	5 排煙窓他								

	出題項目	H29	H30	R1	R2	R3	R4	R5	R6
第8章 ガラス工事	1 はめ込み構法								
第9章 内装工事	1 ボード類(せっこうボードなど)の張付け		★		★		★		★
	2 ビニル床シート張り	★		★		★		★	
	3 ビニル床タイル張り								
	4 フローリング張り								
	5 カーペット敷き								
	6 合成樹脂塗床		★		★		★		★
	7 断熱工事	★		★		★			★
第10章 外装工事等	1 押出成形セメント板工事	★			★		★		★
	2 ALCパネル工事			★		★		★	
	3 カーテンウォール工事								
	4 屋上緑化工事		★						
第11章 塗装工事	1 素地ごしらえ								
	2 錆止め塗料塗り								
	3 各種塗料	★	★	★	★	★	★	★	★
第12章 内外装改修工事	1 コンクリート打放し仕上げ外壁の改修				★				★
	2 タイル張り仕上げ外壁の改修		★				★		
	3 塗り仕上げ外壁・その他の外壁改修								
	4 防水の改修								
	5 シーリングの改修								
	6 その他の仕上げ改修	★		★		★		★	
	7 アスベスト含有建材の処理工事								

第4編　施工管理

		出題項目	H29	H30	R1	R2	R3	R4	R5	R6
第1章 施工計画		1 施工計画の基本・仮設計画・仮設設備	★	★★	★	★★	★	★★	★	★
		2 事前調査・準備	★		★		★		★	★
		3 施工計画	★★★	★★★	★★★	★★★		★		★
		4 材料等の保管・取扱い	★	★	★	★	★	★	★	
		5 届出			★		★		★	
		6 工事記録他	★	★		★		★		★
第2章 工程管理		1 工程計画の基本	★★	★	★★		★	★★		★
		2 工程表	★	★★	★	★★★	★	★	★	
		3 工程の進捗管理・短縮・合理化	★	★	★	★	★		★★	★
第3章 品質管理		1 品質管理の基本		★		★		★		★
		2 品質管理用語・各種管理図	★★★	★	★★★	★	★		★	
		3 検査・試験の基本	★	★	★	★			★	
		4 躯体工事の検査・試験	★★	★★	★★	★★		★	★	★
		5 仕上げ工事の検査・試験	★	★	★	★			★	
		6 解体工事の騒音・振動対策		★		★		★		★
第4章 安全管理		1 労働災害・安全管理の基本	★	★	★	★		★		★
		2 公衆災害防止	★	★	★	★	★		★	
		3 作業主任者	★	★	★	★	★	★	★	
		4 足場	★	★	★	★	★		★	★
		5 事業者の責務－労働安全衛生規則	★	★	★	★	★	★	★	★
		6 事業者の責務－車両系建設機械・クレーン他	★	★	★	★	★			★
		7 事業者の責務－酸欠・有機溶剤	★		★	★		★		★
		8 工具等の携帯に関する法律		★						

	出題項目	H29	H30	R1	R2	R3	R4	R5	R6
第1章 建築基準法	1 用語の定義	★		★		★		★	
	2 建築確認	★	★		★		★	★	★
	3 適用除外・維持保全等		★	★	★	★	★		★
	4 防災地域等の建築物								
	5 防火区画等	★		★		★		★	
	6 内装制限		★						
	7 避難関係の規定				★		★		★
	8 その他の規定								
第2章 建設業法	1 用語の定義（2条）								
	2 許可制度	★	★	★	★	★	★	★	★
	3 請負契約	★	★	★★	★	★★	★	★★	★
	4 主任技術者・監理技術者	★	★		★		★		★
第3章 労働基準法	1 労働条件の基本								
	2 労働契約	★	★		★		★	★	
	3 年少者・女性			★		★			★
	4 災害補償その他								
第4章 労働安全衛生法	1 管理体制	★	★	★	★	★	★	★	
	2 安全衛生教育等	★	★	★	★	★	★	★	★
	3 作業主任者								
	4 計画の届出								
第5章 環境関連法規	1 廃棄物の処理及び清掃に関する法律（廃棄物処理法）	★		★		★		★	
	2 建設リサイクル法		★		★		★		★
第6章 その他関連法規	1 騒音規制法		★		★		★		★
	2 振動規制法	★		★		★		★	
	3 宅地造成及び特定盛土等規制法	★		★		★		★	
	4 消防法								
	5 道路交通法		★		★		★		★

目　次

第3-2編 仕上施工

第3分冊

第4編 施工管理

第1章 施工計画

第5編 法規

第1章 建築基準法

MEMO

MEMO

【執筆者紹介】
三浦伸也（みうら しんや）

技術士（建設）、一級建築士、1級建築施工管理技士、不動産鑑定士2次試験合格。
大手ゼネコンに永年在籍し、施工技術の最前線で活躍。建設系の国家資格のみならず、
不動産鑑定士の2次試験に合格する等、不動産法律実務にも精通する。また、TAC
一級建築士の講師として、講師、教材開発といった教育経験も豊富で、TAC1級建
築施工管理技士講座では主任講師を担う。

わかって合格る1級建築施工管理技士シリーズ

2025年度版 わかって合格る1級建築施工管理技士 基本テキスト

（2021年12月22日 初版 第1刷発行）

2024年12月1日 初版 第1刷発行

編 著 者	T A C 株 式 会 社
	（1級建築施工管理技士講座）
発 行 者	多 田 敏 男
発 行 所	TAC株式会社 出版事業部
	（TAC出版）

〒101-8383 東京都千代田区神田三崎町3-2-18
電話 03（5276）9492（営業）
FAX 03（5276）9674
https://shuppan.tac-school.co.jp/

印 刷	株 式 会 社 ワ コ ー
製 本	東 京 美 術 紙 工 協 業 組 合

© TAC 2024 Printed in Japan

ISBN 978-4-300-11455-1
N.D.C. 525

乱丁・落丁による交換、および正誤のお問合せ対応は、該当書籍の改訂版刊行月末日までとい
たします。なお、交換につきましては、書籍の在庫状況等により、お受けできない場合もござ
います。
また、各種本試験の実施の延期、中止を理由とした本書の返品はお受けいたしません。返金も
いたしかねますので、あらかじめご了承くださいますようお願い申し上げます。

各コース紹介

トータル本科生

特長	**一次検定と二次検定の一発合格を目指すコースです**
教材	「**わかって合格る 1級建築施工管理技士 基本テキスト**」(TAC出版) 「**わかって合格る 1級建築施工管理技士 一次検定8年過去問題集**」(TAC出版) 「**わかって合格る 1級建築施工管理技士 二次検定テキスト&12年過去問題集**」(TAC出版) ※上記のほか、各種テスト・公開模試等。経験記述(3回)の添削付。 ※上記は当講座受講料に含まれています。
教室講座講義時間	**午後1 13:30~16:00** **午後2 16:30~19:00**
通学開講地区	新宿校 教室講座 ビデオブース講座 札幌校・仙台校・水道橋校・新宿校・池袋校・渋谷校・八重洲校・立川校・町田校・横浜校・大宮校・津田沼校・名古屋校・京都校・梅田校・なんば校・神戸校・広島校・福岡校
通常受講料 受講料に教材費・消費税が含まれます。	学習メディア 教室講座 ビデオブース講座 Web通信講座 **通常受講料 242,000円** Webフォロー標準装備

一次対策本科生

一般教育訓練給付制度 対象コースです 条件を満たして修了した場合、受講料の一部が支給される制度です。詳細は「教育訓練給付制度パンフレット」をご覧ください。

特長	**一次検定の全範囲をマスターできるスタンダードコースです**
教材	「**わかって合格る 1級建築施工管理技士 基本テキスト**」(TAC出版) 「**わかって合格る 1級建築施工管理技士 一次検定8年過去問題集**」(TAC出版) ※上記のほか、各種テスト(公開模試等)等。 ※上記は当講座受講料に含まれています。
教室講座講義時間	**午後1 13:30~16:00** **午後2 16:30~19:00**
通学開講地区	新宿校 教室講座 ビデオブース講座 札幌校・仙台校・水道橋校・新宿校・池袋校・渋谷校・八重洲校・立川校・町田校・横浜校・大宮校・津田沼校・名古屋校・京都校・梅田校・なんば校・神戸校・広島校・福岡校
通常受講料 受講料に教材費・消費税が含まれます。	学習メディア 教室講座 ビデオブース講座 Web通信講座 **通常受講料 165,000円** Webフォロー標準装備

二次対策本科生

一般教育訓練給付制度 Web通信講座が対象コースです 条件を満たして修了した場合、受講料の一部が支給される制度です。詳細は「教育訓練給付制度パンフレット」をご覧ください。

特長	**経験記述と二次検定の重要論点全般をマスターできるコースです** **POINT** 充実の添削指導3回付!
教材	「**わかって合格る 1級建築施工管理技士 二次検定テキスト&12年過去問題集**」(TAC出版) ※上記のほか、テスト等。経験記述(3回)の添削付。 ※上記は当講座受講料に含まれています。
教室講座講義時間	**午後1 13:30~16:00** **午後2 16:30~19:00** **夜 19:00~21:30**
通学開講地区	新宿校 教室講座 ビデオブース講座 札幌校・仙台校・水道橋校・新宿校・池袋校・渋谷校・八重洲校・立川校・町田校・横浜校・大宮校・津田沼校・名古屋校・京都校・梅田校・なんば校・神戸校・広島校・福岡校
通常受講料 受講料に教材費・消費税が含まれます。	学習メディア 教室講座 ビデオブース講座 Web通信講座 **通常受講料 99,000円** **セット申込割引受講料※1 77,000円** **一次生割引 受講料※2 88,000円** Webフォロー標準装備 ※1 セット申込割引…一次対策と同時申込みにより適用可能です。後日の場合は「一次生割引」で承ります。 ※2 一次生割引…一次対策本科生をお申込みの方が、後日申し込んだ場合に適用となります。

書籍の正誤に関するご確認とお問合せについて

書籍の記載内容に誤りではないかと思われる箇所がございましたら、以下の手順にてご確認とお問合せをしてくださいますよう、お願い申し上げます。

なお、正誤のお問合せ以外の書籍内容に関する解説および受験指導などは、一切行っておりません。
そのようなお問合せにつきましては、お答えいたしかねますので、あらかじめご了承ください。

1 「Cyber Book Store」にて正誤表を確認する

TAC出版書籍販売サイト「Cyber Book Store」の
トップページ内「正誤表」コーナーにて、正誤表をご確認ください。

CYBER TAC出版書籍販売サイト
BOOK STORE

URL:https://bookstore.tac-school.co.jp/

2 1の正誤表がない、あるいは正誤表に該当箇所の記載がない ⇒ 下記①、②のどちらかの方法で文書にて問合せをする

★ご注意ください★

お電話でのお問合せは、お受けいたしません。
①、②のどちらの方法でも、お問合せの際には、「お名前」とともに、
「対象の書籍名(○級・第○回対策も含む)およびその版数(第○版・○○年度版など)」
「お問合せ該当箇所の頁数と行数」
「誤りと思われる記載」
「正しいとお考えになる記載とその根拠」
を明記してください。
なお、回答までに1週間前後を要する場合もございます。あらかじめご了承ください。

① ウェブページ「Cyber Book Store」内の「お問合せフォーム」より問合せをする

【お問合せフォームアドレス】

https://bookstore.tac-school.co.jp/inquiry/

② メールにより問合せをする

【メール宛先 TAC出版】

syuppan-h@tac-school.co.jp

※土日祝日はお問合せ対応をおこなっておりません。
※正誤のお問合せ対応は、該当書籍の改訂版刊行月末日までといたします。

乱丁・落丁による交換は、該当書籍の改訂版刊行月末日までといたします。なお、書籍の在庫状況等により、お受けできない場合もございます。
また、各種本試験の実施の延期、中止を理由とした本書の返品はお受けいたしません。返金もいたしかねますので、あらかじめご了承くださいますようお願い申し上げます。

(2022年7月現在)

【本書のご利用方法】

分解して利用される方へ

色紙を押さえながら、「3分冊」の各冊子を取り外してください。

> 各冊子と色紙は、のりで接着されています。乱暴に扱いますと破
> 損する恐れがありますので、丁寧に取り外しいただけますようお願
> いいたします。

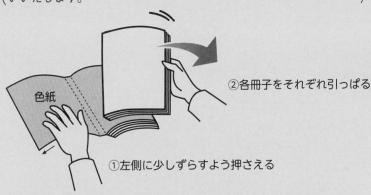

②各冊子をそれぞれ引っぱる

色紙

①左側に少しずらすよう押さえる

＊抜き取りの際の損傷についてのお取替えはご遠慮願います＊

TAC出版

TAC PUBLISHING Group

わかって合格る
1級建築
施工管理技士
基本テキスト

2025年度版

第1分冊

第1編 **建築学**

第2編 **設備・外構・契約他**

licensed building site manager

TAC出版
TAC PUBLISHING Group

建 築 学

　建築学は、本来的な意味では非常に広範な学問体系ですが、この試験に出題される範囲で考えれば対策が立てやすい科目です。試験では、15問中、最初の６問は必須解答ですが、残り９問は６問を選んで解答できますので、少しくらい不得意分野があっても、気にせずに学習を進めることが大切です。

建築学

本編では、建築学として、環境工学、一般構造、構造力学、建築材料について学びます。本試験では15問出題されるうち、12問を解答します（6問は必須、残りは選択）。内容は基本的ですが、範囲は広いため、過去問を中心に学習し8問以上の正解を目標にしましょう。

第1章　環境工学

　環境工学からは例年3問出題されます。「熱（伝熱・結露）」「空気（換気）」「音」の出題頻度は非常に高く、得点源としましょう。「日射・日照・日影」「採光・照明」はそれぞれ2～3年に一度の出題ですので、効率的にポイントを押さえてください。

1　日射・日照・日影

1 日射

【1】太陽光と日照・日射

　地上に届く太陽光（太陽放射）が及ぼす影響のうち、明るさなどの光効果を**日照**、暖かさなどの熱効果を**日射**と呼びます。

　地上に達する日射量は、**直達日射量**と**天空日射量**とに分けられます。この直達日射量と天空日射量との合計が、**全日射量（全天日射量）**です。

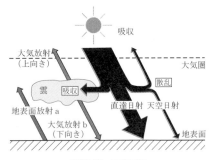

直達日射・天空日射

　直達日射量とは、大気圏で散乱・吸収されたものを除いて、地上に直接達する日射量をいい、**天空日射量**とは、大気中で散乱された後に、地上に達する日射量をいいます。

> 要するに、直達日射とは「直射日光」、天空日射とは「直射日光以外の日射」をイメージしてもらうとわかりやすいですね。

【2】壁面・水平面の日射量

　平面に入射する角度が**垂直に近い**（入射角が小さい）ほど、その平面が受ける 1 ㎡（単位面積）当たりの**日射量は大きく**なります。これは、同じ量の日射が面積の小さい範囲に集中して入射するためです。冬至と夏至に、直方体の建築物が受ける直達日射量を比較すると、南向き鉛直壁面と水平面では、日射の入射する角度から次のような大小関係になります。

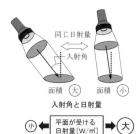

入射角と日射量

小 → 平面が受ける日射量〔W/㎡〕→ 大

夏至の水平面＞冬至の南壁面＞冬至の水平面＞夏至の南壁面

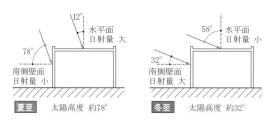

南中時の日射量（北緯35°付近）

　各面が受ける 1 日の日射量を合計した値を**終日日射量**といいます。右図は、水平面、鉛直面の終日日射量の季節変化を示したもので、各季節における各面の終日日射量の大小関係は次のようになります。

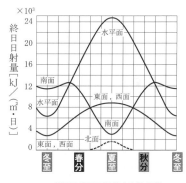

各面の終日日射量（北緯35°）

夏　至	水平面＞東・西面＞南面（＞北面）
春・秋分	水平面＞南面＞東・西面
冬　至	南面＞水 平 面＞東・西面

　夏至は、水平面が最も大きく、北面を除くと南面が最も小さくなり、冬至には南面が最も大きくなります。

> そのため、南面の居室は夏涼しく、冬は暖かいのです。なお、東面と西面の終日日射量は等しいことに注意しましょう。

【3】日射の調整

　水平ルーバーは、太陽高度の高い日射（夏季の南面の日射）を遮る効果が高く、縦ルーバー（垂直ルーバー）は太陽高度の低い日射（西日）を遮る効果が高くなります。
<u>H30・R5</u>

　なお、ルーバーは窓面の外側に設置した方が室内への熱負荷を低減できます。

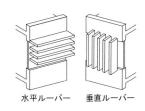

水平ルーバー　　垂直ルーバー

例題	**Q**	冬至における南向き鉛直面の終日の直達日射量は、水平面の直達日射量より大きい。
	A	〇

② 日照

【1】可照時間

　日の出から日没までの、理論上日が当たる時間を**可照時間**といいます。これは天候や障害物の影響がない場合に、建築物などが直射光を受ける時間ということです。

　建築物各部の可照時間は、方位によって異なります。

❶ **水平面**の可照時間は、<u>夏至＞春分・秋分（12時間）＞冬至</u>となります。
<u>H30</u>

❷ **南側壁面**の可照時間は、春分・秋分が12時間で最長となり、冬至がこれに次ぎ、夏至は日の出後・日没前の太陽位置がそれぞれ真東、真西よりも北側で、南向き鉛直壁面には日照がないため、夏至が最短となり、<u>春分・秋分（12時間）＞冬至＞夏至</u>となります。
<u>H30・R5</u>

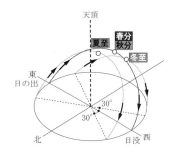

季節ごとの太陽の軌道
（北緯35°の地点）

❸ **北側壁面**は、春分から秋分までの約6カ月間、日の出後と日没前に日照があるのみです。

【2】日照率

　「日の当たる時間」は、緯度が同じ地点では、同じ日には全て同じ長さにな

るはずです。しかし実際には、その土地の天候や地形の影響を受け、晴天の少ない気候であったり、山などに囲まれたような場所では短くなります。その土地の緯度によって決まる太陽の軌道に基づく理論上の日が当たる時間が前出の**可照時間**で、天候や地形の影響で実際に日が当たる時間を**日照時間**と呼びます。**日照率**は、その土地の気象条件を表しており、次の計算式で求められます。

$$日照率 = \frac{日照時間}{可照時間} \times 100 \, [\%]$$

例えば、冬期には、東京の日照率は60%程度に達しますが、東北地方の日本海側では15%程度です。

【3】 隣棟間隔

　緯度が高くなるほど太陽高度が低くなり、日影時間が長くなるため、同じ日照時間を確保するためには隣棟間隔を大きくする必要があります。

H30・R2

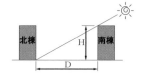

例題

Q 北緯35°の地点における南向き鉛直壁面の1日の可照時間は、春分の日及び秋分の日が12時間で最長となり、冬至の日が最短となる。

A ✕　南面の可照時間は夏至に最短となる。

3 日影（ひかげ）

【1】 日影曲線

　地上に垂直に立てた棒は、太陽の反対方向に影を落とし、影の長さは棒の長さと太陽高度から決まり、棒の影の方向と長さが変化します。このとき、棒の影の先端が描く曲線を**日影曲線**といいます。**日影曲線**の形は、検討する地点の緯度と季節ごとに異なり、**日影曲線図**から、その地点で特定の月日・時刻に生じる、影の方向と長さを知ることができます。

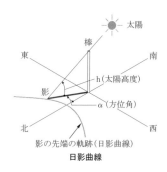

日影曲線

つまり、日影曲線は1mの棒の影の先端が1日の中でどう動くか図面に表したものですね。

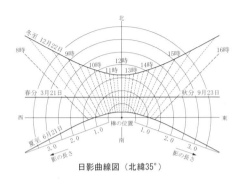

日影曲線図（北緯35°）

【2】日影時間（ひかげ）

　建築物によって日影になる時間の等しい点を線で結んだものを**等時間日影線**といい、日影図から作成することができます。また、一定の時間ごとの等時間日影線を描いた図を**日影時間図**と呼びます。

　建築物の形状と「4時間以上日影になる範囲」との関係には、次のような特性があります。

❶ 建築物の東西方向の幅が大きいほど、一般に大きくなります。

❷ 建築物の奥行や高さの影響は小さくなります。

❸ 建築物の高さが高いほど日影は遠くに伸びますが、一定の高さを超えると長時間日影となる範囲はあまり変化しません。

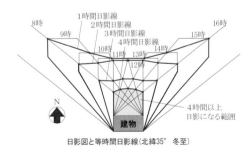

日影図と等時間日影線（北緯35°　冬至）

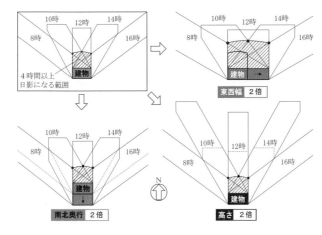

図のように高さが2倍になっても「4時間以上日影になる範囲」はほとんど変わりません。

　複数の建築物を近接して配置すると、2つの影が融合して複雑な形状の複合日影になります。建築物を東西に並列して配置すると、建築物から離れた部分に、建築物周囲よりも日影時間の長い部分が生じることがあり、これを島日影といいます。

　また、夏至に終日日影となる部分は永久日影といい、一年中直射がありません。

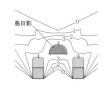

R2

【3】日影規制

　日影規制では、中高層建築物（高さ10m超などの建築物）が敷地境界線から一定距離を超える範囲において、平均地盤面からの一定高さの水平面に生じさせる冬至日の日影時間を規制しています。なお、具体的な数値は条例などで定められます。

R5

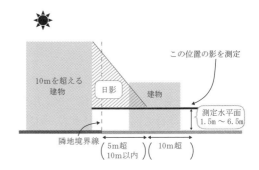

<table>
<tr><td rowspan="2">例題</td><td>Q</td><td>建築面積と高さが同じ建築物の場合、一般に、平面形状が正方形より東西に長い形状のほうが日影の面積は大きくなる。</td></tr>
<tr><td>A</td><td>○</td></tr>
</table>

<table>
<tr><td rowspan="2">例題</td><td>Q</td><td>高層建築物による日影時間が4時間以上になる範囲は、建築物の高さには、ほとんど影響されない。</td></tr>
<tr><td>A</td><td>○</td></tr>
</table>

---

2 採光・照明

1 採光

【1】光束・光度・照度・輝度

光束 光のエネルギー量　単位［lm：ルーメン］

ある面を単位時間（1秒間）に通過する光の放射エネルギー量（単位波長当たりの放射束）を、人の目が感じる強さ（標準比視感度）に基づいて補正（重みづけ）した量です。

光度 点光源の明るさ　単位［cd：カンデラ］

点光源から特定の方向に出射する、単位立体角（1［sr：ステラジアン］）当たりの光束を表します。

点光源
単位立体角［1sr］
出射光束
光度［lm/sr＝cd］

用語

立体角
3次元空間での角度。単位［sr：ステラジアン］。半径rの球面上の面積をAとすると、立体角ωを求めることができる。

球の中心
立体角ω
球の半径r
球面上の面積A
立体角

照度 面が受ける光束　単位［lx：ルクス］

受照面（光を受ける面）に入射する、単位面積当たりの光束を表します。照度は、面が照らされる程度を示す指標で、目で見た明るさ感とはイコールではありません。なお、照度は点光源からの距離の2乗に反比例（距離が離れると小さくなる）します。

入射光束
単位面積［1m²］
照度［lm/m²＝lx］

輝度（きど） 面光源の明るさ 単位［cd/㎡］

発光面（光源面）から特定の方向に出射する、単位投影面積（光の出射方向に垂直に投影した面積）当たり、単位立体角当たりの光束（光の面積密度）を表します。輝度は、ある面の視点方向への明るさ・輝きの程度を表し、<u>均等拡散面</u>（全ての方向に対して輝度が同じ理想的な面）上のある点の輝度は、照度と反射率との積に比例します。なお、<u>グレアは、高輝度な部分、極端な輝度対比や輝度分布などによるまぶしさで視対象が見えにくくなる現象</u>をいいます。

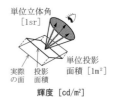

単位立体角
［1sr］

単位投影
面積［1m²］

実際
の面

投影
面積

輝度［cd/m²］

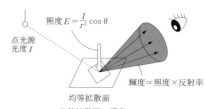

照度 $E = \dfrac{I}{r^2}\cos\theta$

点光源
光度 I

輝度∝照度×反射率

均等拡散面

均等拡散面の輝度

要するに、「光度」は電球自体の明るさ、「照度」は机が照らされる程度、「輝度」は机の面がどのように明るく見えるか、とイメージしましょう。

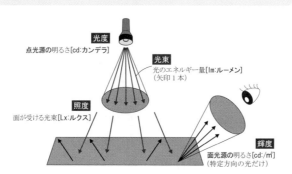

光度
点光源の明るさ[cd:カンデラ]

光束
光のエネルギー量[lm:ルーメン]
（矢印1本）

照度
面が受ける光束[Lx:ルクス]

輝度
面光源の明るさ[cd:㎡]
（特定方向の光だけ）

【2】昼光・全天空照度・昼光率

昼光（ちゅうこう） 太陽による自然光

昼光は、大気圏外から直接地上に到達する**直射日光**と、大気中で散乱した後に地上へ到達する**天空光**とに分けられます。

全天空照度 周囲に障害物がない屋外での、天空光による水平面照度で、<u>薄曇り日が最も高く、快晴日はその$\dfrac{1}{5}$程度の低い値</u>になります。

昼光率（ちゅうこうりつ） 室内のある点（受照点）の水平面照度と、全天空照度との比率を求め、採光による明るさの指標としたものです。

$$昼光率 = \frac{室内のある点の水平照度E}{全天空照度Es} \times 100 \; [\%]$$

MEMO

昼光による室内の照度は、天候や時刻による天空の明るさの変動に伴って大幅に変化し、特定の条件での照度を明るさの目安とすることはできないため、全天空照度との比である**昼光率**により採光による明るさの指標とする。

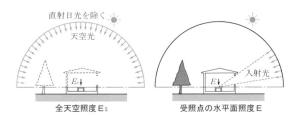

全天空照度Es　　　　　　　受照点の水平面照度E

昼光率は、天空全体からの光束のうち、室内のある点に入射する光束の割合ですので、全天空照度の変化（増減）にかかわらず、昼光率は常に一定の値になります。

窓からの直接光によるものを**直接昼光率**、内装による反射光によるものを**間接昼光率**といい、昼光率全体は、直接昼光率と間接昼光率とを合

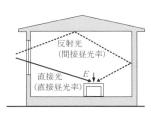

昼光率＝直接昼光率＋間接昼光率

計した値になります。間接昼光率は、天井・壁仕上の反射率によって値が変わるため、昼光率全体も影響を受けます。

【3】採光

　室内の照度分布の均一さの目安には、室内の平均照度に対する最小照度の比率である**均斉度**を用います。

$$均斉度 = \frac{室内の最小照度}{室内の平均照度}$$

❶ 高い位置の窓（高窓）ほど均斉度は高くなります。位置が低いと、窓近くは明るくなりますが、室の奥は暗くなります。

❷ 横長窓よりも縦長窓のほうが、均斉度は高くなります。

❸ 一体の窓よりも、分割して分散配置するほうが、均斉度は高くなります。

❹ 天窓は採光量が大きく、同じ面積の側窓の3倍の面積とみなされます。

❺ すりガラスなどの光の拡散性の高い材料を用いると、採光量は減少しますが、均斉度は高くなります。

> つまり、「均斉度」とは部屋の中の暗いところと明るいところの比率ですね。

例題		
	Q	「快晴の青空」における全天空照度は、「特に明るい日（薄曇）」の$\frac{1}{5}$程度である。
	A	◯

2 照明

【1】光源の色温度・演色性

色温度 光源が発する光の色を数値で表したもので、色温度が高いほど青白く冷たい感じ（蛍光灯、水銀ランプ等）、低いほど赤く暖かい感じ（白熱灯等）になります。

> **色温度： 低 ➡ 中 ➡ 高**
> **色： 赤 ➡ 黄 ➡ 白 ➡ 青**
> **感じ方：暖かい➡ 中 ➡冷たい**

演色性 照明光による**物体色の見え方**についての光源の性質（照明光のもつ色の再現力）で、太陽光に照らされたときの見え方に近いほどよくなります。蛍光灯は昼光に近いが演色性がよくありません。

H29・R1・3

【2】照明方法

光源の各方向ごとの光度の分布を**配光**といい、照明方式は、この配光により**直接照明**と**間接照明**とに大きく分けられます。また、乳白色ガラスや紙障子などの透過性のある材料を通して、光源の光を拡散させる方式を**拡散照明**といい

ます。拡散照明や間接照明を用いると、まぶしさ（グレア）が減り、影になる部分は少なくなりますが、室内の器物などの立体感が乏しくなることがあります。

【3】室指数

　照明設計では、視作業面での必要照度を確保するため、照明器具の種類、数、配置を決めるための照明計算を行いますが、**室指数**はその際に使う**室の形状**を表す数値で、次の計算式で求めることができます。

室指数　$K = \dfrac{X \cdot Y}{H(X+Y)}$　　X, Y：室の間口と奥行
H：光源面と作業面との垂直距離

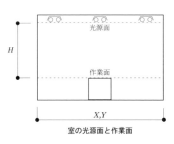

室の光源面と作業面

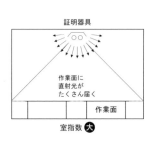

室指数 **大**

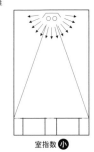

室指数 **小**

　したがって、**室指数**が小さいほど、室が天井高に比べて水平方向に狭い形状であることを示し、光源と作業面の距離が離れるほど室指数は**小さくなります**。

R5

3 　熱

■ 伝熱

【1】熱の移動

　水が高い所から低い所に流れるように、熱は常に高温側から低温側に移動します。熱移動の基本形態には、伝導（熱伝導）、対流（熱対流）、放射（熱放射）の３つがあります。

伝導（熱伝導）　熱が物質を伝わって移動する現象。
固体だけでなく液体や気体にも生じますが、高密度の物質ほど熱を伝えやすいため、伝熱は固体が最も大きく、液体、気体の順に小さくなります。

対流（熱対流）　熱が気体や液体など、流体の循環によって移動する現象。

放射（熱放射）　熱が物体から物体へ直接、電磁波の形で移動する現象。

太陽の発する熱（日射）が、空気のない大気圏外を通過して地球に届くように、真空中でも熱は伝わります。_{R1・4}

「熱伝導」は使い捨てカイロ、「熱対流」は温風式ストーブ、「熱放射」は電気ストーブをイメージしてください。

【2】壁体の伝熱

建築物の壁体などでの熱移動を、熱伝達、熱伝導、熱貫流（かんりゅう）という３つの過程として考えます。

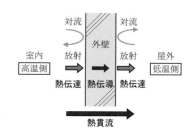

熱伝達　空気から壁面、または、壁面から空気という、**気体と固体の間の熱移動**で、空気の対流と、他の物体からの放射という２つが関係し、**対流熱伝達率、放射熱伝達率**の合計が全体の熱伝達率（**総合熱伝達率**）となります。固体の単位面積当たり、温度差１℃当たり、１時間当たりの空気から壁面への熱移動量を**表面熱伝達率**といいます。

熱伝導率　壁を構成する各材料の内部での「熱の伝わりやすさ」を示し、値が大きいほど熱が伝わりやすいことを表します。

熱伝導抵抗　熱伝導率の逆数に材料の厚さを掛けた値で、この値が大きいほど熱が伝わりにくいことを表します。多層壁の熱伝導抵抗は、材料ごとの熱伝導抵抗の合計値になります。

熱貫流　高温側の空気から壁面への**熱伝達**、壁面から反対側の壁面への**熱伝導**、そして壁面から低温側の空気への**熱伝達**という連続した熱移動を、全て総合した過程（**熱通過**）のことです。壁の単位面積当たり、温度差１℃当たり、１時間当たりの移動量を**熱貫流率**といい、熱伝達抵抗と熱伝導抵抗の和の逆数となります。_{R4}

熱貫流抵抗　熱貫流率の逆数で、**熱伝達抵抗**と**熱伝導抵抗**の和によって得られ、値が大きいほど熱が伝わりにくいことを表します。

熱損失係数　建築物の断熱性能評価の指標であり、その値が小さいほど断熱性が高くなります。

熱容量　物質の温度を１℃高めるのに必要な熱量のことです。

比熱　質量１kgの物質の温度を１℃高めるために必要な熱量のことです。

容積比熱 容積（体積）１㎥の物質の温度を１℃高めるために必要な熱量のことです。

つまり「熱伝達」は気体と物体の間の熱移動、「熱伝導」は物体内部の熱移動、２つを合わせたものが「熱貫流」ですね。

【伝熱に関するポイント】

❶ 材料が水や湿気を吸収すると（含湿率が大きくなると）、**熱伝導率が大きく**なります。これは、材料内部の熱伝導率の小さい空気が、それよりも熱伝導率のはるかに大きな水と入れ替わるためです。

❷ 材料のかさ比重が大きいほど、一般に熱伝導率が**大きく**なります。これは、材料内部に含まれる気泡が少ないほど、熱が伝わりやすいためです。

❸ 空気は熱伝導率が小さいので、壁体内に空気層を設けると断熱性能が向上しますが、空気が流動すると、**対流により熱伝導率は大きくなります。**したがって、断熱においては、**空気層は20㎜程度が効果的**で、20～30㎜を超えると、内部に対流が生じて断熱効果は悪くなります。

❹ 中空壁体内の空気層側に、アルミ箔などの反射性の高い材料を張ると、放射による伝熱が減少するため、熱抵抗は約**2倍**になります。

【3】 **建物全体**

　外皮平均熱貫流率とは、外壁や窓等の外皮における熱貫流率の平均値で、内外の温度差１℃当たりの**総熱損失量**（換気及び漏気による熱損失を除く）を外皮表面積で除した値をいいます。これは、建物の断熱性能評価の指標であり、その値が小さいほど断熱性能が高くなります。

外皮の熱貫流

$$外皮平均熱貫流率 = \frac{単位温度差当たりの総熱損失量}{外皮面積}$$

14

2 結露

結露は、壁体各部の温度が低下したとき、これに触れた空気が冷却されて露点温度以下になり、空気中の水蒸気が凝縮して水滴に変わる現象です。

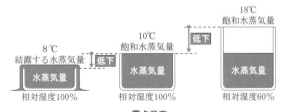

飽和水蒸気量
■ある温度の空気が、最大限含むことのできる水蒸気量を飽和水蒸気量という。
■温度が下がると、飽和水蒸気量は少なくなる。

【1】 表面結露・内部結露

結露は、発生する部位により、外壁や窓ガラスの表面に発生する**表面結露**と、壁体や材料の内部に発生する**内部結露**とに分けられます。

熱と同様に空気中の湿気（水蒸気）も、壁体を通過して、水蒸気分圧の高い側から低い側へと移動します。壁体各部の温度変化に伴って水蒸気分圧も変化し、露点温度以下になると**飽和水蒸気分圧**をこえて結露します。

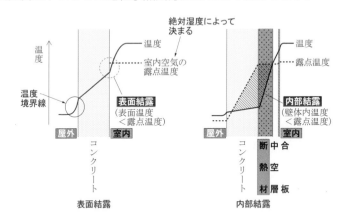

熱橋　外壁の隅角部は、室内側よりも屋外側のほうが表面積が大きいため、一般の壁面より熱が逃げやすい部分です。また、構造体の一部に極端に熱伝導率の大きな部分があると、その部分に熱が集中して流れ、室内側に表面結露が発生しやすくなります。このような部分を**熱橋（ヒートブリッジ）**または、**冷橋（コールドブリッジ）**と呼びます。

【2】相対湿度・絶対湿度

相対湿度 空気中の水蒸気分圧の、その温度における飽和水蒸気分圧に対する割合です。

絶対湿度 空気中の水蒸気質量の、乾燥空気質量に対する割合で、空気中に含まれる**水蒸気量**を示します。絶対湿度が同じ場合には、空気中の水蒸気の絶対量は変わらないため、その空気の露点温度は変化しません。また、**乾球温度**が同じなら、相対湿度の高い方が、**絶対湿度も湿球温度**も高くなります。

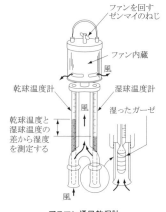

ファンを回すゼンマイのねじ
ファン内蔵
風
乾球温度計
湿球温度計
湿ったガーゼ
乾球温度と湿球温度の差から湿度を測定する
風
風

アスマン通風乾湿計

むし暑い（湿度が高い）ときは、風が当たっても汗が乾かないので体感温度が下がりませんね。

例題	**Q** 表面結露の発生の有無は、「表面近傍空気の絶対湿度から求まる露点温度」と「表面温度」との大小によって判定することができる。
	A ○

4　空気（換気）

1 換気

　室内で発生する熱、水分、粉じん、有毒ガスなどを排除して、新鮮な空気に入れ替えることを**換気**といいます。換気は、自然換気、機械換気に大別されます。

【1】自然換気

　窓を開けると、室内と屋外の空気が自然に入れ換わります。このような**自然換気**の現象は、気圧の高い側から低い側へと向かう気流によって生じます。この自然換気には、風力換気と重力換気（温度差換気）があります。

風力換気 **風圧力**が駆動力となる換気です。風上側壁面には圧縮力（正圧）が、風下側壁面には引張力（負圧）が作用し、風圧力の大きい壁面の開口部から屋外の空気が流入し、風圧力の小さい壁面の開口部から室内の空気が流出し、

換気が行われます。

- 換気量は、「開口部面積」「風速」「流入側と流出側の風圧係数の差の平方根」に比例します。
R3

重力換気（温度差による換気）　冬期の暖房時、暖められた空気は軽いため上昇し、室の上部では空気が圧縮されて高圧になり、室の下部では空気が希薄となり低圧になります。上部開口部では、気圧の高い室内から屋外へ流出し、下部開口部では、気圧の高い屋外から室内へ流入します。夏期の冷房時には圧力の関係が逆転し、空気は上部開口部から流入し、下部開口部から流出します。
R4

- 換気量は、「開口部面積」「室内外の温度差の平方根」「上下開口部中心間の垂直距離の平方根」に比例します。
H29・R6

空気は温まると膨張しようとして気圧が高くなります。窓を開けるとその気圧の高い空気が外に逃げて、その分だけ外の空気が内へ流入します。

冬期の暖房時　　　　　　室内と屋外の圧力差

用語
風圧係数
各部が受ける風圧力の大きさと作用方向を表す係数で、風向きとそれを受ける各部の形状に関係する。

風圧係数の例

MEMO
中性帯とは、温度差による自然換気の場合、室内外の圧力差が0になる垂直方向の位置をいい、この部分に開口部を設けても、換気はほとんど生じない。
R3

- 上下に大きさの異なる2つの開口部がある室においては、大きな開口部における内外圧力差は、小さな開口部に比べて小さくなります。このため、中性帯の位置は開口部の大きい方へと近づくことになります。
R3・6

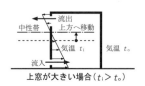
上窓が大きい場合（$t_i > t_o$）

【2】**機械換気**

機械換気は強制換気ともいい、送風機（ファン）と自然換気口との組合せにより、第1種から第3種までの方式に分けられます。

第1種機械換気方式（**機械**給気＋**機械**排気）

　給気、排気ともに送風機を用いる方式で、換気量が大きく、安定した換気を行えるため、室内気圧を正圧にすることも、負圧にすることもできます。劇場・映画館などの大空間居室、地下空間、業務用厨房などに適しています。

第1種機械換気方式

第2種機械換気方式（**機械**給気＋**自然**排気）

　給気に送風機、排気に自然換気口を用いる方式で、室内は正圧になります。外部の汚染空気が室内に流入するのを避ける清浄室（クリーンルーム、手術室）に適しています。

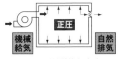

第2種機械換気方式

第3種機械換気方式（**自然**給気＋**機械**排気）

　給気に自然換気口、排気に送風機を用いる方式で、室内は負圧になります。室内の汚染空気（臭気、熱、水蒸気を含む）が流出するのを避ける汚染室（便所、浴室、厨房）に適しています。
H30・R6

第3種機械換気方式

コロナ対応の「陰圧式の病室」は、第3種ですね。

 覚え方 「完全二刀流で救世主としてはい上がる」
　　　　　換　両方　　給　　　　　　排
　　※　第1種〜第3種の順

例題

Q 厨房の換気方式においては、一般に、臭気の周辺諸室への流出を防ぐために、第一種機械換気方式又は第三種機械換気方式が採用される。

A ○

2 換気設計

【1】 室内汚染質濃度

　一酸化炭素、二酸化炭素、相対湿度、粉じんの許容濃度の目安は以下のとおりです。

❶ 一酸化炭素　6ppm（0.0006%）以下

❷ 二酸化炭素　1,000ppm（0.10%）以下

❸ 相 対 湿 度　40%以上70%以下

❹ 浮遊粉じん　0.15mg/m³以下
　　　　　　　H29・R1・3・6

MEMO

1 ppm＝1×10⁻⁶＝
0.000001＝0.0001%

　一酸化炭素は二酸化炭素より厳しい数値となっています。

覚え方 「イチ ロー ニッコリ 先人超えた」
　　　　 －　 6　 ＝　　　1,000

【2】 必要換気量

　室内の汚染質濃度を許容濃度以下に保つため1時間当たりに必要な空気を入れ替える必要量のことです。必要換気量は、二酸化炭素1,000ppm以下を基準とする場合が多く、一般に、1人当たり30m³/h程度とされます。
　　R4

　必要換気量は、汚染質発生量に対して、その濃度を許容濃度以下に保つために必要な最小の換気量のことで、単位時間当たりの室内の汚染質発生量を室内の汚染質濃度の許容値と外気の汚染質濃度との差で除して求めることができます。

$$Q = \frac{M}{C - C_o}$$

Q：必要換気量　　　　　　M：汚染質発生量
C：室内の汚染質許容濃度　C_o：大気（新鮮外気）の汚染質濃度

【3】 換気回数

　換気回数とは、単位時間当たりの換気量を室容積で除した値で、室容積の大小にかかわらず、換気の程度を表すのに用いられます。したがって、換気量が一定の場合、室容積が大きいほど換気回数は少なくなります。
　　　　　　　　　　　　　　　　　　　　　H29・R2

$$\text{換気回数 [回/h]} = \frac{\text{換気量[㎥/h]}}{\text{室容積 [㎥]}}$$

必要換気回数は、住宅居室で0.5回/h以上、厨房で30〜60回/hです。

営業用の厨房は、一般に窓のない浴室よりも換気回数を多く必要とします。_{H30}

【4】気流（風速）

気流が大きすぎる場合、気流分布が不均一な場合などにおいては、不快感が生じます。事務所室内においては気流を0.5m/s以下とします。
_{R1・6}

【5】換気経路

給気口から排気口に至る**換気経路を短くする**方が、室内の換気効率は**悪くなります**。
_{H30・R2・4・5}

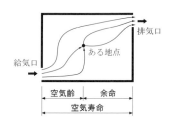

【6】全般換気と置換換気

❶ 全般換気

室内空気を攪拌しながら汚染質濃度を希釈する完全混合の換気方式です。

❷ 置換換気

設定温度よりやや低温の空気を床面付近から緩やかに吹き出し、室内の発熱により暖められた空気を浮力により天井付近から排出する方式で、空気が上昇するときに汚染物質をも上昇させて排出させることができます。新しい空気がピストンのように風下の古い空気を押し出す**ピストンフロー**で、全般換気に比べて、換気効率が高くなります。
_{R2}

置換換気は、いわばトコロテン方式ですね。

【7】熱交換器

熱交換器とは、ある熱媒から他の熱媒へ、熱媒同士を混合させずに熱を移動させ、加熱、冷却をする機器をいい、次の2種類に分けられます。

| 顕熱交換器 | 顕熱（温度）のみを回収します。 |
| 全熱交換器 | 顕熱に加え水蒸気などの潜熱（湿度）も回収します。 |

全熱交換器は、室内の排気から熱や水蒸気を吸収して、取り入れた外気に移し換える（新鮮空気と排気との間で、**温度と湿度を同時に交換**する）ため、**換気による熱損失や熱取得を軽減**できます。
R2・4

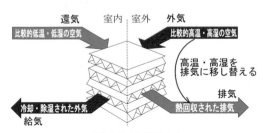

※空気状態は夏期を示す

熱交換器はあくまで「換気」のシステムです。冷暖房と間違えないようにしましょう。

> **用語**
> **顕熱**
> 物体の状態（固体・液体・気体）を変えずに温度変化だけに使われる熱をいう。

> **用語**
> **潜熱**
> 温度を変えずに状態変化だけに使われる熱をいう。水（液体）が水蒸気（気体）に変わるときに吸収される**蒸発熱**、その反対の過程で放出される**凝縮熱**などである。

5 音

1 音の性質

【1】音の進み方

音は、空気中でおきた物体の振動や爆発によって、空気が希薄になった部分（疎：最も気圧の低い部分）と圧縮された部分（密：最も気圧の高い部分）とが規則的に生じ、その波（音波）が空気中を移動する現象です。したがって、音波は空気の振動する方向が進行方向と一致するために縦波、また、疎と密とが交互に並ぶために疎密波と呼ばれます。
R4

なお、空気中を音が伝わる速度を音速といいます。音速は気温が高くなるほ

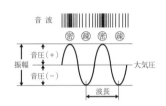

ど速く、気温15℃（常温）のとき340m/sです。

【2】音の高低

音の高低は**周波数**［単位Hz］で決まり、周波数が高い（波長が短い）音は高く、周波数が低い（波長が長い）音は低く聞こえます。

また、人が知覚する主観的な音の大小を**ラウドネス**といい、人間の聴覚は、周波数の高い音（高音）には敏感ですが、周波数の低い音（低音）は聴き取りにくいという特性をもっています。そのため、音の強さや音圧が同じでも、**高音は大きく、低音は小さく聞こえます**（人間の可聴範囲は20Hz～20KHz）。

【3】音の屈折・回折

音には、水面に生じる波などと同様に、反射・屈折・透過のほか、回折・干渉という現象があります。

音波　低温　高温

反射　屈折

$θ_i < θ_t$
音の進み方

屈折　温度の異なる空気の境界で、音の進行方向が変わる現象です。温度差が大きい程、角度の変化は大きくなります。冬の晴天日には、昼間は地表付近の気温が上昇し、音が気温の低い上方へ向かって屈折しますが、夜間には地表付近の気温が上方より低くなるため、**音が地表面に向かって屈折し、昼間よりも遠くまで音が届く**ことがあります。

冷え込みの厳しい冬の夜間、普段聞こえない遠くの電車の音が聞こえるのはこのためですね。

回折　音が障害物の裏側まで回りこむ現象です。**高音は直進**する傾向が強く、周波数が低い**低音のほうが回折**は生じやすいため、塀や高速道路の遮音壁などは、一般に、音の回折現象によって、低音よりも**高音の遮断に有効**です。

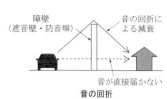

障壁
（遮音壁・防音塀）
音の回折による減衰
音が直接届かない
音の回折

【4】音の物理量のレベル表示

人間の感覚は物理的な刺激量の対数に比例するとされており、音の物理量は対数を使うことで適切に表すことができます。そこで、基準になる音に対する比率を求め、その対数から算出した値を「**レベル**」と呼び、dB（デシベル）と

いう単位で示します。

【5】 点音源からの距離減衰

　点音源が発する音の強さは、音源からの距離の2乗に反比例します。例えば、音源からの距離が2倍になると、音の強さは$\frac{1}{4}$になります。これは、同じ強さの音が4倍の面積に拡散するためです。また反対に、<u>点音源からの距離が$\frac{1}{2}$になれば、音の強さは4倍になります</u>。したがって、<u>音の強さのレベル（＝音圧レベル）は、距離が2倍になると約6dB減少し</u>、反対に<u>距離が$\frac{1}{2}$になると約6dB増加</u>します。

R2・6

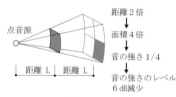

点音源

距離L　距離L

距離2倍
面積4倍
音の強さ1/4
音の強さのレベル
6 dB減少

点音源の距離減衰

音源が2つになると3dB増加、距離を2倍離すと6dB減少、これを知っているだけで受験上も実務上も役立ちます。

【6】 マスキング効果

　聴覚の**マスキング**は、聴きたい音（目的音）が、他の音にマスクされて聴き取りにくくなる現象のことです。一般に、マスクする音が大きいほど、<u>周波数が目的音の周波数に近いほど</u>、また<u>目的音よりマスクする音の周波数が低いほどマスキング効果が大きくなります</u>。

H29

R4・6

【7】 カクテルパーティー効果

　人には、さまざまな音が混在して聞こえる場合でも、**特定の音だけを選択して聴取する能力**があります。この特性は、多くの話し声の聞こえるパーティーで、話し相手の声だけを選んで聴くことができることから、カクテルパーティー効果と呼ばれます。

ひょっとしたら、自分の悪口だけよく聞こえる地獄耳の上司もカクテルパーティー効果？

【8】 固体音（固体伝搬音）

　鉄やコンクリート等の構造躯体中を伝わる**振動**がそのまま伝搬し、壁や天井

等の表面から空間へ放射される音をいいます。

2 反射・吸収・透過

音が壁などに入射したとき、図のように一部は反射され、残りが壁に吸収され、さらにその残りが壁を透過して隣室の空気中に放射されます。

吸音は吸収音や透過音を増やすことで、反射音を減らします。また、遮音は反射音や吸収音を増やすことで、透過音を減らします。

【1】吸音

吸音率は、壁などに入射した音（入射音）に対する、反射音以外の、吸収音と透過音の合計の比率であり、次式で示されます。

$$吸音率\alpha = \frac{吸収音と透過音のエネルギー}{入射音のエネルギー}$$

❶ 吸音率は周波数によって異なり、低音（周波数の低い音）よりも、高音（周波数の高い音）のほうが吸収されやすいため、値が大きくなります。

❷ 壁や天井などにおいて、複数の材料で構成される場合、各材料の吸音率の平均値である平均吸音率を用います。

❸ 遮音材は入射音に対して透過する音が小さく、吸音材は入射音に対して反射する音が小さい材料です。したがって、吸音材は音響透過率が高く、遮音性能は低くなります。
_{R5}

【2】多孔質材料吸音構造

多孔質材料（グラスウール等）の吸音率は、材料が厚いほど大きく、また、高音域では大きく、低音域では小さくなります。多孔質材料は、コンクリー
_{R3・5}

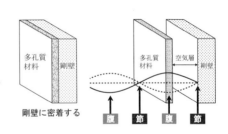

24

トなどの剛壁に密着させるか、背後に空気層を設けて取り付けられますが、<u>空気層が厚いほど、また、吸音材料が厚いほど、**低音域**での吸音率が大きくなります。</u>

H30・R3

【3】 板状材料吸音構造

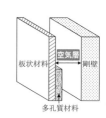

　板状材料吸音構造は、特定の周波数付近の音に対して、板が共振して振動し、音のエネルギーの一部が熱エネルギーに変わって吸収される構造です。板を剛壁に密着させずに空気層を確保します。共振周波数は200Hz以下のため、**吸収できるのは低音域に限られ、中音・高音域の吸音率は小**さくなります。

　また、背後空気層に**多孔質材料**を入れると、低音域の吸音率が大きくなります。多孔質材料は高音を吸収しやすい材料ですが、この場合には板の背後に設けられるため、高音域の吸音には効果がありません。

【4】 孔あき（穿孔）板材料吸音構造（共鳴器型吸音機構）

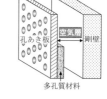

　孔あき板状材料吸音構造は、背後空気層の空気をばねとした振動系を形成し、共鳴によって音エネルギーが摩擦などの熱エネルギーに変わって吸音する共鳴器型の吸音機構で、各部の形状や寸法を変えることにより、さまざまな周波数の音を吸収できることに特徴があります。

❶ **背後空気層が厚いほど、低音域**の吸音率が高くなります。

❷ **多孔質材料**を入れると、<u>全周波数帯で吸音率が大きくなります。</u>
H30

❸ 板の表面積に占める孔の**開口率**を大きくすると、高音域の吸音率が高くなります。

開口率 **大**
↓
高音の吸音が大

開口率 **小**
↓
低音の吸音が大
（板状材料の特徴として）

コンサートホールのステージと反対側の壁などは、有害な反射を防ぐためこの構造を採用していることが多いですね。

3 遮音

音が壁を透過する現象は、壁面に入射した音波によって壁が微小振動し、反対側の空気に振動を伝えることで生じます。**遮音**は、この透過音を減らすことによって、騒音などを遮断することを目的とします。

【1】遮音性能

透過率 壁などに入射した音（入射音）に対する、反対側へ透過する音（透過音）の比率です。透過率が大きいほど、透過する音の比率が増えるため、遮音性能は**低く**なります。

$$透過率 \tau = \frac{透過音のエネルギー}{入射音のエネルギー}$$

透過損失（音響透過損失） 壁などに入射した音（入射音）のうち、透過しない音（損失した音＝反射音＋吸収音）の量をレベルで表した値で、透過損失が大きいほど、遮音性能が高いことになります。
H30

入射音　80dB　壁　透過音　50dB

MEMO
上の壁の透過損失
は80－50＝30dB

また、「音の強さのレベル」により、次のように表すことができます。

　　TL 透過損失＝（入射音の音の強さのレベル）－（透過音の音の強さのレベル）

【2】質量則

壁の単位面積当たりの質量を**面密度**〔kg/㎡〕と呼び、重い材質の壁、又は、同じ材料であれば厚い壁ほど面密度が大きくなります。単層壁の場合は、壁の**面密度が大きいほど**、**透過損失が大きく**（遮音性能が良く）なり、これを**質量則**といいます。
H30

【3】単層壁の遮音性能

コンクリート間仕切壁などの単層壁の遮音性能は、一般に、壁の**面密度が大きい**ほど、また、**周波数が高い**（高音域）ほど、**透過損失は大きく**なります（高
R3・5
音は遮音しやすいが低音は遮音しにくい）。

【4】 コインシデンス効果

　入射音と壁が共振により激しく振動して、音が壁を透過しやすくなる（遮音性能が低下する）現象をコインシデンス効果といいます。**コインシデンス効果は、比較的周波数の高い音（中・高音域）で生じます。**

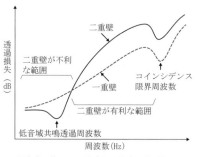

面密度の等しい一重壁と二重壁の透過損失

【5】 中空二重壁

　内部に中空層をもつ二重壁は、特定の周波数において、空気層を通じて2つの壁が共振する共鳴透過（低音域共鳴透過）という現象が生じ、透過損失が著しく**減少**します。二重壁は、中・高音域では透過損失が**大きい**ものの、低音域では共鳴透過によって透過損失が大きく**減少**し、一重壁よりも不利になります。

マンションのRC造の戸境壁にボードを張ったら、人の話し声がつつ抜けに…昔からよくある不具合です。

【6】 遮音等級

　室間音圧レベル差に関する遮音等級　隣接する室での空気音を遮断する性能を対象とします。音源室と受音室の音圧レベル差を測定し、Dr−60〜30という等級（D値）で示します。**数値が大きいほど、遮音性能が高いことを表します。**
R3・5

　床衝撃音レベルに関する遮音等級　上下階を隔てる床への衝撃音（固体音）を遮断する性能を対象とします。音源室に設置した床衝撃音発生装置で加振したときの下階の音圧レベルを測定し、Lr−30〜80という等級で示します。**数値が小さいほど、遮音性能が高いことを表します。**
R3

　床衝撃音には、子供がとび跳ねたときのような**重量床衝撃音**と、食器類のよ

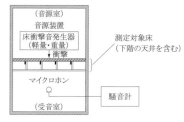

床衝撃音レベルの測定法

うな軽いものを落としたときのような**軽量床衝撃音**とがありますが、その両方が対象となります。

4 音響計画

【1】残響

　室内に発生した音は壁や天井などで反射し、音源が停止した後も室内に残り、これを**残響**といいます。音源が停止してから音圧レベルの値が**60dB減衰する**までの時間を**残響時間**といい、室内の音響計画の目安として用います。これは室内の平均音響エネルギー密度が、$\dfrac{1}{10^6}$（**100万分の1**）になるまでの時間に相当します。

　残響時間は、発生音の大小には関係なく、**室容積が大きいほど**、室内の**等価吸音面積（吸音力）が小さいほど**、長くなります。

【2】エコー

　直接音に続いて、天井や壁などに反射した反射音が達する場合、時間差が$\dfrac{1}{20}$秒を超えると2つの音に分離して聞こえ、この反射音を**エコー**といい、室内の音響効果の障害になります。さらに、向き合う平行な壁の吸音性が低いと、音が同じ経路を往復（多重）反射して長時間持続し、特殊な音色で聞こえることがあり、これを**フラッターエコー**といいます。

簡易的には、部屋の中央付近で「パーン」と手をたたくと、フラッターエコーが発生しやすいかどうか確認できます。なお、山びこのように時間にずれのある反射音は**ロングパスエコー**といい、フラッターエコーとは別の現象です。

例題

Q 透過率は、「壁へ入射する音のエネルギー」に対する「壁の反対側へ透過する音のエネルギー」の割合であり、透過損失は、透過率の逆数を「dB」で表示した値である。

A ○

6　色　彩

1　色彩の表示

【1】 マンセル表色系

マンセル表色系では、色相・明度・彩度という3つの記号の組合せで1つの色を表し、これを3属性と呼びます。この3属性を基準とし、代表的な色を立体的に並べたものが**マンセル色立体**で、円周方向を色相、鉛直軸方向を明度、半径方向を彩度として配置しています。このような図示の方法を円筒座標系といいます。

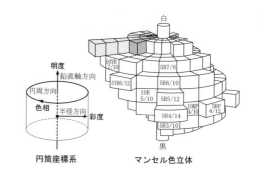

円筒座標系　　　マンセル色立体

色相　色合いを表し、基本となるR（赤）、Y（黄）、G（緑）、B（青）、P（紫）の5色に、中間の5色であるYR、GY、BG、PB、RPを加えた10色相で示し、さらに2.5、5、7.5、10の4段階に区分し、「2.5R」「5YR」のように英字の前に数値を付けて表記します。これを円環状に配置したものを**色相環**といいます。

明度　明るさを表し、理想的な黒を0、理想的な白を10として表します。マンセル色立体では、鉛直軸方向で示します。

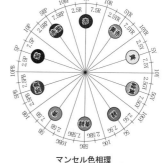

マンセル色相環

彩度　鮮やかさを表し、無彩色を0として、鮮やかさが増すほど値が大きくなる。マンセル色立体では、無彩色軸からの距離で示します。

例えば、マンセル記号「5BG 3/6」は最初の「5BG」が色相（青緑）、次の「3」が明度、最後の「6」が彩度を表します。

MEMO

マンセル記号
「色相 明度/彩度」
「5BG 3/6」
➡5BG　色相
　　3　明度
　　6　彩度

「色・明・彩」は、色の3属性。順番をしっかり覚えましょう。

覚え方 「<u>色</u>は<u>明</u>るいのが<u>最高</u>」
　　　　　色相　明度　　　　　彩度

例題

Q マンセル表色系では、無彩色以外の色彩を2PB 3/ 5 のように表現し、2PBが色相、3が彩度、5が明度を示す。

A ✗　正しくは、2PBが色相、3が明度、5が彩度を示す。

【2】有彩色・無彩色

　色相・明度・彩度の3属性をもつ色を**有彩色**といい、色相と彩度がなく、明度だけをもつ色を**無彩色**（白・灰色・黒）といいます。色相環を中心に点対称の対応色を混ぜると無彩色となり、このような対角線上にある2つの色を**補色**といいます。

2 色彩の心理効果

【1】対比

　2つの色が影響しあって、その違いが強調される現象を**対比**（対比効果）と呼びます。図色と背景色との明度差が強調される**明度対比**、彩度差が強調される**彩度対比**、色相差が強調される**色相対比**、また、補色関係にある2色でそれぞれの彩度が高まって見える**補色対比**などがあります。

暗く見える　明るく見える
明度対比

【2】面積効果

　面積の大きなものほど、明度・彩度が高く見えます。そのため、壁紙や塗装の色を面積の小さな色見本で選ぶときには、明度・彩度の低い色を選ぶほうがよいとされています。

色見本

壁に張ると色見本よりも
明度・彩度が高く見える

面積効果

【3】 物理的な感覚の連想

温度感覚　色相のうち、赤・黄赤（き あか）・黄は、暖かく感じられるため暖色とよばれ、青緑・青・紫青（し せい）は、冷たく感じられるため寒色と呼ばれます。

重量感覚　明度が低く暗い色は、重い感じを受け、明度が高く明るい色は、軽い感じを受ける。室内の配色では、天井を明度の高い色、壁を中間の明度、床を明度の低い色にして安定感を与えることが多くなります。

距離・大きさ感覚　暖色系の色や明るい色は、実際よりも近く見える進出色になり、寒色系の色や暗い色は、遠く見える後退色になります。また、明るい色は、同じ面積でも大きく見える膨張色になり、暗い色は、小さく見える収縮色になります。

　一般構造からは例年4〜5問出題されます。本来は範囲が広く、特に構造が不得手な人は、高得点を狙った学習をすると多くの時間がとられ、学習全体のバランスを崩します。ただ、繰り返し問われる内容も少なくないため、ポイントを押さえた学習で、失点を最小限に抑えて5割以上得点することを目標にしましょう。

　なお一般構造を初めて学習される方は、よく登場する用語や応力度、許容応力度について、下の表と囲みで押さえておきましょう。

一般構造でよく登場する用語

用　語	意　味
弾　性	元の形に戻る（例：消しゴムを押しても元に戻る）
塑　性	元の形に戻らない＝**変形が残る**（例：陶器にヒビが入ると元に戻らない）
靭　性	粘り強さ＝変形能力に富み、粘りがある**➡曲げ破壊**
脆　性	急にグシャッと壊れる（抵抗力が急激に低下する）＝破壊に至るまでの変形能力が乏しく、粘りがない**➡せん断破壊**
塑性変形能力	元の形に戻ることなく、じわじわ耐えつつ変形する能力＝部材などが降伏し（壊れて）、塑性状態（元に戻らない状態）になっても、抵抗力が急激に低下せず（急にグシャッと壊れず）、ゆっくりと変形し続ける＝**靭性がある**

曲げ破壊　　せん断破壊

応力度≦許容応力度

- 応　力　度➡部材に生じる力（例：地震力などにより生じる力）
　　　　　　＝力／断面積など（応力計算で求めた値）
- 許容応力度➡部材（建物）が持っている力（例：地震などに耐えられる力）
　　　　　　＝材料・応力の種類ごとに値が定められている

短期許容応力度＞長期許容応力度

- 短期許容応力度➡「10分間ならその力が働いても大丈夫」という限界値
　　　　　　　＝地震力など（材料強度いっぱい・安全率1.0）
- 長期許容応力度➡「50年間その力が働いても大丈夫」という限界値
　　　　　　　＝固定荷重、積載荷重など（材料強度に安全率をみて値を下げる）

1　地盤

1　地層

【1】地層

① **洪積層**　約200万年～1万年前に堆積してできた土層で、強く固結していることが多く、建築物の支持地盤になります。

② **沖積層**　約1万年前～現在にかけて洪積層の上に堆積してできた、比較的新しい時代の地層で、一般に**軟弱**な地盤です。

洪積層は沖積層より強くしっかりした地盤です。高校生は中学生より強い？

2　土粒子・土の特性

【1】土粒子と土の構造

　土粒子の大きさは、粘土＜シルト＜砂＜れきの順で、粘土・シルトを**粘性土**、砂・れきを**砂質土**と呼びます。土の構造は、砂質土は単粒構造、粘性土は蜂巣構造です。単粒構造である砂質土は土粒子同士が互いに角で接触し、かみ合っている状態です。一方、蜂巣構造である**粘性土は間隙が多く、圧密沈下につながります。**

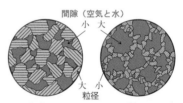

間隙（空気と水）
小　大
大　小
粒径
単粒構造（砂・れき）　蜂巣構造（粘土・シルト）

R4

【2】液状化と圧密沈下

① **液状化**　液状化は、水で飽和した砂が、地震時の振動や衝撃による**間隙水圧の上昇**により**土粒子が抵抗を失い、浮遊状態**になるために生じます。液状化した砂は水の約2倍の比重をもつ液体となるため、地中埋設物が浮き上がる現象も伴います。この液状化は、比較的浅い部分に**地下水で飽和**した**緩い砂質土層**がある場合に生じます。

H30・R4

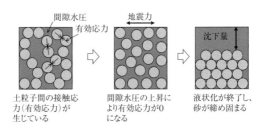

土粒子間の接触応
力（有効応力）が
生じている

間隙水圧の上昇に
より有効応力が0
になる

液状化が終了し、
砂が締め固まる

❷ 　圧密沈下　 圧密とは、長期間にわたって圧力が加わり、土中の水が排出さ
れ間隙が減少する現象です。また、圧密により地盤が沈下することを圧密沈
下といい、不同沈下の原因になります。圧密沈下による許容沈下量は、独立
基礎の方が、べた基礎に比べて小さくなります。上部構造に障害が発生する
おそれがない範囲で、総沈下量の限界値が目安として示されていて、RC造
建築物の圧密沈下の標準値は、独立基礎の場合5cm、べた基礎の場合10cm
です。

用語

不同沈下
不同沈下とは、地盤の圧密沈下や基礎構造の沈下性状の違いから、建
築物の沈下が一様でなく、**傾斜した沈下**をおこすことをいう。

例題

Q 圧密沈下は、地中の有効応力の増加により、長時間かかって土中の間隙水
が絞り出され、間隙が減少するためにおこる。

A ○

---

2 ｜ 基礎・杭

1 基礎

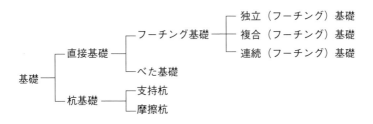

【1】 直接基礎の種類と特徴

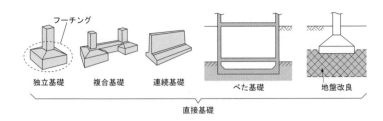

フーチング

独立基礎　　複合基礎　　連続基礎　　　べた基礎　　　　地盤改良

直接基礎

❶ 地盤の許容応力度は基礎の形状によって影響を受け、面積が同じであって
も、基礎の形状が異なれば許容応力度が異なり、<u>正方形に近づくほど大きな
値</u>となります。
<small>H30・R2・6</small>

❷ 独立フーチング基礎は、不同沈下を生じやすいですが、<u>**基礎梁の剛性を大き
く**</u>することにより**フーチングの**<u>**沈下を平均化**</u>することができます。
<small>H30・R2・6</small>

❸ べた基礎の一種である<u>**フローティング基礎**</u>は、建物重量を地階や基礎を構築
する際に排出する<u>土の重量以下</u>とすることにより、地盤中の応力が増加しな
いようにする<u>直接基礎形式</u>です。

❹ 建物に水平力が作用する場合は、<u>**基礎
の滑動抵抗の検討**</u>を行う必要があり
ます。
<small>H30</small>

❺ 直接基礎の<u>**滑動抵抗**</u>は、原則として**基
礎底面**と地盤の<u>**摩擦抵抗**</u>が主体とな
りますが、直接基礎の根入れが2m程
度以上ある場合には、<u>**基礎根入れ部前
面の受働抵抗**</u>と、**基礎側面の**<u>**摩擦抵抗**</u>を考慮することができます。
<small>R4・6</small>

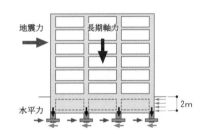

地震力　　　　　長期軸力

水平力　　　　　　　　　　　　　2m

【2】 杭基礎

【1】 杭基礎

　杭基礎には、主として先端抵抗で支持させ
る**支持杭**と、主として杭周面の摩擦抵抗で支
持させる**摩擦杭**があります。

❶ 上記分類は主にどちらの支持力を期待す
るかによる分類で、一般に<u>杭の支持力（極</u>

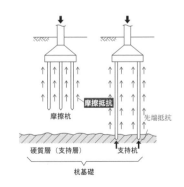

摩擦抵抗

摩擦杭　　　　　　　　先端抵抗

硬質層（支持層）　　　支持杭

杭基礎

限支持力、許容支持力など）は**先端支持力と周面摩擦支持力の和**になり、極限支持力は次の式で表されます。

> **極限支持力＝極限先端支持力＋極限周面摩擦力**
> H29・R3・5

❷ 支持杭と摩擦杭の併用は、杭の沈下量や時間変化量が異なり不同沈下による障害が発生しやすいため、異種杭の使用は原則として避けます。

❸ 支持杭による杭基礎の許容支持力算定においては、一般に**基礎スラブ底面の地盤の支持力は考慮しません。**
H29

❹ 圧密沈下する軟弱地盤において支持杭を採用する場合、支持杭は支持層に支持されてほとんど沈下しないため、周辺地盤が杭を一緒に引き下げるような下向きの**負の摩擦力（ネガティブフリクション）**が発生します。これにより、杭には建築物の荷重以上の大きな荷重がかかり、杭の軸方向力（圧縮力）は大きくなります。

負の摩擦力：摩擦杭＜支持杭
R3・5

普通、摩擦杭は建物荷重を支える方向（上向き）に摩擦が生じます。しかし、軟弱な粘性土地盤では、圧密する粘性土により、下向きに摩擦が生じることがあります。

❺ 地震時において、杭には、上部構造からの軸力・水平力・曲げモーメント等の**慣性力、**及び**杭と地盤の動的相互作用により生じる力**の２種類の荷重が作用します。杭に生じる曲げモーメントは、一般に、**杭頭部が大きく、**杭先端付近はほとんど生じません。

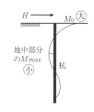

> 📝 **MEMO**
> 地震時に杭が曲げ破壊する場合には、破壊は一般的に杭上部に発生しやすい。

❻ 杭には、地震時の建築物の転倒モーメントによる引抜き力が生じる場合があります。杭の**引抜き抵抗力**は、杭周面の摩擦抵抗＋杭の自重（自重から**浮力を減じた値**）で計算します。
H29・R3・5

❼ 杭の種類による分類では、**既製杭**と**場所打ち杭**に大別されます。

❽ 既成コンクリート杭の継手の方法には、溶接のほか金具による**機械式継手（無溶接継手）**があります。

【2】 既製杭

既製杭の工法による分類

　既製杭の工法には、**打込み工法**と**埋込み工法**があり、最も重要な工法は埋込み工法—プレボーリング工法の**セメントミルク工法**です。**プレボーリング工法**は、掘削後に杭を挿入・設置します。

❶ 杭の間隔の目安は次のとおりで、打込み杭の方が大きい間隔が必要です。

打込み杭の間隔	杭径の**2.5倍以上**、かつ、**75cm以上**
埋込み杭の間隔	杭径の**2倍以上**

H29・R1・5

　なお、打込み杭の方が大きいのは、杭を打ち込むと周囲の地盤が締め固められ、あとの杭が施工不能になる危険性があるためです。

❷ 既製コンクリート杭の一種である**外殻鋼管付きコンクリート杭**の場合、鋼管の腐食対策として、防せい塗装の他、有効な**防錆措置**を行わない場合は**1mm程度の腐食代**を見込む方法があります。

R1

❸ 埋込み杭は、打込み杭に比べて極限支持力に達するまでの**沈下量が大きく**なります。

【3】 場所打ち杭

　場所打ちコンクリート杭は、地盤を掘削した孔内に鉄筋かごを挿入した後、コンクリートを打設することにより、現場においてコンクリート杭を造成するもので、その工法には、**オールケーシング工法、アースドリル工法、リバース（サーキュレーション）工法**などがあります。

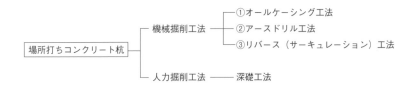

❶ 打込み杭は先端地盤が締め固められ、埋込み杭は先端地盤が根固め液で強化されるため、<u>杭先端支持力度</u>の大小関係は、次のようになります。

_{R1・3}

　　打込み杭＞埋込み杭＞場所打ちコンクリート杭

❷ <u>周面摩擦</u>は、場所打ち杭は周面に凹凸が形成されるため最も大きく、埋込み杭は孔壁との間に杭周固定液を充填することからこれに次ぎ、打込み杭は杭周面が滑らかなため摩擦が小さくなるため、その大小関係は、次のようになります。

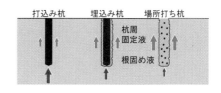

　　場所打ちコンクリート杭＞埋込み杭＞打込み杭

例題	**Q** 杭の極限鉛直支持力は、一般に、「極限先端支持力」と「極限周面抵抗力」のうち、小さい方の値とする。
	A ✕　極限先端支持力と極限周面抵抗力（摩擦力）の和とする。

3　各種の構造

1　鉄筋コンクリート構造

　鉄筋コンクリート構造は、鉄筋とコンクリートの長所を組合わせた構造で、近年材料の高強度化及び施工技術の発展により、高さ100mを超える超高層建築物にも採用されます。

【1】柱

❶ 柱の長さが、柱の最小径に比較して長いときには、座屈を考慮して柱の最小径Dの主要支点間距離hに対する比を$\frac{1}{15}$以上とします。

_{H30・R5}

❷ せん断破壊によるぜい性的な破壊を生じさせないようにするため、曲げ耐力を上回るせん断耐力を部材に与えることで、<u>曲げ破壊（降伏）がせん断破壊に先行</u>するようにします。

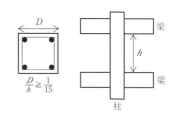

曲げ耐力＜せん断耐力にすることで、壊れるときは「曲げ」で壊れるようにします。

❸ 柱は、地震時のぜい性破壊を避けてじん性を確保するため（変形能力確保）に、**短期の圧縮応力度**（軸方向力を柱の断面積で除した値）が、コンクリート設計基準強度Ｆｃの$\frac{1}{3}$以下となるように小さくします。
_{H30・R2・4・6}

❹ 柱断面積に対する主筋の全断面積の割合は、0.8％以上とします。
_{H29・R3・6}

❺ **引張鉄筋比**（主筋量）が大きなものほど、**付着割裂破壊**やせん断破壊を生じやすくなるため、大きくなりすぎないようにします（引張鉄筋比pt≦1.0％）。

なお、付着割裂破壊とは、鉄筋の節が周辺コンクリートを押し広げる**くさび作用**によって、コンクリートの割裂を生じることで、ぜい性破壊の一種です。

> **用語**
> **引張鉄筋比**
> 引張の力がかかる鉄筋の断面積/有効断面
> ≒「主筋断面積の割合」のこと。

❻ 帯筋は直径9㎜以上の丸鋼又はD10以上の異形鉄筋で、主筋を囲む**閉鎖形**とし、その末端は135°フック余長6ｄ以上、間隔は100㎜以下とします。柱の上下端より柱の最大径の**1.5倍**または最小径の**2倍**のいずれか大きい方の範囲外では、帯筋間隔を前記数値の**1.5倍**まで広げることができます。

❼ 柱梁接合部においては、帯筋間隔は150㎜以下とし、かつ、隣接する柱の帯筋間隔の**1.5倍**以下とします。
_{R1・3・6}
_{H29}

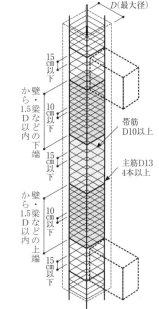

じん性を高めるには、ぜい性破壊（せん断破壊、付着割裂破壊など）を避けることが
重要です。

⑧ **せん断補強筋比（帯筋比）は0.2％以上**とします。

⑨ 帯筋は、内部コンクリートを拘束することで、主筋の座屈を
防ぎ、コンクリートの〝はらみだし〟を防止し、拘束します。
周囲から拘束されたコンクリートは、強度・じん性とも増大
します。このため、帯筋の間隔を密にすること、**副帯筋や**ス
パイラル筋などを配置すること、高強度鉄筋を用いること
などはじん性の改善に効果があります。

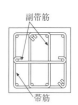

⑩ **スパイラル筋**を用いる場合、
重ね継手の長さは、**50d以**
上、かつ、**300㎜以上**とし、末
端には**フック（90°フック余**
長12d以上、135°フック余
長6d以上）を設け、柱頭及
び柱脚の末端の定着は、**1.5**
巻き以上の添え巻きとしま
す。

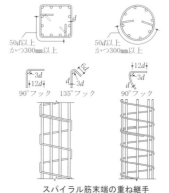

スパイラル筋末端の重ね継手　　　スパイラル筋

【2】梁

❶ 大梁は、大地震に対してねばりで抵抗させるため、部材の曲げ降伏の前にぜ
い性的なせん断破壊が生じないよう、曲げ降伏が先行するように設計します。

❷ **引張鉄筋比は、0.4％以上**、つまり、コンクリート断面積の0.4％以上としま
す。

❸ **複筋梁**とし、主筋は異形鉄筋で**D13以上**、主筋は**2段以**
下とします。

❹ **圧縮鉄筋**（梁の場合は上端筋が該当）は長期荷重のク
リープによるたわみの抑制に有効です。なお、**クリープ**

とは、長期間の荷重により、一定の荷
重で徐々に変形（たわみ）が進行する
現象です。

用語
複筋梁
上端と下端に鉄筋を配置した梁のこと。

❺ あばら筋（スターラップ）は異形鉄筋でD10以上の閉鎖形とし、末端は135°フック余長6d以上、間隔は梁せいの$\frac{1}{2}$以下、かつ250mm以下とします。
_{H30・R3・6}

> 柱・梁とも鉄筋比やせん断補強筋比などの数値はよく出題されます。しっかり覚えてください。

❻ せん断補強筋比（あばら筋比）は0.2%以上とします。

❼ 貫通孔を設ける場合は、梁端部を避け（柱面から1.5D以上離す）、孔径は梁せいの$\frac{1}{3}$以下、中心間隔は孔径の3倍以上とします。
_{H30・R1・5・6}

❽ 梁主筋に柱にフック付き定着とする場合、定着長さは、鉄筋末端のフックを含めない長さとします。

📝 **MEMO**
せん断補強筋（帯筋・あばら筋）の径が太いほど、間隔が密であるほど、大きくなる。

📝 **MEMO**
貫通孔を設けると、曲げ耐力の低下よりも、**せん断耐力の低下が大きく**、せん断補強を確実に補強しなければならない。
_{R2・3}

【3】耐震壁

❶ 壁厚は12cm以上、かつ内法（うちのり）高さの$\frac{1}{30}$以上とします。

❷ せん断補強筋比は、直交する各方向に対し、それぞれ0.25％以上とします。
_{H29・R2・5}

❸ 開口のある耐震壁では、開口隅角部には斜め引張力が、開口周囲には縁応力が生じるため、前者には**斜め筋**、後者には**縦筋及び横筋**を用いて補強します。

40d
開口
補強筋
（D13かつ壁筋以上）

❹ 地震時に建築物に生じる**ねじれを抑制**するためには（ねじれ剛性を大きくするためには）、耐力壁等の耐震要素は、中心部よりも**外周部に配置**することが効果的です。
_{R4・6}

❺ **エアコン用貫通孔や換気口等の小開口**があっても、開口部周囲が適切に補強されている場合は、剛性及び耐力の低減を行うべき開口部に該当しない耐震壁として取り扱うことができます。
_{R4・6}

【4】 スラブ

❶ 短辺方向でほとんどの荷重を負担することになるので、**短辺方向の端部、か**
つ上端の鉄筋量を多くする必要があります。

❷ 鉄筋全断面積のコンクリート全断面積に対する割合はＸＹ方向それぞれ
<u>**0.2％以上**</u>、ひび割れ対策として、ひび割れ幅を0.3mm以下に制御するには、
_{H29・R5}
原則0.4％以上とします。

❸ <u>スラブは、十分な耐力及び面内剛性を確保することで、変形は小さいことか</u>
ら無視することができ、**同一階の水平変位を等しく保つ役割をもちます。**
_{R2}

【5】 その他

❶ 腰壁、垂れ壁、そで壁の付いた柱は短柱となり、
<u>せん断破壊が生じやすくなり、柱のじん性が低</u>
<u>下するため</u>、**短柱化を避け、柱のじん性を高め**
るためには、スリットを設けて縁を切ります。な
お、梁の剛性及び応力の算定には、原則として
腰壁や垂れ壁を考慮しなければいけません。

短柱化すると、ぜい性破壊の１つであるせん断破壊が生じやすくなるため、避けなけ
ればなりません。

❷ **重心と剛心が一致しない建築物では、地震時に**
ねじれ変形が生じ、剛心が遠い構面ほど層間変
形が大きくなります。

❸ 径の異なる鉄筋を重ね継手とする場合、重ね接
手の長さは、細い方の径により算定します。

❹ 次のような問題に対応するため、**エキスパン**
ションジョイントを採用して、複数の構造的に
独立したものに分離して、影響を小さくします。

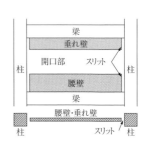

● 平面的に長大な建築物における、コンクリートの**乾燥収縮や温度伸縮、不同沈**
<u>**下等。**</u>
_{R4}

● Ｌ型やＴ型の建築物における、形状が変化する部分への**応力集中。**

● エキスパンションジョイント部のあき寸法は、地震時の建物の揺れ、温度変化
による伸縮などの**建物相互の変形量**を考慮します。

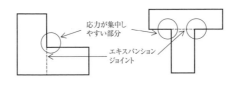

例	Q	梁のあばら筋比及び柱の帯筋比は、それぞれ0.2%以上とする。
題	A	○

2 鉄骨造

　鉄骨構造は、鋼材の高い強度と変形性能を利用した構造です。ただし、細く薄い鋼材を組み合わせて使用するため、座屈や接合などに留意する必要があります。また、耐火性の確保、防錆処置も重要になります。

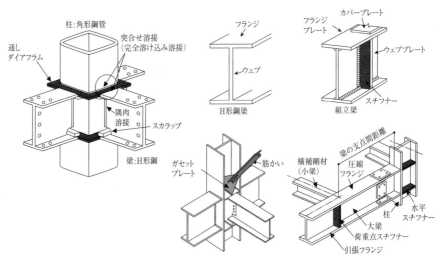

問題文の意味を理解するためには、各部の名称をしっかり覚えておきましょう。

部材又は部位名	主な役割	
フランジ	主に曲げモーメントに抵抗する R1	
ウェブ	主にせん断力に抵抗する R1	
カバープレート	曲げモーメントに対する抵抗力の補強	
スチフナー	中間スチフナー	ウェブの局部座屈補強 H29
	荷重点スチフナー	大梁の座屈補強
	水平スチフナー	柱梁接合部の座屈補強
ガセットプレート	筋かい部材や小梁などの接合プレート	
横補剛材	通常は小梁で、大梁の支点間距離を小さくして横座屈（面外座屈）を防止する目的で配置される	

※　フランジとは、H形鋼などの断面で張り出している板部分をいい、ウェブとは、梁や桁の腹部をいい、特にH形鋼の中央部分をさすことが多い。

幅厚比 λ　厚さに対する幅の比で、幅厚比が大きいことは、幅に対して薄い板となります。材料が強度を発揮する前に局部的な座屈（局部座屈）が生じないように、上限を設けています。
H29・R1・3

局部座屈
部材を構成するフランジやウェブの一部が圧縮力により局所的に座屈すること。

フランジの幅厚比＝ b/t_c
ウェブの幅厚比＝ d/t_i

- H形鋼のフランジ、ウェブの幅厚比が大きくなると局部座屈が生じやすくなります。
R3・5
- H形鋼における、局部座屈を考慮しなくてもよい幅厚比（幅厚比の上限値）

柱ウェブプレート＜梁のウェブプレート（柱の方が厳しい規定）
R3

	小	大	
幅厚比 （＝幅/厚）	局部座屈 しにくい （靭性が高い）**良**		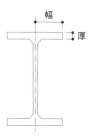
細長比	座屈 しにくい （靭性が高い）**良**		

【1】 ボルト接合・高力ボルト接合

❶ **ボルト接合**は、「ボルト軸部の**せん断力**」と「部材とボルト軸部との間の**支圧力**（2つの物体の接触面に生じる局部的な圧縮力）」で応力を伝達する機構です。

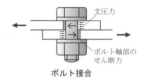

ボルト接合

❷ ボルト接合は耐力が小さいため、**延べ床面積3,000㎡以下、軒高9m以下、梁間13m以下**の建築物に使用が限定されます。

❸ **高力ボルト接合**は、高強度の高力ボルトを用いて、接合部を専用の締付け機で強く締め付け、材間の**摩擦力**や圧縮力により応力を伝達する接合法で、高力ボルト摩擦接合と高力ボルト引張接合があります。

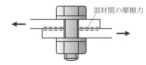

高力ボルト摩擦接合

❹ **高力ボルト摩擦接合**は、高力ボルトの締付け力によって張力を導入し、そこに生じる**材間圧縮力**から生じる**部材間の摩擦力**で、ボルト軸と直角方向の応力を伝達します。

❺ 高力ボルト摩擦接合のすべり耐力、すなわち摩擦耐力は、**摩擦面の数、すべり係数、導入張力**により決まります。

❻ **すべり係数は0.45**（溶融亜鉛メッキ高力ボルトの場合は0.4）以上必要で、原則として、摩擦面は浮きさび等を除去し赤さび状態とします。

❼ **2面摩擦接合は1面摩擦接合の2倍の許容耐力**となります。

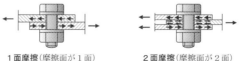

1面摩擦（摩擦面が1面）　　2面摩擦（摩擦面が2面）

高力ボルト摩擦接合は、高力ボルトにより面と面を強く密着させ、そこに生じる摩擦力によって力を伝えます。

❽ 構造上主要な部材の接合部には、ボルトは**2本以上**用い、その間隔（中心距離）は、ボルト径 *d*（公称軸径）の**2.5倍（2.5*d*）以上**とします。

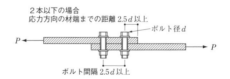

⑨ 部材の引張力によってボルト孔周辺に生じる**応力集中**の度合いは、高力ボルト摩擦接合より**普通ボルト接合の方が大き**くなります。

⑩ 高力ボルト摩擦接合は、鋼材間のすべり（ずれ）がなく、伝達面積が広いので、剛性が高く、**繰返し応力に対する疲労強度**も大きくなるため、繰返し応力による許容応力度の**低減は考慮しません**。

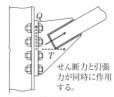

せん断力と引張力が同時に作用する。

筋かい接合部の例

⑪ せん断力と引張力を同時に受ける場合には、引張力により材間圧縮力が減少し、摩擦力が低減するため、引張力を受けないときの許容値より高力ボルトの**許容せん断応力度（すべり耐力）を低減**します。

【2】溶接

❶ 溶接は、電極間のアーク熱（放電現象の熱）で溶接棒と接合部の母材を溶かし、鋼材を一体化するアーク溶接が多く用いられます。

❷ 溶接部の断面の形式を**溶接継ぎ目**といい、完全溶込み溶接、隅肉溶接、部分溶込み溶接などがあります。

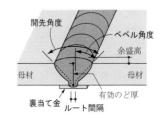

❸ 完全溶込み溶接 完全溶込み溶接は、以下のような継手部分に用いられ、接合部の全断面を完全に溶接しますので、接合部の強さ（許容応力度）は**母材と同等**となります。

突合せ継手　　　T継手　　　角継手

なお、完全溶込み溶接の場合には、接合部は、全幅を完全に溶接しなければならず、溶接の始端と終端には欠陥が生じやすいため、**エンドタブ**を用いて、始端・終端は母材外とします。

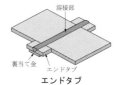

エンドタブ

❹ 余盛り 母材表面から盛り上がった部分で、滑らかに連続する形状としますが、過大なものは欠陥となるため余盛り高さは**最小**にします。ただし、T継手の余盛り高さは、溶接部近傍の応力集中を緩和す

るために重要で、部材厚の$\frac{1}{4}$を最小値とします。

❺ **隅肉溶接**　隅肉溶接は、母材の隅部に三角形の断面をもつ溶接金属にて溶接する方法で、重ね継手やT継手に用いられます。全断面を溶接できないので母材の強さより溶接部の方が**弱く**なります。隅肉溶接の場合、母材間の交角は60°～120°の範囲とします。

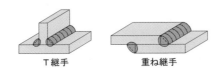

T継手　　　　　重ね継手

❻ **部分溶込み溶接**　部分溶込み溶接は、接合部の全断面を溶け込ませない溶接です。溶接部に応力が集中しやすいため、**せん断力のみ**を受ける部分に使用し、溶接線と直角方向に引張力を受ける部分や溶接線を軸とする**曲げ**を受ける部分には使用できません。

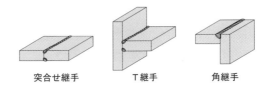

突合せ継手　　　　T継手　　　　　角継手

【3】柱脚

　鉄骨柱脚の構造形式には、露出形式、根巻き形式、埋込み形式があり、柱脚の固定度（回転拘束の程度）は次の順になります。

露出形式＜根巻き形式＜埋込み形式
H30・R4・6

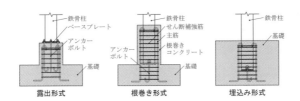

露出形式　　　　　根巻き形式　　　　　埋込み形式

【4】鉄骨造の構造的な扱い他

❶ H形鋼のようなI形断面梁では、**せん断力**は**ウェブ**に均等に分布するものとして扱います。

❷ 鉄骨造における<u>トラス構造</u>（**第3章 構造力学❸❺トラス**参照）の節点は、構造計算上、すべて<u>**ピン接合**として扱います。</u>
H30・R4

❸ トラスを構成する部材は、引張や圧縮の軸力のみを伝達するものとします。

❹ 梁の変形は、荷重に比例し、曲げ剛性に反比例します。SN400材からSN490材へ鋼材の強度が高くなっても弾性係数は変わらず、同一断面であれば断面２次モーメントも変わらないため、<u>変形（たわみ）は同一</u>です。

_{H30・R2・4・6}

❺ <u>圧縮力を負担する構造耐力上主要な部材は、有効細長比の上限が定められています。例えば、鉄骨造の柱の有効細長比は、200以下にします。</u>

_{R2}

鉄骨造は部材が薄く細長いため、座屈を生じにくくすることが大切です。

❻ <u>水平移動が拘束されたフレームでは、座屈長さは支点間距離（階高）より長くなることはないので、階高（節点間の距離）とすることができます。</u>

_{R2・4・6}

❼ 材端条件が<u>両端ピンに比べて、両端固定</u>の方が座屈長さは短くなります。

❽ ぜい性破壊を避けるため、筋かいの接合部の破断耐力は、軸部の降伏耐力以上とします。

❾ 高力ボルト摩擦接合と溶接接合とを併用する場合、先に高力ボルトを締め付けた場合には、両方の許容耐力を加算することができます。先に溶接を行うと、部材にひずみが生じ、所定の摩擦力が得られないことがあるので、両方の耐力を加算することはできません。

❿ <u>内ダイアフラム形式</u>は、柱内部の梁の上下のフランジ位置にダイアフラムを入れる形式で、梁せいの異なる梁を１本の柱に取り付ける場合等に用います。

_{R1・5}

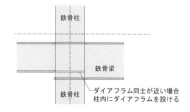

⓫ <u>シヤコネクタでコンクリートスラブと結合された梁を合成梁</u>といい、コンクリートスラブにより鉄骨梁の上フランジの移動が拘束されることから、<u>上端圧縮となる曲げモーメントに対して横座屈が生じにくく</u>なります。

_{R3・5}

Q	梁の変形は、SN400材からSN490材へ変更すると、変形（たわみ）は減少する。	
例題	**A** ✕	梁の変形は、荷重に比例し、曲げ剛性に反比例する。鋼材の強度が強くなっても弾性係数は変わらないため、変形（たわみ）は同一である。

③ 木構造

　木構造は、骨組を安定させるために、柱、はり（けた）、土台（2階は胴差し）からなる四辺形に筋かいを入れて骨組みを安定させる工法（**在来軸組工法**）と、縦枠、上枠、下枠で枠組みをつくり合板等を取り付けて安定させる工法（**枠組壁工法**）に大きく分けることができます。

【1】在来軸組工法

- 階数が2以上の建築物の**隅柱**は**通し柱**としなければいけませんが、接合部を同等に**補強**した場合は**管柱**とすることができます。
- 構造耐力上主要な部分である**柱には土台**を設けなければいけませんが、柱を**基礎に緊結した場合は、土台を設けなくてもかまいません**。

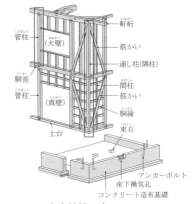

在来軸組工法

【2】枠組壁工法

　木材で組まれた**枠組**（壁枠組、床枠組）に**構造用合板**等を釘で打ち付けて構成します。枠組壁は**鉛直力及び水平力を同時に負担**できます。2インチ×4インチの木材を基本に使用することからツーバイフォー工法と呼ばれます。

❶ 木材は燃焼して炭化しますが、炭化層は内部を燃焼しにくくします。火災時の**燃えしろ**を見込んで断面を大きくし、燃焼により断面が減少したときで

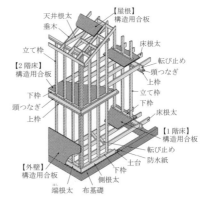

枠組み壁工法

も、**長期荷重による応力度が短期許容応力度を超えないようにする**ことで耐火性能を確保する設計を「燃えしろ設計」といいます。

❷ 構造用集成材は、厚さ5cm以下のひき板（ラミナ）又は小角材の節や割れなどを取り除いた後、繊維方向をそろえて積層接着したもので、基準強度や弾性係数は一般の製材と同等以上です。

ひき板

構造用集成材

❸ CLT（直交集成板）は、厚さ数cmのひき板（ラミナ）の繊維方向が互いにほぼ直角となるように積層接着したもので、床版、壁等の面材に使用されます。繊維方向の弾性係数、基準強度は、強軸方向であっても、一般の製材の繊維方向の値と比べ小さくなります。

<small>H30</small>

❹ 接合部にボルトと釘を併用する場合、初期剛性が違う（ボルトは小さく、釘は大きい）ため、それぞれの許容耐力を単純に加算することはできません。

<small>H30・R4</small>

<small>R4</small>

④ その他構造

【1】鉄骨鉄筋コンクリート構造（SRC造）

　鉄骨鉄筋コンクリート構造は、鉄骨で柱や梁などの構造部分を組み、その周囲に鉄筋を配筋して型枠を組んだ後、コンクリートを打ち込んで一体化した構造です。鉄骨が鉄筋コンクリート構造のぜい性的なせん断破壊を補い、鉄筋コンクリートが鉄骨構造の座屈、耐火性、耐久性を補うことで、それぞれの弱点を補い、長所を生かした構造です。

【2】プレストレストコンクリート構造

　プレストレストコンクリート造は、PC鋼材によって、あらかじめプレストレス（圧縮力）を与えた鉄筋コンクリート造です。引張りに弱いコンクリートにあらかじめ圧縮力を与えることで、曲げ強度が増大します。さらに、ひび割れを抑制し、たわみを軽減できることで、大スパンの架構が可能で、梁せいも小さくすることができます。

　また、プレストレストコンクリート部材は、鉄筋コンクリート部材と併用して用いられることがよくあります。

【3】免震構造

免震構造とは、基礎と上部構造の間を切り離し、その間の免震層に設置された**積層ゴム**などにより地盤からの振動を絶縁し、また建築物の固有周期を長くすることにより、**地震力（応答加速度）を小さくする**ことで、建築物に生じる応力や変形を抑制する構造です。

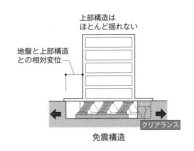

免震構造

免震構造でない場合

❶ 基礎と上部構造の間の免震層に挿入される**積層ゴム**は、ゴムと鋼板を積層構造としたもので、免震層の水平剛性を小さくすることで固有周期を長周期化し、建築物に作用する水平力を小さくします。
_{R2・3}

> 地面（地盤）は激しく揺れても、建物はゆったり動かすようにして、建築物に加わる力を小さくするのが免震構造です。

❷ 免震構造は、建築物を**鉛直方向に支える**機構、**水平方向に復元力を発揮する**機構及び建築物に作用する**エネルギーを吸収する**機構から構成されます。鉛直方向に支える機構には**積層ゴムアイソレータ**など、エネルギーを吸収する機構には**鉛ダンパー**など、水平方向に復元力を発揮する機構には**鋼材ダンパー、オイルダンパー**などが用いられます。
_{R3}

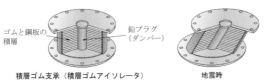

ゴムと鋼板の積層　　鉛プラグ（ダンパー）

積層ゴム支承（積層ゴムアイソレータ）　　地震時

❸ **アイソレータ**は、上部構造を支持しつつ水平方向に追従し、横揺れを長めの周期の揺れに変換するとともに、適切な**復元力**をもつ**免震装置**です。
_{R5}

❹ **アイソレータ**は、圧縮に強く**引張りには弱い**ため、引張軸力が生じないようにしなければなりません。また、**水平地震動に対する免震効果はありますが、上下地震動に対する免震効果はありません**。

❺ **ダンパー**は、上部構造の横方向の変位（揺れ）を抑制し、短時間でしっかりと静止させるための**エネルギー吸収装置**です。
_{R5}

❻ 地盤及び免震層より下の構造との相対的な変形（変位）は大きくなるため、建物外周部において**クリアランス**を設け、設備配管等が追従できるようにする必要があります。

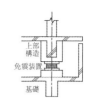

上部
構造
免震装置
基礎

❼ 免震部材の配置を調整し、上部構造の<u>重心</u>と免震層の<u>剛心</u>を合わせることで、**ねじれ応答を低減する**ことができます。
<small>R1・5</small>

<small>H29・R1・3・5</small>

❽ 低層部と高層部を有する建築物などでは、高層部の始まる中間階に免震装置を設ける場合があります。<u>中間階に積層ゴム支承を設ける場合は、火災の危険があるため、耐火被覆が必要です。</u>なお、最下層に免震層だけを設ける場合、免震層は基礎と見なされるので耐火被覆は不要です。
<small>H29・R1・3</small>

免震装置を中間層に設けるタイプを中間免震、最下層に設けるタイプを基礎免震といいます。

❾ 地盤の周期（地面の揺れの周期）は、軟弱地盤は周期が長く、**硬質地盤は周期が短く**なります。一方、地盤の周期と比べて建築物の固有周期が長い方が、応答加速度は小さくなり、地震時の水平力は小さくなります。そのため、<u>強固な地盤ほど地盤の周期が短くなるため、免震構造により応答加速度を低減する効果は大きくなります。</u>
<small>R1</small>

例題

Q 積層ゴムアイソレーターを用いた免震構造は、地震時において、建築物の固有周期を長くすることにより、建築物に作用する地震力（応答加速度）を小さくすることができる。

A ○

第 3 章　構造力学

　構造力学からは例年2～3問出題されます。力学計算問題は、初学者は長時間の学習が必要になります。

　本書では、比較的多くのスペースを割いていますが、これは初学者の方でもしっかり順を追っていけば基本から理解できるようにしたためです。ただし、抵抗感が強い人は、ここは最後にトライしましょう。

1 ｜ 荷重・外力

1 荷重の種類と組合せ

荷重の種類には以下のものがあり、その組合せは下表となります。

❶ **長期**に生じる力：固定荷重（G）・積載荷重（P）

　　　　　　　　　積雪荷重（S）[多雪区域]・その他（土圧・水圧など）

❷ **短期**に生じる力：風圧力（W）・地震力（K）・

　　　　　　　　　積雪荷重（S）[一般及び多雪区域]

力の種類	状　態	一般の場合	多雪区域の場合	備　考
長期に生ずる力	常　時	$(G+P)$	$(G+P)$	多雪区域の積雪荷重は、長期は短期 [S] の**0.7倍** H30
	積雪時		$(G+P)+\underline{0.7}$ [S]	
短期に生ずる力	積雪時（3日間）	$(G+P)+[S]$		この [S] が積雪時の基準
	暴風時※	$(G+P)+W$	$(G+P)+W$	多雪区域では、積雪時に風荷重や地震力が作用することはある。この場合、[S] を0.35倍に低減
			$(G+P)+\underline{0.35}$ [S] $+W$	
	地震時	$(G+P)+K$	$(G+P)+\underline{0.35}$ [S] $+K$	

※　建築物の転倒や柱の引抜等を検討する場合、P については建築物の**実況**に応じて**積載荷重**を減らした数値によるものとする。

MEMO

多雪区域において暴風時の力を計算する場合は、**積雪荷重**による
力を加える場合と**加えない場合**のそれぞれを検討する。

2 固定荷重

固定荷重は、構造躯体・仕上げ材等のような構造物自体の重量又は構造物上に常時固定されている物体の重量による荷重をいい、原則として、建築物の実況に応じて計算します。

3 積載荷重

積載荷重は、人間、家具又は物品等の鉛直方向の荷重の総称です。原則として、その建築物の実況に応じて計算しなければなりませんが、次の表に掲げる積載荷重を使うことができます。

(N/㎡)

構造計算の対象 室の種類		I 床の計算用	II 大ばり・柱、基礎の計算用	III 地震力の計算用
		矢印の方向に大きい		
(1)	住宅の居室 住宅以外の建築物の寝室又は病室	1,800	1,300	600
(2)	事務室	2,900	1,800	800
(3)	教室	2,300	2,100	1,100
(4)	百貨店又は店舗の売場 _{R2}	2,900	2,400	1,300
(5)	劇場・映画館・集会場等の客席又は集会室 _{R2・4} 　固定席	2,900	2,600	1,600
	その他	3,500	3,200	2,100
(6)	自動車倉庫及び自動車通路	5,400	3,900	2,000
(7)	(3)教室、(4)売場、(5)客席・集会室に連絡する廊下・玄関又は階段 _{H30}	(5)の「その他」の場合の数値		
(8)	屋上広場又はバルコニー　原則	(1)の数値		
	学校又は百貨店	(4)の数値		
倉庫業を営む倉庫の床の積載荷重		実況による数値が3,900N/㎡未満の場合であっても、3,900N/㎡とする		

54

表内の数値を全部覚える必要はありません。Ⅰ「床の計算用」と、倉庫の3,900はしっかり覚えましょう。

MEMO
1 Nは、約0.1kgとイメージする。

MEMO
劇場・映画館・集会場等の客席又は集会室の場合は、「固定席」より「その他」の方が大きい。
H29・R4

> 床計算用＞大梁・柱・基礎計算用＞地震力計算用

❶ 教室、売場、客席等に連絡する「廊下、玄関又は階段」

➡劇場等の「固定席でない客席（その他）」で計算します。

❷ 学校、百貨店の「屋上広場又はバルコニー」

➡百貨店等の「売場」で計算します。

❸ 倉庫業を営む倉庫の床の積載荷重は、実況による数値が3,900N/㎡未満の場合でも、3,900N/㎡とします。
H29・R2

例題	**Q** 教室に連絡する廊下と階段の床の構造計算用の積載荷重は、実況に応じて計算しない場合、教室と同じ積載荷重の2,300N/㎡ とすることができる。
	A ✗ 3,500N/㎡とする。

4 積雪荷重

積雪荷重＝（単位荷重）×（屋根の水平投影面積）×（垂直積雪量）

で求めます。

❶ 単位荷重は、一般地域は積雪1㎝ごとに20N/㎡以上とし、多雪区域では異なる定めとすることができます。

❷ 雪下ろしを行う慣習のある地方では垂直積雪量が1mを超える場合でも、積雪荷重を1mまで減らして計算できます。
R4

❸ 屋根に雪止めがある場合を除き、屋根の勾配が60°以下の場合は、勾配に応じて低減することができ、勾配が60°を超える場合は、積雪荷重を0とすることができます。
H29

5 風圧力

❶ 風荷重（W）は、風圧力w（N/㎡）に見付け面積A（㎡）を乗じて求めます。

$W = w \times A$

❷ 風圧力（w）は、速度圧q（N/㎡）に風力係数（Cf）を乗じて求めます。

$w = q \times Cf$

❸ 速度圧（q）は次の式で求めます。

$q = 0.6EVo^2$　E：速度圧の高さ方向の分布を表す係数

Vo：その地方における**基準風速**（m/s）

> **用語**
> **基準風速Vo**
> 各地域における過去の風害の程度や風の性状に応じて30～46m/sの範囲で国土交通大臣が定める。

❹ 風力係数は、建築物の形状と風向によって定まるもので、外圧係数と内圧係数の差から求めます。
  R4
　　風力係数＝外圧係数－内圧係数

❺ 防風林などにより風を有効に遮ることができる場合には、速度圧を**低減**することができます。
  H29

> **例題**
> **Q** 速度圧の計算に用いる基準風速Voは、その地方の再現期間50年の10分間平均風速値に相当する。
> 　　　　　　H30・R4
> **A** ○

6 地震力

地震による地面の動きを地震動と呼び、地震動により建築物に地震力（慣性力）Pが働くことにより、建築物の各層にせん断力Qが発生します。地震動には、水平動と上下動がありますが、水平力が建築物の各層に作用すると考え、**地震層せん断力**として耐震計算を行います。

❶ 地上i階に作用する**地震層せん断力Qi**は、i階より上部の建築物の重量Wiにi階の**地震層せん断力係数Ci**を乗じて求めます。

$Qi = Ci \times Wi$

したがって、地震層せん断力は、建築物の重量に比例するので、重い建築物ほど大きくなります。また、下階の方が、支える全重量Wiが大きくなるの

で地震層せん断力は下階ほど大きくなります。

全重量の何割が作用する地震力になるかが、せん断力係数Ciで表されます。

❷ 地震層せん断力係数Ciは次の式で求めます。

$$Ci = Z \cdot Rt \cdot Ai \cdot Co$$

  Z ：地震地域係数
  Rt：振動特性係数
  Ai：地震層せん断力係数の建築物の高さ方向の分布を表す係数
  Co：標準せん断力係数

❸ **地震地域係数Z**は、各地域の過去の地震活動の状況などにより、1.0～0.7（沖縄県）の範囲で設定される低減率です。

❹ **振動特性係数Rt**は、地盤及び建築物の振動特性を考慮した低減係数です。一般に、硬い（一次固有周期が短い）建築物が受ける地震力は大きく、柔らかい（一次固有周期が長い）建築物が受ける地震力は小さくなります。また、軟弱な地盤（地盤周期が長い）では大きく、硬い地盤（地盤周期が短い）では小さくなります。したがって、**地盤種別と建築物の固有周期に応じて**定めます。

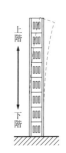

❺ 地震層せん断力係数の建築物の高さ方向の分布を表す係数Aiは、建物の最下層では1で、上階になるほど大きくなります。建築物は、固有周期が長く、建築物が高層になるほど、大きくしくなるように振動するためです。

❻ 地下部分に作用する地震力Pは、地下部分の重量Wb（固定荷重＋積載荷重）に次の水平震度kを乗じて求めます。

$$P = k \cdot Wb$$

水平震度kは地盤面で0.1Z、地表から深さ20mで0.05Zとなり、20m以深では0.05Zで一定となります。

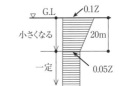

| 例 | **Q** | 地震層せん断力は建築物の上層ほど小さくなる。 |
| 題 | **A** | ○ |

2　力のつり合い・反力

1　力のつり合い

【1】力

　物を押したり、引いたりすると物には力が作用して移動します。その力を表すのに、**力の大きさ、方向、作用点**（力が作用する点）があり、これらを**力の3要素**といいいます。また、水平方向、鉛直方向、それぞれの力の向きによって、計算においては符号±を決めておきます。

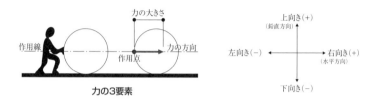

力の3要素

【2】力のモーメント

　力の**モーメント**とは、点を中心として回転を起こす働きをする力のことで、力に距離を乗じて求めます。距離の取り方は図のように力の作用線に垂線を下ろした長さで最短距離をとります。力のモーメントの符号は時計回りのモーメントを（＋）、反時計回りのモーメントを（−）とします。

時計まわり
（右回り）

反時計まわり
（左回り）

$$\underline{\text{力のモーメント}(M)} = \underline{\text{力}}_{(N)} \times \underline{\text{距離}}_{(m)}\text{（力の作用線に垂線を下ろした}$$
長さ）

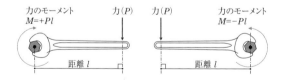

【3】力の合成と分解

　力の**合成**とは、2つ以上の力が作用するとき、これと等しい効果をもつ1つの力にまとめることで、まとめられた1つの力を**合力**（R）といいます。また、**分解**とは、その反対に、1つの力を、これと等しい効果をもつ2以上の力に分

けることで、分けられた力を**分力**といいます。

❶ 図式解法

力の平行四辺形と力の三角形を利用して力を合成します。

〔P_A、P_Bを**合成**〕

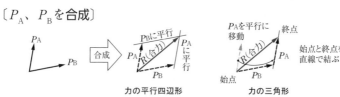

〔RをA軸とB軸上の2力（P_A、P_B）に**分解**〕

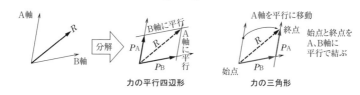

❷ 算式解法

図のような合力RをX軸、Y軸上のそれぞれの分力P_X及びP_Yに置き換えた場合、3つの力は、直角三角形を形成します。その角度θがわかれば、三角関数により合力Rの分力P_X及びP_Yを求めることができ、また反対に分力P_X及びP_Yから、ピタゴラスの定理により、合力Rを求めることができます。

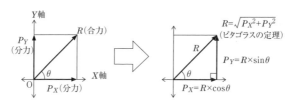

また、3力の成す直角三角形の角度θが、30度、45度、60度のときなど、直角三角形の辺の比から、3力のうち、1つがわかれば、残りの2力を求めることができます。

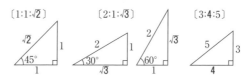

【4】 力のつり合い

　物体に作用する同一作用線上にあって、大きさが等しく、向きが反対の2力は、つり合い、物体は移動しません。また、物体に作用する力のモーメントの総和が0であれば、物体は回転しません。したがって、次の3つの条件を満足するときにつり合っていることになります。

❶ $\Sigma X = 0$　X方向の力（水平方向の力）の総和が0

❷ $\Sigma Y = 0$　Y方向の力（鉛直方向の力）の総和が0

❸ 任意の点で、$\Sigma M = 0$　力のモーメント（回転力）の総和が0

❶右にも左にも動かない、❷上にも下にも動かない、❸回転しない、が「力がつり合っている」状態です。

---

② 支点と節点

【1】 支点

　構造物を支えている点を**支点**といい、その点において、構造物を支えている力を**反力**といいます。支点は、次の3種類に分けることができます。**移動支点**は鉛直方向の力だけを支え、**回転支点**は鉛直方向の力と水平方向の力の2方向の力を支えます。**固定端**は、鉛直方向の力、水平方向の力、モーメント（回転力）の3種類の力全てを支えることができます。

	移動支点 (ピンローラー)	回転支点 (ピン又はヒンジ)	固定端 (フィックス)
支 点			
記 号	○をつけないことも多い	○をつけないことも多い	
反力の種類	V：鉛直反力	V：鉛直反力 H：水平反力	V：鉛直反力 H：水平反力 M：モーメント（回転）反力
反力数	1	2	3

【2】 節点

節点とは、梁と柱など部材と部材を接合している点で、次の2つがあります。

滑節点（ピンまたはヒンジ） 　自由に回転する節点で、鉛直方向、水平方向の力を伝達します。

剛節点 　回転が拘束されている節点で、鉛直方向、水平方向の力、モーメントを伝達することができます。

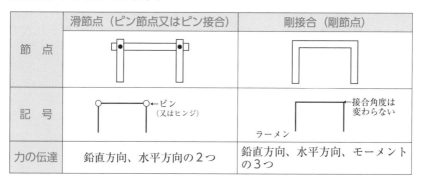

節 点	滑節点（ピン節点又はピン接合）	剛接合（剛節点）
記 号	←ピン（又はヒンジ）	接合角度は変わらない　ラーメン
力の伝達	鉛直方向、水平方向の2つ	鉛直方向、水平方向、モーメントの3つ

3 反力

　荷重とつり合うように、支点においては**反力**が生じます。したがって、反力が求められて、初めて構造物に作用する全ての力が判明し、各部材に生じる力

（応力）を求めることができます。また、この反力を求めることを反力計算といいます。

【1】荷重の種類と反力計算上の取り扱い

代表的な荷重の種類と荷重状態は次のようになります。特に注意すべきは、等分布荷重、等変分布荷重については、分力と合力のモーメントの効果は等しいことから、反力計算上はそれらの合力を求め、**集中荷重**として扱う点です。

荷重の状態		表　示	反力計算時の取り扱い
集中荷重	1点に集中して作用する荷重	$P(\mathrm{N})$	そのまま力のつり合いを考える
等分布荷重	同じ大きさで、一様に分布する荷重	$w(\mathrm{N/m})$	重心に作用する集中荷重に置き換える $W=wl(\mathrm{N})$
等変分布荷重	一定の割合で、増加又は減少する分布荷重	$w(\mathrm{N/m})$ 三角形の重心は、その中線（頂点と対辺の中点を結ぶ線）の交点	重心に作用する集中荷重に置き換える $W=\frac{1}{2}wl(\mathrm{N})$
モーメント荷重	回転させようとする荷重	$M(\mathrm{N\cdot m})$	荷重点の位置にかかわらず、モーメントのつり合いを考える（$\Sigma M=0$）

【2】反力計算の基本

反力計算は、支点の反力を仮定し、力のつり合い条件式から求めます。

> 反力計算：力のつり合い条件式から求める
> $\Sigma X = 0$
> $\Sigma Y = 0$
> 任意の点において、$\Sigma M = 0$

【3】 片持ち梁の反力計算―集中荷重

H29・R1

片持ち梁とは一端が自由端で、他端が固定端の梁です。片持ち梁は支点が固定端の1つだけなので、力のつり合い条件から簡単に反力を求めることができ、これが固定端の応力となります。

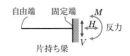

反力を仮定する

鉛直反力V_A、水平反力H_A、モーメント反力$_RM_A$を仮定します。

反力の向きは、一般にプラス側に仮定し、求めた数値が＋ならそのまま、－なら仮定の向きが反対であったことがわかります。

また、右図のように向きが明らかな場合は、その向きに仮定してかまいません。

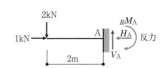

力のつり合い条件より反力を求める

$\Sigma X = 0$より、H_Aを求めます。

$\quad 1\,\mathrm{kN} + (-H_A) = 0$

$\quad\quad \therefore H_A = 1\,\mathrm{kN}$　仮定どおり左向き

$\Sigma Y = 0$より、V_Aを求めます。

$\quad -2\,\mathrm{kN} + V_A = 0$

$\quad\quad \therefore V_A = 2\,\mathrm{kN}$　仮定どおり上向き

任意の点で$\Sigma M = 0$なので、A点でのつり合いから、$_RM_A$を求めます。

$\Sigma M_A = -2\,\mathrm{kN} \times 2\,\mathrm{m}（左回り）+ _RM_A（右回りに仮定）= 0$

$\quad -4\,\mathrm{kN \cdot m} + _RM_A = 0$

$\quad\quad \therefore {_RM_A} = 4\,\mathrm{kN \cdot m}$　仮定どおり右回り（時計回り）

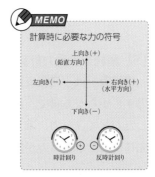

力のつり合いの3条件から反力を求めます。

【4】 片持ち梁の反力計算—等分布荷重

等分布荷重を集中荷重に置き換える

等分布荷重（w）に作用するスパンの長さ（l）を
乗じて求めます。

$$3\,\text{kN/m} \times 2\,\text{m} = 6\,\text{kN}$$

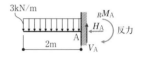

集中荷重と同様に求める

$\Sigma X = 0$ より、H_A を求めます。

$0\,\text{kN} + (-H_A) = 0$

$\therefore H_A = 0\,\text{kN}$

$\Sigma Y = 0$ より、V_A を求めます。

$-6\,\text{kN} + V_A = 0$

$\therefore V_A = 6\,\text{kN}$　仮定どおり上向き

任意の点で$\Sigma M = 0$なので、A点でのつり合いから、$_RM_A$を求めます。

$-6\,\text{kN} \times 1\,\text{m} + _RM_A = 0$

$\therefore _RM_A = 6\,\text{kN} \cdot \text{m}$　仮定どおり右回り（時計回り）

【5】 単純梁の反力計算—集中荷重

単純梁とは、回転支点（反力2）と移動支点（反力1）からなる梁で、反力の合計は3つになります。したがって、反力（未知数）が1つの移動支点から先に反力を求めるのが定石です。

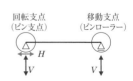

反力を仮定する

鉛直反力V_A、V_B、水平反力H_Aを仮定します。モーメント反力はありません。反力の向きは、一般にプラス側に仮定し、求めた数値が＋ならそのまま、－なら仮定の向きが反対であったことになります。

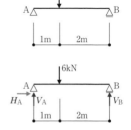

力のつり合い条件より反力を求める

反力が仮定されれば、図の 6 kN、H_A、V_A、V_B の 4 つの力がつり合っています。力のつり合い条件式、又は図式解法を用いて、未知数を求めます。

$\Sigma X = 0$ より、回転支点の水平反力 H_A を求めます。

$H_A = 0$ （水平力は生じていない）

任意の点で $\Sigma M = 0$ より、移動支点の反力 V_B を求めます。

A点でモーメントのつり合い式を立てます。

$\Sigma M_A = 0$ より、

$6\,\text{kN} \times 1\,\text{m}\,（右回り）- V_B \times 3\,\text{m}\,（左回り）= 0$

$6\,\text{kN} \cdot \text{m} - 3\,\text{m} \times V_B = 0$

$\therefore V_B = 2\,\text{kN}$　仮定どおり上向き

$\Sigma Y = 0$ より、回転支点の鉛直反力 V_A を求めます。

$V_A + V_B + (-6\,\text{kN}) = 0$

$V_A + 2\,\text{kN} - 6\,\text{kN} = 0$

$\therefore V_A = 4\,\text{kN}$　仮定どおり上向き

MEMO

反力の多い点（未知数の多い）について $\Sigma M = 0$ とした方が計算が楽であることから、回転支点（この場合A点）について、条件式を立てることが多い。

右図のような鉛直荷重が作用するとき、A、B両支点の鉛直反力と荷重の作用点との関係は、図のようになることがわかる。

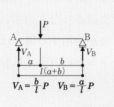

$$V_A = \frac{b}{l}P \quad V_B = \frac{a}{l}P$$

【6】 単純梁の反力計算—等分布荷重

等分布荷重を集中荷重に置き換える

等分布荷重（w）に作用するスパンの長さ（l）を乗じて求めます。

$2\,\text{kN/m} \times 2\,\text{m} = 4\,\text{kN}$

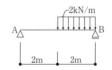

反力を仮定する

図の 4 kN、H_A、V_A、V_B の 4 力はつり合っています。

力のつり合い条件より反力を求める

力のつり合い条件式を用いて、未知数を求めます。

$\Sigma X = 0$ より　$H_A = 0$（水平力は生じていない）

$\Sigma M_A = 0$ より、V_B を求めます。

$\Sigma M_A = 4\,\text{kN} \times 3\,\text{m}（右回り）- V_B \times 4\,\text{m}（左回り）= 0$

$12\,\text{kN} \cdot \text{m} - 4\,\text{m} \times V_B = 0$

$\therefore V_B = 12\,\text{kN} \cdot \text{m} \div 4\,\text{m} = 3\,\text{kN}$（上向き）

$\Sigma Y = 0$ より、V_A を求めます。

$V_A + V_B - 4\,\text{kN} = 0$

$V_A + 3\,\text{kN} - 4\,\text{kN} = 0$

$V_A - 1\,\text{kN} = 0$

$\therefore V_A = 1\,\text{kN}$（上向き）

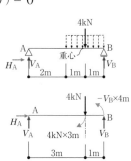

【7】 静定ラーメンの反力計算─集中荷重

柱と梁などの部材が剛接合された骨組をラーメンといい、**静定ラーメン**とは、一端が回転支点、他端が移動支点で支持されたものをいいます。反力計算は、柱に水平力が作用する場合は、支点との距離が生まれ、モーメントの計算に影響する点が単純梁との違いです。

静定ラーメン

反力を仮定する

反力を仮定し、図の鉛直荷重の 5 kN、水平荷重の 2 kN、H_A、V_A、V_B の 5 力のつり合い条件から、未知数を求めます。

力のつり合い条件より反力を求める

$\Sigma X = 0$ より、水平反力H_Aを求めます。

$\Sigma X = H_A + 2\,\text{kN} = 0$

$\therefore H_A = -2\,\text{kN}$　マイナスなので、仮定と向き反対の左向き

A点について$\Sigma M = 0$より、V_Bを求めます。

$\Sigma M_A = 2\,\text{kN} \times 2\,\text{m}(右回り) + 5\,\text{kN} \times 1\,\text{m}$（右回り）$- V_B \times 3\,\text{m}(左回り) = 0$

$4\,\text{kN} \cdot \text{m} + 5\,\text{kN} \cdot \text{m} - 3\,\text{m} \times V_B = 0$

$\therefore V_B = 9\,\text{kN} \cdot \text{m} \div 3\,\text{m} = 3\,\text{kN}$　仮定どおり上向き

$\Sigma Y = 0$ より、V_Aを求めます。

$\Sigma Y = V_A + V_B + (-5\,\text{kN}) = 0$

$V_A + 3\,\text{kN} - 5\,\text{kN} = 0$

$\therefore V_A = 2\,\text{kN}$　仮定どおり上向き

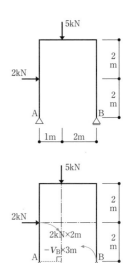

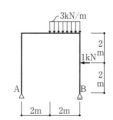

計算問題は、一度コツをつかめば、ていねいに行い、計算間違いを避けることによって確実な得点源になりますよ。

【8】 静定ラーメンの反力計算—等分布荷重

等分布荷重を集中荷重に置き換える

等分布荷重（w）に作用するスパンの長さ（l）を乗じて、重心位置に作用させます。

$3\,\text{kN/m} \times 2\,\text{m} = 6\,\text{kN}$

反力を仮定する

図の鉛直荷重6kN、水平荷重1kN、H_A、V_A、V_Bの5力がつり合っています。

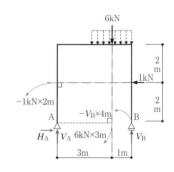

$\Sigma X = 0$ より、$H_{\mathrm{A}} - 1\,\mathrm{kN} = 0$

$\therefore H_{\mathrm{A}} = 1\,\mathrm{kN}$　仮定どおり右向き

A点において、$\Sigma M_{\mathrm{A}} = 0$ より

$\Sigma M_{\mathrm{A}} = 6\,\mathrm{kN} \times 3\,\mathrm{m} - 1\,\mathrm{kN} \times 2\,\mathrm{m} - V_{\mathrm{B}} \times$

$4\,\mathrm{m} = 0$

$18\mathrm{kN} \cdot \mathrm{m} - 2\mathrm{kN} \cdot \mathrm{m} - V_{\mathrm{B}} \times 4\,\mathrm{m} = 0$

$\therefore V_{\mathrm{B}} = 16\mathrm{kN} \cdot \mathrm{m} \div 4\,\mathrm{m} = 4\,\mathrm{kN}$

仮定どおり上向き

$\Sigma Y = 0$ より、$V_{\mathrm{A}} + V_{\mathrm{B}} - 6\,\mathrm{kN} = 0$

$V_{\mathrm{A}} + 4\,\mathrm{kN} - 6\,\mathrm{kN} = 0$

$\therefore V_{\mathrm{A}} = 2\,\mathrm{kN}$　仮定どおり上向き

3　応　力

1　応力

【1】応力とは

　骨組に荷重が作用すると、荷重につり合うように反力が生じます。これらの外力は、梁や柱などの部材を変形（伸ばす、縮める、ずらす、曲げるなど）させようとします。その変形に対応して部材内部に生じる力が応力です。

MEMO

外力
荷重と反力を合わせて、外力である。

　この変形に対応しようとする力、つまり応力は、**大きさ等しく、向きが反対**の「**つり合う一対の力**」です。部材の任意の断面には、この一対の力が生じています。

【2】応力の種類

　部材に生じる応力の種類は、次のとおり**軸方向力（軸応力）、せん断力（せん断応力）、曲げモーメント（曲げ応力）**の3種類です。

応力の種類	部材に作用する力	一部断面の変形	応力図（N図、Q図、M図）の描き方
軸方向力 (N)	$N \leftarrow \Box \rightarrow N$ 引張（＋） $N \rightarrow \Box \leftarrow N$ 圧縮（－）	$N \leftarrow \boxplus \rightarrow N$ $N \rightarrow \boxminus \leftarrow N$ ずらす力	上側 （＋） 下側 （－） 材軸に平行	静定ラーメンのN図、Q図 （＋）（－）（－）（＋） 骨組外側（＋） 骨組内側（－）
せん断力 (Q)	Q 右下り（＋） Q 左下り（－）	$Q \uparrow \boxplus \downarrow Q$ $Q \downarrow \boxminus \uparrow Q$	集中荷重の場合 上側（＋） 下側（－） 等分布荷重の場合 上側（＋）傾斜直線 下側	
曲げ モーメント (M)	$M \smile M$ 下に凸（引張） $M \frown M$ 上に凸（引張）	$M \,(\,)\, M$ 曲げる力 $M \,(\,)\, M$	凸側（引張側）に描く 集中荷重の場合 傾斜直線 等分布荷重の場合 放物線(2次曲線) モーメント荷重の場合 $M(\ )M$ 傾斜直線	

軸方向力（軸応力）：N

　力が部材軸方向に作用する場合、**伸びたり縮んだりする**変形をおこそうとする力を軸方向力といい、記号Nで表します。軸方向力には、引張と圧縮力があり、引張力を（＋）、圧縮力を（－）で表します。

せん断力（せん断応力）：Q

　力が部材軸に直角方向に作用する場合、**部材軸に直角方向にずれる**変形をおこそうとする力をせん断力といい、記号Qで表します。せん断力は、右下りのせん断力を（＋）、左下りのせん断力を（－）で表します。

曲げモーメント（曲げ応力）：M

　力による回転力が作用する場合、部材に**湾曲する**変形をおこそうとする力を曲げモーメントといい、記号Mで表します。曲げモーメントは、凸側（引張側）に描きます。

> 「軸方向力」は、押したり引いたりする力、「せん断力」はずらそうとする力、「曲げモーメント」は、曲げようとする力ですね。

② 静定梁の応力計算

【1】 応力計算の考え方

3種類の応力の大きさと向きを求めることが応力計算です。

応力の求め方は、最初に反力を求め、構造物に作用するすべての外力を明らかにすることから始まります。

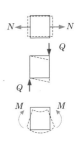

外力がつり合う構造物の部材の応力は、「**つり合う一対の力**」です。つまり、任意の点の両側それぞれの力の総和は、大きさ等しく、向きが反対の力となります。したがって、**応力を求める点を切断し、どちらか片側について、ΣX、ΣY、ΣM を求めれば、軸方向力、せん断力、曲げモーメントの大きさと向きがわか**ります。

例えば、右の鉛直荷重 4kN と水平荷重 2kN が作用する単純梁について、反力は、図のように求められ、外力はつり合っています。

C点で切断し、右側、左側それぞれについて、X 方向の力、Y 方向の力、モーメントの総和を求めると、C点に生じる力は、図のように、左右どちらから求めても同じ値で、向きが反対であることがわかります。

このように、応力の大きさは、**求める点のどちらか片側について計算し、求める**ことができます。

応力は一対の力ですから、N_C左、又はN_C右といった区別はせず、N_C、Q_C、M_C、と表します。

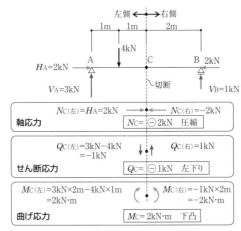

C点の右側で計算しても、左側で計算しても、同じ大きさで符号が逆になります。

【2】片持ち梁の応力計算―集中荷重

片持ち梁の応力計算は、支点が固定端1つだけなので、自由端側の外力があきらかです。したがって、反力を求めなくても、応力を自由端から求めることができます。

片持ち梁の応力➡反力計算を省略➡自由端から求める

応力を求める点で切断する

C点で切断し、C点の応力を求めます。

片側（自由端側）の力の総和を求める

軸方向力

$N_C = 1\,\mathrm{kN}$（圧縮力 $\ominus$）

せん断力

$Q_C = 2\,\mathrm{kN}$（$\downarrow\uparrow$）$\ominus$せん断力

曲げモーメント

$M_C = -2\,\mathrm{kN} \times 1\,\mathrm{m} = -2\,\mathrm{kN \cdot m}$

（ ⌢ 上側凸

なお、A点の曲げモーメントも自由端から計算して、

$M_A = -2\,\mathrm{kN} \times 2\,\mathrm{m} = -4\,\mathrm{kN \cdot m}$

したがって、荷重Pが作用する片持ち梁の自由端からの距離 x の点の曲げモーメントは Px となり、荷重点からの垂直距離（スパン長さ）に比例して大きくなります。

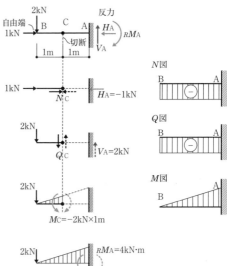

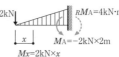

$Mx = Px$

【3】 片持ち梁の応力計算―等分布荷重

自由端から計算すればよいのですが、求める位置によって自由端側の荷重が変わることに注意します。

応力を求める点で切断する

自由端から距離 x のC点で切断し応力を求めます。

片側（自由端側）の力の総和を求める

C点より自由端側の等分布荷重を集中荷重に置き換えます。

軸方向力　軸方向に外力はなく 0

せん断力

$Q_C = wx$（↓↑）⊖のせん断力

$Q_A = wl$（↓↑）⊖のせん断力

曲げモーメント

C点の自由端側の荷重 wx とC点からの垂直距離 $\dfrac{x}{2}$ との積となります。

$$M_C = -wx \times \frac{x}{2} = \frac{wx^2}{2} \quad (\ \ ) \quad 上凸$$

A点も同様に求めてみると、

$$M_A = -wl \times \frac{1}{2} = \frac{wl^2}{2} \quad (\ \ ) \quad 上凸$$

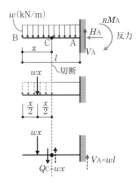

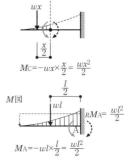

【4】 単純梁の応力計算―集中荷重

単純梁の応力計算は、最初に反力を求めてから応力を求めます。

反力を求める➡求める点で切断➡片側から応力を求める

反力を仮定し、求める

$$\Sigma M_A = 6\,\text{kN} \times 1\,\text{m} - V_B \times 3\,\text{m} = 0$$

$$6\,\text{kN} \cdot \text{m} - 3\,\text{m} \times V_B = 0$$

$$\therefore V_B = 6\,\text{kN} \cdot \text{m} \div 3\,\text{m} = 2\,\text{kN}（上向き）$$

$$\Sigma Y = V_A + V_B - 6\,\text{kN} = V_A + 2\,\text{kN} - 6\,\text{kN} = 0$$

$$\therefore V_A = 4\,\text{kN}（上向き）$$

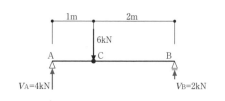

応力を求める

　求める点で切断し、どちらか片側で力の総和を求めます。これは片側を片持ち梁として、計算するのと同じことになります。

　応力の変化は、荷重点間においては一定又は一様となるので、区間ごとに求めます。

軸方向力　軸方向に外力はなく0

せん断力

　わかりやすくするために、せん断力図（Q図）に、外力を示した図で説明します。

　A〜C間の任意の点で切断し、左側で計算する。

　左側は、$V_A = 4\,\text{kN}$のみである。

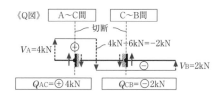

$$Q_{AC} = 4\,\text{kN}（\uparrow\downarrow）右下り \oplus$$

　C〜B間の任意の点の右側は、$V_B = 2\,\text{kN}$のみである。

$$Q_{CB} = 2\,\text{kN}（\downarrow\uparrow）左下り \ominus$$

（なお、左側でも $4\,\text{kN} - 6\,\text{kN} = -2\,\text{kN}$となり、両側で大きさ等しく向きが反対であることがわかる）

　また、Q図は、左側から順に外力を落とし込んでいくことで、簡単に描くことができます。

曲げモーメント

A〜C間　A点から距離 x の任意点で
切断、左側でモーメントを
求めます。

$$M_{AC} = V_A \times x = 4\,\text{kN} \times x$$

A点から距離が離れるほど曲げモーメントは大きくなり、C点で最大となる。

C〜B間　B点からの距離 x の任意の
点で切断し、右側のモーメントを求める。

$$M_{CB} = -V_B \times x = -2\,\text{kN} \times x \;（\curvearrowright）（下凸）$$

B点から距離が離れるほど曲げモーメントは大きくなり、C点で最大となります。

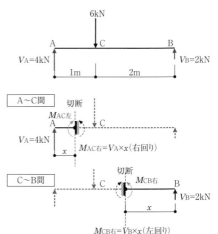

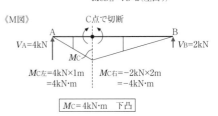

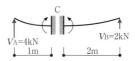

左側からでも
$$M_{CB} = V_A \times (3\text{m} - x) - 6\text{kN} \times (2\text{m} - x)$$
$$= 4\text{kN} \times (3\text{m} - x) - 6\text{kN} \times (2\text{m} - x)$$
$$= 12\text{kN} \cdot \text{m} - 4\text{kN} \times x - 12\text{kN} \cdot \text{m} + 6\text{kN} \times x$$
$$= 2\text{kN} \times x \;（下凸）$$
左右で、大きさ等しく、向きは反対となる。

　A点、B点、C点、各荷重点の曲げモーメントを求め、曲げモーメント図を描きます。

　A、B支点は、回転力には抵抗できないので、曲げモーメントも0

$$M_A = M_B = 0$$

C点 切断し左側で計算する。これはC点を固定端とした片持ち梁の計算とも考えられる。

$$M_C = 4\,kN \times 1\,m = 4\,kN \cdot m \;(\;)\;（下凸）$$

荷重点間（外力と外力の間の区間）において、応力は一定又は一様に変化するので、各点を直線で結びモーメント図を描きます。

heading

【5】 単純梁の応力計算－等分布荷重
H29・R1・3・4

反力を仮定して、反力を求める

　等分布荷重を集中荷重に置き換える。

$\Sigma X = 0 \quad \therefore H_A = 0 \quad$ 水平反力は生じない。

$\Sigma M_A = 0$ より、

$$6\,kN \times 1\,m - V_B \times 3\,m = 0$$
$$6\,kN \cdot m - 3\,m \times V_B = 0$$
$$\therefore V_B = 2\,kN\ （上向き）$$

$\Sigma Y = 0$ より、

$$V_A + V_B - 6\,kN = 0$$
$$V_A + 2\,kN - 6\,kN = 0$$
$$\therefore V_A = 4\,kN\ （上向き）$$

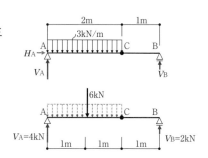

応力を求める

　求める点で切断して、どちらか片側で計算します。**片側を片持ち梁として計算**することと同じです。

　ＡＣ間とＣＢ間の区間ごとに考えます。

軸方向力　軸方向には外力がないので、$N = 0$

せん断力

　せん断力図（Q図）に荷重状態を示した図で説明します。

　等分布荷重が作用する場合は、単位長

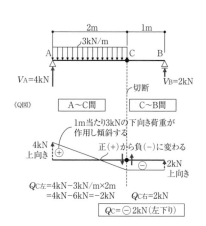

1
編
建
築
学

3

構
造
力
学

さごとにせん断力が変化するので、まず、端部A点から求めます。

A点　反力V_Aが作用している。

AC間

　A点から離れるにしたがって、等分布荷重（3kN/m）の下向き荷重が作用するので、図のような傾斜直線となる。

　あるところで、正（＋）から、負（－）に変わる。

C点　切断し右側で計算する。C点右側には、V_Bのみ作用している。

$$Q_C = 2\text{kN}（\Updownarrow）左下り\ominus$$

（なお、左側で計算しても、図のように大きさ等しく、向きが反対の結果が得られる。）

CB間　右側には、反力V_Bのみ作用している。

$$Q_{CB} = 2\text{kN}（\Updownarrow）左下り\ominus で一定$$

　各点を直線で結んで、せん断力図（Q図）を描く。荷重の大きさ方向を左から順に落とし込んでいくことで、簡単に描くことができます。

曲げモーメント

A点、B点　回転できる支点なのでモーメントは0

$$M_A = M_B = 0$$

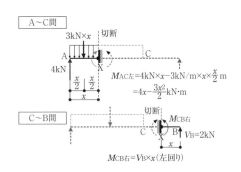

AC間　A点から距離xの点で切断し、左側の外力によるモーメントの総和が曲げモーメントとなる。左側の等分布荷重を集中荷重に置き換えると3kN/m×xmとなり、

$$M_{A\sim C} = 4\text{kN} \times x\ \text{m} - 3\,x\,\text{kN} \times \frac{x}{2}\text{m}$$
$$= \left(4\,x - \frac{3\,x^2}{2}\right)\text{kN} \cdot \text{m}\ （下凸）$$

　つまり、AC間のM図は、2次曲線になる。

CB間　B点からの距離xの任意の点で切断し、右側のモーメントを求める。

$$M_{C\sim B} = -V_B \times x\ \text{m} = -2\text{kN} \times x\ \text{m} = -2\,x\,\text{kN} \cdot \text{m}（下凸）$$

曲げモーメント図（M図）の荷重状態を示した図で説明します。

　B点から距離が離れるほど、傾斜直線で、曲げモーメントは大きくなり、ある点で最大となる。

　C点で切断し、右側で計算する。

$$M_C = -2\text{kN} \times 1\text{m} = -2\text{kN} \cdot \text{m} \frown 下凸$$

（なお、左側でモーメントの総和を求めても、図のように、大きさ等しく、向きが反対の結果が求められる）

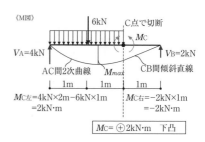

③ 静定ラーメンの応力計算

【1】応力計算の考え方

　静定ラーメンは、部材数が2つ以上になりますが、応力計算の要領は、単純梁と同様です。ただし、図のように、鉛直荷重のみ作用する場合は、単純梁と同じですが、水平荷重が作用する場合は、回転支点側の柱にせん断力が作用し、また水平荷重によるモーメントにより鉛直反力も作用すること

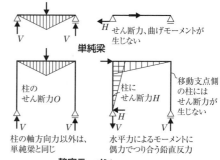

鉛直荷重のみ作用する場合　水平荷重が作用する場合

単純梁

H　せん断力、曲げモーメントが生じない

柱のせん断力0

柱にせん断力H

移動支点側の柱にはせん断力が生じない

柱の軸方向力以外は、単純梁と同じ

水平力によるモーメントに偶力でつり合う鉛直反力

静定ラーメン

から、各部材に生じる応力も異なるので注意が必要です。

　また、柱と梁の接合部が剛節点であることは、直線部材でなくとも、図のように、その接合部で、大きさ等しく、向きが反対の「つり合う一対の力」が生じることに変わりないことを確認しておきましょう。ただし、材軸が、縦と横の部材があるので、応力の種類が部材によって変化します。

つまり、梁の軸方向力と柱のせん断力、梁のせん断力と柱の軸方向力が、剛節点の両側でつり合います。曲げモーメントは、直線部材と同様に接合部（剛接点）の両側で大きさ等しく、向きが反対でつり合います。

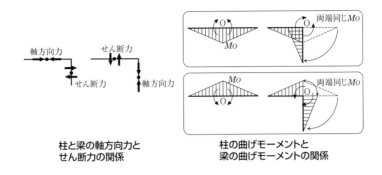

軸方向力　せん断力

せん断力　軸方向力

両端同じ Mo

Mo

Mo

両端同じ Mo

柱と梁の軸方向力と
せん断力の関係

柱の曲げモーメントと
梁の曲げモーメントの関係

【2】片持ち梁系ラーメンの応力計算

　片持ち梁系ラーメンの応力計算は、片持ち梁と同様に、自由端側の外力が明らかです。したがって、反力を求めなくても、応力を自由端から求めることができます。

片持ち梁系ラーメン応力計算➡自由端から直接求める

応力を求める

軸方向力

　各区間ごとに切断し、自由端側で計算します。

A〜B間　鉛直力はない。$N_{AB} = 0$

B〜C間　2kNのみ作用する。

　　　　$N_{BC} = 2\,\text{kN}（圧縮力）\ominus$

C〜D間　自由端側に鉛直力はない。

　　　　$N_{CD} = 0$

　したがって、軸方向力は、梁のみに生じ、図のようなN図となります。

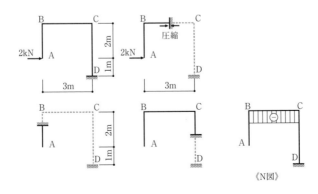

《N図》

せん断力

各区間ごとに切断し、自由端側で計算します。

A～B間 自由端側には2kNが作用している（$\leftrightarrows$）。

$$Q_{AB} = 2\,kN \quad (\leftrightarrows) \quad 左下り \ominus$$

B～C間 自由端側に鉛直力はない。

$$Q_{BC} = 0$$

C～D間 自由端側には2kNが作用している。

$$Q_{CD} = 2\,kN \quad (\rightleftarrows) \quad 右下り \oplus$$

したがって、両柱にせん断力が生じ、図のようなQ図となります。

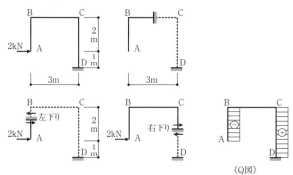

《Q図》

曲げモーメント

荷重点間では、曲げモーメントは一定又は一様に変化することから、各節点ごとに曲げモーメントを求め、その点を結べば、モーメント図を描くことができます。

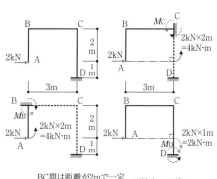

A点 $M_A = 0$

B点 切断し、自由端側で計算する。

$$M_B = -\,2\,kN \times 2\,m$$

$$= -\,4\,kN \cdot m \ (\text{外側凸})$$

C点 $M_C = -\,2\,kN \times 2\,m$

$$= -\,4\,kN \cdot m$$

D点 $M_D = 2\,kN \times 1\,m$

$$= 2\,kN \cdot m \ (\text{内側凸})$$

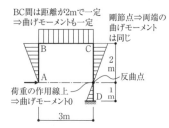

BC間は距離が2mで一定
⇒曲げモーメントも一定

剛節点⇒両端の曲げモーメントは同じ

反曲点

荷重の作用線上
⇒曲げモーメント0

A点、B点、C点、D点、各点の凸側（引張側）の点を結べば、図のような曲げモーメント図ができ上がります。

ここで、CD間では、水平力2kNの作用線が通る位置で、**曲げモーメントが０の反曲点（正負が変わる位置）が生じている**ことがわかります。

【3】 単純梁系ラーメンの応力計算

単純梁系ラーメンは、単純梁と同様に反力を求めてから応力を求めます。

反力を求める➡求める点で切断➡片側から応力を求める

水平力は、柱ではせん断力として、梁では軸方向力として作用するので、応力の計算時には十分注意が必要です。

反力を仮定して、反力を求める

$\Sigma X = 0$ より、H_A を求める。

$\quad 4\,\text{kN} - H_A = 0$

$\quad\quad \therefore H_A = 4\,\text{kN}$ （仮定の向き）

$\Sigma M_A = 0$ より、V_B を求める。

$\quad 4\,\text{kN} \times 3\,\text{m} - V_B \times 4\,\text{m} = 0$

$\quad 12\text{kN} \cdot \text{m} - 4\,\text{m} \times V_B = 0$

$\quad\quad \therefore V_B = 3\,\text{kN}$

$\Sigma Y = 0$ より、V_A を求める。

$\quad -V_A + V_B = 0$

$\quad -V_A + 3\,\text{kN} = 0$

$\quad\quad \therefore V_A = 3\,\text{kN}$ （仮定の向きどおり下向き）

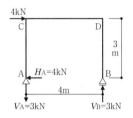

応力を求める

求める点で、切断し片側で計算すれば、応力を求めることができます。ただし、水平力の作用する静定ラーメンは、単純梁に比べ、計算がやや多くなってしまうため、切断部のどちら側で計算した方が効率的であるかの判断が重要です。次では、あえて左側で計算してみることにします。

軸方向力

　各区間ごとに切断し、A点側から計算します。

A〜C間　下向き V_A が作用する。

　$N_{AC} = 3\,\text{kN}$（引張力）$\oplus$

C〜D間

　水平力 $4\,\text{kN}$ と反力 H_A が作用する。

　$N_{CD} = 4\,\text{kN} - 4\,\text{kN} = 0$

　（なお、右側で計算すれば、水平力は作用していないので、明らかに 0 であることがわかる）

D〜B間　下向き V_A が作用する。

　$N_{DB} = 3\,\text{kN}$（圧縮力）$\ominus$

　（右側で計算すれば、鉛直力は

$V_B = 3\,\text{kN}$ が作用しており、結果は同じ。）

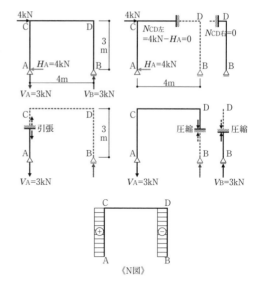

《N図》

せん断力

A〜C間　反力 H_A が作用する。

　$Q_{AC} = 4\,\text{kN}$　（$\rightleftarrows$）右下がり$\oplus$

C〜D間　反力 V_A が作用する。

　$Q_{CD} = 3\,\text{kN}$　（$\leftrightarrows$）左下がり$\ominus$

D〜B間

　水平力 $4\,\text{kN}$ と反力 H_A が作用する。

　$Q_{DB} = 4\,\text{kN} - H_A = 0$

なお、D_B 区間の右側で計算すれ

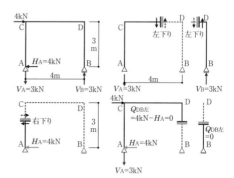

ば、　せん断力がないことから、明らかに　$Q_{DB} = 0$ であることがわかります。

　したがって、せん断力は、AC間とCD間に生じ、せん断力図は右図のようになります。

《Q図》

曲げモーメント

　荷重点間では、曲げモーメントは一定又は一様に変化することから、各節点ごとに曲げモーメントを求め、その点を結べば、モーメント図を描くことができます。

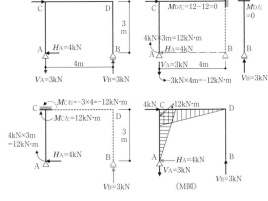

A点及びB点　回転する支点なので、

$$M_A = M_B = 0$$

C点　切断し、A点側で計算します。

$$M_C = 4\,\text{kN} \times 3\,\text{m}$$
$$= 12\text{kN} \cdot \text{m} \underset{\cdots}{(} \text{（内側凸）}$$

D点　切断し、左側（A点側）で計算します。

　反力H_Aと反力V_Aによるモーメントの総和です。

$$M_D = H_A \times 3\,\text{m} - V_A \times 4\,\text{m} = 4\,\text{kN} \times 3\,\text{m} - 3\,\text{kN} \times 4\,\text{m} = 0$$

　これは、右側（B点側）で計算すれば、移動支点には水平反力が作用しないことから、右側柱には、せん断力も、曲げモーメントも生じません。

　このように、静定ラーメンの応力を計算するときは、**右側、左側のどちらが簡単に計算できるかを判断する**ことが大切です。

4 3ヒンジラーメンの応力計算

静定ラーメンと同様に、反力を求めてから応力を計算します。

反力を求める➡求める点で切断➡片側から応力を求める

【1】 3ヒンジラーメンの反力計算の考え方

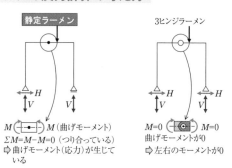

3ヒンジラーメンは両支点が回転支点ですので、反力の数（未知数）が4つとなります。したがって、力のつり合い条件（3式）だけでは求めることはできません。そこで、ピン節点の曲げモーメントが0である条件式を加えて、反力を求めます。

- $\Sigma X = 0$
- $\Sigma Y = 0$
- 任意の点で、$\Sigma M = 0$ ⎫ 力のつり合い条件式

- ピン節点で、$M = 0$　ピン節点において曲げモーメントが0

【2】 3ヒンジラーメンの反力

H30・R1・4・5

（反力を仮定する）

鉛直荷重 $8\,\mathrm{kN}$、V_A、H_A、V_B、H_B の5力は、つり合っています。

（つり合い条件式を立てる）

$\Sigma M_A = 0$ より V_B を求める

$8\,\mathrm{kN} \times 1\,\mathrm{m} - V_B \times 4\,\mathrm{m} = 0$

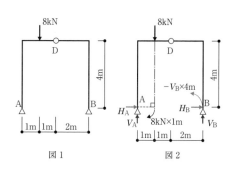

図1　　　　　図2

$$8\,\text{kNm} - 4\,\text{m} \times V_\text{B} = 0$$

$$\therefore V_\text{B} = 8\,\text{kN} \cdot \text{m} \div 4\,\text{m} = 2\,\text{kN} \quad \text{仮定どおり上向き}$$

$\Sigma Y = 0$ よりV_Aを求める

$$\Sigma Y = V_\text{A} + V_\text{B} - 8\,\text{kN} = 0$$

$$V_\text{A} + 2\,\text{kN} - 8\,\text{kN} = 0$$

$$\therefore V_\text{A} = 6\,\text{kN} \quad \text{仮定どおり上向き}$$

ピン節点Dの曲げモーメント$M_\text{D} = 0$（図3及び4）

図において、左右の○囲み
それぞれのD点におけるモー
メントの総和が0であるから、
計算が楽な右側で考えます。

$$M_\text{D}\,(右側) = -V_\text{B} \times 2\,\text{m} -$$

$$H_\text{B} \times 4\,\text{m} = 0$$

$$-2\,\text{kN} \times 2\,\text{m} - H_\text{B} \times 4\,\text{m}$$

$$= 0$$

$$-4\,\text{kN} \cdot \text{m} - 4\,\text{m} \times H_\text{B} = 0$$

$$\therefore H_\text{B} = -1\,\text{kN} \quad \text{マイナスなので、仮定と反対の左向き}$$

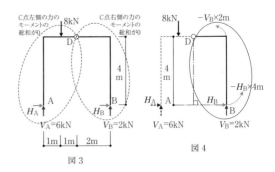

図3

図4

D点の右側でも左側でも、モーメントの総和はゼロになります。計算は楽な方（外力・反力の少ない方）で行います。

$\Sigma X = 0$ よりH_Aを求める

$$\Sigma X = H_\text{A} + H_\text{B} = 0$$

$$H_\text{A} - 1\,\text{kN} = 0$$

$$\therefore H_\text{A} = 1\,\text{kN} \quad \text{仮定どおり右向き}$$

なお、Dの曲げモーメントが0であるためには、図
5のように、B点の反力R_B（V_B、H_Bの合力）の作用
線がC点を通るはずですから、直角三角形の辺の比を
用いて、力のつり合いの図式解法でV_B、H_Bを求める
こともできます。

$$V_\text{B} : H_\text{B} = 4 : 2 = 2 : 1$$

図式解法の例

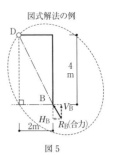

図5

【3】 3ヒンジラーメンの応力

応力の算定は、静定ラーメンと同じく、求める点で切断し、片側から求めます。

軸方向力

区間ごとに切断し片側で計算します。

ＡＣ間

$$N_{AC} = V_A = 6\,\mathrm{kN}\ （圧縮力\ominus）$$

ＣＥ間（ＣＦ間、ＦＤ間、ＤＥ間）

$$N_{CE} = H_A = 1\,\mathrm{kN}\ （圧縮力\ominus）$$

ＥＢ間

$$N_{EB} = 2\,\mathrm{kN}\ （圧縮力\ominus）$$

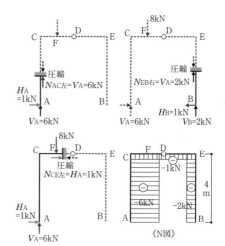

せん断力

区間ごとに切断し片側で計算します。

ＡＣ間

$$Q_{AC} = H_A = 1\,\mathrm{kN}\ （\leftrightarrows）\ \ominus$$

ＣＦ間

$$Q_{CF} = V_A = 6\,\mathrm{kN}\ （\uparrow\downarrow）\ \oplus$$

ＦＤ間、ＤＥ間

両区間は、左側の鉛直力は、V_A と 8kN が作用しているので、

$$Q_{FE} = 6\,\mathrm{kN} - 8\,\mathrm{kN}$$

$$= -2\,\mathrm{kN}\ \ （\downarrow\uparrow）\ \ominus$$

ＥＢ間　右側で計算する。

右側には、H_B のみ作用する。

$$Q_{EB} = 1\,\mathrm{kN}\ \ （\rightleftarrows）\ \oplus$$

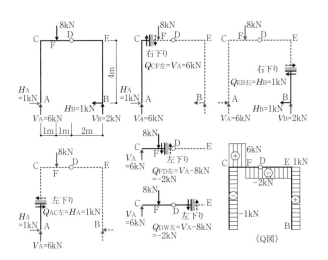

曲げモーメント

荷重点間では、曲げモーメントは一定又は一様に変化することから、各節点ごとに曲げモーメントを求め、その点を結べば、モーメント図を描くことができます。そのとき、ピン節点のD点では必ず曲げモーメントはゼロとなる点に注意します。各点の曲げモーメントをモーメント図を同時に描きながら、求めてみましょう。

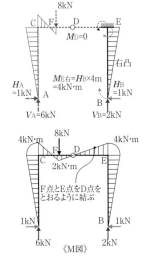

A点、B点、D点

$$M_A = M_B = M_D = 0$$

C点

$$M_C = -H_A \times 4\,\mathrm{m}$$
$$= -1\,\mathrm{kN} \times 4\,\mathrm{m}$$
$$= -4\,\mathrm{kN \cdot m} \quad (\ \ \ \ (外側凸)$$

F点　H_AとV_Aのモーメントの総和である。

$$M_F = V_A \times 1\,\mathrm{m} - H_A \times 4\,\mathrm{m}$$
$$= 6\,\mathrm{kN} \times 1\,\mathrm{m} - 1\,\mathrm{kN} \times 4\,\mathrm{m}$$
$$= 2\,\mathrm{kN \cdot m} \quad (\ \ \ \ (下凸)$$

　図のように、ＣＦ間の途中で、凸側が梁の上端から下端に変わります。

Ｅ点　右側で計算すると、

$$M_E = H_B \times 4\,\mathrm{m}$$
$$= 1\,\mathrm{kN} \times 4\,\mathrm{m}$$
$$= 4\,\mathrm{kN \cdot m}\quad \text{（外側凸）}$$

　Ｃ点とＥ点の曲げモーメントは、モーメントが生じる片側の外力が１つなので容易に求めることができます。

> ＣＦ間で凸側が反対になることと、Ｆ点とＥ点を結ぶ線が、必ずピン節点であるＤを通ることに注意しましょう。

⑤ トラス

　トラス構造とは、節点がピンで、部材を**三角形**に組み立てた構造骨組をいいます。三角形に組み立てることで、軽量でもしっかりした骨組をつくることができ、一般に屋根の小屋組みや、支点間距離の大きな架構を構成するのに用います。なお、反力計算は、トラス全体を単一の部材（１つの剛体）として、単純梁又は静定ラーメンと同様に求めます。トラスの各部材に生じる応力は軸力（引張又は圧縮）のみとなり、曲げモーメントは生じません。

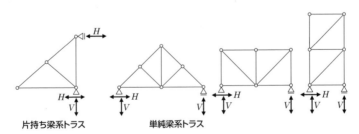

片持ち梁系トラス　　　　単純梁系トラス

⑥ 曲げモーメント図の判断
H30・R2～4・6

　曲げモーメントの形を判断する問題は、以下の４つの原則を用いると、計算しなくても、消去法を活用しながら簡単に正解を導くことができる場合があります。

【原則１】ピン・ローラーの支点は曲げモーメントがゼロとなる

【原則２】等分布荷重の場合は、下に凸な二次曲線のモーメント図となる

【原則３】荷重点間は、曲げモーメントは一定又は傾斜直線となる

例えば、単純梁ＡＢにおいてＣＤ間に等分布荷重
wが作用したときの曲げモーメント図として正しいもの
はどれか考えてみましょう。

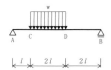

右図は、等分布荷重であるにもかかわらず、モーメント
図が直線となっているので、【原則２】に反し不適当である。

いずれの原則にも反せず、適当である。

支点Ａ、Ｂで曲げモーメントが生じていて、【原則１】
に反し不適当である。

支点Ａ、Ｂで曲げモーメントが生じて【原則１】に反
し、また、等分布荷重であるのにモーメント図が直線と
なっているので、【原則２】にも反し不適当である。

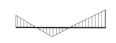

ラーメンの場合には、外力による**変形**を考えるとともに、以下の原則も考慮
すると、材のどちら側が引張になるか（どちら側にモーメントが描かれるか）
が分かり、モーメント図を判断することができます。

**【原則４】固定端及び剛節点においては、直角を
保つ**（接合角度は変わらない）。

例えば、右の架構のモーメント図を考えます。

外力Ｐにより架構は右に傾こうとします。

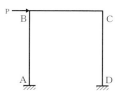

しかし、固定端及び剛節点においては、直角を
保とうとするため、右のような変形になります。

Ａ点においては、右に傾こうとしますが、固定
端により直角を保つために、材の左側に引張りが
生じます。

Ｂ点においては、外に開こうとしますが、剛節
点により直角を保つために、内側に引張が生じま
す。逆にＣ点においては、内側に狭まろうとしま
すが、直角を保つために、外側に引張が生じます。

したがって、モーメント図としては、右のよう

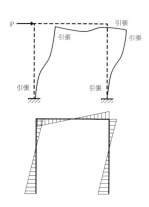

になることがわかります。右図の形は覚えておきましょう。

4 断面の性質・応力度

1 部材の力学的性質

【1】 応力度—ひずみ度曲線

　軟鋼に引張力を加えていくと、軟鋼は力に比例して直線的に伸び❶比例限度に達し、さらに力を加えていくと❷弾性限度に達します。この領域を弾性域といい、そのときのグラフの傾きを弾性係数（ヤング係数）といいます。弾性域では力を取り除くと、元の長さにもどろうとする性質があり、これを弾性といいます。また、弾性域を超えると力を取り除いても、元の長さには戻らない性質があり、これを塑性といいます。弾性域を超えた塑性域では、応力は上昇せず、伸び（変形）だけが進行します。

　❸を降伏点（上降伏点ともいう）といい、力を取り除いても永久ひずみが残ります。❸から降伏して伸びが❹下降伏点で終了すると、カーブを描き、力があまり増加しなくても伸び（変形）が大きくなり、❺引張強さ（最大強度）に達し、❻破壊点で破壊（破断）します。

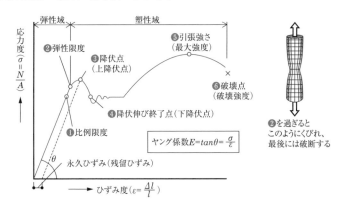

　ヤング係数 E は、弾性域における、部材に作用する応力度 σ とひずみ度 ε の比例定数であり、ヤング係数が大きいほど、変形しにくく、たわみや座屈に強い材料です。

$$E = \frac{\sigma}{\varepsilon} \quad (\text{N/mm}^2) \qquad \sigma = E \cdot \varepsilon \quad (\text{N/mm}^2)$$

$$\sigma = \frac{N(\text{応力})}{A(\text{断面積})} \text{、} \qquad \varepsilon = \frac{\Delta l(\text{伸びた長さ})}{l(\text{元の長さ})}$$

② 断面の性質
R1・3

【1】断面二次モーメント（Ix、Iy）（mm^4）…曲げ変形のしにくさを示す

断面二次モーメント　　曲げモーメントによる変形や応力度を求めるために必要な係数で、値が大きいほど、たわみ、座屈などの変形をおこしにくく、曲げ強さも大きくなります。

図心軸についての矩形断面の断面二次モーメントは下式によります。

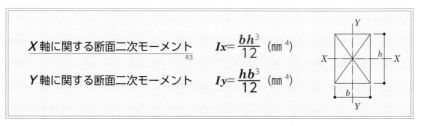

X軸に関する断面二次モーメント　$Ix = \dfrac{bh^3}{12}$ （mm^4）
R3

Y軸に関する断面二次モーメント　$Iy = \dfrac{hb^3}{12}$ （mm^4）

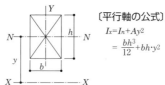

〔平行軸の公式〕

$I_x = I_n + Ay^2$

$\quad = \dfrac{bh^3}{12} + bh \cdot y^2$

断面二次モーメントの和と差

中空断面やH形断面などは、いくつかの図心軸における**矩形断面に分割**して、それぞれの断面二次モーメントを**合算**して求めることができます。

図のような中空断面の場合、図心軸を通るI_{1x}、I_{2x}、I_{3x}の３つの矩形断面に分割し、それぞれの断面二次モーメントの**和**、又は**差**として求めます。

断面二次モーメントは、「和」と「差」を利用して求めます。

（例❶）$I_x = I_{1x} - I_{2x} + I_{3x}$

（例❷）$I_x = I_{1x} - 2 \times I_{4x}$

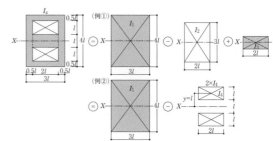

（例❶）$I_{1x} = \dfrac{3l \times (4l)^3}{12} = \dfrac{192l^4}{12}$

$I_{2x} = \dfrac{2l \times (3l)^3}{12} = \dfrac{54l^4}{12}$

$I_{3x} = \dfrac{2l \times l^3}{12} = \dfrac{2l^4}{12}$

$I_x = \dfrac{192l^4}{12} - \dfrac{54l^4}{12} + \dfrac{2l^4}{12} = \dfrac{(192 - 54 + 2)l^4}{12} = \dfrac{35l^4}{3}$

（例❷）$I_{1x} = \dfrac{192l^4}{12}$

I_{4x} は、X 軸に平行な図心軸を持つ図形の公式　$I_x = I_n + Ay^2$ により、

$I_{4x} = \dfrac{2l \times l^3}{12} + 2l^2 \times l^2 = \dfrac{26l^4}{12}$

$I_x = \dfrac{192l^4}{12} - 2 \times \dfrac{26l^4}{12} = \dfrac{35l^4}{3}$

　例❶は、分割した矩形断面がすべて、X 軸を図心軸としているのに対して、例❷の I_{4x} のように図心軸が X 軸に平行で距離がある場合で、前記の**平行軸の公式**を用います。

【2】断面係数（Z）（㎣）…曲げ強さを示す

断面係数　断面の曲げ強さを示す係数で、図心軸に関する断面二次モーメントを図心軸から最も遠い縁までの距離で除したものです。曲げモーメントによって、断面の最も遠い縁に生じる応力度 σ_b（**縁応力度**）を求める場合に使います。

$$\sigma_b（縁応力度）= \dfrac{M（曲げモーメント）}{Z（断面係数）}$$

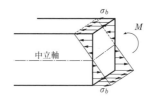

　したがって、断面係数が２倍になれば、曲げ強さも２倍になります。

<table>
<tr><td>X軸に関する断面係数</td><td>$Zx = \dfrac{Ix}{\dfrac{h}{2}} = \dfrac{\dfrac{bh^3}{12}}{\dfrac{h}{2}} = \dfrac{bh^2}{6}$</td></tr>
<tr><td>Y軸に関する断面係数</td><td>$Zy = \dfrac{Iy}{\dfrac{b}{2}} = \dfrac{\dfrac{hb^3}{12}}{\dfrac{b}{2}} = \dfrac{hb^2}{6}$</td></tr>
</table>

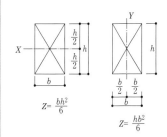

③ 応力度

応力計算では、部材の断面の大きさや形状を考えず、部材を重心線で表し求めてきましたが、部材の強さは、部材断面の大きさや形状、材質によって異なりますので、部材断面の単位面積（㎟）当たりの応力を求める必要があります。この**単位面積当たりの応力を応力度**といい、**軸応力度**（引張応力度、圧縮応力度）、**せん断応力度、曲げ応力度**があります。

【1】 軸応力度（N/㎟）

引張応力度（σ_t）　引張部材における1㎟当たりの引張力

$$\sigma_t = \frac{N_t}{A} \ (\text{N/㎟})$$

N_t：引張力（N）

A：断面積（㎟）

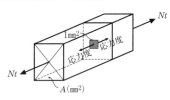

圧縮応力度（σ_c）　圧縮部材における1㎟当たりの圧縮力

$$\sigma_c = \frac{N_c}{A} \ (\text{N/㎟})$$

N_c：圧縮力（N）

A：断面積（㎟）

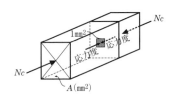

【2】 せん断応力度（τ）（N/mm²）

せん断応力度には、せん断力だけが生じる場合の**単純せん断応力度**と、梁部材などのように、**曲げモーメントが生じる場合のせん断応力度**があります。

単純せん断応力度　図のように1mm²当たりのせん断力で、全断面積に均等なせん断力の分布となります。

$$\tau = \frac{Q}{A} \ (\text{N/mm}^2)$$

Q：せん断力（N）

A：断面積（mm²）

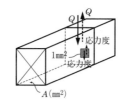

【3】 曲げ応力度（σ_b）（N/mm²）

図のように曲げモーメントが生じる部材は、部材の中立軸（図心軸）を境に上側が縮み、下側が伸びて湾曲しようとします。このときの応力は、上側が圧縮で、下側が引張りとなり、この垂直応力度を**曲げ応力度**といいます。

応力度分布は、中立軸では0となり、中立軸から一番遠い縁応力度が**最大曲げ応力度**となります。

この最大曲げ応力度は次の式で表されます。

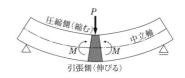

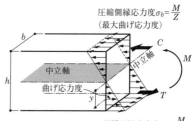

圧縮側縁応力度 $\sigma_b = \dfrac{M}{Z}$
（最大曲げ応力度）

引張側縁応力度 $\sigma_b = \dfrac{M}{Z}$
（最大曲げ応力度）

$$\sigma_b = \frac{M}{Z} \quad Z：断面係数$$

> 最大曲げ応力度は、曲げモーメントを断面係数で割って求めます。

図の単純梁のA点の最大曲げ応力度及び梁に生じる最大曲げ応力度を求めてみましょう。

応力を求める

骨組み及び荷重とも対称配置なので、B点、C点の反力は、

$$V_B = V_C = P \text{（上向き）}$$

曲げモーメントを求める

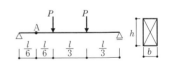

A点の左側で計算すると、荷重はV_Bのみ。

$$M_A = V_B \times \frac{l}{6} = \frac{V_B}{6} \quad \therefore \quad M_A = \frac{Pl}{6}$$

断面係数を求める

$$Z = \frac{\mathrm{b}\,\mathrm{h}^2}{6}$$

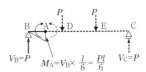

$$M_A = V_B \times \frac{l}{6} = \frac{Pl}{6}$$

《M図》

A点の最大曲げ応力度σ_{bA}を求める

$$\sigma_{bA} = \frac{M}{Z} \text{より、} \quad \sigma_{bA} = \frac{Pl}{6} \div \frac{\mathrm{b}\,\mathrm{h}^2}{6} = \frac{Pl}{\mathrm{b}\,\mathrm{h}^2}$$

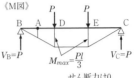

$$M_{max} = \frac{Pl}{3}$$

梁に生じる最大曲げ応力度σ_bを求める

$$\sigma_b = \frac{M_{max}}{Z} = \frac{Pl}{3} \div \frac{\mathrm{b}\,\mathrm{h}^2}{6} = \frac{2\,Pl}{\mathrm{b}\,\mathrm{h}^2}$$

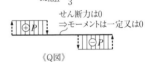

せん断力は0
⇒モーメントは一定又は0

《Q図》

5　変形・座屈

■1　変形

【1】　静定梁の変形

　梁のたわみは荷重に比例し、スパンの3乗または4乗に比例するのに対し、**曲げ剛性 EI**（E：ヤング係数、I：断面二次モーメント）に反比例します。片持ち梁、単純梁の最大たわみは以下のとおりとなります。

支持状態		最大たわみ（δ）
片持ち梁	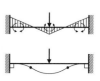	$\dfrac{1}{3} \cdot \dfrac{Pl^3}{EI}$
		$\dfrac{1}{8} \cdot \dfrac{wl^4}{EI}$
単純梁		$\dfrac{1}{48} \cdot \dfrac{Pl^3}{EI}$
		$\dfrac{5}{384} \cdot \dfrac{wl^4}{EI}$

【2】　不静定構造物の変形

　不静定構造物のモーメント図とその変形を示します。固定端や剛節点については、接合角度を保持したまま変形しますから、部材の湾曲が反対になる点ができます。この点を反曲点といい、この点で曲げモーメントは0になり、引張側が材軸の逆側になります。

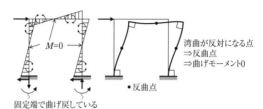

固定端で曲げ戻している　　　・反曲点

湾曲が反対になる点
⇒反曲点
⇒曲げモーメント0

2 座屈

　材軸方向に荷重を加えていくと、ある一定の圧縮力で部材は安定を失い曲がり始めます。これを**座屈**（曲げ座屈）といい、そのときの荷重を**弾性座屈荷重**といいます。また、鉄筋コンクリート造の柱など座屈をおこすおそれのない太短い柱を「**短柱**」、木材や鉄骨材のような座屈のおそれのある柱を「**長柱**」といいます。

【1】 座屈軸と座屈方向

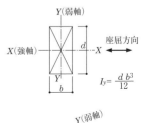

　座屈は、断面二次モーメントの小さい方に曲がり座屈します。

　したがって、**座屈軸**は、断面二次モーメントが最小の軸、つまり**弱軸**のことをいいます。

　図の断面でb＜dであれば、Y軸が弱軸で、X軸が強軸となります。Y軸回りに曲がり、X軸方向に座屈をおこします。

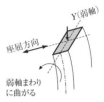

　したがって、座屈は、**弱軸**について検討しなければなりません。

【2】 弾性座屈荷重（P_k）

　弾性座屈荷重とは、座屈をおこす最小荷重のことで、次の公式により求めます。この弾性座屈荷重の大きい部材ほど座屈しにくいといえ、この荷重が小さいほど座屈しやすい部材となります。

$$P_k = \frac{\pi^2 EI}{l_k^2}$$

EI：曲げ剛性（E：ヤング係数、I：断面二次モーメント）

l_k：座屈長さ

● 弾性座屈荷重の大小は、弱軸に関する断面二次モーメントと座屈長さで比較します。

● ヤング係数、断面二次モーメントに比例して大きくなる➡座屈に強い

● 座屈長さの2乗に反比例します。➡座屈長さが長いほど小さい➡座屈に弱い

覚え方　「男子園児の栄養は長く長く」
弾性　π2　EI　lk　lk

【3】座屈長さ（l_k）

　座屈長さは、材端の支持条件と水平移動の拘束の有無により、部材の長さを1としたときの倍数で表されます。

	両端ピン	一端ピン・他端固定	両端固定
水平移動拘束	ピン／ピン　$l_k = l$	ピン／固定　$l_k = 0.7l$	固定／固定　$l_k = 0.5l$
		一端ピン（又は自由）・他端固定	両端固定
水平移動自由		自由／固定　$l_k = 2l$	固定／固定　$l_k = l$

　建築材料からは例年4〜5問程度出題されます。第3編（躯体施工・仕上施工）とも密接に関連しますので、よく関連づけて学習すれば、効率よく得点力アップにつなげることができます。

1　セメント・コンクリート

　コンクリートは、水、セメント、骨材（細骨材《砂》・粗骨材《砂利》）、混和材料などからつくられます。なお、セメントと適量の水を練り混ぜたものを**セメントペースト**といい、セメントと水と細骨材を練り混ぜたものを**モルタル**といいます。

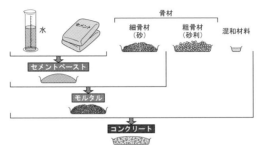

セメントペースト、モルタル、コンクリートの構成材料

■ セメント・コンクリートの特徴

　石灰石と粘土を主原料としたものを粉砕し、1,400〜1,500℃で焼成し、その後、急冷してセメントクリンカーとし、凝結調整材として少量のせっこうを加え微粉砕したものが、**ポルトランドセメント**です。セメントは、時間の経過とともに水和反応が進行し、強度が発現する**水硬性**材料です。

【1】 セメントの種類と特徴

セメント種類	初期強度	長期強度	水和熱(乾燥収縮)	化学抵抗性	主用途
普通ポルトランドセメント	普通	普通	普通(普通)	普通	一般工事
早強ポルトランドセメント	**大**	小	**大(温度ひび割れ大)**	普通	冬期工事・緊急工事
中庸熱ポルトランドセメント	やや小	やや大	**小**(小)	普通	夏季工事・マスコンクリート
低熱ポルトランドセメント	小	大	極めて小(小)	普通	夏季工事・マスコンクリート
高炉セメント(B種)	やや小	やや大	**小**(小)	**大**	海洋工事・土中構造物
フライアッシュセメント	やや小	やや大	**小**(小)	**大**	マスコンクリート

❶ **普通ポルトランドセメント** 一般のコンクリート工事用として、最も多く使われる普通のセメントです。

❷ **早強ポルトランドセメント** 早期にコンクリートを硬化させる必要がある際に用いられるセメントで、セメント粒子の細かさを示す**比表面積（ブレーン値）**を大きくしたものです。強度発現が早く、水和熱が大きくなります。また、低温でも強度発現性が大きいため、冬期や寒冷地での工事に適しています。
R5

❸ **中庸熱ポルトランドセメント** 水和熱が少なく、乾燥収縮が小さい。強度発現が遅い性質があります。

❹ **高炉セメント** 混合材として、製鉄所の溶鉱炉から多く排出される「**高炉スラグ（鉄鉱石の不純物）**」を粉砕したものを、普通ポルトランドセメントに適量加えたもので、耐海水性、化学的抵抗性が大きく、地下構造物に適しています。A～C種がありますが、建築工事では一般にB種が多く用いられます。
R5

MEMO

高炉スラグの分量（質量%）

A種	5～30（%）	少
B種	30～60（%）	中
C種	60～70（%）	多

❺ **フライアッシュセメント** 混合材として、**フライアッシュ**（火力発電所などのボイラーから出る灰）を、普通ポルトランドセメントに適量を加えたもので、水和熱が小さく、マスコンクリートに適しています。

❻ エコセメント　都市ごみを焼却した際に発生する灰を主原料とし、必要に応じて下水汚泥焼却灰なども加えて製造される、資源リサイクル型のセメントです。

【2】 セメント・コンクリートの性質

❶ 水和反応と水和熱

セメントが水と反応して硬化することを水和反応（水和作用）といい、このとき発生する熱を水和熱といいます。また、水と反応して硬化する性質を水硬性といいます。したがって、大気中で養生した供試体よりも、水中で養生した供試体の方が、圧縮強度が大きくなります。

● 水との反応速度㊋（細かい粉末）➡水和熱㊌

● 単位セメント量㊔➡水和熱㊌

❷ 温度ひび割れ

大きな断面をもつ地中梁などでは、水和反応によって発生する水和熱により、部材の内部と表面で大きな温度差が生じると、ひび割れが発生します。これを温度ひび割れといいます。

水和熱を低減するためには、水和熱の低い中庸熱、低熱ポルトランドセメントや高炉セメントを使用したり、単位セメント量を少なくします。

❸ コンクリートのアルカリ性

水和後のセメントはアルカリ性を示します。コンクリートがアルカリ性を保っている間は、鉄筋の表面に安定した被膜が形成され、鉄筋の防錆効果があります。

鉄筋は、コンクリートのアルカリ性によって守られています。

❹ コンクリートの材齢と強度

湿潤に養生することにより、コンクリートの圧縮強度は4週（28日）までは急上昇し、その後も水分の補給で水和反応の伸展により、徐々に増加し続けます。そのため、気中養生よりも水中養生の方が強度は増進します。

❺ セメントの種類とコンクリートの強度

● セメントの粒子が細かいものほど、水との接触面積（比表面積）が大きくなり、水和反応が早まるため、初期の圧縮強度の発現が早くなります。また、早強ポ

ルトランドセメントは、普通ポルトランドセメントよりも粒子が細かく、強度の発現が早くなります。ただし、乾燥収縮が大きくひび割れが生じやすくなります。

- 材齢７日程度の初期強度は、次の順になります。

> 早強ポルトランドセメント＞普通ポルトランドセメント
> ＞高炉セメントＢ種＞中庸熱ポルトランドセメント

⑥ コンクリートの熱に対する性質

　普通コンクリートでは、300〜350℃以上になると強度が著しく低下し、500℃では常温強度の約40％となります。また、コンクリートの熱（線）膨張係数は、１℃当たり1.0×10^{-5}と鉄筋とほぼ等しい値です。

⑦ その他

- コンクリートの比重は、普通コンクリートで2.1超〜2.5以下です。
- コンクリートのヤング係数は、コンクリート強度が高いほど、単位容積質量が大きいほど、大きくなります。
- コンクリートの引張強度は、圧縮強度の約$\frac{1}{10}$程度です。
- セメントは、貯蔵期間が長いと、空気中の水分や二酸化炭素を吸収し、**風化**による品質低下をおこしやすくなります。
- コンクリートのポアソン比は、0.2程度です。
- 空気量が１％増加すると、コンクリートの圧縮強度は４〜６％低下します。

> **例題**
> **Q** セメントは、粒子が細かいものほど、強度発現の速度が速く、発熱も大きい。
> **A** ○

② 骨材・水・混和剤

【1】骨材

① ** 骨材は粒径によって、細骨材**（砂）と、**粗骨材**（砂利）に分けられます。

② 塩化物量 　塩化物を多く含む骨材を使用すると鉄筋の腐食が生じやすくなりますので、骨材中の塩化物は、0.04％以下とします。なお、コンクリート１㎥中の**塩化物イオン量**も0.3kg/㎥以下とするよう総量規制されます。

❸ **アルカリシリカ反応** 骨材中のシリカ鉱物を含む骨材が、セメント中のアルカリ金属イオンと反応して骨材を膨張させ、コンクリートにひび割れなどが生じる現象です。抑制対策としては、アルカリシリカ反応をおこさない**無害な骨材**を用いること、高炉セメント又はフライアッシュセメントの**B種**、**C種**を用いることなどです。なお、コンクリートを高強度にすることは抑制対策にはなりません。

骨材中のシリカ鉱物とセメントのアルカリが反応することがアルカリシリカ反応で、構造物に致命傷を与えます。

❹ **実積率** 球形に近い（偏平でない）骨材で、適当な粒度分布をしていることがワーカビリティーをよくし、材料分離も少なくなり、実積率の高い骨材といえます。

_{R5}

> **用語**
> **実積率**
> 骨材を容器に詰めた場合、どの程度隙間なく詰まっているかを表す指標。実積率が高いほど、粒度分布がよくなる。

❺ **乾燥収縮ひずみが小さくなる骨材**➡良質の川砂利、石灰石砕石

【2】水

コンクリートの練混ぜ水は、コンクリートの凝結時間、硬化後のコンクリートの強さ、鋼材の発錆などに大きな影響があります。また、練混ぜ水の水量は、良好なワーカビリティーを得られる範囲で少ない方が品質がよく、強度が大きいコンクリートをつくることができます。

余剰水㊄➡材料分離・乾燥収縮ひび割れ・ブリーディング増加

> **MEMO**
> **ブリーディング**
> コンクリート中の水分が分離して、浮き上がってくる現象。

【3】混和剤

混和剤とは、モルタルやコンクリートの性能を改善するために少量加える材料の総称です。

❶ 減水剤

セメント粒子の分散作用によって、所定の流動性を得るのに必要な単位水量を減らすことができます。_{R5}

❷ AE剤（空気連行剤）

AE剤が微細な独立した空気泡を連行し、コンクリートのワーカビリティ、耐久性及び凍結融解に対する抵抗性・耐凍害性を向上させます。

❸ （高性能）AE減水剤

減水剤とAE剤の機能を併せ持っていますので、空気連行作用、セメント粒子の分散作用によって、所定の流動性を得るのに必要な単位水量を減らすことができます。

❹ 流動化剤

流動化コンクリート用に主に工事現場で添加して、流動性の増大を目的として使用されます。_{R5}

例題

Q AE減水剤は、コンクリートの単位水量を減ずる効果があり、ワーカビリティーもよくする。

A ◯

---

3 コンクリートの調合

【1】水セメント比（W/C）

水セメント比はセメントに対する水の質量の割合で、水セメント比が小さいほど強度は大きくなり耐久性も向上します。また、中性化速度も遅くなります（中性化しにくくなる）。

$$水セメント比（W/C）＝\frac{水の質量（W）}{セメントの質量（C）}×100（\%）$$

水セメント比が大きくなる、つまり水量が多くなると、強度・耐久性・水密性の低下や乾燥収縮など、好ましくない影響を与えるため、最大値が規定され、普通ポルトランドセメントなどでは65%以下が標準です。

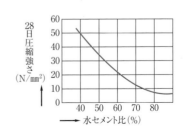

つまり、コンクリートの強度は、水セメント比に反比例します。

【2】 単位水量

　フレッシュコンクリート1㎥に含まれる水量で、単位水量の最大値は185kg/㎥以下とします。単位水量が多くなると、**ブリーディング**の増加に伴う鉄筋付着強度の低下、乾燥収縮の増加、耐久性の低下などの品質低下の原因になります。

【3】 単位セメント量

　フレッシュコンクリート1㎥に含まれるセメントの質量です。過小すぎると、コンクリートのワーカビリティーが悪くなるだけでなく、耐久性・水密性なども低下しかねないため、最小値が定められていて、普通コンクリートの場合270kg/㎥以上とします。ただし、多すぎるとセメントペーストの多いコンクリートとなり、乾燥収縮や水和熱の上昇によるひび割れの原因になりますので、**所定の範囲でできるだけ少なくする**必要があります。

【4】 コンクリートの中性化

　コンクリートの**中性化**は、コンクリート中の水酸化カルシウムが空気中の二酸化炭素と化学反応して、**アルカリ性が失われる現象**です。中性化が進行すると、鉄筋表面の被膜が破壊されて錆びはじめますので、コンクリートの耐久性が失われます。

　コンクリートの**設計基準強度を高く**設定したり、AE剤やAE減水剤を用いたりするなどして、コンクリートを緻密にすることや、鉄筋に対するコンクリートの**かぶり厚さを大きく**設定する方法等により、中性化を遅らせ、鉄筋の腐食を防ぎ、耐久性を向上させることができます。

【5】 コンクリートの乾燥収縮

　コンクリートの乾燥収縮ひび割れは、**単位水量**が多いほど大きくなり、コンクリート構造物の耐力低下、耐久性に大きな影響を及ぼします。したがって、単位水量を少なくし、単位セメント量も規定の範囲内で少なくします。

【6】 コンクリートの施工性・流動性

コンクリートのワーカビリティー（作業性）は、スランプによって示されます。**スランプ**とは、高さ30cmの鉄製スランプコーンにコンクリートを3層に詰め、コーンを引き上げたのち、コンクリートの中央部における**下がり量**で、スランプが過大な場合は、一般にコンクリートが分離しやすくなります。

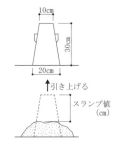

 MEMO

> 高流動コンクリートや高強度コンクリートは、スランプフロー試験で管理する。

＊調合管理強度が33N/mm²以上の場合　**スランプ21cm以下**（±1.5cm）
＊調合管理強度が33N/mm²未満の場合　**スランプ18cm以下**（±2.5cm）

【7】 空気量

空気量が増えると、コンクリートのワーカビリティーが改善し、耐久性、**凍結融解**に対する抵抗性が増加しますが、その反面、空気量が1％増えれば強度が4〜6％低下するため、普通コンクリートで4.5％を標準とします。

【8】 細骨材率

細骨材率とは、骨材量（細骨材＋粗骨材）に対する細骨材量の割合のことで、**絶対容積**の割合で表します。

$$細骨材率＝\frac{細骨材の絶対容積}{細骨材の絶対容積＋粗骨材の絶対容積}×100（\%）$$

❶ 細骨材率が小さすぎると（砂利に比べて砂が少ない）、粗骨材（砂利）とモルタル分が分離しやすくなります。

❷ 細骨材率が大きくなると、所定のスランプ値を得るのに必要な単位セメント量と単位水量が多くなります。なお、粗骨材の最大寸法が大きくなると、所定のスランプを得るのに必要な単位水量は減少します。

> コンクリートの水セメント比、単位セメント量、単位水量、空気量は、よく出題されます。数値も正確に覚えましょう。

【1】鋼材の種類

　汎用鋼材の規格が、**一般構造用圧延鋼材（SS材）**及び**溶接構造用圧延鋼材（SM材）**です。建築は鋼材を構造材料として用い、塑性域のじん性に期待した設計を行うことから、塑性変形などの品質を高めた規格が**建築構造用圧延鋼材（SN材）**であり、その区分は以下のとおりです。

❶ SN材A種　溶接性・塑性変形性能が保証されません。

❷ SN材B種　炭素当量などの上限を規定し、**溶接性・塑性変形性能が改善**されています。

❸ SN材C種 R4・6　B種の規定に加えて、板厚方向に大きな引張りを受ける場合でも、板厚方向のはく離状き裂（ラメラテア）に対する抵抗力があり、通しダイアフラムなどに用いられます。

通しダイア
フラム
突合せ
溶接
隅肉
溶接
通しダイアフラム形式

MEMO
鋼材の種類
と記号
【鋼材の種類の記号】
S N 400 A
→性能の区分
→引張強さの下限値
（N/mm²）
→鋼材の種類

MEMO
SM材
炭素を減らしてマンガン、ケイ素の含有量を調整したもので、溶接性を高めた鋼材である。

【2】炭素鋼の機械的性質

❶ 炭素含有量と鋼の性質

　鋼は炭素量の増加とともに、**引張強さ・降伏点**とも増加し、炭素量0.8%程度で**最大**になり、それ以上になると下降します。逆に**伸び（じん性）**は炭素の増加とともに減少し、加工性や溶接性も低下します。R4・6

❷ 炭素含有量により、軟鋼と硬鋼に分類されますが、建築構造物では粘りも重視していることから、建築物では一般に**軟鋼（炭素量0.12〜0.30%）**が多く用いられます。

❸ マンガンやケイ素を添加すると、**溶接性が改善**されます。

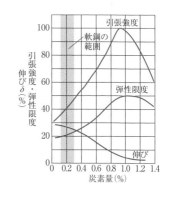

引張強度
軟鋼の
範囲
弾性限度
伸び
引張強度・弾性限度
伸びδ（%）
100
80
60
40
20
0　0.2 0.4 0.6 0.8 1.0 1.2 1.4
炭素量（%）

❹ 鋼材の機械的性質

ヤング係数E 弾性限度内の比例・直線部分の勾配（引張応力度／ひずみ度）です。鋼材のヤング係数は2.05×10^5（N/㎟）で、コンクリートの約10倍です。なお、降伏点まで比例関係にはあるわけではありません。

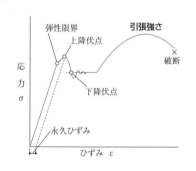

0.2%耐力（オフセット耐力） 永久ひずみが0.2％に達したときの最大荷重を原断面積で除した値をいいます。降伏点が明確に現れないPC鋼材などの場合に降伏点と同義に用います。

上降伏点 降伏し始める以前の最大荷重を原断面積で除した値です。

破断強度 破断時の荷重を原断面積で除した値です。

引張強さ（引張強度） 最大荷重を原断面積で除した値です。

●鋼材の**密度（比重）**は、7,850kg/㎥（7.85）です。

用語の意味をしっかり押さえましょう。

【3】 炭素鋼の熱的性質

❶ 鋼材の高温下の強度

鋼に熱を加えると、強度は200～300℃程度で最大になり、それ以上になると急激に低下して、**500℃**では**常温の1／2**にまで低下します。このように鋼は、不燃材料ですが耐火性には乏しく、鉄骨造の主要構造部では耐火被覆が必要になります。

なお、**加熱による曲げ加工**の場合は、800～900℃とし、200～400℃で行ってはいけません。

❷ 線（熱）膨張係数

鉄筋や鋼材の線（熱）膨張率は1×10^{-5}/℃であり、コンクリートとほぼ等しい値です。これが鉄筋コンクリート造が成立する大きな要因です。

❸ 鋼材の熱処理には、焼入れ、焼戻し、焼ならしがあります。

焼入れ 　鋼を800〜900℃で加熱後、水などで急冷することで、強さや硬さは大きくなりますが、伸びは減少し、もろくなります。

焼き戻し 　焼き入れによる内部ひずみやもろさを除去するため、200〜600℃で再熱後、空気中で冷却することで、強度は低下しますがじん性は増加します。

焼きならし（焼きなまし） 　鋼を800〜900℃で加熱後、炉中で徐々に冷却することで、強度は低下しますが、残留応力を除去することができ、伸びが増加し軟らかくなります。

【4】鋼材の溶接性

❶ 炭素当量（Ceq） 　炭素及び炭素以外の元素の溶接性への影響力を炭素量に換算したもので、数値が大きいほど溶接性が悪くなります。

❷ 溶接割れ感受性組成（PCM） 　溶接部の低温割れに対する化学成分の影響を表したもので、数値が大きい低温割れが発生しやすくなります。

> **用語**
>
> **低温割れ**
> 溶接後の200〜300℃以下の温度域で、急熱・急冷に起因して発生する溶接割れのこと。溶接部に侵入した水素や溶接部の応力と硬化の相互作用などが原因で、予防のためには、**予熱により溶接後の冷却速度を緩和**する必要がある。

【5】特殊な鋼材

建築構造用高性能鋼材SA440 　建築構造用高性能590N/㎟級鋼材とも呼ばれる高強度鋼です。通常、鋼材名称の数値は引張強さを表しますが、SA440の数値は降伏点を表します。

低降伏点鋼 　添加元素を極力低減した純鉄に近い鋼材で、軟鋼と比べ、強度が低く、延性が極めて高い鋼材です。早期に降伏させることで、長く変形が続くことにより、地震エネルギーを吸収して制振効果を発揮します。

TMCP鋼 　熱加工制御により、製造された鋼材です。また、優れた溶接性と高じん性を有しています。

耐火鋼（FR鋼） 　SN材にモリブテンなどの合金元素を添加して、一般鋼材と比べて、高温強度（耐火性）を高めた鋼材で、耐火被覆の軽減や無被覆化が可能です。

高耐候性鋼 　SM材に銅、クロム、ニッケルなどを添加することにより、耐

候性を大幅に改善した鋼材です。

各鋼材の特徴をしっかり覚えてください。

例題	**Q**	鋼材の引張強さは、一般に、200〜300℃付近で最大となり、これを超えると温度の上昇とともに低下する。
	A	○

3 その他金属

【1】ステンレス

　ステンレス鋼は、鋼にクロムやニッケルを添加した合金です。自己再生可能な薄い**保護酸化皮膜（不動態皮膜）**〈H29・R5〉を形成し、耐食性を発現します。また、炭素量が少ないものほど軟質で、より耐食性に優れています。また、**耐熱性**〈R5〉に優れます。

MEMO
ステンレス鋼の磁性
SUS304　磁性弱（ほぼ無）
SUS430　磁性強
〈R1・3〉

　なお、建築構造用ステンレス鋼材SUS304は降伏点が明確でないため、その基準強度は**0.1％オフセット耐力**を採用します。なお、基準強度は235N/㎟です。

特性	特徴
物理的特性	**比重7.6〜8.1**、　種類により磁性・非磁性を示す
ヤング係数	SUS304　$1.93×10^5$N/㎟ ➡ 鋼材（$2.05×10^5$）、アルミ（$0.68×10^5$）
熱膨張率	鉄の1.7倍
熱伝導率	鉄の1/3
加工性	アルミや銅より硬い➡アルミに比べてやや難しい
耐食性	大気中や水中で鉄やアルミよりも優れる

【2】アルミニウム

　アルミニウムは、比重が小さく軽量で、軟らかく**展延性**に富み加工しやすい金属です。大気中では表面に生じる**酸化皮膜**〈H29〉により耐食性がありますが、酸、アルカリには弱く塗装等の保護が必要です。

特　性	特　徴
物理的特性	軽量、軟質で加工性はよい、比重約2.7（鉄7.9　銅8.9）➡鋼材の約1/3
ヤング係数	小さい。$0.68 \times 10^5 \text{N/㎟}$➡鋼材（$2.05 \times 10^5 \text{N/㎟}$）の約1/3
熱膨張係数	$2.35 \times 10^{-5}/℃$➡鋼材（$1.1 \times 10^{-5}/℃$）の約2倍
耐食性	大気中耐食性はあるが、酸、アルカリには弱い
伝導性	導電性は銅の2倍。高電圧送電線に用いられる

● 比重・ヤング係数➡鋼材の約1/3
_{R3}

　線膨張係数➡鋼材の約2倍
_{R1}

金属材料のヤング係数・線膨張係数のポイント

【3】 その他

❶ 銅　軟らかく加工性がよく、**熱・電気の伝導率が著しく高い**材料です。また、湿気中において緑青の保護皮膜が生成され、耐食性が高くなりますが、耐アルカリ性・耐アンモニア性は劣ります。

❷ 黄銅（おうどう）　真鍮（しんちゅう）とも呼ばれ、銅と亜鉛の合金で、特に亜鉛が20%以上のものをいい、一般に亜鉛が30〜40%です。適度な硬さと展延性を持ち、切削加工が容易なため、微細な切削加工を要求される金属部品の材料として使用されます。

❸ 青銅　銅と錫（すず）を主成分とする合金で、黄銅に比べて耐食性が高く、**耐摩耗性**にも優れています。

❹ 鉛　鉛は、**密度（比重）が大きく**、鋼材に比べて熱伝導率は**低く**、線膨張率は大きい金属です。軟質で加工性がよく、酸その他の薬液に対する抵抗性やX線遮断効果は大きいですが、耐アルカリ性は低い材料です。

	鋼　材	鉛
熱伝導率（W/m・K）	54.4	35.2（約2/3）
線膨張係数（1/℃）	1.1×10^{-5}	2.9×10^{-5}（約3倍）

❺ チタン　チタンは、鋼に比べて密度は小さいです（軽量）が、錆びにくく、

<u>耐食性</u>の高い<u>金属です</u>。
_{R5}

例	**Q**	ステンレス鋼のヤング係数は、一般鋼材より大きい。
題	**A**	✕　やや小さい。

4 　木　材

　木材の性質は、樹種によって異なるだけでなく、同一材でも乾燥状態、心材か辺材か、あるいは繊維方向の角度によっても大きく異なります。

【1】木の種類

　木材は葉の形により針葉樹（普通常緑で針状の葉）と広葉樹（広く平たい葉）に大きく分けられます。**針葉樹**は、一般に、柔らかく直通性があるので構造材に用い、**広葉樹**は、重くて強度が大きく、加工が困難で、一般に、堅木_{かたぎ}といわれ、仕上材や建具等に用います。

		針　葉　樹	広　葉　樹
特　徴		まっすぐな高木で、長大材が得やすい。軽くて適度な強度をもち、比較的軟らかいので加工がしやすい	低木で、重く強度が大きい。比較的堅いので加工が難しい（堅木）。木はだが美しい模様をもつ
用　途		主に**構造材**、**下地材**、造作材	主に仕上げ材、建具材、家具、フローリングなど
種　類		**杉**、**松**、**ヒノキ**、**ツガ**、ヒバなど	**タモ**、**カシ**、ケヤキ、ナラ、ラワンなど

【2】組織

　樹皮に近く淡い白色の部分を**辺材**といい、その内部の色調の濃い赤い部分を**心材**といいます。辺材は樹液が多いので、柔らかで腐りやすく、強度・耐久性に劣りますが、心材は硬質で重く、強度・耐久性が高い部分です。

	辺 材	心 材
特　徴	淡色材。**軟らかく軽量**で、強度が劣る。乾燥に伴う収縮・曲り・反りが比較的大きい	赤身材。**硬質で重く**、強度が大きい。狂いが少なく、樹脂が多いため削ると光沢が出る
耐久性	腐りやすく、耐久性に劣る	腐りにくく、耐久性がある
虫　害	虫害を受けやすい	虫害に対して強い

【3】 木取り

❶ 板材で、樹皮側の面を木表、樹心側の面を木裏といいます。

❷ 木材は乾燥すると、木表が凹に反る性質があります。

　➡敷居及び鴨居は、木表側に溝を彫ります。溝じゃくりを木裏側に設けると、建具の開閉が固くなります。

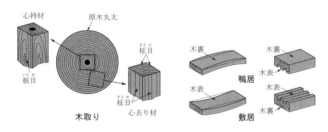

心持材　原木丸太　柾目　板目　柾目　木取り　心去り材

木裏　木表　木裏　木表　鴨居

木表　木表　木裏　木裏　敷居

> **用語**
> しんもちざい
> **心持材**
> 樹心をもつ製材で、強度、耐久性がよく、構造材によく用いられる。

> **用語**
> しんさざい
> **心去り材**
> 樹心を避けて木取りした製材で、乾燥しても割れにくく、柾目の面が美しい。

❸ 床板は、木表を上にして用います。

❹ 心持材の化粧柱には、表面のひび割れを防止するために、見え隠れ面に背割りを設けます。心去り材の化粧柱に、四方柾材を用いた場合は、背割りは不要です。

背割り　心持材

❺ 丸太の根元側を元口、梢（幹や枝の先。木の末の意味）側を末口といい、柱は、元口を土台側にして、立ち木と同じ状態で取り付けます。

【4】木材の含水率と伸縮

❶ **木材の含水率**　木材に含まれる水量を木材の質量で除した割合のことで、全乾状態、気乾状態、繊維飽和点に分けられます。

全乾状態（含水率：0％）

気乾状態（含水率：約15％）

空気中に放置しておくと空気中の湿度と平衡状態になるまで乾燥します。そのときの含水状態です。

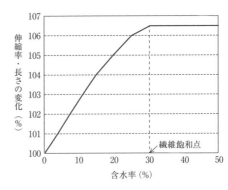

繊維飽和点（含水率：約30％）

自由水（細胞と細胞の隙間にある水）が蒸発しなくなった状態です。その後、さらに乾燥が進むと結合水（細胞に含まれる水）が蒸発します。

❷ 木材の含水率と伸縮・強度

繊維飽和点以下の場合　木材の伸縮率（膨張・収縮）は、概ね含水率に比例し、含水率が小さくなると、伸縮率は小さくなります。また、含水率が小さくなる（乾燥する）と、木材の強度及びヤング係数は大きくなります。

繊維飽和点以上の場合　伸縮率、強度はほぼ一定です。

❸ 搬入時の含水率

木　材		含水率
構造材	主要な骨組の部材に用いる材	20%以下
造作材	建築内部で用いる仕上げ材、取付け材など	15%以下 R1

含水率はよく出題されますので、注意してください。

❹ 木材の３方向の伸縮量

繊維方向＜半径方向＜接線（円周）方向

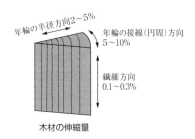

木材の伸縮量

【5】木材の強度

木材の強度は、次のような特徴があります。

● 繊維方向の強度は、半径方向、接線方向の強度より大きくなります。

● 心材は辺材より強度は大きくなります。

● 広葉樹は針葉樹より強度は大きくなります。

● 密度（比重）が大きいほど強度も大きくなります。

● 節などの欠点がある木材は強度が小さくなります。

【6】木材の熱伝導率

木材は他の材料と比べると熱伝導率が小さく（熱が伝わりにくい）、同じ木材の含水率であれば、密度（比重）が大きいものほど熱伝導率は大きくなります。すなわち軽いものほど熱が伝わりにくいということです。

> 密度（比重）が大 ➡ 熱伝導率も大（熱が伝わりやすい）

【7】木材の燃焼性

❶ 約260℃ 着火温度：口火を近づけると着火する火災危険温度です。

❷ 約450℃ 自然発火点：口火なしでも自然発火します。

❸ 木材が燃焼して炭化する深さ １分間で約0.6㎜です。

燃焼によってできる炭化層は、内部を燃焼しにくくしますので、柱や梁でも断面を火災時の燃えしろを見込んで大きくすることで、耐火性能を確保することができます。

【8】 木材の腐朽

　木材腐朽菌は、一般に含水率が25～35％を超えると繁殖しやすくなるため、構造用製材の含水率は25％以下とされています。防腐処理方法としては、防腐剤を注入、塗布する方法が一般に用いられますが、仕口や継手の加工が行われた部分については再処理をしなければなりません。

【9】 集成材

　集成材は、厚さ5cm以下（1～3cmほど）のひき板又は小角材（ラミナ）の節や割れなどを取り除いた後、繊維方向をそろえて多数重ね、接着剤で接

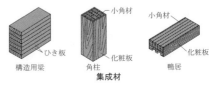

集成材

着形成したもので、大断面用などの構造用集成材と、家具や造作用などの造作用集成材に分けられます。

❶ ひき板・小角材を十分乾燥させてから接着するため、長期の乾燥収縮による変形が少なく、狂いや割れもあまりありません。

❷ 比較的自由な断面寸法・長さのものが製作でき、木材の欠点を除き、あるいは分散できるため、強度が大きくなります。

【10】 直交集成板（CLT）

　直交集成板（CLT）は、ひき板（ラミナ）を幅方向に並べたものを、その繊維方向が直交するように積層接着した木質系材料であり、弾性係数、基準強度は一般的な製材の繊維方向の値と比べて小さくなっています。

> ひき板（ラミナ）を積層接着したものには、繊維方向を平行にした「集成材（構造用・造作用）」と、直交させた「直交集成板（CLT）」があります。

【11】 合板

　合板は、丸太を薄くむいた単板（ベニヤともいう）を奇数板の繊維方向を交互に直交させて接着剤で張り合わせたもので、普通合板、構造用合板などがあります。

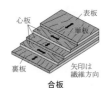

合板

❶ 普通合板

接着の程度により、1類と2類の区別があります。

1類：断続的に湿潤状態となる場所、外装、台所、浴室において使用

2類：ときどき湿潤状態となる場所、内装、家具等において使用

❷ 構造用合板

建築物の構造耐力上主要な部分に使用する合板のことをいい(耐力壁の面材として使用)、強度、耐水性によって区別されます。

強度等級　1級：強度計算設計の場合

　　　　　2級：住宅の耐力壁、屋根下地、床下地張りなど下地用

接着程度　特類：屋外または常時湿潤状態となる場所において使用する場合

　　　　　1類：その他の場合

【12】パーティクルボード

　木材の小片（パーティクルあるいはチップと呼ばれる）に接着材を吹き付け加熱圧縮成形したもので、断熱性、吸音性は優れていますが、耐火性、耐水性、寸法安定性には劣りますので、一般に湿度が高い所には使用しません。ホルムアルデヒド発散材料で、指定建築材料として使用に制限を受けます。ホルムアルデヒド放散等級にはF☆からF☆☆☆☆の4つの区分がありますが、特記がなければ、F☆☆☆☆のものを使用します。

【13】繊維板

　木材チップを十分に繊維化して加熱圧縮成形した板のことで、板の密度により、次のように分類されます。

❶ インシュレーションボード（軟質繊維板）　密度0.35g/c㎡未満で、断熱性に優れているので、内壁の下地材など、保温のために用いられます。

❷ ミディアムデンシティファイバーボード（MDF：中質繊維板）　密度0.35g/c㎡以上0.8g/c㎡未満で、均質で平滑なため枠材等に用いられます。

❸ ハードボード（硬質繊維板）　密度0.8g/c㎡以上で、硬度、強度、耐腐　朽性に優れているので、外壁下地などに用いられます。

繊維版には断熱材として用いられるインシュレーションボード、建具の枠材等に用いられるMDF、外壁下地材等に用いられるハードボードがあります。

【14】木毛セメント板

木毛（木材を長さ20cm程度に切断し細く削ったもの）をセメントと混ぜて圧縮形成したものです。耐火性、断熱性、吸音性があり、内外壁の下地、断熱材、吸音材として用いられます。

5　防水材料

【1】アスファルト防水の材料

❶ アスファルトプライマー

防水下地に最初に塗布する下地処理材で、下地表面に浸透して下地と防水層の接着性を向上させます。

● 比較的低粘度の液体で、刷毛などで容易に塗布できます。

● 有機溶剤タイプとエマルションタイプ（水中に乳化分散させたもの）があり、近年は引火の危険性がないことや人体への影響の配慮などから、**エマルションタイプ**を使用するケースが増えています。**有機溶剤タイプのアスファルトプライマーは、ブローンアスファルト**などを揮発性溶剤に溶解したものです。

> **用語**
> **ブローンアスファルト**
> 通常、建築工事に使用するアスファルトを示す。できるだけ分解・変化させずに取り出したアスファルトを**ストレートアスファルト**という。

❷ アスファルト

石油精製時に分留した粘りのある黒色の固形材（残りかす）で、油の一種であるので、水をよくはじく性質があります。**溶融がま**で加熱溶融した後に、ひしゃくを用いて流しながらルーフィング類を密着させ張り付けます。また、市街地においては、**低煙・低臭タイプ**を使用します。アスファルトの性状を示す用語は、次のとおりです。

● **針入度**

常温25℃におけるアスファルトの硬さを表すもので、アスファルト試料に針を押し込んだときの貫入深さで表します。

　　針入度⑤➡**硬いアスファルト**

　　　　　⑥➡**軟らかいアスファルト**

100g・5秒間
針入度
針入度試験

● **針入度指数**

アスファルトの高温時の軟化、低温時のぜい化などがおこる度合を表す指数。

この数値が大きいほど、広い温度範囲にわたって軟化・ぜい化がおこりにくくなり（感温性が小さくなる）、望ましい性能です。

● 軟化点

加熱されたアスファルトが軟化、変形しはじめる温度のことで、アスファルト試料を加熱し、規定距離に垂れ下がるときの温度です。

種類 \ 項目	軟化点	針入度 (25℃)	針入度 指数	引火点	フラースぜい化点
3種	100℃ 以上	20以上 40以下	5.0以 上	280℃ 以上	−15℃ 以下

鋼球
規定
距離
軟化点試験

フラースぜい化点
R1～3・5
アスファルトの低温時のもろさを示すもので、鋼板にアスファルトを薄く塗り、温度を下げながら、曲げたとき最初に亀裂が生じる温度。低温時のひび割れ防止のため、**ぜい化温度の低いものが望ましい。**（低温特性が良い）

❸ ルーフィング類

● アスファルトルーフィング

天然の有機質繊維のフェルト状シートにアスファルトを浸透させ、表裏面に鉱物質粉末を付着させてロール状またはシート状にした防水材料で、防水層を形成する主要材料の１つです。

MEMO
アスファルトルーフィング1500の数値1500は、**製品の単位面積当たり質量（g）**を表す。
H29・R1・3

● ストレッチルーフィング

合成繊維を主とした多孔質なフェルト状のシートにアスファルトを浸透させ、表裏面に鉱物質粉末を付着させた防水材料です。アスファルトルーフィングに比べ伸び率が大きく破断しにくいため、下地の動きが大きいことが予測される場合には効果的で、防水層の耐久性を高めます。なお、表面に砂粒を付着させた「砂付ストレッチルーフィング」もあります。

MEMO
ストレッチルーフィング1000の数値1000は、製品の**抗張積**（引張強さと最大荷重時の伸び率との積）を表す。
H29・R1・3・5

砂付ストレッチルーフィング
表面に砂粒を密着させたストレッチルーフィングで、一般に、保護コンクリートのない露出防水の最上層に、仕上げ張りとして用いられる。

● あなあきルーフィング

全面に一定の大きさの「あな」を等間隔にあけたアスファルトルーフィングで、防水層と下地面を**密着させず**「絶縁する」目的で、防水層の最下層に用います。こうした工法を、**絶縁工法**と呼んでいます。

● 網状アスファルトルーフィング

目の粗い麻布・綿布・合成繊維の布などにアスファルトを浸透させたもので、引張り強度が強いので、防水層立上りの際やドレン・貫通配管回りなどに、増張りしてアスファルト防水層の補強として用います。

さまざまなルーフィングがあります。それぞれの特徴と用途をしっかり覚えてください。

● 改質アスファルトルーフィングシート

合成ゴム、またはプラスチックを添加してアスファルトの性能を高めた**改質アスファルト**を用いたルーフィングシートです。ストレッチルーフィングに比べて、強度・伸び・化学的性質などに優れ、耐久性が非常に高い材料です。温度特性による品質区分には、Ⅰ類とⅡ類があり、Ⅱ類の方が低温時の折り曲げ性能が優れています。

はく離フィルム　　部分粘着層

H29・R1

R5

● 粘着層付改質アスファルトシート

粘着層付改質アスファルト（ルーフィング）シートには、裏面全面に粘着層を付けた「**粘着層付**」と、裏面に部分的（ストライプ状またはスポット）に粘着層を付けた「**部分粘着層付**」の2種類があります。これらは「はく離紙」をはがして下地とシートを粘着一体化させるもので、下地の挙動への追従性に優れています。

MEMO

「絶縁工法」の防水層最下層には、「砂付あなあきアスファルトルーフィング」が使用されていたが、「部分粘着層付改質アスファルトシート」が普及している。

【2】 その他の防水の材料

❶ 塗膜防水

塗膜防水材　ウレタンゴム系防水材は、引張強さ、伸び率、抗張積（引張強さ×最大荷重時の伸び率）などの特性によって、高伸長形（旧1類）と高強度形の2種類があります。2成分形は主材と硬化剤の反応硬化、1成分形は空気中の湿気による硬化（湿気硬化）により塗膜を形成します。なお、2成分形は必要に応じて硬化促進剤や充填材等を混合します。

補強布　塗膜厚さの確保、立上り部などの防水材の垂れ下がり防止を目的にした合成繊維及びガラス繊維の布です。

通気緩衝シート　塗膜防水層の破断・ふくれの防止のために用いるシート状の材料です。

【3】 シーリング材

弾性シーリング材　弾性的な性質、すなわち、目地のムーブメントによって生じた応力が、ひずみにほぼ比例するシーリング材です。液状ポリマーを主成分とし、施工後は硬化し、ゴム状弾性を発現します。

塑性シーリング材　塑性的な性質、すなわち、目地のムーブメントによって生じた応力が、ムーブメントの速度にほぼ比例し、ムーブメントが停止すると素早く緩和するシーリング材です。

❶ 製品形態による区分

区　分	製品形態
1成分形	施工に使う状態にあらかじめ調整したシーリング材
2成分形	施工直前に、基剤に硬化剤を調合し、反応させることにより硬化するタイプのシーリング材

<1成分形の硬化機構>

湿気硬化、乾燥硬化及び非硬化があります。湿気硬化形にはシリコーン系シーリング材などが、乾燥硬化形にはアクリル系シーリング材などが、非硬化形にはシリコーン系マスチックなどがあります。

<2成分形の硬化機構>

混合反応硬化です。

❷ シーリング材の種類

種類(主要成分)	特　性
シリコーン系	1成分形と2成分形があり、耐候性、耐熱性、耐疲労性に優れたシーリング材。主に**ガラス回り**や内部の水回りに用いられる。表面塗装が必要な建物外壁や貫通部回りに用いると、**塗装が付着しないので使用しない**
変成シリコーン系	1成分形と2成分形があり、耐熱性、耐久性に優れ、柔軟性があり、ムーブメントの大きい**金属類**への使用も可能な材料。主に**サッシ窓枠回り**や外壁サイディング目地、タイル目地など、露出シーリングとして使用する。ガラス回りには適さない
ポリサルファイド系	1成分形と2成分形があり、弾性シーリング材として歴史のある材料。柔軟性があまりないので、**ノンワーキングジョイント**であるコンクリート壁下地の**石材類**の目地、**タイル類**の目地などに用いられ、ムーブメントの大きい金属類などへの使用には適さない

● シリコーン系は、硬化後にほこりがつきやすく、目地周辺に**撥水汚染**が生じることがあります。

1成分形高モジュラス形シリコーン系シーリング材　耐熱性、耐寒性に優れ、防かびタイプは、浴室、浴槽、洗面化粧台、プールなどの水回りの目地に用いられます。

2成分形ポリウレタン系シーリング材　耐熱性、耐候性に劣るため、金属パネルや金属笠木などには適しません。

● **シーリング材のタイプ**

タイプG　グレイジング（ガラスのはめ込み固定）に使用するもの

タイプF　グレイジング以外に使用するものです。

シーリング材のクラス　目地幅に対する拡大率及び縮小率によって、区分されます。クラス25は±25％の拡大縮小率です。

● **シーリング材の引張応力による区分**

高モジュラス（HM）、中モジュラス（MM）、低モジュラス（LM）があります。

なお、**モジュラス**とは、一定の伸びを与えたときの引張応力をいい、50％の伸びを与えたときの応力を50％引張応力といいます。

不定形シーリング材　弾性シーリング材のように、施工時に粘着性のあるペースト状のシーリング材の総称です。

2面接着　相対する2面で接着することをいい、目地に変位が発生する**ワーキングジョイント**に適用されます。

[3面接着]　相対する面及び底部の3面で接着することをいい、目地の変位が
ないか極めて少ないノンワーキングジョイントに適用されます。

動きの大きい目地は「2面接着」、動きの小さい目地は「3面接着」とします。

❸ その他の材料

[バックアップ材]　シーリング材の3面接着の回避、充填深さの調整（所定の
目地深さを保持する）などを目的とした、弾力性のある材料（ポリエチレン
フォーム、合成ゴム成形材）です。シーリング材と接着せず、かつ、シーリン
グ材の性能を低下させない性質を有します。

[ボンドブレーカー]　目地が深くない場合に3面接着を回避する目的で、目地
底に張り付けるテープ状の材料（ポリエチレンなどからなる粘着テープ）です。
シーリング材と接着せず、かつ、シーリング材の性能を低下させない性質を有
します。

例題	**Q**	1成分形のウレタンゴム系防水材は、乾燥硬化によりゴム弾性のある塗膜を形成する。
	A ✕	1成分形のウレタンゴム系防水材は、空気中の水分を硬化に利用するものである。
例題	**Q**	塗膜防水に用いる補強布は、必要な塗膜厚さの確保と立上り部や傾斜面における防水材の垂れ下がりの防止に有効である。
	A ○	

---

6 左官材料

　左官材料には、空気中の炭酸ガスと化学反応をおこして硬化する気硬性材料
と、水と化学反応をおこして硬化する水硬性材料があります。

●気硬性材料➡ドロマイトプラスター、しっくい

●水硬性材料➡セメントモルタル、せっこうプラスター、セルフレベリング材

R2

【1】 セメントモルタル（水硬性）

❶ セメントに砂を混入したもので、アルカリ性で、耐久性は大きいですが、ひび割れが生じやすい材料です。

❷ 骨材に用いる砂の最大寸法は、塗り厚の**半分以下**で、塗り厚に支障のない限り粒径の**大きな**ものとします。

❸ 細骨材（砂）の粒度分布が適切であると、モルタルの流動性が増大するとともに、適度な粘性をもち、骨材の量を増やすことができるため、モルタルの乾燥収縮やひび割れを抑制する効果があります。

❹ モルタルの調合は、下塗りに用いるものは**富調合**（強度が大きいモルタル）とします。下塗りは付着力が大きく、中・上塗りはひび割れを少なくするためです。

	セメント	砂	調　合	強度・付着力	ひび割れ
下塗り	1	2.5	富調合	大	多
むら直し・中塗り	1	3	貧調合	小	少
上塗り	1	3			

下塗りは、付着力優先で富調合、中・上塗りは、ひび割れの防止優先で貧調合とします。

❺ 混和材として**消石灰**、**ドロマイトプラスター**などを用いると、こての作業性が向上し、平滑な塗り面が得られます。また、保水性が向上して、貧調合とすることができるため、ひび割れを低減させることができます。

❻ **吸水調整材**は、耐アルカリ性があり、耐水性のよい合成樹脂エマルションとし、透明で非常に薄い膜を形成するものを用います。

【2】 ドロマイトプラスター（気硬性）

ドロマイト（白雲石）にマグネシア、消石灰、砂、セメント、すさを混入した左官材料です。ドロマイトは石灰石に似た鉱物で、粘性があり、海藻のようなのりを必要としませんが、硬化には長時間を要し、接着強度は弱いのが特徴です。また、**保水性**が良いため、こて塗りがしやすく**作業性**は優れています。

【3】 せっこうプラスター（水硬性）

「**プラスター**」とはある種の粉に水を加えて練り混ぜた左官材料のことをいいますが、その粉がせっこうの場合が「**せっこうプラスター**」で、焼きせっこうに石灰、砂、すさを混入した左官材料です。水和反応により結晶となり、余剰水の蒸発につれて強度が発現しますので、地下室など乾燥が困難な場所や乾湿の繰り返しを受ける部位では、硬化不良を生じやすくなります。

H30・R4

【4】 セルフレベリング材（水硬性）

せっこう系又はセメント系の結合材に、**高流動化剤、硬化遅延剤、骨材**などを混合した材料です。高い自己流動性をもち、床面に流した後、**こて仕上げなどをせず**にトンボでならし、平たん・平滑な高い精度を確保することが可能です。せっこう系は耐水性が劣るので、**水がかりとなる床**には、**セメント系**のものを用います。

H30・R4

【5】 しっくい（気硬性）

R3・4

消石灰を主たる結合材料とした左官材料で、既調合しっくいの場合は、のり剤には、粉末海藻及びメチルセルロース等の水溶性樹脂を用います。

> **MEMO**
> メチルセルロースは水溶性粉末で、セメントモルタルに混入して作業性の向上のために用いられる。
> R6

> **MEMO**
> パーライトは、真珠岩や黒曜石を粉砕し、高温で急激に加熱・膨張させた軽量骨材。

---

7 | 石・タイル

【1】 岩石の種類

石材のもとになる岩石は、火成岩、堆積岩、変成岩に分けられます。

❶ 火成岩

火成岩は、マグマが冷却凝固したもので、主なものに花こう岩、安山岩などがあり、一般に硬く、磨けば光沢と結晶模様をしています。

❷ 堆積岩

堆積岩は、地中の岩石が風化、侵食を受けて堆積し凝固したもので、主なものに擬灰岩、砂岩などがあり、一般に柔らかく加工しやすいのが特徴です。

❸ 変成岩

変成岩は、堆積岩がマグマの熱や圧力などによる変成作用によって変質したもので、大理石、蛇紋岩などがあります。

【2】石材の種類と表面仕上げ

種　類	主な使用箇所	特　徴
花崗岩 かこうがん R1・3・5	**外装・内装** （床、壁、階段）	いわゆる**御影石**（みかげいし）と呼ばれ、地下深部のマグマが冷却固結したもので、硬く、**耐摩耗性、耐久性**に優れ、建築物の外部、床、階段に用いられる。ただし、**耐火性に劣る**
大理石 だいりせき R1・5	**内装** （床、壁、化粧台）	ち密で磨くと光沢が出るため、主に建築物内部に用いられる装飾石材で、**耐酸性、耐火性に乏しく**、屋外に使用すると風化しやすく、半年から1年で表面の**つやを失う**
砂　岩 さがん R1・3	外装・内装 （壁、床）	種々の岩石片が細粒となって堆積し、固まった堆積岩（たいせきがん）である。吸水率が高いものは、**耐凍害性に劣る**。耐摩耗性、耐久性に劣り、磨いてもつやが出ないが、**耐火性に優れる**
石灰岩 R1・5	内装 （壁、床）	大部分が炭酸カルシウムからなり、大理石に比べ粗粒だが、独特の風合いをもつ。軟らかく加工しやすいが、**耐水性に劣る**
安山岩 あんざんがん R3	外装 （床、壁、階段）	花崗岩とともに、代表的な硬石である。**強度・耐久性・耐火性**に優れるが、**磨いてもつやが出ず**、大材が得られない
凝灰岩 ぎょうかいがん R3	外装 （石塀や石蔵）	軽量・軟質で**加工しやすく**耐火性に優れるが、光沢はなく、**強度、耐久性に劣る**
粘板岩 ねんばんがん R5	外装 （屋根、床）	スレートと呼ばれ、硬度が高いが、**層状に剥がれる**性質があるため簡単に板状に加工でき、耐久性に優れる

石の種類と特徴はよく出ます。整理してしっかり覚えましょう。

主な表面仕上げの種類		特　徴
粗面（そめん）仕上げ	**ジェットバーナー**	石表面をバーナーで**加熱**し、それを**水で急冷**することにより、表面の一部をはく離させて均一な仕上げにしたもの
	ブラスト	細かい砂などの粉粒を圧縮空気でたたきつけ、表面をはぐようにして粗面にしたもの
みがき仕上げ	粗みがき	ざらついた感じで、光沢は全くない
	水みがき	表面の光沢は少なく、**つやがない**。床に使用した場合は、仕上げがやや粗いので**滑りにくい**
	本みがき	**平滑でつやがあり**、壁などの化粧面用に向く。美しいので床に用いられることもあるが、**滑りやすい**

【3】 タイルの種類

❶ うわぐすりによる区分

● **施ゆうタイル**：うわぐすりを施したタイル

● **無ゆうタイル**：うわぐすりを施さずに仕上げたタイル

❷ 吸水率

種　類	吸水率	主な使用箇所	備　考
Ⅰ類 (旧規格の**磁器質**)	3％以下　　　小	**外装の壁・床**	素地の**吸水率が低く**、無ゆうタイルと施ゆうタイルの2種類がある
Ⅱ類 (旧規格の**せっ器質**)	10％以下	**内装・外装の壁・床**	無ゆうタイルと施ゆうタイルの2種類がある
Ⅲ類 (旧規格の**陶器質**)	50％以下　　　大	内装の壁	素地は**多孔質**で**吸水率が大きく**、うわぐすりを施した施ゆうタイル

＜タイルの凍害＞

　タイルに吸収された水分が、凍結による体積膨張と融解を繰り返すことにより、素地が疲労破壊されることを「凍害」といいます。**外装用タイル**や寒冷地では特に注意が必要で、**吸水率の低いタイル**を用います。

> 📝 **MEMO**
>
> **セラミックタイル**
> 磁器質タイル、せっ器質タイル、陶器質タイルを総称して陶磁器タイルというが、JISが改正されセラミックタイルとも呼ばれる。

❸ 形状

平物（平タイル）　表面がほぼ平らな、長方形などの一般部用タイルです。

役物（役物タイル）　開口部、隅角部などに用いる特別な形状をしたタイルの総称です。使用箇所によりさまざまな形状があります。

ユニットタイル　多数のタイルの表面または裏面にシート状の台紙などを張り付けて連結したものです。モザイクタイルなどに使われます。

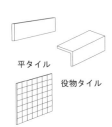

平タイル

役物タイル

ユニットタイル

❹ 裏あし

タイルの裏面にモルタルとの接着性をよくするためにつけた凹凸です。裏あしの形状は**あり状**とし、その高さはタイルの表面積により異なり、面積が大きいほど裏あしの高さを高くする必要があります。

タイルの表面積	裏あしの高さ	
15㎠未満	0.5mm以上	
15㎠以上　60㎠未満	0.7mm以上	モザイクタイル
60㎠以上	1.5mm以上	小口タイル以上

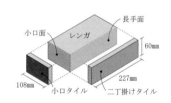

裏あしの例

❺ 大きさ（外壁タイル）

一般的な外壁タイルの「小口タイル」や「二丁掛けタイル」などがよく使われますが、これらは積みレンガのサイズに由来しています。なお、45mm角、45mm×90mmなど面積50㎠以下のタイルはモザイクタイルと呼ばれます。

❻ その他

床タイルでは、**耐摩耗性**が重要で、摩耗試験において摩耗減量が0.1g以下でなければなりません。ただし、磁器質の場合は、通常この規定を満足するため、試験を省略することができます。

8 建具・ガラス

【1】建具の種類

材質による建具の種類は、以下のとおりです。

種　類		建具の例
木製建具	和風建具	障子、ふすま、雨戸、框戸、格子戸など
	洋風建具	フラッシュ戸、ガラス戸、ガラス障子
金属製建具	鋼製建具	フラッシュ戸、ガラス戸、ガラス障子、シャッター、雨戸など
	アルミニウム合金製建具	
	ステンレス製建具	
	その他の建具	

框戸
（格子入）

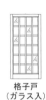
格子戸
（ガラス入）

ガラス戸
（中桟付）

障子

用語 フラッシュ戸
骨組の両面に合板などを接着し、表面に桟などがなく平らな戸をいう。

【2】 ドアセット・サッシ

H29・R1〜3・6

ドアセットとは、あらかじめ枠と戸とが製作・調整されていて、現場取付けに際して1つの構成材として扱うことができるもので、スイングとスライディングのドアセットがあります。**スイング**とは枠の面外に戸が移動する開閉形式、**スライディング**とは枠の面内を戸が移動する開閉形式です。

MEMO
試験対策上、スライディングに適用しない項目を特に押さえておく。

	耐風圧性	気密性	水密性	遮音性	断熱性	日射熱取得性	面内変形追随性	ねじり強さ	鉛直荷重強さ	耐衝撃性	戸先かま ち強さ	開閉力	開閉繰り返し
スイングドアセット	◯	◯	◯	◯	◯	◯	◯	◯	◯	◯	—	◯	◯
スライディングドアセット	◯	◯	◯	◯	◯	◯	—	—	—	—	—	◯	◯
スイングサッシ	◯	◯	◯	◯	◯	◯	—	—	—	—	◯	◯	◯
スライディングサッシ	◯	◯	◯	◯	◯	◯	—	—	—	—	◯	◯	◯

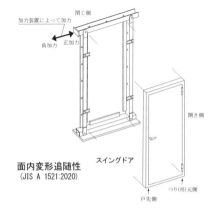
面内変形追随性
（JIS A 1521:2020）

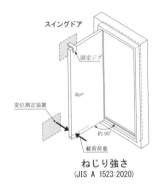
ねじり強さ
（JIS A 1523:2020）

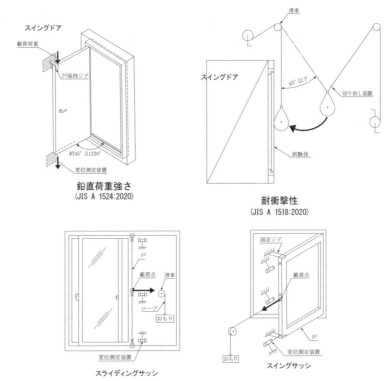

鉛直荷重強さ
(JIS A 1524:2020)

耐衝撃性
(JIS A 1518:2020)

スライディングサッシ

スイングサッシ

戸先かまち強さ
(JIS A 1522:2020)

【3】 ガラスの種類

❶ フロート板ガラス

ビルや住宅など幅広く使用される、極めて平滑、透明な板ガラスです。板ガラスの主流であり、溶融ガラスを溶融した金属の上に浮かべるフロートシステムにより製板を行います。

❷ 型板ガラス

２本の水冷ローラーの間に、直接溶解したガラスを通して製版するロールアウト法により、下部のローラーで型付けされ、片側にいろいろな型模様を付けた（熱間転写した）ガラスです。光を柔らかく拡散し、適度に視線を遮るので、住宅の窓ガラス、ビルの間仕切り、家具装飾などにも用いられます。

❸ 網入板ガラス・線入板ガラス

溶融したガラスと同時に網（線）を通して製板されるガラスで、割れても網（線）により破片が落ちにくいため、主に防火ガラス、防煙垂れ壁等として

使用されます（線入は、防火ガラスとしては使用できません）。

④ 熱線吸収板ガラス

ガラス原材料に、日射吸収特性に優れた金属を加え着色し、生産されるガラスで、日射エネルギーを吸収し、冷房負荷軽減に効果があります。
<small>R4</small>

⑤ 熱線反射ガラス

フロート板ガラスの片面に反射率の高い金属の薄膜をコーティングしたガラスで、30%前後の可視光線や日射エネルギーを反射させるほか、ミラー状
<small>H30・R4</small>
の表面は、ビルの外観デザインとしても生かされます。

⑥ 合わせガラス

2枚以上のガラスの間に接着力の強い特殊樹脂フィルム（中間膜）を挟み、高温高圧で接着し生産されるガラスです。破損しても中間膜により破片の飛散が防止されるので、住宅や学校用の安全ガラス、高層階のバルコニーの手すりの面材などに用いられます。また、防犯にも有効です。

⑦ 強化ガラス

フロート板ガラスに熱処理（加熱後に急冷して表面に強い圧縮応力層を形成）を施し、強度を約3倍に高めたガラスで、破損しても破片が細粒状にな
<small>H30</small>
り、大けがになりにくいので、ビル、学校、住宅などに広く用いられます。ガラスの熱処理加工後の切断はできません。

なお、ガラス内部の微細な不純物の混入に起因して、応力バランスが崩れ、外力が加わっていない状態でも不意に破損する「自然破損」の発生を低減するために、強化加工後に再加熱処理を実施し、不純物が含まれている場合、強制的に破損させる「ヒートソーク処理」を行ったものを用います。

⑧ 倍強度ガラス

強化ガラスと同様に加熱急冷処理を施し、耐風圧強度を2倍程度に高めたガラスです。破損時には通常のガラスと同じような割れ方となります。用途は、
<small>R4</small>
一般窓ガラス用ですが、風圧力が大きく、かつ、開口部が大きい部位などに使用します。ガラスの熱処理加工後の切断はできません。

❾ 複層ガラス

一般に、2枚の板ガラスをスペーサーで一定の間隔に保ち、その周囲をゴム状の**封着材**で密閉し、内部に**乾燥空気**を満たしたガラスです。普通の板ガラスに比べ、**2倍以上の断熱効果**があり、結露防止に有効です。複層加工後の切断等はできません。**Low-E複層ガラス**は、中空層側のガラス面に特殊金属をコーティングしたガラスを用いて、断熱性や日射遮蔽性を高めたガラスです。

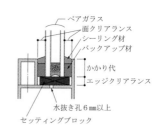

H30・R4

合わせガラスと複層ガラス、強化ガラスと倍強度ガラスなどは、異同をしっかり押さえてください。

例題	**Q**	合わせガラスは、2枚のガラスの間に乾燥空気層を設けて密封したもので、結露防止に効果がある。
	A ✖	合わせガラスは、2枚以上のガラスをプラスチックフィルムで張り合わせたもので、防犯に効果がある。設問は、複層ガラスのこと。
例題	**Q**	倍強度ガラスは、フロート板ガラスを軟化点まで加熱後、両表面から空気を吹き付けて冷却し、耐風圧強度を約2倍程度に高めたガラスである。
	A ○	

9 内装材料・塗料

【1】 せっこうボード

せっこうボードは、防火性、遮音性、温湿度変化に対する寸法形状安定性に優れ、内装下地材として広く使用されます。主なせっこうボードの種類と特徴は、以下のとおりです。

種　類	特　徴
せっこうボード	せっこうを心材とし、両面をボード用原紙で被覆し、板状に成形したもの
シージングせっこうボード	両面のボード用原紙及び芯のせっこうに**防水処理**を施したもので、切断面にはアクリル系シーラー等の塗布が必要
強化石膏ボード R2・4・6	心材のせっこうに無機質繊維などを混入したもの。**耐衝撃性**及び**耐火炎性**が規定されている
構造用せっこうボード R2	強化せっこうボードの性能を満たしたうえ、**くぎ側面抵抗**を強化したもので、耐力壁用の面材などに使用される

せっこうボードはよく出ます。名称と特徴をしっかり覚えましょう。

【2】その他ボード

種　類	特　徴
ロックウール化粧吸音板 R2・4	ロックウールのウールを主材料として、結合材及び混和材を用いて成形し、**表面化粧加工**したもの
けい酸カルシウム板 R2	石灰質原料、けい酸質原料、石綿以外の繊維、混和材料を原料として製造した板。**断熱性、耐火性**に優れ、タイプ2は内装用として、タイプ3は耐火被覆用として使用される
パーティクルボード H30・R6	木片などの木質原料を接着剤により圧縮熱圧した板。**ホルムアルデヒド放散量**による区分がある
インシュレーションボード	主に木材などの植物繊維を成形した繊維版の一種で、用途による区分により床畳用、断熱用、外壁下地用として使用される
フレキシブル板	繊維強化セメント板の一種で、セメント、補強繊維が主原料で、高圧プレスをかける。高強度で、可とう性がある

【3】合板類

種　類	特　徴
普通合板 H30	JASによる接着の程度による区分**1類**は台所・浴室の内装床材などの**湿潤状態となる場所**、**2類**は内装ドア、家具、畳下荒板などとして、建築物の**内外装**に幅広く用いられる
天然木化粧合板	木材特有の美観を表すために、表面に単板を張り合わせたもの
特殊加工化粧合板	表面にオーバーレイ、プリント、塗装などの加工を施したもの

【4】 合成高分子系張り床材

ビニル床シート、ビニル床タイルなどのビニル系床材、及びゴムを主原料と
したゴム床タイル、コルク床タイルなどがあります。

ビニル床タイル 主に以下の種類があります。
- **コンポジションビニル床タイル**：バインダー含有量30％未満
- **単層ビニル床タイル**：バインダー含有量30％以上
- **複層ビニル床タイル**：バインダー含有量30％以上、耐水性、耐薬品性、耐
  磨耗性に優れていますが、熱による伸縮性が大きいという特徴があります。

> **用語**
>
> **バインダー**
> ビニル樹脂、ビニル樹脂を柔らかくする可塑剤、劣化防止の安定剤か
> ら構成され、バインダーの含有率が大きいほど柔らかい材料になる。

ゴム床タイル 天然ゴム又は合成ゴムを主原料とした床タイルで、弾性があ
るため独自の歩行感を有し、耐摩耗性に優れますが、耐油性には劣り、熱伸縮
も大きいという特徴があります。

コルク床タイル 天然コルク外皮を主原料として、必要に応じて塩化ビニル
樹脂又はウレタン樹脂等で加工した床タイルです。

クッションフロア 透明ビニル表層と印刷層、発泡ビニル層を中間層とする
エンボス（表面に凹凸や模様を浮き出させる加工）を施した床シートです。断
熱性に優れ、主に住宅の台所や洗面所など、水場回りに使用されます。

【5】 フローリング

フローリングは、木質系の材料を使用した床材料で、主に無垢材でつくられ
た単層フローリング、合板などを基材とし表面加工を施した複合フローリング
などがあります。複合フローリングには、表面に木材の薄板を張り合わせたり、
塗装、プリントなどの特殊加工を施したものなどがあります。

- 単層フローリング ─┬─ フローリングボード
　　　　　　　　　　└─ フローリングブロック
- 複合フローリング

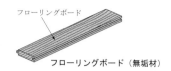
フローリングボード（無垢材）

フローリングブロック

複合フローリング

- フローリング材料は、特記がない場合、**ホルムアルデヒドの放散量**による区分がF☆☆☆☆のものを用います。

【6】カーペット

ウィルトンカーペット　18世紀、イギリスのウィルトン市で初めて**機械織り**としてつくられたパイルカーペットで、美しい織模様が可能です。

段通　織カーペットの一種で、**手織り**によるパイルカーペットの高級品です。

R4

パイルとは、カーペット表面の繊維の束（毛足）のこと。

【7】合成樹脂塗床

コンクリート床面に、主にエポキシ樹脂系、ウレタン樹脂系などの塗料を塗り付け、継ぎ目のない床を形成します。各種工場や病院、学校など幅広く使用されます。

【8】塗料

塗料は表面に皮膜を形成することにより、建築物内外の保護と装飾のほか、防錆、防腐、防水、防火、電気絶縁等の目的にも用いられます。塗料は、主に着色するための**顔料**、主成分の**樹脂**、樹脂類の**溶解**（希釈）に用いる溶剤からなります。

顔料を含む塗料を「エナメル」、含まない塗料を「ワニス（ニス）」といいます。

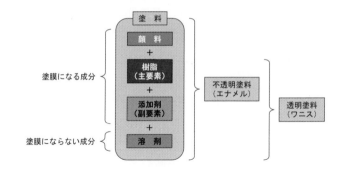

	種　類
合成樹脂	フタル酸樹脂、アクリル樹脂、ウレタン樹脂、エポキシ樹脂、シリコン樹脂など

※　塗料の性質の違いは、主に樹脂の種類の違いによる。

> **用語**
> **樹脂**
> 塗膜が固まるもとになる成分で、この樹脂の特徴が主に塗膜の性能を決める。現在ではほとんど石油を原料とした合成樹脂を用いる。「展色材」「**ビヒクル**」とも呼ばれる。

❶ 合成樹脂調合ペイント（SOP）

●主に木部、金属系素地面（鉄鋼面、亜鉛めっき鋼面）に適用。アルカリ性に弱く、**セメント系素地面**（モルタル、コンクリート面）**には適しません。**

●溶剤の蒸発とともに、空気中の酸素によって油分が**酸化重合**することによって硬化乾燥して塗膜を形成します。

❷ 合成樹脂エマルションペイント（EP）

●主にセメント系、せっこう素地面（コンクリート、モルタル、プラスター、せっこうボード面など）に適用。**金属系素地面には適しません。**

●水分が蒸発するとともに樹脂粒子が接近**融着**して連続塗膜を形成します（水と樹脂粒子が融合するわけではありません）。

●合成樹脂と顔料を混合した乳液状のものを水で薄めて塗装する、不透明性の水性塗料で、臭気が少なく、引火の危険性もありません。

●1種は主に外部や水掛かり部分用、2種は主に内部用です。

合成樹脂調合ペイント	● アルカリ性に弱い塗料である ● セメント系素地面（モルタル、コンクリート面）には適さない
合成樹脂エマルションペイント	● 鉄鋼面などの金属系素地面には適さない

用語

エマルション
合成樹脂、油等、本来水と混じり合わないものが小さな粒になり、水の中で分散して溶け合った液体。牛乳、マヨネーズ、木工ボンド等の乳濁した液体もエマルションである。

「合成樹脂調合ペイントは、アルカリ性に弱く、合成樹脂エマルションペイントは金属に塗れない」。とても重要です。

❸ つや有合成樹脂エマルションペイント（EP−G）

● コンクリート面、モルタル面、せっこうボード面等、屋内の木部、鉄鋼面及び亜鉛めっき鋼面に適用します。

● 水分が蒸発するとともに樹脂粒子が接近融着して連続塗膜を形成します（水と樹脂粒子が融合するわけではありません）。

❹ アクリル樹脂系非水分散形塗料（NAD）

● 主にセメント系素地面（モルタル、コンクリート面）に適用。せっこう素地面及びガラス繊維補強セメント板（GRC板）には適しません。

● 溶解力の弱い溶剤に溶解しないアクリル樹脂を重合分散させた非水分散形ワニスを主要構成要素とし、溶剤の蒸発・乾燥とともに分散された粒子が融着結合し、塗膜を形成します。

❺ 2液形ポリウレタンワニス

● 主に木部に適用します。コンクリート、モルタル面にも適用できますが、ALCパネル、スレート板、けい酸カルシウム板等には適しません。

● 常温で硬化乾燥して溶剤が蒸発すると反応が進み、ウレタン結合を有する透明塗膜を形成します。

❻ クリアラッカー

● 透明な速乾性の木部用塗料です。

● 耐候性に劣り、屋外には不向きです。

例題	**Q**	強化せっこうボードは、両面のボード用原紙とせっこうの心材に防水処理を施したものである。
	A ✕	強化せっこうボードは、ボードの心材にガラス繊維等を混入したもので、防火性に優れた材料である。設問はシージングせっこうボードのこと。
例題	**Q**	だんつうは、製造法による分類で織りカーペットの手織りに分類される。
	A 〇	

10 屋根材

【1】粘土瓦

❶ 製法による区分

- 釉薬がわら（ゆうやく）　成形➡乾燥➡素焼き➡釉薬塗り➡焼成
- いぶしがわら　成形➡磨き➡乾燥➡焼成➡いぶし焼き
- 無釉がわら（むゆう）　成形➡乾燥➡焼成➡食塩焚き

J形かわら

❷ 形状による分類　Ｊ形、Ｓ形、Ｆ形があります。

【2】プレスセメントがわら（厚形スレート）

セメント＋骨材＋水　混練り➡圧縮成形➡養生して製作したもので、形状（平形、和形、Ｓ形など）、塗装の有無によって区分されます。

【3】屋根スレート

住宅屋根用化粧スレート　セメント、けい酸質原料、繊維質原料（石綿を除く）等を用いて加圧成形したものです。形状により、平形とＳ形がありますが、規定される吸水率の上限は同じです。

スレート波板（繊維強化セメント板）　曲げ破壊荷重　小波＜大波

【4】金属製折板屋根

鋼板を成形加工した折板を用いる金属屋根に使用される材料です。

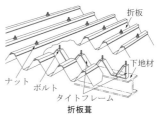

折板葺

耐力による区分　1種（980N/㎡）〜5種（4900N/㎡）まであり、最も耐力が大きいのは5種です。

タイトフレーム　梁と折板との固定に使用し、タイトフレームだけのもの、ボルト付きタイトフレーム、端部用タイトフレームがあります。

● 折板の加工は、**ロール成形機**で所定の形状寸法に行いますが、その際、表面塗膜に割れが生じないよう、加工時には鋭角に折り曲げず、やや丸味をもたせた折曲げとします。

折板の結合形式　重ね形、はぜ締め形及びかん合形があります。

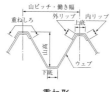

重ね形

はぜ締め形

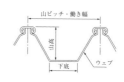

かん合形

第 **2** 編

設備・外構・契約他

本試験での出題数は一次検定で5問ですが、各種の建築設備や舗装等の外構、測量、積算等、学習項目は多岐にわたります。あまり手を広げずに、過去の出題実績がある項目を中心に効率的に学習を進めましょう。

設備・外構・契約他

本編では、設備、外構・植栽、測量、積算、契約について学びます。本試験では5問出題され、全問の解答が必要です。なじみの薄いものや新しい分野の出題もありますが、繰り返し出題される基本的な内容が大半です。テキスト、問題集を中心にしっかり学習し、3問以上の正解を目標にしましょう。

第 **1** 章　建築設備

　建築設備に関する出題は、例年3問程度出題されます。特に「空気調和設備」「電気設備」からの出題頻度が高いので、重点的に学習しましょう。

1　給排水設備

1 給水設備

　給水設備は、常に衛生的で安全な水質、機能を満たすことのできる水量、かつ適正な水圧の水を機器・装置などに供給するものです。

【1】 衛生的で安全な水

❶ クロスコネクション

　クロスコネクションとは、飲料水の給水・給湯系統と、その他の系統とが配管・装置により直接接続されることで、水質の確保のために、水道法により禁止されています。

❷ 逆サイホン作用

　水が負圧により吸い上げられ、流下する現象を**サイホン作用**といいます。この作用により**逆流**が生じる現象を**逆サイホン作用**といいます。例えば、下層階で大量の水が使用された場合などに、上層階の給水管内が負圧になることがあり、逆サイホン作用による逆流が生じるおそれが生じます。

　逆流の防止には、吐水口と器具のあふれ縁との間に、十分な高さの<ruby>吐水口<rt>とすいこう</rt></ruby>空間を設けることが最も確実な

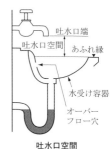

吐水口端
吐水口空間
あふれ縁
水受け容器
オーバーフロー穴

吐水口空間

方法です。また、大便器洗浄弁やホース接続する屋外散水栓のように、吐水口空間を確保できない場合には、飲料水配管の途中に**バキュームブレーカ**を設置します。

逆サイホン作用は、給水管で生じる逆流現象のことです。

❸ 受水槽

飲料水用の受水槽は、清掃・保守点検のため、周囲及び下部には60cm以上、点検用のマンホールのある上部には100cm以上のスペースを確保します。これを**6面点検**スペースといいます。また、保守点検のため、内径60cm以上のマンホールを備えなければいけません。

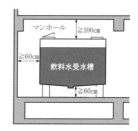

H29

飲料水用受水槽の点検スペース

【2】給水方式

給水方式は、水道本管に直結する水道直結方式と、受水槽を設置する受水槽方式とに大別されます。

❶ 水道直結方式

受水槽に貯留しないため、水質の低下や汚染の可能性が少なく、設備スペースが小さくてすみ、維持管理が容易です。ただし、適用できる建築物の規模が限られ、断水時に給水が完全に停止してしまう短所があります。

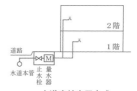

水道直結直圧方式

水道直結直圧方式 水道本管から分岐して給水管を引き込み、**水道本管の水圧**によって建築物内の必要箇所に給水する方式です。戸建住宅、2階建程度の小規模な建築物に採用されます。

R3

水道直結増圧方式　水道本管からの引込み管に増圧給水装置（増圧ポンプ＋逆流防止装置）を接続し、建築物内の必要箇所に給水する方式です。水道本管の負圧時に建築物内の水が逆流しないように、増圧ポンプの引込管側に逆流防止装置を設置します。

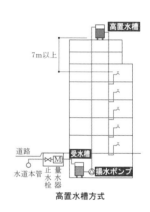

水道直結増圧方式

❷ 受水槽方式

給水圧が安定し、断水時にも水槽に貯留した分を利用できますが、多くの設備スペースと、清掃や点検などの維持管理が必要です。

高置水槽方式（高架水層方式）　本管から給水管を引き込み、受水槽へ貯留してから揚水ポンプにより高置水槽へ揚水し、重力によって建築物内の必要箇所に給水する方式です。高置水槽は、建築物内の最高位にある水栓や器具の必要圧力を確保できる高さに設置します。配管の摩擦損失を考慮して7m以上の高低差としなければいけません。

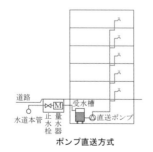

高置水槽方式

ポンプ直送方式　受水槽から直送ポンプにより必要圧力を確保して、建築物内の必要箇所に給水する方式です。制御により、給水量の変化に応じて給水圧力を一定に保つことができます。

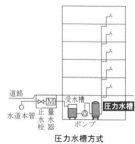

ポンプ直送方式　　圧力水槽方式

圧力水槽方式　受水槽内の水を加圧ポンプで圧力水槽へ送り、圧力水槽内の空気を圧縮・加圧して、その圧力により建築物内の必要箇所に給水する方式ですが、ポンプ直送方式が普及した後、ほとんど採用されません。

ポンプ直送方式も受水槽が必要です。圧力水槽方式は、さらに圧力水槽が必要です。

【3】給水配管

　給水配管材料には、配管用炭素鋼鋼管に硬質塩化ビニル被覆を施した**樹脂ライニング鋼管**が一般に用いられ、一般配管用ステンレス鋼管、銅管、樹脂管なども使われます。

❶ 給水管の地中埋設深さは、特記がない場合、一般敷地では土かぶり**30cm以上**とします。なお、寒冷地では凍結深度より深い位置としなければいけません。

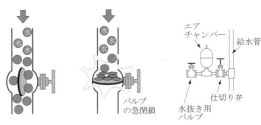

給水管・排水管の埋設

❷ 給水管と排水管を平行して地中に埋設する場合、原則として、両配管の**水平間隔は50cm以上**離し、かつ、**給水管は排水管より上方**に埋設します。また、両配管が交差する場合も、給水管は排水管の上方に埋設しなければいけません。

❸ **ウォーターハンマー（水撃）**　水栓や弁などを急に閉じたときに、水流によって高圧力が生じ、配管や機器から騒音・振動が発生する現象です。これを防止するた

ウォーターハンマー　　**エアチャンバー設置例**

めには、**配管径を太くして管内の流速を適切**にし、**エアチャンバー**などの防止装置を取り付ける必要があります。**エアチャンバーとは、ウォーターハンマーによる水撃圧を吸収するために設ける「空気だまり」の部分**をいいます。

❹ 給水装置の配水管への取付け口の位置は、他の給水装置の取付け口から30cm以上離れている必要があります。

ウォーターハンマーが発生する代表的なものに、シングルレバー水栓などがあります。

143

2 排水設備

【1】 排水配管の構成

建築物内の排水配管において、樹木の幹にあたる部分を**排水立て管**といいます。次に、幹から分岐する枝にあたる**排水横枝管（排水横管）**、さらに、機器に接続するために分岐する配管を**器具排水管**といいます。そして排水立て管から、下水道に至る屋外の敷地排水管に接続するために横引きする部分を**排水横主管**といいます。

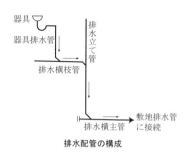

排水配管の構成

【2】 排水配管の材料

主に**硬質塩化ビニル管**や、**耐火二層管**（硬質塩化ビニル管を繊維モルタル製の管で被覆した2層の管）などが用いられます。

【3】 排水トラップ

下水管からの臭気やガス、虫類が室内へ侵入するのを防ぐために**封水部**をもつ装置を**排水トラップ**といいます。

❶ **封水の深さ（D）** は、5〜10㎝程度にします（グリーストラップなど**阻集器を兼ねるものを除く**）。H29

❷ トラップは、**二重トラップ**にはしません。

➡二重トラップは、汚水の流れ、排水トラップの封水に悪影響を及ぼします。

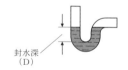

封水深（D）

用語 **封水**	用語 **阻集器**	用語 **二重トラップ**
排水トラップ内部にたまっている水をいう。この水により、下水管からの臭気やガスなどの室内への侵入を防ぐ。	排水中に含まれる有害な物質の流出を阻止し、回収するために設けられる装置。阻集器は、一般にトラップ機能をもつものが多い。	1つの衛生機具の排水管系統に2個以上のトラップを連続して設けること。2つのトラップ間に空気が密閉され、排水の流れを阻害する。

【4】 排水管

❶ 排水管の勾配

排水横管は、凹凸がなく、かつ適切な勾配で配管しなければいけません。

排水横枝管の最小勾配

管 径 [mm]	勾 配
65以下	1/50以上
75, 100	1/100以上 R5
125	1/150以上
150以上　大	1/200以上　緩

❷ 管径が太いものほど緩い勾配とし、細いものほど急勾配にします。

同じ管径の場合
勾配を緩くすると水深が確保され固形物が流れやすくなる

太径　急勾配　排水管の管径と勾配　太径　緩勾配

同じ水量、同じ勾配だと太径のものほど水深は浅くなり、固形物が流れにくくなりますね。これを避けるために、勾配を緩くして水深をかせぎます。

❸ 屋外排水管の主管の管径は75㎜以上とし、勾配は$\frac{1}{100}$以上にします。

❹ 雨水排水管（立て管を除く）を汚水排水のための配管設備に連結する場合は、雨水排水管に排水トラップを設けます。

❺ 雨水排水立て管は汚水・雑排水管や通気管と接続したり兼用してはいけません。

※　第2章　外構工事・植栽工事❷❸屋外の雨水排水も参照。

【5】通気管

　排水管内を水が流れると、管内の気圧が変動します。この変動幅が大きくなると円滑な流れが妨げられ、**サイホン作用**でトラップの**破封（封水切れ）**が生じます。

　通気管は、管内の気圧が低くなると空気を取り入れ、高くなると空気を排出して、常に管内を**大気圧に保つこと**で、**トラップの破封を防止し**、汚水の流れを円滑にするための設備です。

❶ 通気管は、雨水排水立て管など他の配管との兼用はできません。

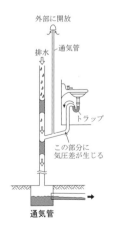
外部に開放
排水
通気管
トラップ
この部分に気圧差が生じる
通気管

❷ **通気管の末端**は、その建築物及び隣接する建築物の出入口、窓、換気口などの開口部の上端から600mm以上立ち上げるか、又は水平に３m以上離して大気に開口させます。一般の屋上の場合は、200mm以上立ち上げます。

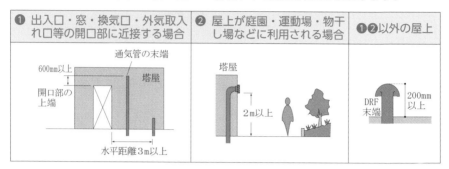

❶ 出入口・窓・換気口・外気取入れ口等の開口部に近接する場合	❷ 屋上が庭園・運動場・物干し場などに利用される場合	❶❷以外の屋上

【6】排水槽

　排水槽は、建築物の汚水を排水ポンプにより排出するための施設です。

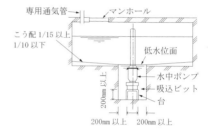

❶ 排水槽の底には**吸い込みピット**を設け、ポンプの吸込み部の周囲及び下部には**200mm以上**の間隔を設けます。

❷ 排水槽の底の勾配は、吸い込みピットに向かって$\frac{1}{15}$以上$\frac{1}{10}$以下とします。

❸ マンホールは外部荷重に耐える**防臭密閉式**で直径600mm以上とします。

【7】排水ます

　雨水ます　雨水排水に混じった砂・ごみなどを捕集するための深さ15cm以上の泥だめを設け、配管が詰まることを防止します。

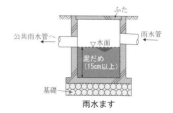

雨水ます

　公共下水には雨水と汚水を１つの管で流す合流式と別々の管で流す分流式があり、合流式の場合、雨水系統を汚水系統に合流させる箇所には必ずトラップますを設置する。

2 空気調和設備

空気調和設備の主要な機能には、**温度調節**（加熱・冷却）、**湿度調節**（加湿・除湿）、**空気清浄化**があり、主な構成要素は、**熱源設備、空気調和機、熱搬送設備**の３つに分けられます。

1 熱源設備・空気調和機

【1】 熱源設備の種類

温度や湿度を調節するには、加熱のための**温熱源（ボイラー）**と、冷却のための**冷熱源（冷凍機など）**が必要になります。

【2】 冷凍機

冷凍機の種類には、圧縮式と吸収式とがあります。**圧縮式冷凍機**は、圧縮機で圧力を変えて蒸発・凝縮という状態変化を促進することにより冷却を行う装置で、圧縮機、凝縮機、膨張弁、蒸発器から構成されます。

【3】 ヒートポンプ

ヒートポンプは、冷暖房兼用の熱源装置で、**冷房時**には室内の空気から熱を奪って気温の高い**屋外に排出**し、**暖房時**には冷媒の流れを逆の方向に切り替えることにより、気温の低い屋外の空気から熱を奪って**室内に放熱**します。ヒートポンプには、空気から熱を採取する**空気熱源方式**と、水を採熱源とする**水熱源方式**とがあります。

ポンプで低い場所から高い場所に水を汲み上げるように、温度の低い側から高い側に熱を移動させることからヒートポンプと呼ばれます。

【4】 冷却塔（クーリングタワー）

　冷却塔（クーリングタワー）の原理は、水と空気を接触させることで、主に冷却水の蒸発潜熱によって冷却することにあります。つまり、冷却塔は、温度上昇した冷却水を、空気と直接接触させて気化熱により冷却する装置です。

R4・6

【5】 空気調和機（空調機）

　空気調和機は、エアコンディショナー又はエアハンドリングユニット（AHU）ともいい、加熱・冷却、加湿・除湿、清浄化の機能を1台で行う装置であり、空気加熱器（加熱コイル）、空気冷却器（冷水コイル）、加湿器、エアフィルター、送風機などで構成されます。

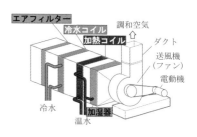

R4・6

② 熱搬送設備

❶ 熱搬送設備は、空気を熱媒とするときの送風機・ダクト系と、水などを熱媒とするときのポンプ・配管系とに分けられます。

❷ 配管系においては、熱媒を放熱機器などへ送る往き管（送水管）と、ポンプに戻すための還り管（還水管）が必要になります。

③ 空調方式

【1】 単一ダクト方式

　単一ダクト方式は空調機で調整した冷風または温風をダクトで各室に供給する方式で、定風量方式と変風量方式があります。

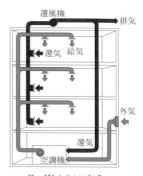

❶ 定風量方式（CAV方式：Constant Air Volume）
　定風量方式は、吹出し風量を一定とし、代表となる室の負荷変動に応じて送風温度を変化させて室温を制御する方式で、異なる室のそれぞれの負荷変動には対応できません。

H30・R2・4

単一ダクトCAV方式

　劇場・ホールなど比較的大空間のほか、小規模ビル、クリーンルーム・手術

室などにも用いられます。

❷ 変風量方式（VAV方式：Variable Air Volume）
変風量方式は、送風温度を**一定**とし、末端に風量を変化させる**変風量ユニット（VAVユニット）**を設けて、各ゾーンごとの冷暖房負荷に合わせ、吹出し風量を**変化**させて室温を制御する方式です。

個別制御の必要なビル、大規模ビルのインテリアゾーンやペリメータゾーン、会議室などに用いられます。

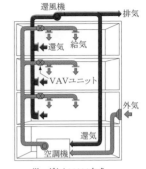
単一ダクトVAV方式

CAVもVAVも単一ダクト方式の種類で、風量を一定にして温度を変化させるか、温度を一定にして風量を変化させるかが違うところですね。

【2】二重ダクト方式

空調機で**温風**と**冷風**をつくり、別々のダクトで各室・各ゾーンに送り、吹出し口付近に設けた**混合ユニット**内で熱負荷に応じて混合して、適度な温度にして室内に吹き出す方式です。

<small>H30・R2・4・6</small>

単一ダクト方式と比べてダクトの設置スペースが大きく、エネルギー消費量が多いため、最近ではほとんど採用されません。

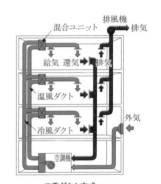
二重ダクト方式

【3】ファンコイルユニット方式

送風機、冷温水コイル、フィルターなどを内蔵した**ファンコイルユニット**に、機械室から**冷温水**を供給する方式です。各室ごとに外気の導入を行う方式と、空調機（エアハンドリングユニット）からダクトで供給する**ダクト併用方式**とがあります。ユニットごとに温度設定などの個別制御が容易にできるため、**病室やホテルの客室**などに用いられます。

この方式では、熱媒を放熱機器などへ送る**往き管（送水管）**と、ポンプに戻すための**還り管（還水管）**が必要になります。**4管式**は、冷水配管、温水配管、

それぞれに往き管と還り管を設ける方式で、2管式と比較してゾーンごとの冷暖房同時運転が可能で、室内環境の制御性に優れています。

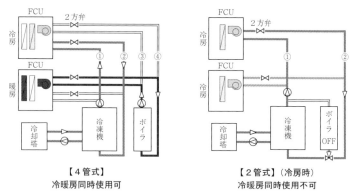

【4管式】
冷暖房同時使用可

【2管式】（冷房時）
冷暖房同時使用不可

ファンコイルユニット方式

【4】パッケージユニット方式

　従来は、冷凍機、送風機、エアフィルター、冷却・加熱コイルなどで構成する**パッケージユニット**を室ごとに設置する方式が多く採られていましたが、近年は、冷暖房兼用の**ヒートポンプ**を熱源とする方式が主流になっています。

　小容量の熱源機器を建物内に多数分散配置する方式で、セントラルシステムに比較して保守管理に手間を要します。

H30

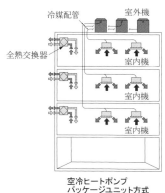

空冷ヒートポンプ
パッケージユニット方式
（マルチユニット形）

【5】マルチユニット型

　ヒートポンプパッケージユニット方式の一種で、1台の室外機に複数の室内機を接続し、各室・各ゾーンに温度制御を行う方式です。冷房と暖房の両方を同時に必要とする施設にも対応が可能で、**中小規模の事務所ビル**などの**個別制御運転**に適しています。

例題	**Q** 空気調和設備におけるVAV方式は室内の冷暖房負荷に応じて、主として吹き出し空気の温度を変化させる方式である。
	A ✕ VAV方式（変風量方式）とは、送風温度を一定とし、吹出し風量を変化させて室温を制御する方式である。
例題	**Q** ファンコイルユニット方式は、個別制御が容易であるので病室やホテルの客室の空調に用いられることが多い。
	A ○

3 電気設備・照明設備・避雷設備

1 電気設備

【1】電気の基本要素（基礎知識）

❶ 電流・電圧・抵抗

電気を通しやすい物質を**導体**、ほとんど通さない物質を**絶縁体**といいます。電気エネルギーの差を**電位差**または**電圧**といいます。電圧は導体に電流を流す電気的な圧力で、単位は**ボルト［V］**です。

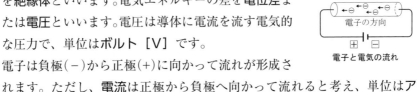

電流の方向

電子の方向

電子と電気の流れ

電子は負極（－）から正極（＋）に向かって流れが形成されます。ただし、**電流**は正極から負極へ向かって流れると考え、単位は**アンペア［A］**です。**抵抗**は電流の流れを妨げる作用で、単位は**オーム［Ω］**です。

❷ 電力・電力量

導体に電流が流れると熱が発生し、電気エネルギーが熱エネルギーに変わります。単位時間（1秒）に導体に流れる電気エネルギーの大きさを**電力**といい、仕事率の単位である**ワット［W］**で表します。

電気エネルギーの総量を**電力量**といい、1秒間当たりの仕事率である電力と時間との積になります。**電力使用量**などの場合には、1時間当たりの値で表され、単位には**［kW・h］**が用いられます。

❸ 直流・交流

電気には、大きさと流れる方向（正・負）とが常に一定な**直流（DC）**と、時

刻とともに周期的に変化する**交流（AC）**とがあり、電力会社から送られる電力は交流です。

❹ 単相交流・三相交流

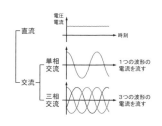

交流では、**位相**（電流及び電圧の周期的変化である波形の時刻による位置）の異なる電流を重ね合わせることができます。単一の位相の交流が**単相交流**で、電灯やコンセントなど一般的に使われます。位相が$\frac{1}{3}$周期ずつずれた３つを重ね合わせたものを**三相交流**といい、モーター電源や、大電力を送電する場合に用いられ、単相交流や直流に変換することも可能です。

❺ 導体・電線・ケーブル

屋内用の低圧電線は、**導体**（銅線）を絶縁物で被覆した**絶縁電線**（600Vビニル絶縁電線《IV》など）です。絶縁電線を外装（シース）によって補強したものを**ケーブル**といいます。

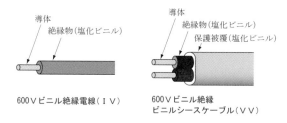

600Vビニル絶縁電線（ＩＶ）

600Vビニル絶縁ビニルシースケーブル（ＶＶ）

「電線（絶縁電線）」と「ケーブル」はしっかり区別してください。電線は配管の中に通線する必要がありますが、ケーブルはそのまま建物内に通線することができます。

【2】電圧

電気設備で使用する電圧の種別は、次のように区分されます。

区　分	直　流	交　流
低　圧	750V以下	600V以下 R5
高　圧	750Vを超え7,000V以下	600Vを超え7,000V以下 H29・R3
特別高圧	7,000Vを超えるもの	

なお、受電する電圧は、電力会社との契約電力により、次の区分があります。

契約電力の区分（一例）

区　分	契約電力	受電電圧
低圧引込	50kW未満	100V、200V
高圧引込	50kW以上2,000kW未満	6kV
特別高圧引込	2,000kW以上	20kV、30kV、60kV、70kV等

● 契約電力50kW未満の**低圧引込**では受変電設備は不要ですが、50kW以上の高圧引込・特別高圧引込の場合には、実際に使用する電力（100V、200V等）に変換するため、**受変電設備**を設けなければいけません。

【3】 幹線設備

　電力用の**幹線設備**は、受変電設備室（電気室）に設置した配電盤から、建物内の各部に設ける電灯分電盤、動力制御盤までの大電流の配線のことをいいます。幹線を使用目的及び電気方式により分類すると次のようになります。

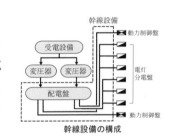

幹線設備の構成

幹線の使用目的による分類

幹線 ── 動力幹線 ……… 電動機・EV等
　　　── 電灯幹線 ……… 照明・コンセント等
　　　── 専用幹線 ……… 電算機等

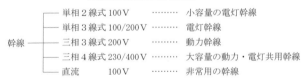

幹線の電気方式による分類

幹線 ── 単相2線式 100V ……… 小容量の電灯幹線
　　　── 単相3線式 100/200V ……… 電灯幹線
　　　── 三相3線式 200V ……… 動力幹線
　　　── 三相4線式 230/400V ……… 大容量の動力・電灯共用幹線
　　　── 直流　　　 100V ……… 非常用の幹線

　幹線設備の電気方式は、供給する電気の相数（単相・三相）と、それを送るために用いる電線の数で分類されます。

❶ 単相2線式100V

一般の**電灯・電気器具**は100V用であり、これに電力を供給する電灯・コンセント回路に用いられる方式です。同様の方式で、**単相2線式200V**があります。

単相2線式100V

❷ 単相3線式100/200V

接地線（中性線）と他の1本の線とを接続すると単相100V、接地した線以外の2本の線を接続すると単相200Vが得られる方式です。

100V用の電灯等と200V用の空調機などに同じ回路から供給できるため、**住宅や中小規模の建築物**で、引込線、電灯幹線などに広く用いられます。

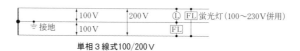

単相3線式100/200V

❸ 三相3線式200V

三相電動機、ビル・工場等の**動力幹線等**に用いられます。

三相3線式200V

❹ 三相4線式230/400V（50Hz）、240/415V（60Hz）

接地線と他の1本の線とを接続すると**単相230V**、接地線以外の3本の線を接続すると**三相400V**が得られる方式です。特別高圧受電を行うような**大規模なビルや工場等の電灯・動力共用幹線**に用いられ、単相230Vは電灯・コンセント用電源に、三相400Vは大型電動機の動力用電源に使用されます。

三相4線式230/400V

MEMO

電気の周波数は、関東は**50Hz**、関西は**60Hz**である。電力の周波数が60Hz で供給される地域では、受電電圧が240/415Vとなる。

【4】配線方式

❶ 金属管配線方式

金属製の電線管をコンクリート内に埋め込み、内部に電線を通す方式です。低圧屋内配線工事に使用する金属管の厚さは、コンクリートに埋め込むものは**1.2mm以上**、それ以外は**1.0mm以上**とします。外壁貫通部は、配管を$\frac{1}{10}$以上の外勾配とし、シーリング材によって**止水処理**を行います。

H29・R1・5

❷ 合成樹脂管配線方式

合成樹脂製の電線管内に配線する方式です。合成樹脂製可とう電線管には、じゃばら状の**CD管**や**PF管**などがあります。

CD管は、耐燃性がなく、コンクリート中に埋設する隠ぺい配管に使用します。**PF管**は、**耐燃性**（自己消火性：火炎を遠ざけると自然消火する性質）があり、コンクリート埋設用だけでなく、**露出、壁内への隠ぺい配管**など広く使用されます。

R1・5

CD管はオレンジ色のジャバラ管で、コンクリート打込み専用です。PF管はグレー色で直接、間仕切壁内で使用できます。

❸ バスダクト配線方式

鉄やアルミ製の金属ダクト内に、絶縁体を介して銅またはアルミの帯状の導体を収納したもので、信頼度が高く、大容量の電力供給に適しているため、大規模建物や工場に用いられます。

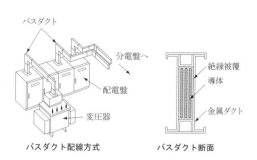

バスダクト配線方式　　バスダクト断面

❹ フロアダクト配線方式

床に埋め込んだ**金属製ダクト**内に配線する方式です。コンセント用の電力回線（300V以下）のほか、電話などの情報通信設備回線（弱電）も同時に施設することができます。

第2編 設備・外構・契約他

1

建築設備

155

❺ セルラダクト配線方式

鉄骨造などの床版に用いられる波型デッキプレートの溝部分を、配線に利用する方式です。電力用、電話などの通信回線とを併設することが多く、電線管配線方式よりも変更への自由度が高くなります。

❻ フリーアクセスフロア配線方式

仕上床を設けて二重床とし、躯体との間を配線スペースに利用する方式で、OA機器の使用が増加したオフィスなどに広く普及しています。配線、コンセントの増設が容易で、レイアウトの変更に容易に対応できます。

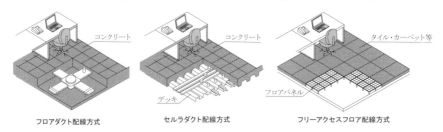

フロアダクト配線方式　　　　セルラダクト配線方式　　　　フリーアクセスフロア配線方式

❼ アンダーカーペット配線方式

床上に薄い平型ケーブルを固定し、緩衝性の高いカーペットを敷いて保護する方式です。OA機器を使用するオフィスなどで採用されます。

❽ ライティングダクト配線方式

照明器具や電気機器を、ダクト（金属製のレール）上のどこからでも分岐できる、連続したコンセントです。壁や天井を貫通して設けることはできませんが、店舗や美術館などで展示品の照明に多く用いられます。

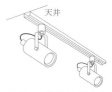

ライティングダクト配線方式

【5】 接地

接地（アース）は、漏電による感電事故、回路の高圧側と低圧側との混触による機器の焼損、落雷による被害などを防止するために、異常電流・電圧を大地に流す回路を設けることです。

●低圧屋内配線の使用電圧が300Vを超える場合における金属製の電線接続箱、ケーブルラックの金属製部分には、接地工事を施さなければいけません。

H29・R5

156

❶ 地中電線路は、電線にケーブルを使用し、管路・暗きょ内に収納するか、または直接埋設により敷設します。地中電線路には、ビニル電線（IV）を使用することはできません。_{R1}

❷ 低圧屋内配線における電線の接続は、アウトレットボックスなどの内部で行います。

❸ 金属ダクト内、合成樹脂管内、金属管内及び金属製可とう電線管内では、電線に接続点を設けてはいけません。_{R1}

アウトレットボックス

② 照明設備

❶ 白熱電球　放射光は連続したスペクトルをもち、光色、演色性が優れています。

❷ ハロゲンランプ　小型、高効率、長寿命の白熱電球で光色、演色性がよく、広場、体育館、ホール、店舗などのスポット照明、自動車などに使用されます。

❸ 蛍光ランプ　2つの電極の間の放電によって発生した紫外線が、ガラス管の内壁に塗布した蛍光物質に照射されて発光します。さまざまな色温度と演色性のものがあり、特に昼光色蛍光ランプは、色温度が高く、青白い光を発します。

❹ Hf蛍光ランプ　高周波点灯方式の蛍光ランプで、フリッカ（ちらつき）が少なく、高輝度、高効率、長寿命で、事務所などに採用されます。

❺ 水銀ランプ　演色性はよくありませんが、高効率、長寿命で、高天井の工場、屋内外運動場、道路、公園などで使用されます。始動に5〜10分程度が必要です。

❻ メタルハライドランプ　水銀ランプの演色性を改良したもので、水銀ランプの使用場所の他、百貨店、ロビーなどでも採用されます。

❼ 高圧ナトリウムランプ　黄白色の光で、演色性はよくありませんが、効率が水銀ランプの約2倍で、効率を重視する工場、体育館などで採用されます。

❽ 低圧ナトリウムランプ　橙黄色の光で、高圧ナトリウムランプよりさらに演色性はよくありませんが、霧の中をよく通る光ですので、自動車専用道路、

トンネルの照明などに採用されます。

トンネル内のオレンジ色の照明は、低圧ナトリウムランプですね。車のライトにはハロゲンランプ以外にメタルハライドランプ（HCD）やLEDランプなども使用されます。

3 避雷設備

建築基準法では、高さ20mを超える建築物には、原則として避雷設備を設け、その高さ20mを超える部分を雷撃から保護しなければならないと定めています。_{H30・R2・4・6}
避雷設備は受雷部、引下げ導線、接地から構成され、受雷部はJISの雷保護システムに規定する4段階の保護レベル（保護の効率による分類）から、立地条件・用途・重要度を考慮して、適切なレベルを選択しなければなりません。

- 指定数量の10倍以上の危険物の貯蔵倉庫には、原則として避雷設備を設けなければなりません。_{H30・R2・4}
- 鉄筋コンクリート造の相互接続した鉄筋、鉄骨造の鉄骨は引下げ導線として利用することができます。_{H30・R2・4・6}
- 避雷設備は、雷撃によって生ずる電流を建築物に被害を及ぼすことなく安全に地中に流すことができるように構造方法が定められています。
- 避雷設備の外周環状接地極は、0.5m以上の深さで、壁から1m以上離して_{R6}埋設します。_{R6}

例 題

Q 三相3線式は、主として、照明用とコンセント用の電力を、同一回線で供給する方式である。

A ✕ 三相3線式は動力幹線用。照明・コンセント用（電灯幹線用）は単相3線式100/200Vなど。

---

4 搬送設備

建築物が高層化・多様化し、高齢者・車いす利用者等への配慮などを含め、輸送設備の重要度が増しています。建築物内での人や物品の代表的な輸送手段として、エレベーター、エスカレーターがあります。

1 エレベーター

【1】 エレベーターの種類

❶ 用途

乗用（人を運ぶ）、**人荷用**（人と荷物を運ぶ）、**寝台用**（寝台、ストレッチャー及び人を運ぶ）、**荷物用**（荷物を運ぶ。運転者・荷扱い者以外は使用できない）、**自動車用・非常用**などに分類されます。

❷ 駆動方式

エレベーターの駆動方式は、**ロープ式**と**油圧式**とに分けられます。

> **MEMO**
> 乗用エレベーターでは、1人当たりの体重を**65kg**として計算した**最大定員**を明示した標識を掲示する。
> R1・3・5

【2】 エレベーターの構造

　一般的に、「かご」が通る**昇降路**と、昇降路上部に設けられた**機械室**とで構成されます。

❶ 昇降路内には、原則としてエレベーターに必要のない給水や排水等の配管設備を設けることはできませんが、所定の要件を満たした光ファイバーケーブル（電気導体を組み込んだものを除く）は設置することができます。

❷ 乗用エレベーターの昇降路の「出入口の床先」と「かごの床先」との**水平距離**は、原則**4cm以下**とし、かごの床先と昇降路壁との水平距離は、12.5cm以下とします。
H29・R1・3

❸ 通常、全ての出入口の戸が閉じていなければ、かごは昇降できない構造になっていますが、**非常用エレベーター**については、停電時かごの戸が閉じない場合であっても有効に消火活動ができるように、**かごの戸を開いたまま、かごを昇降できる装置**を設けます。
H29

❹ 乗用エレベーターのかご室には、床面で**1ルクス以上**の照度が確保することができ、30分間以上点灯できる停電時の照明装置（**停電灯**）を備えなければいけません。
R5

【3】 エレベーターの制御方式

　管制運転とは、状況を判断してエレベーターを**自動運転**するシステムです。平常時の群管理システムのほか、地震時・火災時・停電時などに、乗客を安全に

避難させるシステムがあります。

❶ 群管理方式　エレベーターを複数まとめた群としての運転方式で、省エネルギーと、待ち時間の短縮によるサービス性の向上との両立を図り、効率的に運行制御する方式です。大規模建築物の多数台のエレベーターの管理において、交通需要の変動に応じて効率的な運転管理を行うことにより、高い省エネ効果を示します。

❷ 地震時管制運転　^{R1・5}地震感知器で地震発生を感知し、速やかに最寄り階に停止させて、避難させるシステムです。感知器には、P波（初期微動）用とS波（主要動）用とがあり、P波用は昇降路の底部付近に、S波用は昇降路の頂部又は底部付近に設置されます。

❸ 火災時管制運転　火災発生時に、全エレベーターを避難階に直行し、乗客を避難させるシステムです。

❹ 停電時管制運転（自家発電時管制運転）^{R1・5}　停電時に、自家発電装置が起動したのち、各グループ単位に順次、あらかじめ定めた避難階又は最寄り階まで運行するシステムで、電源が復旧すれば平常運転を再開します。

❺ 浸水時管制運転は、地盤面より下に着床階がある場合で、洪水等により浸水するおそれがあるときに、エレベーターを避難階に帰着させるものです。

❻ エレベーターの定格速度とは、かごに積載荷重の100％を載せた状態で上昇する場合の最高速度をいいます。

> 地震・火災・停電時の管制運転は、緊急時にどこの階まで運行させて停止させるかがポイントです。

例題	**Q** エレベーターの定格速度とは、かごに積載荷重の80％を載せた状態で上昇する場合の最高速度をいう。 **A** ✕　80％ではなく100％。

2 エスカレーター

エスカレーターは、エレベーターの10倍程度の輸送能力を有します。

【1】エスカレーターの種類と公称輸送能力

公称輸送能力とは、輸送が可能な理論上の最大輸送人員であり、表に示すように定格速度に応じて定められています。

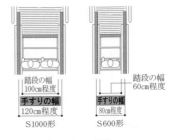

エスカレーターの幅員

エスカレーターの公称輸送能力（人/時）

呼　称 \ 定格速度	20m/分	30m/分	40m/分	45m/分	50m/分
S 600形	3,000	4,500	6,000	6,750	7,500
S 1000形	6,000	9,000	12,000	13,500	15,000

※ 踏段の幅は1.1m以下で両側に手すりを設ける。
H29

【2】傾斜角度・定格速度他

❶ 傾斜角度は、原則30度以下としなければいけませんが、揚程が6m以下で低速（30m/分以下）のものは35度以下に緩和されます。
H29

❷ 定格速度は、安全性や乗り心地から30m/分程度とするのが一般的ですが、傾斜角度30度以下の場合の上限は45m/分以下であり、混雑時に40〜45m程度に速度を上げる方式もあります。
R3

❸ エスカレーターの踏段相互及びスカートガードと階段の隙間は、エスカレーター全長にわたって接触することなく、原則として5mm以下とします。
R3

5　消火・警報・その他防災設備

1 消火設備

【1】屋内消火栓設備

普通火災を対象に、在館者などが操作してノズルを手にもって注水し、冷却効果によって抑制・消火を行う初期消火用の設備です。消防隊用の設備ではありません。
R2・4

【2】 スプリンクラー設備

普通火災の初期消火を主な目的として設けられ、天井面や壁面に取り付けた**ヘッド**（配管の末端に取り付けた散水口）から自動的に散水し、冷却効果により消火する装置です。ヘッドの種類により、閉鎖型、開放型、放水型の3種類に分けられます。

❶ **閉鎖型**　閉鎖型は、放水口が常時閉じていて、火災時に発生する熱気流によって開く**感熱機能**と、流水検知装置が作動して広範囲に放水する**拡散機能**の両方を備えています（煙は不感知）。

❷ **開放型**　開放型は、火災時に火災感知器から送られる信号によるか、または人が手動開放弁を操作することによって**一斉開放弁**を開き、放水区域内の全てのヘッドから一斉に散水する方式です。

❸ **放水型**　放水型は、通常のスプリンクラー設備では感知・消火が困難な天井の高い空間に設置される方式で、可動式と固定式とがあります。

消火用
高置水槽

流水検知装置

スプリンクラー
ヘッド

送水口

スプリンクラーポンプ

水源

スプリンクラー設備

閉鎖型スプリンクラー設備は、火災の熱により作動します。煙では作動しません。

【3】 水噴霧消火設備

水を微粒状に放射し、**冷却効果**とともに、噴霧水が火炎にふれて発生する**水蒸気による窒息効果**などによる初期消火設備です。

防火対象物の道路部分、駐車場、指定可燃物の貯蔵所などに設置されます。店舗吹抜け部のような**天井の高い空間**では、水の微粒子が降下中に水滴となってしまい、本来の機能が望めないため**用いられません**。

【4】 泡消火設備

界面活性剤などの消火薬剤と**水**を混合した消火剤を用い、泡が燃焼物を覆い、**窒息効果と冷却効果**によって消火する初期消火設備です。

特に低引火点の油類や液体燃料などの火災に対して有効で、**駐車場**、航空機格納庫、**指定可燃物貯蔵所**などに用いられますが、消火剤に**水を含む**ため、**電**

気室・通信機器室や、水をかけると危険が生じる**ボイラー室**などには**適していません**。
<small>H30</small>

【5】 不活性ガス消火設備

酸素濃度を低下させる**希釈効果（窒息効果）**と、液化した薬剤が蒸発するときの**冷却効果**により消火を行う初期消火設備です。**二酸化炭素消火設備**と、窒素を主体とした混合ガスを放出する**イナート**（inert：不活性）**ガス消火設備**とに分けられます。イナートガス消火剤は、人体への安全性が高く、地球温暖化係数など環境的にも優れています。
<small>R4・6</small>

汚染がないことから**博物館の収蔵庫**や、電気絶縁性が高いことから**電気室・通信機器室**に適しており、**ボイラー室**などにも採用されます。
<small>H30</small>

二酸化炭素消火設備は比較的安価ですが、地下駐車場等での事故の危険性が少なからずありますね。

【6】 ハロゲン化物消火設備

ハロゲン化物を消火剤として**負触媒効果**により消火する初期消火設備です。従来使用されていたハロゲン化物消火剤は、地球温暖化防止のため使用が規制されており、現在は主に、オゾン層破壊係数が0である**HFC**（ハロカーボン系ガス）が用いられ、**HFC消火設備**とも呼ばれます。

> **用語**
> **負触媒作用**
> 化学反応（燃焼反応）に直接関与しない物質を加えると、その反応が促進されたり抑制されたりする効果を**触媒作用**といい、そのうち抑制される場合を**負触媒作用**と呼ぶ。

【7】 粉末消火設備

重炭酸ナトリウムなどの**微細な粉末**を使用して**負触媒効果**により消火する初期消火設備です。消火剤が粉末で凍結しないため、**寒冷地**に適しています。また、引火性液体の表面火災に速効性があるため、航空機格納庫、寒冷地の駐車場、屋上駐車場などのほか、マグネシウムなどの特殊火災の消火設備として用いられます。
<small>H30</small>

【8】 屋外消火栓設備

防火対象物である１階及び２階の床面積の広い建築物の外部に設置され、１階及び２階で発生した火災の消火や、隣接する建築物への延焼防止を目的とした初期消火用設備です。機器は屋内消火栓設備とほぼ同様です。

【9】 消防隊専用の消火設備

❶ 連結散水設備 　地階の火災は、煙が充満して消火活動が困難になるため、あらかじめ設置した天井面の連結散水ヘッドと、送水口まで接続する配管設備です。
R2・6

❷ 連結送水管 　連結送水管は、高層階や地下街等における専ら消防隊の消火活動のために設けられ、ポンプ車から送水口を通じて送水し、消防隊が放水口にホースを接続して消火活動を行います。放水口は、階段室、非常用エレベーターの乗降ロビーなど消防隊が有効に消火活動を行える位置に設けます。

連結送水管・連結散水設備

例題

Q 泡消火設備は、液体燃料等の火災に対して有効な消火設備であり、駐車場、自動車整備場、指定可燃物の貯蔵所等に用いられる。

A ○

---

2 警報設備

【1】 自動火災報知設備

感知器は、火災時に熱を感知する熱感知器、煙を感知する煙感知器、炎が発する赤外線や紫外線を感知する炎感知器の３つに分けられます。

❶ 熱感知器

周囲の温度上昇率が一定値を超えると作動する差動式と、周囲温度が一定値を超えたときに作動する定温式とに分けられます。

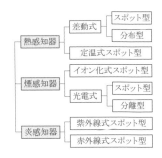

② **煙感知器**

煙を感知する機構により、2つの電極間を流れるイオン電流が煙の粒子によって変動するのを検知する**イオン化式**と、放射された光線が煙の粒子によって減衰するのを検知する光電式とに分けられます。また、**光電式**には光電部と検知部とが一体になったスポット型と、離して設置する**分離型**とがあります。

③ **炎感知器**

検出する炎の波長により、**赤外線式**、**紫外線式**、およびその**併用式**があります。小さな段階の火炎を見つける能力がありますが、物陰にかくれた火炎に対する感度は極めて低くなります。

3 その他防災設備

【1】 誘導灯

誘導灯は、在館者を安全かつ迅速に避難させる目的で設置される設備です。**避難口誘導灯**、**通路誘導灯**、**客席誘導灯**に分けられ、常時点灯が原則ですが、減光形や点滅形も用途によっては可能です。

避難口誘導灯は高さ1.5m以上、通路誘導灯は高さ1.0m以下に設置します。階段に設ける通路誘導灯は、非常用照明装置と兼用できます。連続点灯時間は、一般に20分間以上必要です。

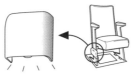

避難口誘導灯　　通路誘導灯　　客席誘導灯

【2】 非常用照明装置

非常用の照明装置は、停電時の安全な避難のための設備です。予備電源は蓄電池を照明器具に内蔵する内蔵型と、照明器具に内蔵しない別置型がありますが、30分以上継続して点灯できるものとします。

> つまり誘導灯は避難する道順を案内するガイド、非常用照明装置は避難するための通路や居室において、一定の照度を確保するための照明ですね。

例	**Q**	自動火災報知設備は、感知器の形状により閉鎖型と開放型に分類される。
題	**A**	✕　閉鎖型・開放型はスプリンクラーヘッドの種類である。

| 第 2 章 | 外構工事・植栽工事 |

外構工事・植栽工事に関する出題は、2年に1回、いずれか1問程度の出題です。あまり深入りせず、テキスト、問題集に記載の内容を重点的に学習しましょう。

1 外構工事

アスファルト舗装の場合は、通常、路床上に路盤・表層の順で構成され、コンクリート舗装の場合は、路床上に路盤・コンクリート版の順で構成されます。

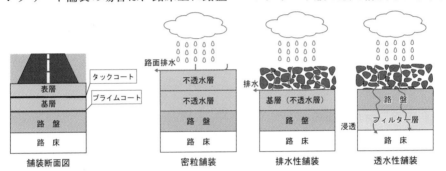

舗装断面図　密粒舗装　排水性舗装　透水性舗装

1 路床・路盤

【1】路床

❶ 路床は、アスファルト混合物層又はセメントコンクリート版及び路盤を通じて分散された交通荷重を最終的に支える部分です。

❷ 通常は現地盤の土をそのまま利用しますが、軟弱な場合には**路床の改良**が必要です。改良工法としては、**置換え工法、安定処理工法**があります。**安定処理工法**は、路床土にセメントや石灰等の安定材を混合、固化させることにより、軟弱な路床土の支持力を向上させる工法です。安定材には、**砂質土にはセメント、シルト質土及び粘性土には石灰**を用います。

❸ <u>盛土して路床とする場合は、1層の仕上り厚さ200mm程度ごとに締め固めながら、所定の高さ及び形状に仕上げます。</u>

H30・R2・4

❹ **フィルター層**とは、透水性舗装の施工で設けられる層で、雨水を円滑に路床に浸透させるとともに、軟弱な路床土や地下水が浸入し路床が軟弱化して舗装が破壊することを防ぐために設ける層です。

❺ 寒冷地で**凍上**による舗装の破損を防ぐために、水はけのよい材料で**凍上抑制**

層を設ける場合、その敷均しは、1層の仕上り厚さ200mmを超えないように均一に行います。

> **用語**
> 凍上
> 路床や路盤内の水分が凍結して体積が膨張し、舗装をもち上げることで、舗装が破損する現象をいう。

【2】 路盤

❶ 路盤は、舗装路面に作用する荷重を分散させて、路床に伝える役割を果たす部分です。規定の締固め度と厚さを確保して施工しなければいけません。

❷ 一層の締固め後の仕上り厚さが200mmを超えないよう敷きならし、適切な含水状態で締め固めます。200mmを超える場合は、2層に分けて施工します。

「路床」は舗装を最終的に支えるもので、「路盤」は荷重を路床に伝えるものですね。

2 アスファルト舗装

【1】 アスファルト舗装

❶ 路盤施工後、プライムコートを散布し、アスファルト加熱混合物を敷き均し、締め固め、養生を行います。

❷ プライムコートとは、粒状材料等による路盤等の防水性を高め、その上に舗設するアスファルト混合物層との接着をよくするために、路盤上に瀝青材料を散布することです。瀝青には、アスファルト乳剤を用います。

> **用語**
> シールコート
> 既設の表層又は路盤の上に瀝青材料（アスファルト乳剤）を散布し、その上に骨材を散布して仕上げる表面処理工法ですが、路盤との接着性を向上させるものではありません。

❸ アスファルト加熱混合物は、粗骨材、細骨材、フィラー及びアスファルトの加熱混合物です。フィラーとは、石灰岩や火成岩を粉末にした石粉等で、安全性や耐久性を向上させます。

❹ 使用するアスファルトは、ストレートアスファルトで、その針入度は、一般地域で60〜80、寒冷地域で80〜100のものを用います。

❺ アスファルト混合物の施工性は、その温度に大きく依存しますので、敷き均し時の温度は、110℃以上とします。
_{H30}

❻ 締固めは、継目転圧➡初転圧➡二次転圧➡仕上げ転圧で行います。
_{H30・R2}
_{R2・4}

168

⑦ アスファルト混合物の敷きならし温度は一般に120〜150℃とし、<u>初転圧温度はヘアクラックの生じない限りできるだけ高い温度とし110〜140℃と</u>します。なお、2次転圧終了温度は70〜90℃とします。

⑧ 交通開放^{R4}は、舗装表面温度が概ね**50℃以下**になってから行います。交通開放時の舗装温度は、初期の**わだち**掘れに大きく影響^{H30}し、50℃以下にすることで初期の変形を抑えることができるからです。

アスファルト舗装の施工性や仕上がり程度は、その温度に影響されるため、110℃以上にする必要がありますが、開放後のわだちを防止するには、50℃以下に冷えるまで待つ必要があります。

⑨ 透水性のある表層の下に不透水層を設けて、雨水が不透水層上を流下して速やかに排出され、路盤以下に浸透しない構造としたものを排水性アスファルト舗装といいます。

⑩ 舗装の**継目**は、既設舗装の補修、延伸等の場合を除き、構造的な弱点を分散させるため、<u>下層の継目の上に上層の**継目を重ねない**ようにします。</u>^{R2}

> ✅ **MEMO**
>
> **継目転圧** 既設舗装との継目部分を密着させるために行う
> **初 転 圧** 10〜12 t のロードローラーを用いる
> **2 次転圧** 8〜20 t のタイヤローラーか、6〜10 t の振動ローラーを用いる
> **仕上げ転圧** 不陸の修正やローラーマークの消去のために行うもので、タイヤローラー又はロードローラーを用いる

【2】CBR

❶ CBRは、**路床・路盤の支持力**を表す指標のことです。数値が大きいほど固いことを表します。

❷ 設計CBRは、アスファルトの舗装の厚さを決定する場合に用いる<u>路床の支持力</u>をいいます。数値が小さいほど舗装の総厚を厚くしなければなりません。

❸ <u>修正</u>^{R4}CBRは、<u>路盤材料の強さ</u>を表すもので、3層に分けて各層92回突き固めたときの最大乾燥密度に対する所要の締固め度（通常は最大乾燥密度の^{R4}95%）に相当するCBRです。

設計CBRは路床の強さ、修正CBRは路盤の強さを表す指標です。

2 | 植栽工事・屋外雨水排水

■1 植樹

【1】 樹木寸法

❶ 樹木の寸法は、工事現場に搬入した時点の最小寸法です。

❷ 樹高　樹木の樹冠の頂端から根鉢の上端までの垂直高を指します。一部の突出している枝（徒長枝）は含みません。

※　高木（3.0m以上）、中木（1.5m以上3.0m未満）、低木（0.3m以上1.5m未満）。

❸ 枝 (葉) 張り　樹木の四方向に伸長した枝 (葉) の幅をいいます。測定方向により長短がある場合は、最長と最短の平均値とします。なお、葉張りとは低木の場合をいいます。

❹ 幹周　樹木の幹の周長とし、根鉢の上端から1.2mの高さの位置を測定します。ただし、測定する位置に枝が分岐している場合は、その上部を測定します。なお、幹が2本以上の樹木（株立ち）においては、各々の周長の総和の70%をもって周長とします。

❺ 根元周　幹の根元の周長です。

【用語】

❶ 根回し　細根の発生を促す処理のことで、できるだけ細根を残すように掘り下げます。根回しには溝掘り式などがあります。

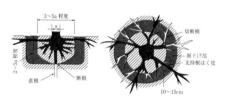

❷ 根巻き　樹木を掘り取り後、運搬に先立ち根鉢（鉢土：根と土が一体に球形になった部分）の崩れを防止するため、根鉢の表面を、こも、わら縄その他有機質根巻き材料等などで堅固に締め付けることです。根巻き径は根元幹径の3～5倍とします。

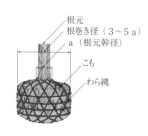

③ **水ぎめ**　鉢を埋めながら水を注ぎ、鉢の周辺に植込み用土が密着するように細い棒で土をよく突きながら埋め戻し、これを数回繰り返して鉢を埋めていく方法で、一般的に多く使われる方法です。

④ **土ぎめ**　水を使わずに細い棒等で植込み用土を鉢回りに密着するように突き入れる植え方で、松類等を植え込む場合に用います。

⑤ **水鉢**　立ち込み後、鉢を完全に埋め戻してから、樹木の根元を平らに均し、鉢の外周に土を盛り上げ、この中にかん水を行うことです。

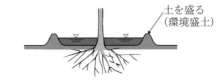
土を盛る（環境盛土）

⑥ **幹巻き**　移植後の樹木の幹からの水分の蒸散と幹焼け（樹皮組織が破壊されて死滅すること）の防止と防寒のため、こも、わら、緑化テープなどを樹幹や主要枝に巻き付けることです。

⑦ **支柱**　風による樹木の倒れや傾きの防止とともに、振動によって新しい根が切られることのないよう保護のために取り付けます。根部が正常に**活着**するまで（通常３〜４年程度）取り付けておきます。_{R5}

植栽工事の用語はしっかり把握しておきましょう。

【2】植付け

❶ 移植は、地下（根）部を大きく減少させることから、地下部と地上（枝葉）部のバランスをとって、樹種に応じて**枝抜き**や**摘葉**を行います。

❷ 根回しにおいては、できるだけ細根を残すように掘り下げ、その後掘り取ります。

❸ 搬入時に**根鉢**の崩れがないように、こも、わら縄、その他有機質根巻き材料で堅固に**根巻き**します。

❹ 植付けは、次のように行います。

　ⅰ　植穴を掘り、穴底に植込み用土を敷き、**根鉢**を入れます。

　ⅱ　根回りに植込み用土を入れた後、**水ぎめ**又は**土ぎめ**、地均しを行います。

　ⅲ　植え付け後、**水鉢**を設けます。

❺ 樹木は、工事現場搬入後、直ちに植え付けるのが原則です。ただし、やむを得ない場合は、仮植え又は根鉢を保護した上で蒸散抑制や散水を行うなどの

保護養生を行います。

❻ その後、必要に応じて幹巻き(みきまき)を行い、支柱を取り付けます。

2 芝張り

芝張りは、特記がなければ平地は**目地張り**、法面は**べた張り**とします。芝は、横目地を通し、縦目地は芋目地にならないようにします。

目地幅30mm以内

目地張り
（平地の場合）

目地なし

べた張り
（法面の場合）

3 屋外の雨水排水

【1】排水管

❶ 構内舗装道路下に埋設される排水管は、**遠心力鉄筋コンクリート管の外圧管**とします。

❷ 管の敷設は**下流部より始め**、順次上流部に向けて行います。

❸ 勾配は$\frac{1}{100}$以上とします。

【2】排水ます

❶ 排水ます、マンホールは、点検、清掃等のために必要なものです。排水管の方向、勾配、管径の変化する箇所、段差の生じる箇所、合流する箇所、長さが内径の**120倍を超えない**範囲内において適切な箇所に設けます。

❷ 汚水の混入する排水ます及び排水溝には、**インバート**を設けます。

❸ 雨水用排水ます及びマンホールの底部には、排水管等に泥が詰まらないように、**深さ15cm以上の泥だめ**を設けます。

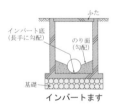

ふた

インバート底
（長手に勾配）

のり面
（勾配）

基礎

インバートます

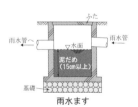

ふた

雨水管へ ← ▽水面 ← 雨水管

泥だめ
（15cm以上）

基礎

雨水ます

【3】浸透施設

施工時に地盤の浸透機能を低下させないことが重要なので、**浸透面を締め固めない**ものとし、掘削後は床付けを行わず、直ちに敷砂を行い充填材を投入します。

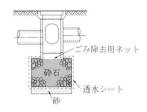

ごみ除去用ネット

砕石

透水シート

砂

「測量」からの出題間隔は、2年から6年と一定していません。出題頻度が低いため絞り込みにくい分野ですが、出題内容はある程度、常識的に答えることができる設問も含まれます。

1 測量

1 距離測量・水準測量

【1】距離測量

距離測量　2地点間の距離を直接または間接に測る測量です。GPS受信機、光波測距儀、トータルステーション、巻尺等を用います。直接距離測量と間接距離測量があります。
H29

直接距離測量　直接2地点間の距離を測る測量です。

間接距離測量　距離を直接測るのではなく、他の辺長や角度を測り、幾何学的な計算により距離を求める測量です。

スタジア測量　レベルの望遠鏡内の焦点板にある上下一対のスタジア線ではさまれた標尺の2点間の間隔を読み取り、標尺までの距離を簡易的に求める方法です。
R3・6

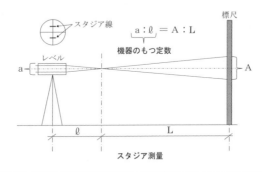

スタジア測量

距離測量と水準測量は、「測量」における基本です。しっかり押さえておいてください。

173

【2】水準測量

水準測量　地表面上の標高差や高低差を調べるための測量です。直接水準測量と間接水準測量があります。

直接水準測量　レベル（水準儀）と標尺（スタッフ）を用いて、既知の基準点から順に次の点への高低を測定して、2地点間の比高を測定したり、必要な地点の標高を求める測量です。

❶「標尺」を既知点Aと未知点Bに立て、中間に据えた「レベル」で標尺の値を読み、その高低差を求めます。なお、既知点Aに立てた標尺の読みaを**後視**、未知点に立てた標尺の読みbを**前視**といいます。

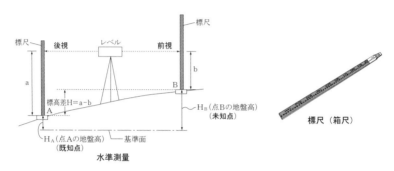

水準測量

❷ 標尺は鉛直に立てることが重要です。特に標尺の前後方向の傾きはレベルを覗く観測者にはわからないため注意が必要です。そのため、標尺は両手で支えて目盛を隠さないようにもち、<u>前後（左右ではない）にゆっくり動かし、最小の値を読み取ります</u>。

❸ 公共測量における直接水準測量では、レベルは視準距離を等しくし、かつ、レベルはできる限り両標尺を結ぶ直線上に設置して、往復観測とします。

間接水準測量　計算によって高低差を求める測量方法で、鉛直角と水平距離又は斜距離から高低差を求める三角高低測量などがあります。

水準点　水準測量により求められた点をいい、公共測量における水準点は、我が国の基本測量における水準原点（東京湾の平均海面上24.3900m）を基準として求めた点です。

② 測量の種類

【1】 平板測量

平板測量は、三脚の上に平板・図面を設置し、ア
リダードを用いて測点の距離、角度、高低差を測
定して、現場において平板上の図面に直接作図す
る測量方法です。次の特徴があります。

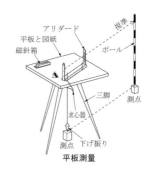

平板測量

- 簡単で迅速ですが、高精度は期待できません。
- 地形によって、作業能率が大きく異なります。
- 現場で直接図面を作成するので、欠測（測定忘れ）が少ないです。

平板測量の方法は、主に次の２つです。

❶ 放射法

平板を敷地内の任意の１カ所（中央部付近）に据え付け、アリダードを用い
て測点の方向と距離を放射状に測りながら縮図を作る方法で、作業効率がよ
い方法です。敷地の見通しのよい、比較的小さな敷地の場合に用います。

❷ 進測法（推進法）

各測点に順次、平板を据え付けて、それぞれの測線の方向と距離を測り、各
測点を結んでいく方法で、他の方法よりも時間がかかります。敷地の見通し
のよくない場合に用います。

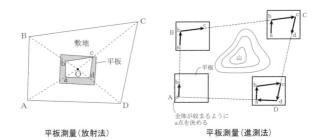

平板測量（放射法）　　　　　　平板測量（進測法）

【2】 多角測量（トラバース測量）

多角測量（トラバース測量）は、測点を順次結び、測
量区域を多角形で示し、多角形の各測点の方向角と距
離とを測定して、敷地形状を求めるものです。測点の

多角測量（トラバース測量）

位置を求めるため、**セオドライト**による**水平角の測定**、**鋼製巻尺**などによる**距離の測定**などを行います。

セオドライト（トランシット）　望遠鏡と目盛盤から構成され、三脚に載せて水平角（方向角）や鉛直角（高度角）などの**角度を正確に測定**するための器械です。

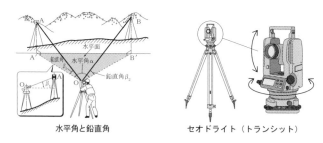

水平角と鉛直角　　　　　セオドライト（トランシット）

【3】GNSS測量

　GNSS測量とは、衛星から電波が発信されてから受信機に到達するまでに要した時間を測り、距離に変換する測量です。位置のわかっているGNSS衛星を動く基準点として、<u>4個以上の衛星</u>から観測点までの距離を同時に知ることにより、観測点の位置を決定するものです。GPS測量は、GNSS測量の1つです。

R3・6

---

2 工事測量

1 使用機器

❶ 使用機器は、セオドライト、レベル、鋼製巻尺、下げ振り、墨つぼ、さしがねなどがあります。

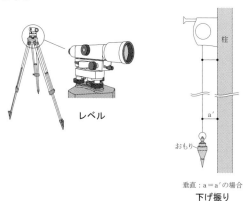

レベル

垂直：a＝a′の場合
下げ振り

墨つぼ

鋼製巻尺

さしがね

MEMO

セオドライトなどの器械を移動するときは、器械の頭部を上にして、両腕で抱えて運ぶ。このとき、三脚頭部のねじや各部の締付けねじは、もし器械が衝撃を受けても容易に回転できるように、軽く緩めておく。

❷ 鋼製巻尺は、JIS規格1級のものを使用します。50m巻尺では、±5mm程度の誤差を生じる可能性がありますので、工事着工前にテープ合わせを行い、同じ精度の巻尺を2本以上用意して、1本は基準巻尺として保管しておきます。

テープ合わせの際には、それぞれの鋼製巻尺に一定の張力（通常50N＝5kgf）を与えて、相互の誤差を確認します。

② 躯体工事における墨出し

❶ 1階床の基準墨は、上階の基準墨の基となりますので、建築物周囲の基準点から新たに測り出し、特に正確に行う必要があります。

❷ 2階より上階では、通常、建築物の四隅の床に小さな穴を開けておき、下げ振りなどにより1階から上階に基準墨を上げます（「引き通し」）。

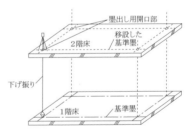

基準墨の移設

　積算からは2～3年に1度出題されます。テキストを中心に学習して、出題された場合でも、失点しないようにしましょう。

1　積算の概要

　積算とは、建築工事における工事費を予測・推定する作業です。

<各費用の関係>
R4

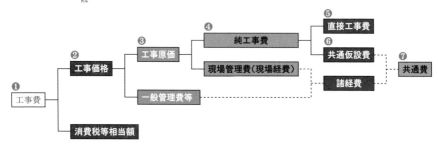

1　工事費の構成

　一般的に、建築工事費は次のように構成されます。

❶　**工事費**　工事価格に消費税等相当額を加えたものです。

❷　**工事価格**　工事原価と一般管理費等を合わせたものです。一般管理費とは、一般管理業務費用のうち、現場負担の費用をいいます。

❸　**工事原価**　純工事費と現場管理費（現場経費）を合わせたものです。純工事費とは、工事現場における工事費のうち、管理的な費用を除いた純粋な工事費用をいい、現場管理費とは、その工事の現場を運営するために必要な費用をいいます。

❹　**純工事費**　直接工事費と共通仮設費を合わせたものです。

❺　**直接工事費**　建築物建設のために、直接必要な材料費・直接仮設費・人件費、下請け業者の経費などの費用です。

❻　**共通仮設費**　2種目以上に共通した仮設・工事全般にかかる仮設の費用をいいます。

❼ 共通費 　共通仮設費と諸経費（現場管理費、一般管理費等）を合わせたものです。

ⓘ 共通仮設費

工事全体（複数の工事種目）で使用する仮設物等の費用をいい、次のようなものなどから構成されます。

● 仮設建物費 　現場事務所、倉庫、下小屋、作業員施設等に要する費用。

● 機械器具費 　共通的な工事用機械器具（測量機器、揚重機械器具、雑機械器具）等に要する費用。

● 環境安全費 　安全標識、消火設備等の施設の設置、隣接物等の養生費用等に要する費用。

　　※ 仮設（共通仮設・直接仮設・専用仮設の違い）
　　　 共通仮設 　複数の工事種目に共通して使用する仮設です。
　　　 直接仮設 　工事種目ごとの複数の工事科目に共通して使用する仮設です。墨出し、足場、養生ネット等が該当します。
　　　 専用仮設 　工事種目ごとの工事科目で単独に使用する仮設です。山留めなどの土工専用仮設、コンクリート足場、鉄骨足場等が該当します。

ⅱ 現場管理費

工事施工に当たり、工事現場を管理運営するために必要な費用です。<u>火災保険、工事保険、その他の保険料等（保険料）が含まれます。</u>

_{R6}

工事費の構成は、とてもよく出題されます。混同しないように、しっかり区別できるようにしておいてください。

② 数量積算

数量積算とは、工事で用いる材料の数量を算出し、集計する積算業務をいいます。数量を計測・計算する基準として、国土交通省が制定した「**公共建築数量積算基準**」があります。ここで取り扱う数量は、**設計数量**、**所要数量**、**計画数量**があります。

【1】設計数量

　設計数量とは、設計図書に記載されている個数及び設計寸法から求めた長さ、面積、体積等の数量をいいます。材料のロス等については単価の中で考慮します。大部分の施工数量がこれに該当します。

設計数量と所要数量

【2】所要数量

　所要数量とは、鉄筋、鉄骨、木材などの数量のように、市場の規格寸法（定尺寸法）を考慮した上で、**切り無駄や施工上やむを得ない損耗などを含んだ数量**をいいます。所要数量は、設計数量に次の割増しをすることを標準とします。

工事	部位等		割増率
鉄筋	一般		4％
	山留め壁（地中連続壁）・杭		3％
鉄骨	鋼材	形鋼・鋼管・平鋼	5％
		広幅平鋼・鋼板（切板）	3％
	ボルト	ボルト類	4％
		アンカーボルト・デッキプレート	0％

MEMO
広幅平鋼・鋼板（切板）は、鉄骨工事専門業者が設計寸法に合わせた切板材として購入使用することが多く、切り無駄が少ないことから割増率が3％とされている。

MEMO
ボルト類（ボルト・高力ボルト）は、複数本を箱入りで購入するためロスが発生するが、アンカーボルト類は1本単位で購入することが多く、ロスが発生しないことから0％とされている。

【3】計画数量

　計画数量とは、設計図書に表示されていないもので、施工計画に基づいて算出する数量をいいます。仮設や土の数量などが計画数量に該当します。

つまり、「設計数量」は設計図から、「計画数量」は施工計画図から算出し、「所要数量」は、ロスを見込んだ数量ですね。

【4】歩掛り

　歩掛りとは、建築物の各部分の工事における単位当たりの数量をいい、材料

歩掛り、労務歩掛りがあります。

【5】単価

　単価には、材料単価、労務単価、複合単価などがあります。**複合単価**は、材料費に労務費、機械工具類損料、下請け経費などを加えた単価で、2種類以上の費用を合わせたものの単価をいいます。いわゆる材工共（材料・施工）の単価とも呼ばれます。

第2編　設備・外構・契約他

2 | 直接工事の数量積算

1 土工事

　根切り形状、山留め方法などを計画・想定して**計画数量**を求めます。

【1】土砂量

　土は掘削によって10〜30％程度も体積が増加し、逆に、埋戻し、盛土の場合は締固めによって体積が減少しますが、**積算上は土の体積変化を考慮しないで地山数量**（掘削などで乱されていない自然地盤の数量）とします。R2

【2】根切り数量

　根切り側面を**垂直**とみなし、その根切り面積と根切り深さとによる体積とします。施工上必要な余裕（**余幅**）や法勾配（のりこうばい）を見込んだ寸法を考慮した**計画数量**により算出します。

　余幅は、作業上のゆとり幅（標準0.5m）に、土質と根切り深さとに応ずる係数を乗

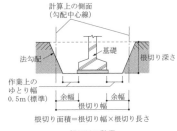

根切り面積＝根切り幅×根切り長さ
根切りの数量

じた法幅の $\frac{1}{2}$ を加えた幅をいいます。山留め壁と躯体間の余幅は1.0mを標準とします。

> **MEMO**
> 杭の余長による根切り量の減少はないものとして算出します。

② 躯体工事

【1】コンクリート

❶ コンクリートの種類（調合、強度、スランプなどの別）により区分し、各部分ごとに**設計寸法により計測・計算した体積**にします。

❷ 場所打ちコンクリート杭のコンクリートは、杭工法及び杭径により適切に割増しします。

❸ その他

● **鉄筋及び小口径管類**（設備配管など）による**欠除はないものとします。**

● 鉄骨による欠除は、鉄骨の設計数量について7.85tを1.0㎥として換算した体積にします。

● 鉄骨鉄筋コンクリート造のコンクリートの数量は、コンクリート中の鉄骨の体積分を差し引きますが、鉄筋コンクリートでは鉄筋の分を差し引いてはいけません。
_{H29・R2}

【2】型枠

❶ **型枠の種類**（普通合板型枠、打放し合板型枠、曲面型枠など）や**材料、工法、コンクリートの打設面**などにより区分し、面積を算出します。

❷ その他

● 各部材の**接続部の面積が1㎡を超える場合**は、型枠不要部分としてその面積を差し引いて算出します。ただし、面積1㎡以下の場合は、欠除としません。

● 窓、出入口などの**開口部**による欠除は、建具類などの開口部の内法寸法とします。ただし、**開口部の内法面積が1カ所当たり0.5㎡以下**の場合は、原則として欠除はないものとします。
_{H29}

「欠除はないものとする」のは、どういう場合なのかを数値まで覚えてください。

【3】鉄筋

❶ 原則として、コンクリートの設計寸法に基づき計測・計算した長さを**設計長さ**とし、その長さと単位質量を掛けた質量にします。

❷ 一般に、鉄筋の所要数量は、鉄筋の設計数量の**4％の割増し**にします。

❸ 場所打ちコンクリート杭の鉄筋は、**3％の割増し**にします。

④ その他

- **フープ、スタラップ**の長さは、それぞれ柱、基礎梁、梁及び壁梁のコンクリートの断面の設計寸法による周長を鉄筋の長さとし、**フックはないものとします。**
H29
- ガス圧接継手の施工のための鉄筋の長さの変化はないものとします。R2

【4】鉄骨

❶ 鋼材（形鋼、平鋼、鋼板）の数量は、各部分について規格・形状・寸法ごとに、計測・計算した面積とし、その面積と単位質量を掛けた質量にします。

❷ 孔明け、開先加工、スカラップ等による欠除はないものとします。

❸ 一般に、**形鋼、鋼管、平鋼**などの所要数量は、設計数量の**5％の割増し**、**広幅平鋼及び鋼板（切板）**の場合は設計数量の**3％の割増し**にします。

❹ **ボルト類**の所要数量は、設計数量の**4％の割増し**にします。

❺ **アンカーボルト類**の所要数量は、設計数量の**割増しは行いません。**

❻ **溶接数量**は、溶接の種類に区分し、溶接断面形状ごとに長さを求め、**隅肉溶接の脚長6mmに換算した延べ長さ**で算出します。
H29

> コンクリートは体積、型枠は面積、鉄筋・鉄骨は質量で算出します。

3 仕上げ工事

【1】木材

造作材（幅木、回り縁、建具の枠材など）に用いる木材の**所要数量**は、所定の断面寸法に製材するための削り無駄を考慮した**ひき立て寸法**による断面積（設計図書の断面積）に、設計寸法による長さをメートル単位に切り上げた長さを掛けた体積に**5％の割増し**をした体積にします。

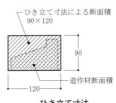

ひき立て寸法による断面積
90×120

造作材断面積

ひき立て寸法

> **用語**
> **ひき立て寸法**
> 所定の寸法に製材した状態の断面寸法。なお、ひき立て寸法の木材をかんななどで削り、最終的にできあがった状態の断面寸法を**仕上り寸法**という。

【2】 防水材

❶ 防水層（アスファルト防水層など）の数量は、原則として、躯体の設計寸法による「**面積（㎡）**」で表します。

❷ シート防水などのシートの重ね代<ruby>代<rt>しろ</rt></ruby>は、計測の対象としません。

【3】 建具

　建具類（金属製建具及び木製建具）の数量は、材質、形状により区分し、建具類の符号、サイズ別の「**箇所数**」で表します。

【4】 ガラス

　全面がガラスである建具類のガラスの数量は、材質、規格などごとに、原則として建具類の内法寸法による「**面積（㎡）**」で表します。

【5】 塗装・吹付け材

❶ 塗装・吹付け材による表面処理の数量は、原則として表面処理すべき、「**主仕上げの数量**」にします。

❷ 原則として躯体の設計寸法による面積から、建具類等開口部の内法寸法による面積を差し引いた面積にします。ただし、**開口部の面積が1カ所当たり0.5㎡以下**のときは、開口部による**欠除はない**ものとします。

❸ 各部分の仕上の凹凸が0.05m以下のものは、原則として凹凸のないものとして、見付面積を数量とします。

【6】 既製コンクリート材

　コンクリートブロック、ALCパネル、押出成形セメント板、PC板などの既製コンクリート材の数量は、一般的には、「**面積（㎡）**」により表します。

例題	Q	鉄筋コンクリート造のコンクリート数量は、鉄筋及び小口径管類によるコンクリートの欠除はないものとみなして算出した。
	A	○

例題	Q	造作材としての木材の所要数量は、図面に記入されている仕上り寸法どおりに算出した。
	A	✕ ひき立て寸法(所定の断面寸法に製材するための削り無駄を考慮した寸法。設計図書の断面積)により算出する。

3 その他

【1】仮設の数量

❶ 遣方（やりかた）　建築物の「建築面積」により算出します。

❷ 仮囲い　種別、高さなどにより区分し、仮囲いの外周面の長さにより算出します。

❸ 外部本足場　足場の中心（構築物等の外壁面から1.0mの位置）の水平長さと構築物等の上部までの高さによる面積とします。

　一側足場　構築物等の外壁面から0.5mの位置を標準とし、その水平長さと足場高さ（構築物等の上部までの高さに1.0mを加算した高さ）による面積とします。

足場は、どういう基準で面積算出するか、実際をイメージしながら覚えてください。

例題	Q	遣方の数量は、建築物の建築面積により算出した。
	A	○

「契約」では、以下で解説する「公共工事標準請負契約約款」から1〜2年に1問程度出題されます。比較的狭い範囲からの出題で、解答しやすい分野です。得点源とするために、改正約款に従い正確な知識の定着をテキスト、問題集を通じて図りましょう。

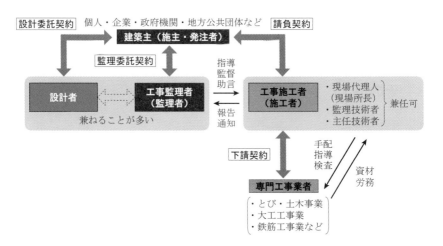

【1】総則：第1条

❶ 設計図書　図面、仕様書、現場説明書及び現場説明に対する質問回答書まで含む。
　R1・5
❷ 仮設、施工方法その他工事目的物を完成するために必要な一切の手段（「施工方法等」）については、特別の定めがある場合を除き、受注者がその責任において定める。

【2】関連工事の調整：第2条

　発注者は、受注者の施工する工事及び発注者の発注に係る第三者の施工する他の工事が施工上密接に関連する場合において、調整を行うものとする。この場合においては、受注者は、発注者の調整に従い、当該第三者の行う工事の円滑な施工に協力しなければならない。

【3】請負代金内訳書・工程表：第3条

❶ 受注者は、請負代金内訳書及び工程表を作成し、**発注者に提出しなければならない**。また、契約の内容に**不確定要素の多い契約**の場合など所定の場合には、**承認を受けなければならない**。

❷ 内訳書には、**健康保険、厚生年金保険**及び**雇用保険**に係る法定福利費を明示する。

【4】一括委任又は一括下請負の禁止：第6条

受注者は、工事の全部若しくはその主たる部分を**一括して第三者に委任**し、又は**請け負わせてはならない**。

【5】特許権等の使用：第8条

受注者は、特許権、その他第三者の権利の対象となっている工事材料、施工方法等を使用するときは、その使用に関する一切の**責任を負わなければならない**。

【6】現場代理人及び主任技術者等：第10条

● 現場代理人は、この契約の履行に関し、工事現場に常駐し、その運営、取締りを行うほか、「請負代金額の変更、請負代金の請求及び受領」、「契約の解除に係る権限」等を除き、この契約に基づく受注者の**一切の権限を行使することができる**。

● 現場代理人、監理技術者等（監理技術者、監理技術者補佐又は主任技術者）及び専門技術者は、これを兼ねることができる。

> **兼ねることができる**
> ● 現場代理人
> ● 主任技術者
> 　（または監理技術者）
> ● 専門技術者

用語
専門技術者
元請業種以外における工事を施工する管理者。

現場代理人は、現場所長（作業所長）のことですね。大きな権限をもっています。

【7】 工事材料の品質及び検査等：第13条

❶ 工事材料の品質については、設計図書に定めるところによる。設計図書にその品質が明示されていない場合にあっては、**中等の品質**を有するものとする。

❷ 受注者は、設計図書において監督員の検査（確認を含む）を受けて使用すべきものと指定された工事材料については、当該**検査に合格したものを使用しなければならない**。この場合において、当該検査に直接要する費用は、受注者の負担とする。

❸ 受注者は、工事現場内に搬入した工事材料を監督員の承諾を受けないで工事現場外に搬出してはならない。

❹ 受注者は、**検査の結果不合格**と決定された工事材料については、所定の期日以内に工事現場外に**搬出**しなければならない。
R1

【8】 工事用地の確保等：第16条

発注者は、**工事用地**その他設計図書において定められた工事の施工上必要な用地（工事用地等）を受注者が工事の施工上必要とする日までに確保しなければならない。

【9】 設計図書不適合の場合の改造義務及び破壊検査等：第17条

❶ 受注者は、工事の施工部分が**設計図書に適合しない場合**において、監督員がその**改造**を請求したときは、当該請求に従わなければならない。

❷ 監督員は、工事の完成を確認するために必要があると認めるときは、その理由を受注者に通知して、工事目的物を最小限に**破壊**して検査することができる。

【10】 条件変更等：第18条

受注者は、工事の施工に当たり、次に該当する事実を発見したときは、その旨を直ちに監督員に**通知**し、その**確認を請求**しなければならない。
H30

❶ 図面、仕様書、現場説明書及び質問回答書が一致しない。

❷ 設計図書に誤謬又は脱漏がある。

❸ 工事現場の形状、地質、湧水等の状態、施工上の制約等**設計図書に示された自然的又は人為的な施工条件**と実際の現場が一致しない。

【11】 著しく短い工期の禁止：第21条

　発注者は、工期の延長又は短縮を行うときは、この工事に従事する者の労働時間その他の**労働条件が適正に確保**されるよう、やむを得ない事由により工事等の実施が困難であると見込まれる日数等を**考慮しなければならない。**

【12】 受注者の請求による工期の延長：第22条

　受注者は、その責めに帰すことができない事由により工期内に工事を完成することができないときは、その理由を明示した書面により、発注者に工期の延長変更を請求することができる。

【13】 工期の変更方法：第24条

　工期の変更については、**発注者と受注者とが協議**して定める。ただし、協議開始の日から所定の期間以内に協議が整わない場合には、**発注者が定め、受注者に通知**する。
_{R3・5}

【14】 賃金又は物価の変動等に基づく請負代金額の変更：第26条

❶ **発注者又は受注者**は、工期内で請負契約締結の日から**12月を経過**した後に日本国内における**賃金水準又は物価水準の変動**により**請負代金額が不適当となった**と認めたときは、相手方に対して請負代金額の変更を請求することができる。
_{R1・3}

❷ **特別な要因**により工期内に主要な工事材料の日本国内における**価格に著しい変動**を生じ、請負代金額が不適当となったときは、**発注者又は受注者**は、請負代金額の変更を請求することができる。

❸ **予期することのできない特別の事情**により、**急激なインフレーション又はデフレーション**を生じ、請負代金額が著しく不適当となったときは、**発注者又は受注者**は、請負代金額の変更を請求することができる。

❶は物価スライド条項（ただし、12月を経過したあとの分）、❷は特殊要因により特定の材料価格が著しく変動した場合、❸は経済全体が急激なインフレ・デフレにみまわれた場合の規定です。

【15】 一般的損害：第28条

　工事目的物の引渡し前に、**工事目的物又は工事材料**について生じた損害その他工事の施工に関して生じた損害については、受注者がその費用を負担する。ただし、その損害のうち**発注者の責めに帰すべき事由**により生じたものについては、**発注者が負担**する。

【16】 第三者に及ぼした損害：第29条

　工事の施工に伴い**通常避けることができない**騒音、振動、地盤沈下、地下水の断絶等の理由により**第三者に損害**を及ぼしたときは、**発注者がその損害を負担**しなければならない。ただし、その損害のうち工事の施工につき受注者が善良な管理者の注意義務を怠ったことにより生じたものについては、受注者が負担する。

H30・R5

【17】 検査及び引渡し：第32条

❶ 受注者は、工事を完成したときは、発注者に通知しなければならない。

❷ **発注者**は、通知を受けたときは、通知を受けた日から**14日以内**に受注者の立会いの上、工事の完成を確認するための検査を完了し、検査の結果を受注者に通知しなければならない。

❸ 発注者は、工事の完成を確認するための検査の際、必要があると認められるときは、その理由を**受注者に通知**して、工事目的物を**最小限度破壊して検査**することができる。

R3・5

完成検査を行う主体は、あくまで発注者です。監督員ではありませんので注意しましょう。

【18】 部分使用：第34条

　発注者は、引渡し前においても、工事目的物の全部又は一部を**受注者の承諾**を得て使用することができる。

【19】 契約不適合責任：第45条

　発注者は、引き渡された工事目的物が**種類又は品質**に関して契約の内容に適合しないもの（契約不適合）であるときは、受注者に対し、目的物の**修補**又は代替物の引渡しによる**履行の追完**を請求することができる。ただし、その履行の追完に過分の費用を要するときは、発注者は履行の追完を請求することができない。

【20】 発注者の催告による解除権：第47条

　発注者は、受注者が次に該当するときは相当の期間を定めてその履行の催告をし、期間内に履行がないときはこの契約を解除することができる。

❶ 正当理由なく、工事に着手すべき期日を過ぎても工事に着手しないとき。

❷ **工期内に完成しないとき**又は工期経過後相当の期間内に**工事を完成する見込みがないと認められるとき**。

❸ <u>主任技術者若しくは監理技術者を設置しなかったとき</u>。
H30

【21】 受注者の催告によらない解除権：第52条

　<u>受注者は、発注者が設計図書を変更したため請負代金額が$\frac{2}{3}$以上減少したときは、契約を解除することができる。</u>
R1・3

【22】 火災保険等：第58条

　受注者は、工事目的物及び工事材料等を設計図書に定めるところにより火災保険、建設工事保険その他の保険に付さなければならない。

例題

Q 発注者又は受注者は、特別な要因により工期内に主要な工事材料の日本国内における価格に著しい変動を生じ、請負代金額が不適当となったときでも、請負契約締結の日から12月を経過しなければ、請負代金額の変更を請求することができない。

A ✕　　請負契約締結の日から12月を経過しなくとも請求することができる。

さくいん

わかって合格る
1級建築
施工管理技士
基本テキスト

2025年度版

第2分冊

第3-1編　**躯体施工**

第3-2編　**仕上施工**

licensed building site manager

TAC出版
TAC PUBLISHING Group

第 3-1 編

躯体施工

　躯体施工は、まさに建築物の躯体部分の施工技術を問う科目です。応用問題でも出題されるほか、二次検定でもその知識を生かして記述する問題が出題されるなど、1級建築施工管理技士試験を突破するためには、最重要科目といってもよいでしょう。

第3-1編 躯体施工

本編では、地盤調査から鉄筋、型枠、コンクリート、鉄骨まで躯体施工全般について学びます。試験では10問出題され、8問を選択して解答するほか、応用問題でも3問程度出題されます。範囲が広く、かつ、詳細な知識を問われますが、二次検定でも出題されるため、最重点で取り組みましょう。失点を最小限にするためにも過去問からの範囲には確実に対応できるように学習し、6/8問以上（応用問題は2/3以上必須）の正解を目標にしましょう。

第1章 地盤調査

地盤調査からは2～3年に1問程度出題されます。「原位置試験」「土質試験」ともに、試験の概要、目的、対象土が出題ポイントです。また、地盤調査の全体像は以下のとおりです。

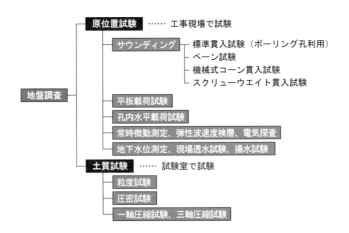

1 地盤調査

1 土粒子と土の構造

第1編第2章で学習しましたが、土粒子の大きさは、粘土＜シルト＜砂＜れきの順で、粘土・シルトを粘性土、砂・れきを砂質土と呼びます。

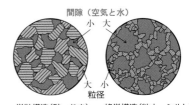

間隙（空気と水）

小　大

大　小
粒径

単粒構造（砂・れき）　蜂巣構造（粘土・シルト）

単粒構造である砂質土は土粒子同士がかみ合っている状態、蜂巣構造である粘性土は間隙が多く、間隙は水と空気で満たされています。

② ボーリング・サンプリング

【1】 ボーリング

ボーリング調査とは、ボーリング柱状図の作成、地層の構成・地下水位・支持層の深さの調査及びサンプリングのために実施される調査の総称です。単に「ボーリング」という場合は、掘削機を使って孔を掘る方法・作業のことで、ロータリー式ボーリング、ハンドオーガーボーリングなどがあります。

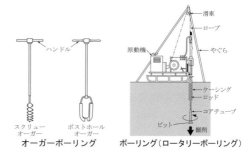

スクリューオーガー ポストホールオーガー
オーガーボーリング　**ボーリング（ロータリーボーリング）**

MEMO
ハンドオーガーボーリングは、5m程度までの掘削に用いられる。

【2】 サンプリング

サンプリングとは、土質試験に用いる土試料を採取することで、土試料には、「乱した土」と「乱さない土」の2つの状態があります。どちらを用いるかは、土の調べる性質と試験の種類により異なります。**乱さない土**の採取は、ボーリングで所定深さまで削孔した後、ロッド先端に取り付けたサンプラーを孔底に静かに圧入し、その深さの試料の採取を行います。

土試料の状態	定　義	サンプリング方法
乱した土	原位置の土の構造・性質を元の状態から乱した状態にした土	●ハンドオーガー ●SPTサンプラー
乱さない土	土の構造・性質をできるだけ原位置に近い状態で採取した土	●サンプラー

原位置試験は、現地で直接、地盤の性質について調べる試験で、大きくサウンディングとその他の試験に大別されます。

サウンディングとは、ロッドに付けた**抵抗体**を地盤中に挿入し、**貫入・回転・引抜き**などに対する**抵抗**から、地盤の性状を調査する方法です。代表的なものは、ボーリング孔を利用する標準貫入試験、ベーン試験、機械式コーン貫入試験、スクリューウェイト貫入試験（スウェーデン式サウンディング試験）です。

【1】 標準貫入試験

原位置における**地盤の硬軟、締まり具合**や**土層の構成**を判定するために行うサウンディング試験の1つで、**ボーリング孔を利用**して行い、わが国で最も広く普及しています。この試験により、室内で行う土質試験などの試料を採取することもできます。

SPTサンプラーを30cm打ち込むのに要するハンマーの打撃回数（＝N値）を測定します。

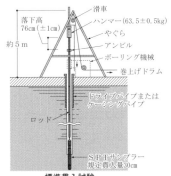

落下高 76cm（±1cm）
約5m
滑車
ハンマー（63.5±0.5kg）
やぐら
アンビル
ボーリング機械
巻上げドラム
ドライブパイプまたはケーシングパイプ
ロッド
ＳＰＴサンプラー
規定貫入量30cm

標準貫入試験

標準貫入試験はSPTともいいます（Standard Penetration Test）。SPTから得られるN値はサンプラーを30cm沈めるのに、63.5kgのハンマーで何回たたくかです。

【2】 ベーン試験

鋼製の**十字型の羽根（ベーン）**を土中に挿入し、ロッドにより回転させ、最大トルク値からベーンに外接する円筒すべり面上の「**せん断強さ**」を求める、サウンディング試験の1つです。

検力計
回転ハンドル
角度目盛円板
回転ロッド
ベーン
（鋼製の十字羽根）

ベーン試験

【3】 機械式コーン貫入試験

貫入先端（**コーン**）をつけたロッドを静的に貫入し、原位置において**静的なコーン貫入抵抗**を測定するサウンディング試験の1つで、**土の硬軟、締まり具合または土層構造**を推定できます。

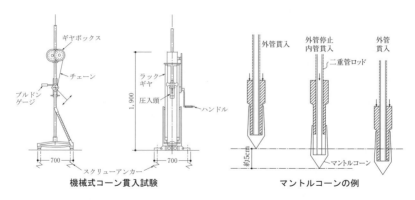

機械式コーン貫入試験　　　　　マントルコーンの例

【4】 スクリューウエイト貫入試験（スウェーデン式サウンディング試験）

ロッドに付けた**スクリューポイント**を地盤中に貫入・回転させ、その貫入量から、原位置における**土の硬軟、締まり具合または土層構造を判定する**、サウンディング試験の１つです。

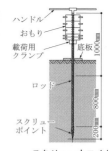

スクリューウエイト
貫入試験

【5】 平板載荷試験

地盤に**載荷板**（**直径30cmの円形の厚み25mm鋼板**）を設置して垂直荷重を与え、この荷重の大きさと載荷板の沈下量との関係から、**地盤の変形及び支持力特性（地耐力）** などを調べるための試験です。

調査範囲は、載荷板直径の**1.5〜2.0倍（45〜60cm）** 程度です。

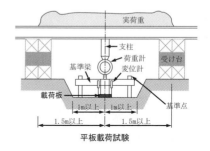

平板載荷試験

【6】 孔内水平載荷試験
（こうない）

ボーリング孔を利用して行う載荷試験の１種で、孔内に測定管（円筒形のゴムチューブなど）を挿入し、段階的に加圧して、その地点での圧力と孔壁面の変位量を測定することにより、**地震時の杭の水平抵抗の検討、基礎の即時沈下の検討・地盤の強度や変形特性を求める**試験です。

H29

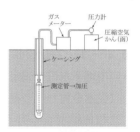

孔内水平載荷試験

197

【7】 常時微動測定

　ボーリング孔を利用して「常時微動」を測定し、地震時における地盤の振動特性を調べるものです。

　「常時微動」とは、地盤中に伝わる人工的（鉄道、車両の振動など）または自然現象（海の波浪や風に揺れる木々など）によるさまざまな振動源のうち、短周期の微振動をいいます。

　この測定により、地盤の卓越周期と増幅特性を推定することができます。

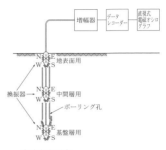

常時微動測定

【8】 弾性波速度検層（PS検層）

　ボーリング孔を利用して、直接、地盤のP波（縦波）、S波（横波）の速度分布を測定し、その速度値から地盤の硬軟の判定、ポアソン比、ヤング率などを求めて、耐震設計資料を得るための試験です。

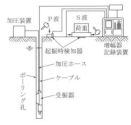

弾性波速度検層

> **MEMO**
> S波よりP波の方が速度が速いので、**地震の緊急速報**はP波を利用している。

【9】 地下水位測定

　地下水は、主に被圧地下水、不圧地下水（自由地下水位）に大別され、その水位は、井戸（またはボーリング孔）に現れる水面の位置です。地下水位の測定は、ボーリング孔を利用する場合と観測井による場合があります。

❶ ボーリング孔を利用した地下水位測定

● 自由地下水位の測定は、ボーリング時に泥水を使わずに掘進することにより比較的精度よく行うことができます（無水掘りによる水位）。

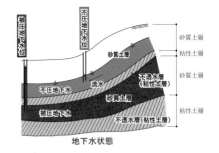

地下水状態

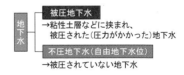

●ボーリングにおいて、孔内に地下水が認められた場合、なるべく**長時間放置**し水位が安定してから、**孔内水位を測定**します。

　➡孔内水位は、常水面とは一致しにくいです。

●**被圧地下水位の測定**は、ボーリング孔内において、自由地下水及び上部にある帯水層を**遮断した状態**で行います。

【10】透水試験

「透水係数（透水性）」を求めるための試験で、現場法と室内法がありますが、できる限り現場法（現場透水試験）とします。

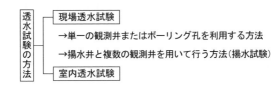

① 現場透水試験（原位置での透水試験）

地盤に人工的に水位差を発生させ、水位の回復状況により**透水係数を求める試験**で、次の2つの方法があります。　H29・R6

透水試験　1本の観測井またはボーリング孔を利用する方法です。通常、**透水試験**といえばこちらを指します。

揚水試験　（揚水井と複数の観測井を用いる方法）　揚水井を中心として十字状に観測井を掘削し、揚水時の揚水井、観測井の水位低下量及び揚水停止後の水位回復量を測定し、**地盤の透水性**を調べる方法です。

② 室内透水試験

現場で採取した土試料で作成した供試体により、透水係数を求める土質試験です。

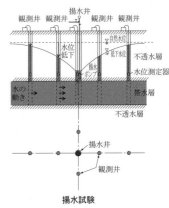

揚水試験

用語
観測井
地下水位などを測定するための井戸。

用語
揚水井
揚水試験において、ポンプで揚水する井戸。

通常、「透水試験」といえば1本の井戸を、「揚水試験」といえば複数の井戸を用います。いずれも地盤の透水性を調べる方法です。

❸ 電気検層（比抵抗検層）

電気検層は、ボーリング孔内に電極を下げ、周りの地盤の**電気抵抗（比抵抗）**を測定する検査で、**地盤の構成や地層の性質を知る**とともに、帯水層の位置とその**透水性**を調べる試験です。

例題	**Q**	標準貫入試験の本打ちにおいて、打撃回数が50回に達した場合の累計貫入量が30cmであったので、N値を30とした。
	A	**✕**　N値は50である。
例題	**Q**	原位置での透水試験は人工的に水位差を発生させ、水位の回復状況から透水係数を求める。
	A	○

---

2 土質試験

土質試験とは、調査地点で採取した土試料について、土の物理的性質、力学的性質、化学的性質などを求める室内試験をいいます。各土質試験に用いる試料の状態は以下のとおりです。

土試料の状態	調べる性質・試験
乱した土	物理的性質（粒度、土粒子の密度など） ➡粒度試験
乱さない土	力学的性質（土の強さ、土の圧縮性など） ➡圧密試験、一軸圧縮試験、三軸圧縮試験

> **MEMO**
> **標準貫入試験**によるサンプリングは、「**乱した土**」に該当する。

❶ 粒度試験

土粒子の粒径分布（砂質土であるか粘性土であるか）を調べる試験で、粗い粒子では、ふるいにより分析を行い、細かい粒子では水に試料を混ぜて沈降分析を行います。

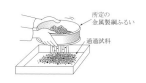

粒度試験（ふるい分け作業）

● 細粒分含有率等の粒度特性を推定できます。
● 粒径分布から透水係数の概略値を推定できます。

❷ 液性限界試験・塑性限界試験（コンシステンシー試験）

土の性質は、土中の水分の量により変化します。乾燥し粉体となった粘土に水を加え、固体➡半固体➡塑性体➡液体 と変化する各状態における含水比を測定する試験です。

土中の水分の量によって示す性質を**土のコンシステンシー**といい、液体、塑性体の状態時の含水比をそれぞれ**液性限界・塑性限界（コンシステンシー限界）**といいます。試験結果から、自然含水比と比較して土の力学的安定性を判定できます。ま

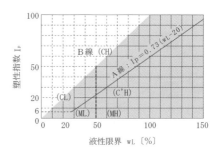

た、**塑性図**を用いて**土の分類**を行い、圧縮性・透水性などの工学的性質の概略を推定できます。

❸ **圧密試験**

粘性土を対象に、地盤の沈下量や沈下時間の予測に必要な「圧縮性」と「圧縮速度」を測定し、**粘性土地盤の「沈下量」と「沈下時間」**を推定する試験です。

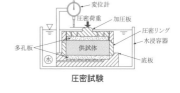
圧密試験

❹ **一軸圧縮試験**

自立する円柱の供試体に対して、拘束圧が作用しない状態で軸方向に圧縮し、**一軸圧縮強さから土のせん断強さを推定する試験**で、主に**乱さない粘性土**を対象とします。

一軸圧縮試験

❺ **三軸圧縮試験**

円柱状の試料をアクリル円筒容器の中に入れて水圧をかけることにより、土の中の応力状態を再現し、**自然な状態での土のせん断強さを求める試験**で、主に**乱さない粘性土**を対象とします。なお、試料にサンプリング時の**ひび割れ**などがある場合、一軸圧縮試験では試験誤差を生じるおそれがあるので、三軸圧縮試験により試験を行います。

三軸圧縮試験

一軸圧縮試験は、円柱に自立する程度の粘性土を対象に、三軸圧縮試験は自立できない軟弱な粘性土又は砂質土を対象に行う試験です。どちらの場合も、乱されていない試料であることが必要です。

例題

Q 標準貫入試験により採取した試料を用いて、三軸圧縮試験及び圧密試験を行った。

A **✕** 標準貫入試験で採取した試料は乱した試料なので、圧縮試験や圧密試験はできない。

仮設工事からは例年1問出題されます。近年の主な出題は「乗入れ構台」です。それ以前は「足場」に関する基本的な出題が続いていました。今後も「足場」に関して、躯体施工としての出題可能性は高くはありませんが、出題されてもあわてないようにしてください。足場は第4編第4章で、詳しく学習します。

1 ベンチマーク・墨出し

墨出しに関しては、第2編第3章「測量」の中でも学習しました。ここでは、若干重複する部分も含みますが、重要なポイントをまとめます。

【1】 ベンチマーク・縄張り

❶ ベンチマーク

●ベンチマークは、建物などの高低・位置の基準となるもので、木杭やコンクリート杭などを用いて移動しないよう設置し、周囲を養生します。

●通常、2カ所以上設け、相互チェックできるようにします。

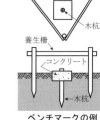

ベンチマークの例

❷ 縄張り

縄張りとは、敷地内に建物の位置を決定するため、敷地境界石などを基準にして、建物の形のとおりに縄などを張ること、または消石灰粉などで線を引くことをいいます。

【2】 墨出し

墨出しとは、工事に必要な基準線等を書き出す作業です。

●1階床の基準墨は、上階の基準墨の基となるので、建築物周囲の基準点から新たに測り出し、特に正確に行う必要があります。

●2階より上階では、通常、建築物の四隅の床に小さな穴を開けておき、下げ振りなどにより1階から上階に基準墨を上げます（「引き通し」）。

●床面に出す通り芯などの基準墨は、一般に通り芯から1m離れた位置に出します（返り墨）。

- 仕上げ部材を取り付けるための墨は、基準墨から出します。
- 各階基準高さは、1階の基準高さから出します。
- 鉄骨鉄筋コンクリート造では、一般に鉄骨柱を利用して躯体工事用の基準高さを表示し、これによりレベルの墨出しを行います。

2 乗入れ構台・荷受け構台

　根切り部分や本体建物の一部などに、鉄骨などで組み立てた仮設の構造物を「構台」といいます。根切りや地下躯体工事などの際、工事用機械・車両の設置、待機スペースのための構台を「乗入れ構台」、資材・機材の取込み・仮置き場として使用される構台を「荷受け構台」、これらを含めて「作業構台」といいます。

1 乗入れ構台

【1】 計画のポイント

❶ 構台は、使用する**施工機械、車両の配置、作業性**を考慮して位置・高さなどを計画する。**構台支柱**は、基礎、柱、梁などの地下躯体の主要構造部と重ならないように配置し、間隔は**3〜6ｍ程度**にします。
<small>H29〜R1・2・4〜6</small>

❷ 構台の配置は、車両の動線、工事用機械の能力、作業位置などを考慮します。

❸ 幅員は、最小限1車線で**4ｍ**、**2車線で6ｍ**程度にします。
<small>R1・4</small>

- 構台に曲がりがある場合、車両の回転半径を検討して幅を決定します。
- 狭いときは、交差部に車両が曲がるための**隅切り**を設けます。
<small>R2</small>

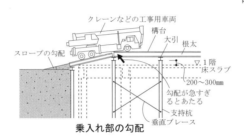

乗入れ部の勾配

204

④ クラムシェルが作業する**乗入れ構台の幅**は、ダンプトラック通過時にクラムシェルが旋回して対応する計画の場合は、8ｍで可能です。なお、制限なく通過できるようにするには10ｍ幅が必要になります。

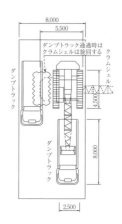

⑤ 乗込み**スロープの勾配**は$\frac{1}{10}\sim\frac{1}{6}$程度にします。どうしても躯体にあたる場合は、その部分の躯体を後施工にします。

⑥ 構台の**大引下端**は、1階の床上端より**200〜300㎜程度上**に設定します。コンクリート打設時に、床均しが行えるようにするためです。

➡ 通常の大引・根太のサイズ（H300〜400程度）、覆工板厚（200㎜）の場合、構台の床面は1階床面より**1.2ｍ程度**高くなります。

構台の幅、勾配、高さ（大引下端）、支柱の配置等の施工計画上のポイントがそのまま出題ポイントになっていますね。

⑦ 施工機械や車両の自重とその走行・作業時の衝撃荷重、地震・風などの荷重に耐えられるように構造検討を行います。地震力に対して検討する場合は、水平震度0.2にします。

⑧ 構造計算は、強度検討のほかに、**たわみ量を検討**します。たわみが垂直方向の揺れとなって、作業に支障をきたすおそれがあるためです。

⑨ **切りばり支柱と構台支柱をやむを得ず兼用**する場合は、切りばりから伝達される荷重に、構台上の重機、構台の自重などを加えた**合計荷重に対して十分安全**であるように計画します。

【2】組立て・解体時の注意点

❶ **垂直ブレース、水平つなぎの取付け**は、予定深さまで掘削が進んだ部分からすみやかに行います。掘削とともに地中から突出する支柱長さ（座屈長）が長くなる等、構造的な安全性が低下した状態となるからです。

❷ 垂直ブレースや水平つなぎの**撤去**は、支柱の**床スラブ貫通部**における強固な**パッキン材（くさび）**による固定の後に行います。❶同様に、座屈長さが長くなり、構台支柱の許容耐力が低下した状態となるからです。

構台の組立て、解体時のポイントは支柱の座屈長さが長くならないようにすることです。

2 荷受け構台

資機材や廃棄物などを搬入・搬出するために設ける仮設構台です。

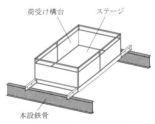

荷受け構台（材料置場兼用）

【1】計画のポイント

❶ クレーン、リフト、エレベーターなどから、資機材等の搬出入に使用します。

❷ 荷重に対して十分に安全な構造のものとした上で、材料置場と兼用することができます。

❸ 荷受け構台の作業荷重は、自重と積載荷重の合計の10%とします。
<small>H29・R3・5</small>

❹ 強度検討は積載荷重の偏りを考慮して検討します。通常は、構台の全スパンの60%にわたって積載荷重が分布するものと仮定して検討します。
<small>H29・R3・5</small>

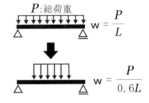

| | 例
題 | **Q** | 地下階がある建築物において、乗入れ構台の高さを周辺地盤より1.5 m高く計画したので、施工機械や車両の乗入れを考慮して、構台面までのスロープの水平距離を6mとした。 |

A ✕　最低限1.5m×6＝9m必要である

土工事は、主に建築物の基礎や地下部分をつくるための掘削作業などで、地業工事は、基礎の底部より下の地盤に対して行う工事です。

土工事からは2年に1回程度出題されます。「掘削・床付け」「埋戻し」は基本的内容ですが、「地下水処理」「土工事における異状現象」は比較的専門性の高い内容です。しかし、専門性の高い内容ほど整理して理解すれば、出題パターンが予測できるだけに効果的な学習が可能です。

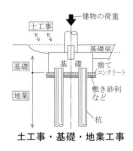

土工事・基礎・地業工事

1 ｜ 掘削・床付け

1 掘削

基礎、地下部分を構築するために、地盤を掘削することを「根切り」といいます。掘削には、手掘りと機械掘りがあります。このとき、周囲の土砂が崩れないように山留めを行う場合と、山留めを行わず、なだらかな傾斜（法面）をつけて掘削していく場合があります。

【1】 手掘り

手掘りによる掘削の場合は、地山の種類により掘削面の高さと勾配が規定されています。

地山の種類	掘削面の高さ・勾配
堅い粘土または岩盤からなる地山	5m未満：90°以下
	5m以上：75°以下
砂からなる地山	35°以下または5m未満

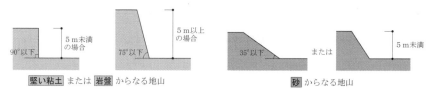

掘削面の勾配

※ 法面の途中に幅2m以上の水平面を設けたものを「小段」といい、上と下を別々の斜面として取り扱うことができる。

法面をつけて掘削する際は、法面の安定を確保することが重要です。

【2】 地山に対する容積比

　土は、地山のときと、掘削してほぐした状態になったとき、締め固められたときとでは、それぞれ容積が異なります。地山にあるときの土の容積を1とすると、掘削後の容積は1よりも増え、土質によって容積比は表のようになります。

➡ 地山を掘り緩めたときの地山に対する容積比：ローム＞砂

土　質	地山に対する容積比	
	掘り緩めた とき	締め固めた とき
ローム	1.25～1.35	0.85～0.95
粘　土	1.20～1.45	0.90～1.00
砂	1.10～1.20	0.95～1.00

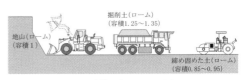

土の容積の変化（ローム）

 MEMO
建設機械の運転席から運転者が離れる場合、**バケットなどの装置は地上に下し、原動機を止め、ブレーキをかける**などの逸走を防止する措置を講じる。

 用語
ローム
火山灰質粘性土をいう。

【3】 掘削によって発生する建設発生土

❶ コンクリート破片など産業廃棄物が混入する場合には、全体を産業廃棄物とみなされることがあります。

❷ 含水比の高い砂質土や軟弱な粘性土は、産業廃棄物に分類される汚泥とみなされることがあるので、適切に処理をする必要があります。

② 床付け

　床付けとは、地盤を所定の深さまで掘削し、砂利敷きや捨てコンクリートの打設ができる状態にすることです。掘削が床付け面に達した場合は、所定の地層であることを確認し、工事監理者の検査を受けます。

❶ 床付け面を乱すと地盤の支持力が低下するため、**極力乱さないようにします。**

乱してしまった場合の対処法

土の種類	対処法
れき・砂質土	転圧による締固め
粘性土	**れき・砂質土などの良質土に置換**またはセメント・石灰などによる地盤改良（転圧は不可）

> **用語**
> **捨てコンクリート**
> 基礎などを打設する前に、砂利や砕石の上に打つコンクリート。
> 基礎底面を平らにし、基礎、柱、基礎ばりなどの位置を決める墨出しを目的とする。補強が目的ではない。

❷ 床付面が凍結した場合は、凍結部分は良質土と置換します。
_{H30}

例題	Q	粘性土の床付け面を部分的に乱したので、掘削土を用いて入念な転圧・締固めを行った。
	A	× 良質土に置換等が必要。

---

2 地下水処理

　工事中の地下水や雨水の処理方法は、主に排水工法と遮水工法に分けられます。排水工法は、地下水を揚水することによって地下水位の低下を図るのに対し、遮水工法は、地下水の流入を遮水性のある山留め壁で遮断する工法です。地下水処理工法は、施工・地盤・周辺環境などの条件を考慮して選定します。主な地下水処理の方法を以下に示します。

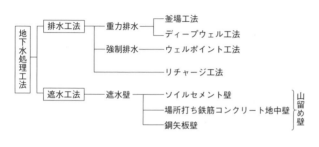

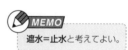

MEMO
遮水＝止水と考えてよい。

1 土の透水性

排水工法は、ポンプなどで揚水して地下水位を下げる工法ですので、粒子の細かすぎる土質には適しません。通常、排水工法による地下水処理は、**透水係数が10^{-4}cm/s程度より大きい地盤**に適用します。

> **用語**
> **透水係数**
> 土中の水の通りやすさを示す値で、値が大きいほど水が流れやすい。

透水係数 (cm/s)	10^2	10	1.0	10^{-1}	10^{-2}	10^{-3}	**10^{-4}**	10^{-5}	10^{-6}	10^{-7}	10^{-8}	10^{-9}
	排水工法 ○						排水工法 ×					
透水性	大きい		中 位		小さい		非常に小さい		不透水			
土の種類	きれいなれき	きれいな砂、きれいな砂とれきの混合土			微細砂、シルト、砂・シルト・粘土の混合土、層状粘土など				「不透水性」の土、均質な粘土			

土の透水性

粒子が小さく、水が流れにくい粘性土に排水工法は適用できませんね。

覚え方
時計は天使の贈り物
とうすいけいすう 10-4

2 排水工法の種類

【1】 釜場工法

① 根切り部へ浸透・流水してきた水を、「釜場」と呼ばれる集水場所に集め、ポンプで排水を行う、最も容易で安価な工法です。

② 根切り底面より、直径、深さとも1m程度の孔を掘って釜場をつくり、ポンプを入れて排水する重力式排水工法の1つです。根切り底にたまる雨水の排水に適しています。

③ 湧水に対して安定性の低い地盤では、ボイリングを発生させるおそれがあるため、適しません。

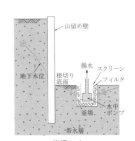

釜場工法

【2】 ディープウェル（深井戸）工法

① 井戸掘削機械により、直径400〜1,000mm程度の孔を
　掘削後、スクリーン付きのスリット形ストレーナー
　管を挿入し、ポンプで地下水を排水する工法です。

② 砂層や砂れき層など、透水性のよい地盤に適します。

③ ウェル1本当たりの揚水量が多いので、地下水位を
　大きく低下させることができます。なお、揚水量は
　初期の方が安定期より多くなります。

④ 周辺地下水位も低下させることが多く、周辺に井戸
　涸れや地盤沈下などが生じるおそれがあります。

⑤ 地下水位の測定は、揚水井や観測井における地下水位を計測します。

　➡ ディープウェルのケーシング（井戸管）内の水位は、周辺地盤の地下水位
　　よりも大きく低下している場合が多いので、ケーシング内の水位を地下水
　　位と混同してはいけません。

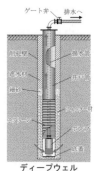

ディープウェル
ストレーナー

【3】 ウェルポイント工法

① 根切り部に沿って、ウェルポイント
　（長さ700mm、直径50mmのスクリーン
　部を有する小さなウェル）を多数設
　置し、真空吸引して揚排水する工法
　です。

② 透水性の高い粗砂層から、透水性の
　低いシルト質細砂層程度の地盤に
　適用できます（砂れき層には不適）。

③ 根切り部全体の水位を下げるために用いられます。

④ 有効深さは4〜6m程度までです。

⑤ 真空吸引して揚排水する工法であるため、気密保持が重要で、パイプの接続
　箇所で空気漏れがないように注意しなければいけません。

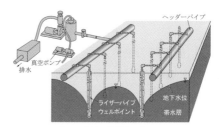

ウェルポイント排水工法

真空吸引するので、比較的粒子が小さいシルト質細砂層まで排水することができます。

【4】リチャージ工法（復水工法）

❶ リチャージ工法は、ディープウェルなどで揚水した地下水を、**リチャージウェル（復水井）**と呼ばれる井戸により、**同一または別の帯水層に還元する（リチャージ）**工法です。

❷ 敷地周辺の井戸涸れや地盤沈下などを生じるおそれがある場合の対策として有効な工法です。ただし、井戸の**水質**が問題になることがあります。

❸ ディープウェル工法に比べて**必要揚水量（排水量）**は多くなります。

❹ 対象層だけに注水ができるように、**井戸管と削孔壁との間の空隙部の遮水**を確実に行います。

　➡ 遮水が不十分だと、注水対象でない帯水層へ地下水が流入して、思わぬ水位上昇や、山留め壁への作用水圧の増加が発生するおそれがあります。

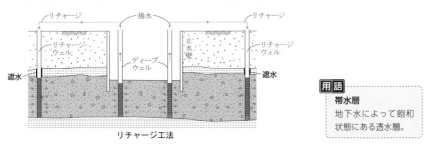

リチャージ工法

> **用語**
> **帯水層**
> 地下水によって飽和状態にある透水層。

【5】施工時の注意点

排水処理の運転の停止にあたっては、次の安全性確認を行います。

● 地下水上昇による**構造体の浮上り**がないこと

● 盤ぶくれがないこと

● 地下外壁が**自然地下水位よりも高く**構築されていること

釜場工法	● 根切り底にたまる雨水の排水などに適する ● **ボイリング危険地盤には適さない**
ディープウェル工法	● 井戸管により、**深い帯水層の排水**に適する ● 排水量が多く、周辺地下水位の低下に注意が必要である
ウェルポイント工法	● **小さなウェルを多数設置し、真空吸引により排水する** ● 根切り部全体の**広い範囲の水位低下**を目的とする
リチャージ工法	● 揚水した地下水をリチャージウェルを介して戻す工法 ● 敷地周辺の井戸涸れ、**地盤沈下の対策**として有効である

❸ 遮水（止水）工法

遮水（止水）工法は、根切り部周囲に遮水性の高い山留め壁を設けたり、薬液注入等により、根切り部への地下水の流入を遮断する工法です。

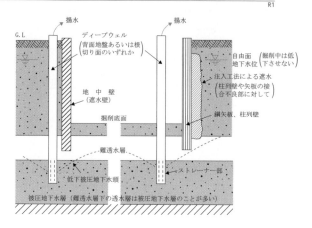

R1

例題

Q ディープウェル工法における、ディープウェルとは、地下水を真空ポンプで強制的に吸い上げるために地中に打ち込む集水管のことである。

A ✕ ウェルポイント工法の説明である。

3 │ 埋戻し・盛土・地ならし

❶ 埋戻し・盛土

【1】埋戻しに砂質土を用いる場合

① 山砂、川砂、海砂のうち、粒度組成から山砂が最も適しています。

　➡粒径が均一な砂（海砂など）より、大小さまざまな粒径の砂が混在する山砂の方が締固め密度が得られます（**均等係数**が大きい土を選択する）。

② 透水性のよい山砂などは、**まき出し厚**（埋戻し一層分の厚みのこと）30cm程度ごと水締めにします。

③ 透水性のよい山砂を用いる埋戻しにおいて、周囲の原地盤が粘性土で**水はけが悪い**場合、埋戻しの**底部から排水**しながら水締めを行います。

④ 水締めは、水が重力で下部に浸透する際に土の微粒子が沈降し、土の粒子間の隙間を埋める現象を利用したものです。

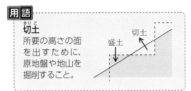

【2】埋戻しに粘性土などを用いる場合

① 透水性の悪い山砂、粘性土の場合は、**まき出し厚30cm程度ごとにローラー、ランマーなどで締め固めながら埋め戻します。**

② 最適含水比のものを使用します。

【3】余盛り　沈みしろを見込んで余分に土を盛る「**余盛り**」を行います。

> 余盛り：砂質土＜粘性土

- 砂質土 ➡ 5〜10cm
- 粘性土 ➡ 10〜15cm

2 地ならし

　静的な締固めは、重量のある締固め機械を用いて、人為的に**過圧密**な状態をつくり、締固めを行うことです。

　動的な締固めは、振動により締め固めるものです（振動ローラー、振動コンパクターなど）。

4 異状現象

1 異状現象

【1】ヒービング

　軟弱な<u>粘性土</u>地盤を掘削するとき、山留め壁の<u>背面土の重量</u>によって掘削した根切り底の内部に滑り破壊が生じ、底面が押し上げられて**ふくれ上がる**現象を「ヒービング」といいます。

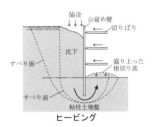

ヒービング

<＜ヒービングの防止策＞>

＜ヒービングの防止策＞

❶ 剛性が高い山留め壁を良質地盤へ到達させ背面土の回り込みを防ぎます。

<small>H30・R4</small>

❷ 根切り底以深の軟弱地盤を改良します。

❸ 周辺地盤をすき取り、山留め壁背面土の荷重を減らします。

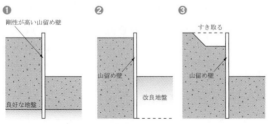

ヒービング対策❶～❸

❹ 隣接構造物に対して、アンダーピニングを行います。

❺ いくつかのブロックで分割施工します。

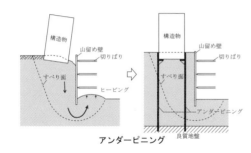

アンダーピニング

> 用語 **アンダーピニング**
> 既存の基礎を補強したり、新しく基礎をつくって既存の構造物の基礎を補強すること。

【2】 ボイリング

　山留め壁背面側と根切り側の地下水位の水位差によって、根切り底面付近に上向きの水流が生じ、砂粒子が水中で浮遊する状態（液状化した状態）になることがあります。この状態を「クイックサンド」といいます。さらに、上向きの水流により、砂が沸騰したように掘削底内

<small>R2</small>

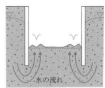

ボイリング

に噴出し吹き上げ、掘削底面が破壊される現象が生じる場合があります。そのような現象を「ボイリング」といいます。また、山留め壁の近傍や支柱杭の表面などの砂地盤中の弱い所などに、地下水流によって局部的に浸食されてパイプ状の水みちができる場合もあります。この現象を「パイピング」と呼びます。

<small>R2</small>

クイックサンド、ボイリング、パイピングを区別しておきましょう。

＜ボイリングの防止策＞

❶ ディープウェルなどの排水工法により、根切り場内・外の地下水位を低下さ
せ、ボイリングをおこそうとする力を低下させるようにします。

➡ **釜場工法**などのように、表層付近の水だけを集水・排水する工法^{H30}は**危険な**
ので避けます。

❷ 遮水性の山留め壁の根入れを長くして、動
水勾配を小さくします。

動水勾配とは、水の動きを決める要因の1
つで、水が流れる方向の単位長さ当たりの
水圧の差をいい、**動水勾配が小さいほど水**
の流れは弱くなります。山留め壁の根入れ
長さを延長すれば、水が流れる距離が長く
なるので動水勾配は小さくなります。

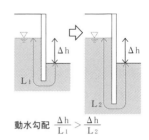

動水勾配 $\dfrac{\Delta h}{L_1} > \dfrac{\Delta h}{L_2}$

【3】盤ぶくれ

掘削底面の下方に、被圧地下水を有する帯
水層がある場合、被圧帯水層からの揚圧力（水
圧）によって、掘削底面の不透水性の土層が
持ち上げられる現象を「盤ぶくれ」といいま
す。

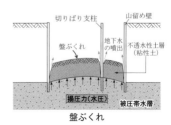

盤ぶくれ

よく似た現象に「リバウンド」がありますが、違う現象ですので混同しないようにし
てください。

> **用語**
> **リバウンド**
> 掘削に伴い土被り重量が喪失されて応力が解放されることに伴い、掘削底面や周囲地盤がふくれ上がる現象。

＜盤ぶくれの防止策＞

❶ 排水工法により、難透水層下部の地下水位（水圧）を低下させるようにします。

❷ 遮水性の山留め壁を延長し、下部の**難透水層に根入れ**します。

❸ 山留め壁先端部を薬液注入工法などにより地盤改良し、地下水を遮断して土被り圧を増加させます。

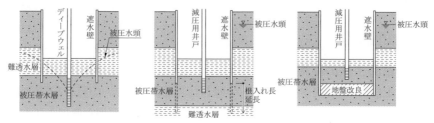

❶地下水位（水圧）低下 ❷遮水壁根入れ長延長（被圧帯水層の遮断） ❸地盤改良（地下水の遮断、土被り圧の増加）

例題

Q 根切り底付近に地下水を多く含んだ砂質地盤がある場合、ボイリングよりヒービングの生じる危険が高いので、ヒービングに対する検討を行う。

A ✕ ヒービングは粘性土地盤。

本章では、山留め工事について学びます。山留め工事からは、1～2年に1問出題されます。現場経験に裏打ちされる専門性が高く、取り組みにくい受験生も少なくないと思いますが、出題パターンは比較的絞り込みやすい範囲です。テキスト中心にポイントを体系的に押さえてください。

1　山留め壁

1　山留め工法の種類

深さ1.5m以上の根切り工事を行う場合は、原則として、**山留め**を設けます。

また山留め工法は、山留め壁や支保工（山留め支保工）の有無により大別され、下図のような種類があります。

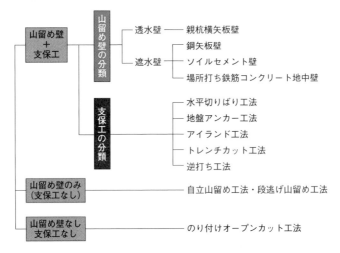

用語

支保工（山留め支保工）
山留め壁を支えるための仮設構造物で、切りばり、支柱、腹起しなどの部材の総称。

② 山留め壁の種類

【1】 親杭横矢板壁

　H形鋼などの「親杭」を一定間隔で地中に打ち込み、掘削に伴ってその親杭の間に「横矢板（木材など）」を挿入して築造する山留め壁です。

❶ 遮水性がないので、地下水位が高い場合、地下水処理を併用します。

❷ 比較的硬い地盤、砂れき地盤などにおける**施工が可能**で、横矢板を設置するまでに掘削面が崩壊するような軟弱な地盤への適用は避けます。

❸ 横矢板は掘削後速やかに設置し、その裏側には裏込め材を十分に充填し、打音等で確認します。その後、親杭と横矢板との間にくさびを打ち込み、矢板を裏込め材に押し付けるようにして、裏込め材を締め付けて安定を図ります。

❹ 親杭をプレボーリングにより設置する場合、親杭の根入れ部分はセメントベントナイト液の注入を行い、根入れ部分より上の親杭回りの空隙は良質な砂等で埋戻しを行います。

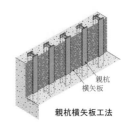

親杭横矢板工法

用語

裏込め材
山留めや擁壁の背面に詰める透水性のよい割り栗や砂利などのこと。水抜きをよくして背面にかかる水圧を減らす効果をもつ。

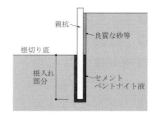

プレボーリング工法における
親杭回りの埋戻し

横矢板にコケが生えていると、しっかり裏込めをやっているとわかる、よい仕事ですね。

【2】 鋼矢板壁

　U形などの断面形状の「**鋼矢板（シートパイル）**」を、継手部をかみ合わせながら連続して地中に打ち込んで築造する山留め壁（遮水壁）です。

❶ 遮水性がある山留め壁なので、地下水位の高い地盤や軟弱地盤にも用いられます。

❷ れき層などの硬質地盤には、鋼矢板を打ち込めない場合があります。

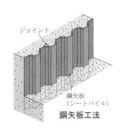

鋼矢板工法

【3】 場所打ち鉄筋コンクリート地中壁

壁面地盤の崩壊防止のために安定液を用いて、**壁状の溝を掘削**し、その溝に**鉄筋かごを挿入後、コンクリートを打設**し、連続して築造していく**連続地中壁**（遮水壁）です。

❶ 遮水性に優れ、剛性の高い山留め壁を構築できます。

❷ 場所打ち鉄筋コンクリート地中壁は、**本体構造物の一部（地下外壁）**として利用することができます。

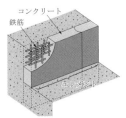

場所打ち鉄筋コンクリート
地中壁

【4】 ソイルセメント壁 ※土（soil）とセメントを混ぜた（Mixing）壁（Wall）：SMW

掘削攪拌機などを用いて、地盤の**土とセメント系注入液**（セメントと水を練り混ぜたミルク状の液体）を混合攪拌して**ソイルセメント壁を造成**した後、**芯材（H形鋼・I形鋼等）を挿入**し、連続して築造する山留め壁で、**地下水位が高い地盤や軟弱な地盤に適した**工法です。

ソイルセメント壁

❶ 遮水性に優れ、剛性の高い山留め壁を構築できます。

❷ 施工時の騒音・振動は小さい工法です。

❸ **多軸機**を用いる場合、エレメント間の連続性・遮水性を確保するために、**エレメントの両端部分をラップ**して施工します。

❹ ソイルセメント壁は、汚泥処理が必要ですが、掘削排出物は鉄筋コンクリート山留め壁に比べて少なくなります。

❺ ソイルセメント壁は、本体構造の**構造体の一部**として使用される場合があります。

中～大規模な工事においてはよく採用されます。特徴と施工上の留意点をしっかり押えてください。

---

❻ 掘削土が粘性土の場合は、砂質土と比較して削孔攪拌速度を遅くします。ただし、引上げ攪拌速度は土質によらず、おおむね同じです。

❼ 掘削対象土が**ローム**（火山灰質粘性土）などの粘りの強い土の場合には攪拌不良になりやすいため入念に混合攪拌を行います。

❽ 発生した泥土は、硬化後「**産業廃棄物**」として適切に処理します。

❾ 山留め壁を構築する部分に既存構造物が残っている場合や、N値50以上の地

盤、玉石やれきなどが多い地盤の場合には、ソイルセメント山留め壁の施工に先立ち、ソイルセメント施工径より大きい径の**ロックオーガー**の単軸オーガー等で**先行削孔（解体）**します（**先行削孔併用方式**）。

⑩ H形鋼・鋼矢板などの応力材は、付着した泥土やごみを落とし、**建込み定規**^{H30・R2・6}に差し込み、垂直性を確認しながら、所定の深度まで精度よく挿入します。

⑪ ミルク（注入液）の調合については、固化強度のばらつきが大きく、一般的^{R2}に**粗粒土**になるほど**圧縮強さ**が大きくなります。

⑫ 掘削時にソイルセメントの硬化不良部分を発見した場合には、背面の水や土^{H30・R6}が流出しないように、**モルタル充填**や**薬液注入**、**鉄板溶接**、背面地盤への薬液注入などの処置を速やかに行います。

^{H30・R2}

山留め壁の種類	遮水性	施工時の振動・騒音
親杭横矢板壁	×	大（バイブロハンマーによる）
鋼矢板壁	○	大（バイブロハンマーによる）
場所打ち鉄筋コンクリート地中壁	○	小
ソイルセメント壁	○	小

例題

Q 親杭横矢板工法は、遮水性は期待できないが、砂れき地盤における施工が可能である。

A ○

2 山留め支保工

　山留め支保工は、山留め壁を造成後、掘削時に山留め壁に作用する土圧・水圧を安全に支えるとともに、山留め壁の変形をできるだけ小さくして周辺地盤や構造物に影響を及ぼさないことを目的として架設するものです。

1 水平切りばり工法

　水平切りばり工法は、山留め壁からの側圧を、腹起し・火打ち・切りばりなどの主に鋼製の山留め支保工で支持し、根切りを進める工法で、施工実績も多く最も一般的な工法です。

● 切りばりや腹起しは、**鋼製のもの**、**鉄筋コンクリート製のもの**などがあり、一

般には、鋼製のH形鋼などを用います。

● 腹起し及び切りばりは、各段階ごとの**掘削の終了後速やかに設置**し、山留めが不安定な期間を短くします。

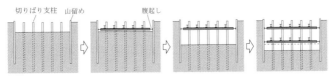

水平切りばり工法の施工手順

【1】使用する仮設部材

❶ **腹起し** 山留め壁の変形を防ぐ補強材として、山留め壁面に沿って水平に配置し、側圧を直接受け、切りばりに伝えるための水平部材です。

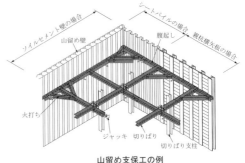

山留め支保工の例

❷ **切りばり** 向かい合った腹起し間に設け、山留め壁が倒れてこないように支える水平部材で、平面的には格子状に設置することが多いです。

❸ **支柱（切りばり支柱）** 切りばりの自重を支え、切りばりの座屈を防止するための鉛直部材です。

❹ **火打ち** 側圧を、切りばりや側面の腹起しに伝える斜めの部材で、切りばりと腹起しの接続部やコーナー部に設けます。

水平切りばり工法は山留支保工の基本です。まず、腹起し・切りばり・支柱などの部材名称、設置上の留意点を覚えましょう。

【2】腹起し

❶ 原則として**連続**して設置します。

❷ 腹起し自重及び切りばりの分担荷重を、ブラケットで支持します。なお、**仮設地盤アンカー**を用いるときは、その**鉛直分力**も考慮します。

❸ 継手は、**曲げ応力の小さい位置**に設けます（火打ばりと切りばりの間や切り

ばりの近く）。

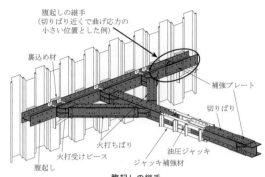

腹起しの継手
（切りばり近くで曲げ応力の
小さい位置とした例）

裏込め材

補強プレート

切りばり

火打ちばり
火打受けピース
腹起し
油圧ジャッキ
ジャッキ補強材

腹起しの継手

【3】切りばり：継手（接合部）

❶ 継手は切りばり**支柱間（切りばり交差部間）に2カ所以上**設けないようにします。

❷ 同一方向の**継手**は、同じ位置に並ばないよう配慮します。

❸ 継手位置は、できる限り**切りばり交差部の近く**にします。

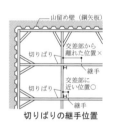

山留め壁（鋼矢板）

切りばり
交差部から
離れた位置×
継手
交差部に
近い位置○
切りばり
継手

切りばりの継手位置

❹ 接合部が変形している場合は、端部の隙間に**ライナー**などを挿入し、切りばりの**軸線が直線**になるように連結します。

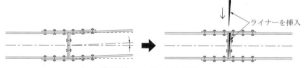

ライナーを挿入

切りばり端部の不良に対する修正例

❺ 井形に組む格子状切りばり方式は、一般に掘削平面が整形な場合に適しています。

❻ **集中切りばり方式**は、根切り及び躯体の施工効率のため、切りばりを2本組み合わせ、切りばり間隔を広くする方式です。

❼ 鋼製切りばりでは、**温度応力による軸力変化**について検討する必要があります。

223

【4】 プレロード工法

　プレロード工法は、切りばり架設時に、切りばりに設置した**油圧ジャッキ**にてあらかじめ圧力をかけて山留め壁を外側へ押し付け、**山留め壁の変形や応力を小さく抑える**工法です。プレロードは設計軸力の50〜80％程度加えます。

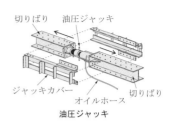

油圧ジャッキ

① 油圧ジャッキは、原則、中央部分に「**千鳥に配置**」します。

② 切りばり交差部の金物（締付けボルトなど）は「**緩めた状態**」で加圧するので、切りばりが蛇行しないように「**ずれ止め**」を設けます。このずれ止めは、長辺、短辺の**2方向に分け**て取り付けます。

油圧ジャッキの配置例

③ 大荷重でプレロードを行う場合は、架構全体のバランスを崩さないように、同一方向のプレロードは、なるべく同時に行います。

> 山留めに関する規定は、かなり細かいと思われるかもしれませんが、実務上もかなり重要なポイントがたくさん含まれます。自分が工事主任になった気持ちで押さえましょう。

② 地盤アンカー工法（仮設地盤アンカー工法）

　山留め壁の背面の安定した地盤にアンカー定着体を打ち込み、引張材によって山留め壁と結び側圧を地盤アンカーで支える工法です。

① **切りばりが不要**なので、大型機械を使用でき、**作業性がよい**工法です。

② **不整形な掘削平面**の場合、敷地の**高低差が大きく**、**片側土圧（偏土圧）**が作用する場合、**掘削面積が大きい**場合などに有効です。

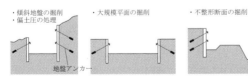

地盤アンカー工法の使用例

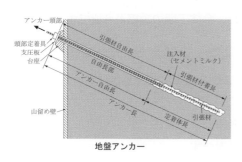

地盤アンカー

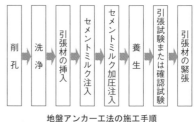

地盤アンカー工法の施工手順

❸ セメントミルクの**加圧注入**は、「引張材とセメントミルク」及び「セメントミルクと地盤」のそれぞれの**密着性を高める**効果があります。

❹ 引張材（PC鋼線）の緊張

● 注入材（セメントミルク）が所定の強度に達した後に行います。

● 隣り合う地盤アンカー数本を、順を追って段階的に緊張します。

● 引抜き耐力は、設計アンカー力の1.1倍以上あることを**全数確認**します。

❺ 引張材は、緊張・定着装置を取り付けるために１〜1.5m程度の余長を確保して切断します。

例題	**Q**	地盤アンカー工法は、傾斜地などで片側土圧（偏土圧）となる場合の処理が容易である。
	A	○

3 その他工法

【1】逆打ち工法（さかうち）

　山留め壁を設けた後、建物１階床・梁を先行施工し、これを**支保工**として下部の掘削を進め、順次、地下階の躯体の施工と掘削を繰り返して、地下工事を進める工法です。

❶ 軟弱地盤、大深度・大規模工事等で、切りばり工法では山留め壁の変形が過大になる場合に有効です。

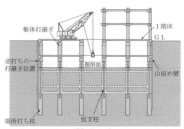

逆打ち工法

❷ 地下と地上の同時施工が可能なため、全体工期の短縮が可能です。

【2】 山留め壁・支保工のない工法 (法付けオープンカット工法)

　掘削部周辺に安定した法面を残し、山留め壁や支保工を設けないで掘削を行う工法です。

❶ 支保工などの障害物がなく、施工効率がよい工法です。

❷ 根切り平面に対して**敷地に余裕が必要**です。

❸ 砂質地盤における**法面の角度**は、地盤の**内部摩擦角より小さく**します。

> **用語**
>
> **内部摩擦角**
> 乾燥した砂が崩れて傾斜するときの角度が砂の内部摩擦角とほぼ等しい。

❹ 掘削土量は多くなります。

❺ 法面保護をモルタル吹付けで行う場合、背面水圧を低減するため、**水抜き孔**を設けます。
R4

❻ 粘性土地盤である場合、**円弧すべり**に対する安定を検討します。
R4

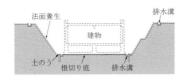

4 山留め壁・支保工の検討

❶ 特に考慮すべき荷重がない場合でも、作業荷重及び資材仮置き時の積載荷重として10kN/㎡程度の上載荷重を見込むようにします。

❷ 切りばり材や腹起し材などで再使用する**リース材の形鋼材 (H形鋼など) の許容応力度は、長期と短期の許容応力度の平均値以下**の値にします。
　➡繰り返し使用に起因する断面性能の低下などの現象がみられるためです。

❸ ソイルセメント壁の芯材としての形鋼材に限り、新品材を用いる場合には、**短期許容応力度**の値を採用することができます。また、**鉄筋及びコンクリート**を用いる場合も、**短期許容応力度**の値にします。

3 計測管理

山留め工事及び根切工事を安全に進めるためには、計測管理が重要です。計測管理には、山留めに加わる側圧（土圧）、山留め壁に発生する応力、支保工に生じる軸力などの**力を計測**することと、山留め壁、周辺地盤、周辺構造物などの**変位を計測**することがあり、複数を組み合わせて行います。

計測管理の目的は、周辺地盤、土圧・水圧、山留め架構の**応力**、**変形**等を測定・把握して、様々な危険に対して速やかに対処することです。そのため、あらかじめ限界となる値（**管理基準値**）を定め、その値に近づいてきたとき、対策又は具体的な措置がとれるよう準備しておくことが重要です。
_{R4}

【1】切りばり軸力：油圧式荷重計

油圧式荷重計は、生じた油圧をブルドン管式圧力計で読み取るもので、**盤圧計**（ブルドン管形式）、**軸力計**とも呼ばれます。切りばりにかかる**軸力**を測る機器です。
_{H29}
❶ 設置箇所

原則として、**切りばり各段ごとにX方向、Y方向に各1カ所ずつ**にします。

❷ 設置位置

● **火打ちがない場合**は、**腹起しと切りばりの接合部**に設置します。

● **火打ちがある場合**は、**火打ちとの交点に近い部分**に設置し、近くに支柱を配置します。
_{R4}

● **切りばりの中央に設置**することは、正確な計測ができないので避けます。

➡ 腹起しから軸力計までの間で、荷重がつなぎ材や直角方向の切りばりなどに吸収されてしまいます。

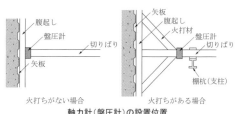

火打ちがない場合　　火打ちがある場合
軸力計（盤圧計）の設置位置

【2】 側圧（土圧）：壁面土圧計

　壁面土圧計は山留め壁の背面側に設置し、受圧板の変形により土圧を測定する機器です。なお、受圧面に集中荷重が作用して、大きな応力値を示す場合があるので注意が必要です。
_{H29}

【3】 山留め壁の変形

❶ 傾斜計は山留め壁の変形を測定する機器で、固定式と挿入式があります。また、傾斜計による計測は、山留め壁下端を不動点として仮定することが多いため、壁下端が動いた場合には測定値の信頼性が損なわれますので、注意が必要です。
_{H29・R4}

❷ 山留め壁頂部の変位を把握するために、トランシットやピアノ線を用いて計測します。

【4】 周辺地盤の沈下

　周辺の地盤や道路の沈下を計測するための基準点は、基礎構造が深くまで達していて、工事の影響を受けないと判断できる付近の構造物に設置することが重要です。
_{H29・R4}

【5】 測定頻度

　山留め壁に作用する側圧は、降雨、載荷物、気温などによって変化するため、掘削工事期間中、軸力、土圧、山留め壁変形などの測定は1日に3回行います。

> 構造物の安全性を保つためには、変位（変形）と力（軸力など）の両方に目を配り、時系列的に推移を観察することが重要です。

第 5 章　基礎・地業工事

　「基礎」は構造物からの荷重を地盤に伝達するもので、「地業」は基礎や基礎スラブを支えるための杭地業と、その他の地業（砂利地業、捨てコンクリート地業など）からなります。この範囲からは、例年1問出題されます。特に杭工事はその信頼性が社会的にも問題になった工事でもあり、しっかり学習しましょう。

1　既製杭

1　打込み工法

　打込み工法は、ハンマーの打撃力によって既製杭を打ち込む工法ですが、騒音や振動が大きいので現在では採用の少ない工法です。

❶ 打撃には、油圧パイルハンマーなどを用いますが、騒音振動を軽減するため、**プレボーリング併用打撃工法**などが用いられます。

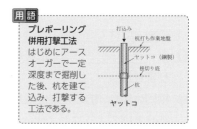

用語
プレボーリング併用打撃工法
はじめにアースオーガーで一定深度まで掘削した後、杭を建て込み、打撃する工法である。

❷ 支持地盤への到達の確認は、打込み深さ、杭の貫入量、リバウンド量などにより判断します。

❸ 杭を作業地盤面以下に打ち込む場合、「ヤットコ」を用いて打ち込みます。

2　埋込み工法 ―プレボーリング工法

　プレボーリング工法は、「プレ（前もって）」「ボーリング（削孔）」する工法で、「セメントミルク工法」や「プレボーリング拡大根固め工法」などがあります。

【1】 セメントミルク工法 (プレボーリング根固め工法)

＜施工手順＞

ⓘ 安定液 (掘削液) を注入しながらオーガーで所定の深さまで掘削します。

ⓙ 孔底に根固め液 (セメントミルク) を注入します。

ⓚ 杭周固定液を充填しながらオーガー引上げします。

ⓛ 孔に杭を建て込み、圧入または軽打し、支持層に定着させます。

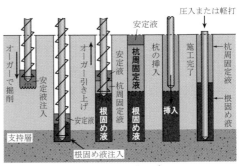

セメントミルク工法

❶ オーガーのヘッドは、杭径より100㎜程度大きいものを使用します。

❷ プレボーリング工法では、負圧による孔壁崩壊を防止するために、オーガーの引上げはできる限りゆっくり行います。

❸ オーガーの引抜きは、正回転とし、逆回転させてはなりません。

❹ 根固め液は、杭の先端位置から注入し始め、安定液を押し上げるようにします。オーガーヘッドは、常に根固め液の上面以下に保ちます。また、オーガーヘッドは上下させてはいけません。

杭径＋100㎜
アースオーガーのヘッド

❺ 根固め液の水セメント比は70％以下にします。

セメントミルク工法は、既成杭の出題の中心です。施工手順、３つの液体 (掘削液・杭周固定液・根固め液)、支持層確認方法は、その中でも超重要項目です。

❻ 既製コンクリート杭のセメントミルク工法では、全杭について掘削機駆動用電動機の電流値又は積分電流値を記録します。

❼ 杭の設置深さ

● 支持層の掘削孔底の深さは1.5m程度

● 支持層への杭の設置深さは１m以上

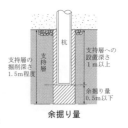

余掘り量

- ●**余掘り量**（掘削孔底の深さと杭の設置深さとの差）は0.5m以下
- ⑧ 地下水に硬化を阻害する**硫酸塩**が含まれる場合、化学的抵抗性の大きい「**高炉セメント**」を使用します。
- ⑨ 杭の建込みは孔壁を削らないよう**鉛直**に行い、建て込み後、杭芯に合わせて保持し、**7日間程度養生**します。
- ⑩ 杭の自重だけで埋設が困難な場合には、杭中空部に水を入れます。

【2】 プレボーリング拡大根固め工法

あらかじめ掘削した縦孔に**拡大根固め部**（根固め球根）を築造後、杭周固定液を注入し、既製杭を建て込む工法です。

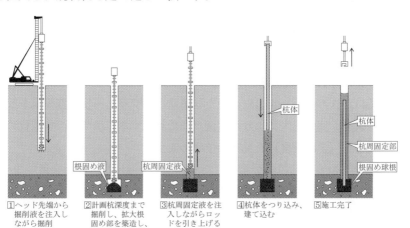

① ヘッド先端から掘削液を注入しながら掘削
② 計画杭深度まで掘削し、拡大根固め部を築造し、根固め液を注入
③ 杭周固定液を注入しながらロッドを引き上げる
④ 杭体をつり込み、建て込む
⑤ 施工完了

3 その他の工法

【1】 中掘り工法

先端開放杭の中空部に、オーガーを挿入して杭先端地盤を掘削しながら、中空部上部より排土し、杭を埋設する工法です。中掘り工法の場合、杭に作用する**周面摩擦抵抗**を低減させ、杭の沈設を容易にするために、杭先端には円筒状の**フリクションカッター**を取り付けます。

溶接など
フリクションカッター
ひとまわり（9〜19mm）
広い円筒をはめる
フリクションカッター

①②杭中空部よりオーガービットで掘・排土を行いながら杭を自重および圧入装置により打設する。

③④オーガービット先端より根固め液を噴射しながら、拡大根固め部分を築造する。

⑤オーガーをゆっくりと引き上げ、施工完了。

● 杭先端よりもオーガーを先行させる**先掘り**が過大になると周辺地盤を緩める可能性があるため、原則として杭径の**1.0倍以下**とします。特に<u>砂質地盤</u>の場合は、緩みが激しくなるため、先掘りは**できるだけ短く**します。

R1・3

中堀り工法は、孔壁を安定させることが難しい軟弱地盤でよく採用されます。

【2】鋼管杭の回転圧入工法

杭先端に、スパイラル状の鉄筋または翼状、**スクリュー状の掘削翼**を取り付けた鋼管杭を、回転圧入により所定深度まで設置する工法です。鋼管杭の厚さは、**腐食しろ（1 mm程度）**を見込んで定めます。

● 鋼管杭の杭頭処理で切断が発生した場合は、一般に**ガス切断**を用いますが、ディスクカッターやプラズマ切断も使用される場合もあります。

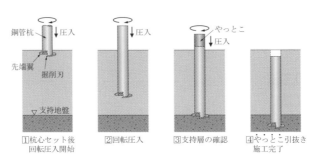

①杭心セット後回転圧入開始

②回転圧入

③支持層の確認

④やっとこ引抜き施工完了

4 既製杭の施工管理

【1】既製コンクリート杭の先端部の形状

既製コンクリート杭の場合、「閉塞形」と「開放形」があります。

- ●打込み工法、セメントミルク工法➡閉塞形
- ●プレボーリング拡大根固め工法、中掘り工法➡開放形

※ 打込み工法で開放形を使用する場合、杭体内部への土や水の流入が原因で杭体が損傷することがある。

杭先端部形状例
（開放形）

【2】保管・運搬

❶ 積込み・荷卸し時、2点で支持する場合は、杭の**両端から杭の長さ**の$\frac{1}{5}$の位置付近の2点で支持します。
_{H29・R5}

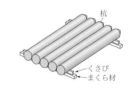

コンクリート杭の積込み・荷降ろし

❷ 現場で杭を仮置きする場合、地盤を水平にならし、まくら材を支持点として1段に並べ、移動止めの**くさび**を施します。

❸ **負の摩擦力対応杭（SL杭）**は、塗布材のはがれ、損傷がないよう注意します。長期間の屋外保管は、気温の変化などにより塗布材が流動変形したり、損傷したりするおそれがあるので好ましくありません。

【3】打込み

一群となる杭の打込みは、群の**中心から外側**へ向かって打ち進めます。

➡外側から中心に打つと地盤が締まって、中心での打込みが困難になるからです。

【4】騒音・振動の測定は敷地境界線において行う

【5】既製杭の施工精度

❶ 既製杭の施工精度の目安

| 水平精度（ずれ） | 杭径の$\frac{1}{4}$以内、かつ、100mm以内 |
| 鉛直精度（傾斜） | $\frac{1}{100}$以内
_{R1} |

杭の水平精度

杭径D

$\frac{D}{4}$かつ100mm以内

❷ 施工精度は、主に下杭を設置した時点で決まるので、

杭の精度の修正は「下杭の段階」で行います。

❸ 下杭が傾斜してしまった場合でも、継手部分で修正してはなりません。

➡継手部が「くの字」に曲がった状態では、過大な曲げモーメントが発生し、杭の破損が生じるおそれがあります。

施工精度についてはよく出題されます。数値をしっかり覚えてください。

【6】既製杭の最小間隔

打込み杭の間隔	杭径の2.5倍以上、かつ、75cm以上
埋込み杭の間隔	杭径の2倍以上

【7】接合

接合は、「溶接継手」または「機械式継手（無溶接継手）」とします。

❶ 下杭軸線に合わせて上杭を建て込み後、接合します。

❷ 下杭の打ち残しは、溶接作業が容易にできる高さ（地表面から約1m）にします。

❸ 上杭を建て込む際の衝撃などで、下杭が落下したり、接合中に下杭が動くことのないように、保持装置にしっかり固定します。
R5

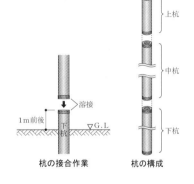

杭の接合作業　　杭の構成

＜溶接継手＞

● 半自動または自動のアーク溶接とします。
H29・R3・5

● 仮付け溶接は、点付け程度のものでなく、40mm以上の長さとし、本溶接と同等の完全なものとします。

● ルート間隔は4mm以下、目違いは2mm以下とします。
R3

● 余盛りは3mm以下とします。

● 強風時（10m/s以上）は溶接は行いません。ただし、適切な防護策が施されていれば溶接可能です。

● 溶接は、JISによるA-2H程度の有資格者に作業をさせ

機械式継手の例

ます。

<機械式継手（無溶接継手）>
　機械式継手は、継手部に接続金具を用いた方式です。

【8】根固め液・杭周固定液の管理
　根固め液については**グラウトプラント**で混練した液を、杭周固定液については杭挿入後の**掘削孔**から**オーバーフロー**した液を採取して供試体を作製し、28日強度（**根固め液20N/㎟以上**、**杭周固定液0.5N/㎟以上**）を確認します。なお、供試体の養生は**標準養生**とします。

【9】既製杭の杭頭処理
❶ 杭周囲の土は、必要以上に深掘りしてはなりません。
　　➡杭の水平抵抗の低下、地盤のせん断力の低下などのおそれがあります。
　　➡深掘りした場合は、**良質土**で埋め戻し、元地盤と同程度の強度に戻します。
❷ **プレストレストコンクリート杭（PHC杭）**の杭頭をダイヤモンドカッター方式等で杭頭を切断した場合は、切断面から**350㎜程度**まではプレストレスが減少しているので、中詰めコンクリート補強などの**杭頭補強を行います**。
R1・3・5

| 例題 | **Q** | 一群となる既製杭の打込みは、なるべく群の外側から中心へ向かって打ち進める。 |
| | **A** | ✕　中心から外側に向かって打つ。 |

2　場所打ちコンクリート杭

　場所打ちコンクリート杭は、地盤を掘削した孔内に鉄筋かごを挿入した後、コンクリートを打設することにより、現場においてコンクリート杭を造成するものです。

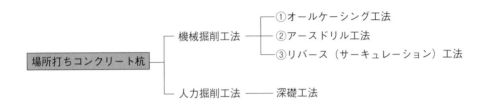

1 オールケーシング工法

オールケーシング工法は、掘削した孔壁の崩壊を防止するために、掘削孔の「全長（オール）」にわたり、「ケーシングチューブ」を圧入し、土をハンマーグラブによってつかみ上げ、排土する工法です。

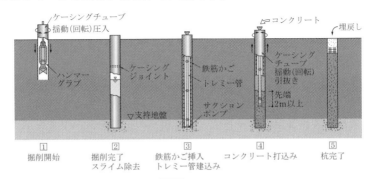

①	②	③	④	⑤
掘削開始	掘削完了 スライム除去	鉄筋かご挿入 トレミー管建込み	コンクリート打込み	杭完了

用語

スライム
孔内の崩落土、泥水中の土砂などが孔底に沈殿したもの。コンクリートと混ざると品質が低下するので、確実に除去する。

❶ ケーシングチューブ内の掘削において、地盤がボイリングを起こしやすい砂または砂れき層の場合、孔内水位を地下水位より高く保って掘削します。ヒービングを起こしやすい軟弱粘性土層の場合には、ケーシングチューブの先行量を多くします。

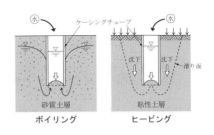

❷ コンクリート打込み時のトレミー管及びケーシングチューブの引抜きは、その先端をコンクリート内に2m程度入った状態を保持しながら行います。

❸ スライム処理（孔底処理）

スライムは確実に除去することが大切です。スライム処理には、一次処理と二次処理があります。

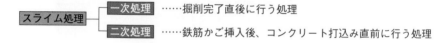

スライム処理 ┬ 一次処理 ……掘削完了直後に行う処理
　　　　　　 └ 二次処理 ……鉄筋かご挿入後、コンクリート打込み直前に行う処理

> **用語**
> **トレミー管**
> 水中のコンクリート打込みに用いられる管。上端のじょうご状の受け口からコンクリートを流し込み、水に接触させずに打込み場所へ運搬するものである。

スライム処理	孔内の状態	処理の方法
一次処理	ドライ掘削、孔内水位の低い場合	ハンマーグラブで静かに孔底処理 R2・4
	孔内水位が高く、沈殿物が多い場合	ハンマーグラブで孔底処理後、さらに**スライムバケット**（沈殿バケット）で処理
二次処理	打設直前まで沈殿物が多い場合	水中**ポンプ**などによる吸上げ処理

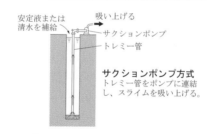

安定液または清水を補給　吸い上げる
サクションポンプ
トレミー管

サクションポンプ方式
トレミー管をポンプに連結し、スライムを吸い上げる。

トレミー管を用いたスライム処理の例

❷ アースドリル工法

アースドリル工法は、孔壁保護に**安定液**（ベントナイト溶液など）を用い、**アースドリル掘削機**により、先端に取り付けたドリリングバケットを回転させ地盤を掘削する工法です。付属設備や機材等が少なく、迅速に作業ができる工法です。なお、地下水がなく、孔壁が自立する地盤では、安定液を用いない無水掘りも可能です。

H30

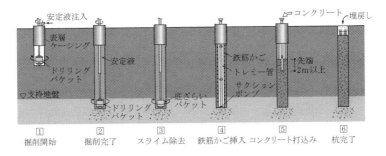

①	②	③	④	⑤	⑥
掘削開始	掘削完了	スライム除去	鉄筋かご挿入	コンクリート打込み	杭完了

❶ 安定液の配合は、できるだけ「低粘性」「低比重」のものにします。

➡ 安定液は、「孔壁崩壊防止の機能」「コンクリートとの良好な置換性」を合
わせもつ必要があります。^{H30}

❷ 支持地盤への到達は、ケリーバーの振れや掘削機の回転抵抗を参考にしつ
つ、「掘削深度」及び「排出される土」を柱状図及び土質試料と比較して判
断します。

❸ 支持地盤への到達が確認されたら1次孔底処理を行った後、検測を行いま
す。検測は検測テープにより孔底の外周部に近い位置において4カ所以上で
掘削深度を測定します。^{H30・R6}

❹ スライム処理

1次孔底処理は、底ざらいバケット方式又は安定液置換方式により行いま
す。鉄筋建て込み後、有害なスライムが残留している場合には、コンクリー
ト打設直前に、2次孔底処理として水中ポンプ式などにより除去します。^{H30}

スライム処理	孔内の状態	処理の方法
一次処理	—	底ざらいバケット方式又は安定液置換方式
二次処理	打設直前まで沈殿物が多い場合	トレミー管を用いたサクションポンプや水中ポンプなどによる吸上げ処理

③ リバース工法

リバース工法は、掘削孔の中に清水を満
たしながらビットを回転させて掘削し、中
空ドリルパイプ内を泥水とともに吸い上げ
て排土し、土砂を分離して水を再び孔内へ
循環（逆循環）させる工法です。大がかり

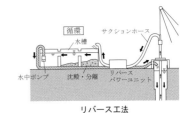

リバース工法

な機械設備が必要となりますが、振動・騒音が小さい工法です。

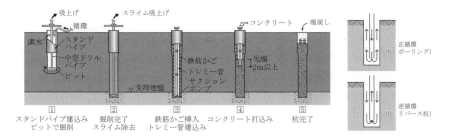

① 孔壁崩壊防止のため、**孔内水頭を地下水位より２ｍ以上高く保ちます。**
R4

② **スライム処理**

スライム処理	孔内の状態	処理の方法
一次処理	―	孔底より少し上でビットを空回しさせて、吸上げ孔底処理
二次処理	打設直前まで沈殿物が多い場合	トレミー管を用いたサクションポンプや水中**ポンプ**などによる吸上げ処理 R2・6

場所打ちコンクリート杭工法の比較

工　法	掘削・排土	孔壁保護	1次スライム処理	2次スライム処理
アースドリル	ドリリングバケット	安定液	底ざらいバケット又は安定液置換	サクションポンプ等吸上げ
オールケーシング	ハンマーグラブ	ケーシングチューブ	ハンマーグラブ・スライムバケット（沈殿バケット）	
リバース	回転ビット・ドリルパイプ内吸上げ	泥水（マッドフィルム）	ビット空回し吸上げ	

場所打ち杭３工法は、比較しながら混乱しないように押さえてください。

239

4 場所打ち杭の施工管理

【1】 鉄筋かご

❶ 鉄筋かごの組立て

● 主筋と帯筋は、鉄線で結束します。_{R6}

● 主筋への点付け溶接は行いません。_{R6}

　➡ じん性や強度の低下、断面欠損などをおこすお
　　それがあります。

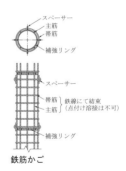

鉄筋かご

● 帯筋の継手は、10d以上の片面溶接（フレア溶接）
　とします。

● 補強リング（かご形保持・補強する円形の金具）は、断面欠損に注意して、主
　筋に堅固に溶接します。

❷ 鉄筋かごの長さの調整

　杭長が設計図書と異なる場合、最下段の鉄筋かごで調
　整します。

フレア溶接継手
（重ねアーク溶接継手）

❸ 鉄筋かごの接続

　鉄筋かご相互を接続する場合は重ね継手とし、鉄線で緊結します。

❹ 束ね鉄筋

　主筋相互の間隔が狭いとコンクリートの充填が悪くなるため、主筋の間隔
　は10cm以上を目安にします。間隔が狭い場合には、主筋の径を太くするか、
　主筋を2本束ねて配置します。

主筋と帯筋	鉄線で結束。点付け溶接は行わない
帯筋の継手	片面10d以上のフレア溶接継手
補強リングと主筋	堅固に溶接
鉄筋かごの接続	重ね継手（上段と下段）

❺ スペーサー

　スペーサーは、3〜5mごとの同一深さに4カ所以上とします。一般にス
　ペーサーは帯鋼板（厚さ4.5mm×幅50mm程度の平鋼）を用いますが、オール
　ケーシング工法の場合は、鉄筋の共上がりが生じにくい**鉄筋13mm以上**とし_{R2・4}
　ます。

鉄筋は、地上で組んだカゴをつり込まなくてはなりません。途中でくずれないように
堅固に組み立てるにはどうするかが出題のポイントですね。

【2】 コンクリート打設

❶ トレミー管

● コンクリートの打込みは、**トレミー管**を用います。

● 底部より泥水などを押し上げるように連続して打ち込みます。打設の進行に合わせてゆっくりとトレミー管を引き上げていきます。

● 引上げ時、**トレミー管の先端及びケーシングチューブ下端**はコンクリート中**2m以上入った状態**を保持します。

● コンクリート中への挿入長さが長くなると、先端からのコンクリート押出し抵抗が大きくなり、コンクリートの流出が悪くなるため、<u>挿入長さは最長でも9m程度</u>にとどめます。
　　　　　　　　　　　　　　　　R4

❷ プランジャー

● 水中でコンクリートを打ち込む場合、打込みに先立ち**プランジャー**をトレミー管内へ挿入し、その上から打設します。

● コンクリートの分離と孔内水の巻込みを防ぐことを目的とします。

> **用語**
> **プランジャー**
> 水中でコンクリートを打ち込む際、孔内水と縁を切った状態のまま、コンクリートを孔底へ打ち込むためのもの。

❸ コンクリートの打ち上がり高さの測定
コンクリート運搬車の打ち終わりごと、また、ケーシングチューブ及びトレミー管の**引抜き時**に測定します。

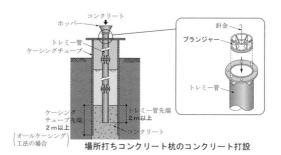

場所打ちコンクリート杭のコンクリート打設

場所打ち杭のコンクリート打設は、安定液等とまざらないように置換するための規定が出題のポイントですね。

【3】 杭の最小間隔

杭径×2倍以上、かつ、杭径＋1m以上。なお、近接する杭は連続して施工しないようにします。

【4】 杭頭処理

コンクリート打設時、泥水や不純物を上に押し上げながら打設するため、頂部には低品質のコンクリートが固まります。その部分（**余盛り**）を除去する作業を杭頭処理といい、打設から**14日程度**経過した後に行います。

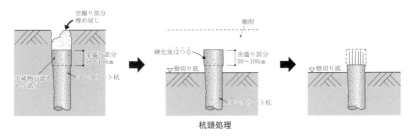

杭頭処理

❶ 余盛り高さ

	余盛り高さ
孔内に水がある場合	80〜100cm程度
孔内に水がない場合	50cm以上 R2・6

❷ 埋戻し

コンクリート打設後、孔内への落下防止、地盤の崩壊防止のため、杭頭の**コンクリートの初期硬化後（翌日以降）**に、良質土で埋戻しを行います。

❸ 杭頭の撤去

コンクリート硬化後、根切り底まで掘削し、余盛り部分をブレーカーなどではつり撤去し、杭頭高さを所定の位置にそろえます。

例題	**Q**	コンクリート打込み時のケーシングチューブの引抜きは、ケーシングチューブの先端をコンクリート内に1m程度入った状態に保持しながら行った。
	A	✕　2m程度入った状態に保持する。
例題	**Q**	鉄筋かごの帯筋の継手は重ね継手とし、帯筋を主筋に点溶接とした。
	A	✕　片面溶接（フレア溶接）とする。

3 杭工事全般における施工管理他

1 杭工事全般における施工管理（既製杭・場所打ち杭共通）

【1】試験杭・本杭及び支持層確認

　支持地盤や施工法の確認のために施工する杭を**試験杭**といいます。

❶ **打込み工法の試験杭** ➡ 本杭とは別に計画（支持層確認・杭長さ決定）

❷ **埋込み工法**（セメントミルク工法など）・**場所打ち杭**などの試験杭

　➡ 一般に、**最初の1本目の「本杭」**

　　 位置 　地盤や土質試験から、全杭を代表すると思われる位置

❸ 埋込み工法の支持層確認・管理基準

　➡ 試験杭 　以下を確認し、支持層の確認及び管理基準等を定めます。

●掘削深さ、根固め液・杭周固定液の注入量、杭頭の高さ等

●アースオーガーの駆動用電動機の**電流値**及び**積分電流値**の変化

　※　電流値と地盤強度やN値に定量的な関係はなく、電流値からN値を換算することはできないことに注意する。

●オーガーの先端に付着している土（排出土）と土質調査資料及び設計図書との照合

　➡ 本杭 　電流値又は積分電流値の変化、管理基準等との照合により、全杭について支持層の確認を行います。

❹ 場所打ち杭の支持層確認・管理基準

　➡ 試験杭 　以下を確認し、支持層の確認及び管理基準等を定めます。

●孔壁状況、掘削深さ、安定液、スライム状況、コンクリート投入量等

●掘削した土砂と土質調査資料及び設計図書との照合

➡ **本杭** 　掘削した土砂の確認、管理基準等との照合により、全ての杭について支持層の確認を行います。

支持層に確実に到達させることは、杭の最重要ポイントといえます。場所打杭・既成杭について、試験杭・本杭の違いも意識しながらしっかり押さえましょう。

【2】 その他の注意点

① 所定深度になっても**支持地盤が確認できない場合**、または掘削が不可能な場合は、**工事監理者と協議**し、**掘削深度を決定**します。

② 掘削による汚泥・廃油などは、**産業廃棄物**として「廃棄物の処理及び清掃に関する法律」により適切に処理します。

➡ **汚泥** 　廃ベントナイト泥水、廃泥水、含水比が高く粒子の細かい泥状の掘削土、セメント分を含む掘削土などをいいます。

③ 汚泥の処理は、発注者などと調整した上で、セメント系の改良材などの混合により安定処理した改良土などとし、**再利用を図る**ことが望ましいです。

④ 基礎杭の先端の**地盤の許容応力度**は、アースドリル工法による場所打ちコンクリート杭の場合よりセメントミルク工法による**埋込み杭の方が大きく**なります。

⑤ 群杭の杭1本当たりの水平荷重は、同じ杭頭水平変位の下では、一般に単杭の場合に比べて**小さくなります**。

⑥ 単杭の引抜き抵抗力を算定式により評価する場合、杭の**周面摩擦力**に地下水位以下の部分の**浮力を考慮**した杭の**自重**を加えることができます。

⑦ 基礎杭の周辺地盤に沈下が生じたときに杭に作用する**負の摩擦力**は、一般に摩擦杭の場合より**支持杭の方が大きく**なります。

⑧ 既製コンクリート杭工事の施工サイクルタイム記録、電流計や根固め液の記録等は、発注者から直接建設工事を請け負った建設業者が保存する期間を定め、当該期間保存します。

【3】 その他の地業

　杭地業以外の地業として、砂地業、砂利地業、捨てコンクリート地業などがあります。

> **用語**
> **砂、砂利地業**
> 砂、砂利などで地盤を締め固める地業。

捨てコンクリート地業 　基礎などを打設する前に打設するコンクリート地業

244

で、基礎底面を平らにし、柱、基礎などの位置を決める「墨出し」を目的とします。

- 捨てコンクリートは、**地盤を強化するための地業ではありません。**
- 捨てコンクリートの厚さは、特記がなければ50㎜とします。
- 捨てコンクリートの設計基準強度は、特記がなければ18N/㎟とします。

4 地盤改良工事

地盤改良工事は、軟弱な地盤の強度を上げ、沈下の抑制、排水などを目的として、土の締固め・脱水・固結・置換などを行うことです。主な地盤改良工法の種類は以下のとおりです。

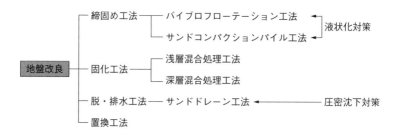

1 締固め工法

締固め工法は、地盤の支持性能の向上を目的に、砂・砕石などを地盤中に鉛直に打設して、杭状の改良体を築造するものです。

【1】バイブロフローテーション工法

水平振動と水締めを効果的に利用し、緩い砂質土地盤を締め固める地盤改良工法です。

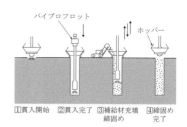

【2】サンドコンパクションパイル工法

鉛直振動を利用して地盤内に締固め杭を造成し、周辺を締め固めて安定化を図る地盤改良工法で、**液状化の防止**などに用いられます。

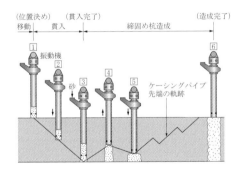

2 固化工法

　セメントまたはセメント系固化材などを用いて原地盤を改良する工法で、改良深さにより浅層混合処理工法、深層混合処理工法に大別されます。

【1】浅層混合処理工法

　地盤の表層部（2m程度まで）に、セメントまたはセメント系固化材を加えて攪拌・混合し、板状に締め固める工法で、表層地盤改良ともいわれます。

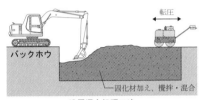

浅層混合処理工法

【2】深層混合処理工法

　専用機械を用いて、土と固化材とを柱状に混合する地盤改良工法です。注入した固化材（スラリー）の一部は、未固結のままスライムとして地表に戻るので、産業廃棄物として、関連法規に基づき適切に取り扱います。

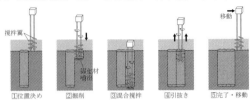

深層混合処理（機械攪拌）工法

【3】六価クロム溶出試験

セメント及びセメント系固化材を地盤改良に用いる場合、土とセメントの化学反応によって、有害な**六価クロム**が土壌環境基準を超える濃度で溶出するおそれがあるため、施工に先立ち、現場の土壌と使用する予定のセメント固化材を混ぜて、**六価クロム溶出試験**を行います。

❸ 脱・排水工法

粘性土地盤における圧密沈下を短期間に終わらせるために、強制的に脱・排水のための排水路を設ける**圧密沈下対策**の工法です。代表的な工法として、「**サンドドレーン工法**」があります。

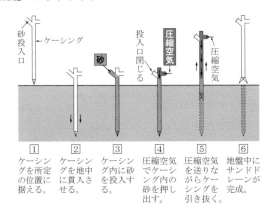

①	②	③	④	⑤	⑥
ケーシングを所定の位置に据える。	ケーシングを地中に貫入させる。	ケーシング内に砂を投入する。	圧縮空気でケーシング内の砂を押し出す。	圧縮空気を送りながらケーシングを引き抜く。	地盤中にサンドドレーンが完成。

サンドコンパクションパイル工法と混同しないように注意しましょう。

❹ 置換工法

軟弱な粘性土地盤などにおいて、その一部または全部を掘削などにより排除した後、**良質な土に置き換える**工法です。

例題	**Q**	一般に、軟弱な粘性土地盤の場合には、サンドドレーン工法が用いられ、緩い砂質土地盤の場合にはバイブロフローテーション工法が用いられる。
	A	〇

鉄筋工事は例年 2 問程度の出題で、応用問題でも出題されます。特に「定着・継手」「ガス圧接」は頻出事項ですので、しっかり押さえてください。なお、近年は「機械式継手」の採用例が増えているため、出題頻度も上がると予想されます。

1 鉄筋の加工・組立て

鉄筋の加工（切断・折曲げ）は、有害な曲がりや損傷のあるものは使用せず、鉄筋の性質が変わらないように「**常温**」（冷間）で行います。

1 鉄筋の加工

【1】切　断

鉄筋は、「**シヤーカッター**（shear：せん断 cutter：切断機)」または「**電動カッター**」などで切断します。熱処理を行うと性質が変わるため、原則として、**ガス切断は行うことはで**

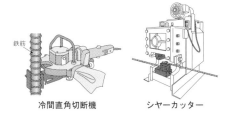

鉄筋

冷間直角切断機　　　シヤーカッター

きません。なお、最近は、端面処理が不要な「**鉄筋冷間直角切断機**」も使用されます。

【2】曲げ加工

鉄筋の折曲げは、**常温加工**とし、**鉄筋折曲げ機**（バーベンダー《bar：棒 bender：曲げるもの》）を用いて行います。

❶ 鉄筋の折曲げ形状・寸法

図	折曲げ角度	鉄筋の種類	鉄筋の径による区分	鉄筋の折曲げ内法直径（D）
	90° 135° 180°	SR235 SR295 SD295 SD345	φ16以下 D16以下	3d以上
			φ19 D19〜D41	4d以上 _{R5}
		SD390	D41以下	5d以上
	90°	SD490	D25以下	
			D29〜D41	6d以上

余長は、**折曲げ角度が大きくなる程**、その長さを**短く**することができます。つまり、90°フックとする場合は**8d以上**の余長にしますが、180°フックとする場合は**4d以上**の余長（90°フックの半分の余長）とします。

> 余長4d・6d・8d、折曲げ内法半径3d・4dは加工の基本となる数値です。しっかり覚えましょう。

❷ 鉄筋の加工寸法の許容差

主筋　　あばら筋・帯筋・スパイラル筋　　加工後の全長(l)

項　目			加工後の計測箇所	許容差（外側寸法）
各加工寸法	主筋	径：D25以下	a,b	±15mm
		径：D29以上D41以下	a,b	±20mm
	あばら筋・帯筋・スパイラル筋		a,b	±5mm _{R5}
	加工後の全長		l	±20mm

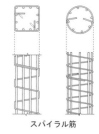

スパイラル筋

❸ 鉄筋の末端部に設けるフック

● **丸鋼の末端部**には全てフックを設けます。

● **異形鉄筋**は、付着力が大きいため一般にはフックを必要としませんが、次の部分にはフックを設けます。

【あばら筋・帯筋・幅止め筋】

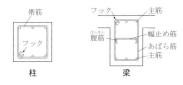

【柱及び梁（基礎梁を除く）の出隅部の主筋の重ね継手・柱四隅主筋の柱頭】

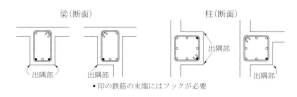

●印の鉄筋の末端にはフックが必要

- 先端部に腰壁や垂れ壁の付かない片持ちスラブの上端筋の先端は、90°フック付き余長 4 d 以上とします。
- 杭基礎のベース筋は、両端を20 d 以上曲げ上げ、末端部に90°または180°フックを設けます。

【3】清掃

鉄筋表面の錆については、ごく薄い浮いていない赤錆は、除去せずに施工できます。ただし、**粉状になるような赤錆**は、コンクリートの付着を低下させますので、ワイヤブラシなどで**取り除きます。**

2 鉄筋の組立て

鉄筋の組立ては、鉄筋継手部分及び交差部の要所を**径0.8㎜程度のなまし鉄**線を用いて結束し、点付け溶接をすることはできません。

●柱の主筋と帯筋の交点 ●梁の主筋とあばら筋の交点	4隅の交点	全数結束※
	その他の交点	半数以上結束
●壁の縦筋と横筋の交点 ●スラブの主筋と配力筋の交点		半数以上結束

※ あばら筋の下端隅部は半数結束とする。

③ 鉄筋相互のあき

鉄筋相互のあきは、コンクリートが分離することなく密実に打込みができ、また鉄筋とコンクリートの付着による応力伝達が十分に行われるように適切な間隔を確保しなければいけません。

＜鉄筋相互のあきの最小寸法＞

次のうち、最大の数値以上を確保します。

> ● 丸鋼では径、異形鉄筋では呼び名の数値（D）の1.5倍
> ● 粗骨材の最大寸法の1.25倍
> ● 25mm
>   H29・R5

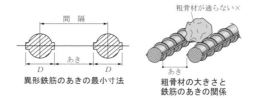

異形鉄筋のあきの最小寸法

粗骨材の大きさと鉄筋のあきの関係

※ 隣り合う鉄筋の径が異なる場合は、平均径（呼び名数値の平均）の1.5倍とする。
　　　　　　　　　　　　　　　　　　　　　　　　　　　　H29

覚え方

「あきちゃんもけいこちゃんも最大のニコニコ」
　　　1.5　　　　　　　1.25　2.5mm

鉄筋のあきの最小寸法を決定する規定は、正確に覚えましょう。よく出題されます。

④ かぶり厚さ

「鉄筋のかぶり厚さ」とは、鉄筋に対するコンクリートのかぶり厚さのことで、**最も外側の鉄筋表面とコンクリートの表面までの最短距離**をいいます。かぶり厚さは、耐久性、耐火性、構造性能に大きな影響を及ぼします。

かぶり厚さ
＝最小かぶり厚さ＋10mm

主筋

帯筋またはあばら筋

❶ **梁の場合** あばら筋の最外側から型枠の内側
までの最短距離(腹筋をあばら筋の外側に配筋す
る場合：**幅止め筋の外側から**)

柱の場合 帯筋の最外側から型枠の内側まで
の最短距離

➡主筋の外側から型枠の内側までの最短距離で
はありません。

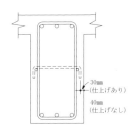

❷ **基礎**

●捨てコンクリートの厚さはかぶり厚さに算入しない。

杭基礎の場合 杭天端から基礎鉄筋（ベース筋）下端まで

❸ **目地部のかぶり厚さ**

目地を設ける場合、目地底からかぶり厚さを確保します。

【2】 最小かぶり厚さと設計かぶり厚さ

最小かぶり厚さは以下のとおりです。なお、一般劣化環境の「非腐食環境」
≒屋内、「腐食環境」≒屋外です。

部位・部材の種類		最小かぶり厚さ（㎜）				設計かぶり厚さ（㎜）			
		一般劣化環境（非腐食環境）	一般劣化環境（腐食環境）計画供用期間の級			一般劣化環境（非腐食環境）	一般劣化環境（腐食環境）計画供用期間の級		
			短期	標準・長期※2	超長期※2		短期	標準・長期※2	超長期※2
構造部材	柱・梁・耐力壁	30	30	40	40	40	40	50	50
	床スラブ・屋根スラブ	20	20	30	40	30	30	40	50
非構造部材	構造部材と同等の耐久性を要求する部材	20	20	30	40	30	30	40	50
	計画供用期間中に保全を行う部材※1	20	20	30	30	30	30	40	40
直接土に接する柱・梁・壁・床及び布基礎の立上り部		40				50			
基礎		60				70			

※1　計画供用期間の級が超長期で、供用期間中に保全を行う部材では、保全の周期に応じて定める。

※2　計画供用期間の級が標準、長期及び超長期で、耐久性上、有効な仕上げを施す場合は、一般劣化環境（腐食環境）では、最小かぶり厚さまたは設計かぶり厚さを10㎜減じることができる（ただし、基礎、直接土に接する柱・梁・壁・床及び布基礎の立上り部を除く）。

> まずは「最小かぶり厚さ」の「一般劣化環境（非腐食環境）」の数値を覚えましょう。それが法定の最小かぶり厚さです。屋外は＋10㎜、設計かぶり厚さ＝最小かぶり厚さ＋10㎜で表のほとんどを押さえることができます。

【3】 D29以上の太物の鉄筋を使用する場合

付着割裂破壊を考慮して、主筋のかぶり厚さは径（呼び名の数値）の1.5倍以上を確保します。

例題	Q	鉄筋の折曲げは、鉄筋を熱処理した後、自動鉄筋折曲げ機で行った。
	A	✕　常温加工である。

例題	Q	梁鉄筋の最小かぶり厚さは、主筋の外側からせき板までの距離とした。
	A	✕　主筋からではなく、あばら筋の最外側から。

　鉄筋の「**定着**」とは、鉄筋コンクリート構造体の仕口（柱―梁、梁―スラブなど）の接合部において、一方の部材の鉄筋を延長して、他方の部材内へ埋め込むことをいいます。「**継手**」とは、コンクリート部材中における2つの鉄筋をその軸方向に継いだ接合部分をいいます。

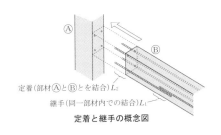

定着（部材Ⓐと Ⓑ とを結合）L_2
継手（同一部材内での結合）L_1

定着と継手の概念図

１ 鉄筋の定着

　部材に生じる力を伝達するためには、必要な定着長さの確保が重要です。定着は、「**直線定着**」「**90°折曲げ定着**」に大別されます。

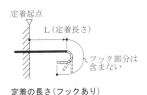

定着起点
L（定着長さ）
フック部分は含まない

定着の長さ（フックあり）

【1】直線定着の長さ

❶ フック付きの定着長さは、末端部のフック部分の長さを含みません。
R1

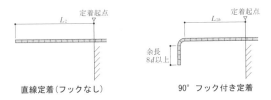

定着起点
L_2

定着起点
L_{2h}
余長
$8d$ 以上

直線定着（フックなし）　　　**90°フック付き定着**

❷ 定着長さは「**鉄筋の種類**」「**コンクリートの設計基準強度**」「**フックの有無**」で決まり、次のとおりです。

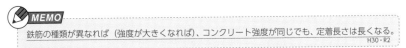

MEMO
鉄筋の種類が異なれば（強度が大きくなれば）、コンクリート強度が同じでも、定着長さは長くなる。
H30・R2

異形鉄筋の直線定着の必要長さ

コンクリートの設計基準強度（N/㎟）	L_2 (L_{2h})				L_3 (L_{3h})	
					下端筋	
	SD295	SD345	SD390	SD490	小梁	スラブ
18	$40d$ $(30d)$	$40d$ $(30d)$	—	—	※$20d$ $(10d)$	※$10d$かつ $\underset{\text{R3}}{\underline{150以上}}$
21	$35d$ $(25d)$	$35d$ $(25d)$	$40d$ $(30d)$	—		
24〜27	$30d$ $(20d)$	$\mathbf{35d}$ $(25d)$	$40d$ $(30d)$	$45d$ $(35d)$		
30〜36	$30d$ $(20d)$	$30d$ $(20d)$	$35d$ $(25d)$	$40d$ $(30d)$		
39〜45	$25d$ $(15d)$	$30d$ $(20d)$	$35d$ $(25d)$	$40d$ $(30d)$	※片持小梁及び片持スラブの場合は$20d$及び$10d$を$25d$とする。	
48〜60	$25d$ $(15d)$	$25d$ $(15d)$	$30d$ $(20d)$	$35d$ $(25d)$		

※ dは、異形鉄筋の呼び名の数値とする。
　L_2：直線定着の長さ　　　L_{2h}：フック付き定着の長さ
　L_3：下端筋の直線定着の長さ　L_{3h}：下端筋のフック付き定着の長さ

表中では$35d$（Fc＝24〜27・SD345）をまず覚えましょう。出題の中心となる数値です。

【2】 梁主筋の柱への定着

　梁の主筋を、柱に折曲げ定着させる場合、柱せいの$\frac{3}{4}$以上のみ込ませて（$\frac{3}{4}$以上の投影定着長さを確保して）、定着長さ（L_2）を確保します。
H30・R1〜3

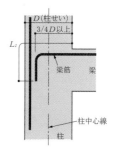

【3】 小梁の主筋の大梁への定着（大梁せいが小さい場合）

　大梁に90°折曲げ定着とする小梁の主筋（上端筋）は、大梁せいが小さく、そのフック部を鉛直下向きに配筋すると定着長さが確保できない場合は、斜め定着とすることができます。

小梁の定着

【4】 スパイラル筋の定着

　柱に**スパイラル筋**を用いる場合、柱頭及び柱脚の末端の定着は、**1.5巻き以上の添え巻き**とし、末端にフックを設けます。

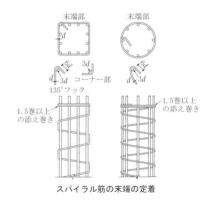

スパイラル筋の末端の定着

2　鉄筋の継手

　鉄筋の継手方法には、**重ね継手、ガス圧接継手、溶接継手、機械式継手**があります。

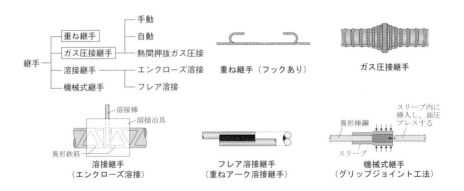

【1】 継手の位置（重ね継手・ガス圧接継手共通）

❶ 鉄筋の継手は、原則として**応力の小さいところ**に設け、かつ、常時はコンクリートに**圧縮応力**が生じている部分に設けます。

❷ **柱主筋の継手位置**
　　➡応力が大きくなる**上下端部**を避けます。
　　➡梁上端から上に「**500mm以上**」「**1,500mm以下、かつ、柱の内法高さの$\frac{3}{4}$以下**」にします。
　　　　　　　　　　　　　　　R4

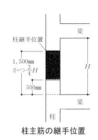

柱主筋の継手位置

❸ 梁主筋の継手位置

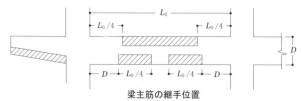

梁主筋の継手位置

❹ 大梁端部の下端筋の継手位置は、梁端から梁せい分の長さの範囲内には設けないようにします。

【2】 継手のずらし方

継手位置は、1カ所に集中させず、**相互にずらした位置**に設けます。

❶ **重ね継手**　継手長さの0.5倍もしくは1.5倍ずらします。
_{R3}

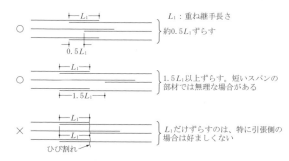

❷ **ガス圧接継手・溶接継手**　原則として相互に400mm以上ずらします。
_{R4}

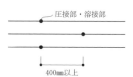

ガス圧接継手・溶接継手のずらし方

❸ **機械式継手**　カップラーの中心間で400mm以上、かつ、カップラー端部の間のあきで40mm以上ずらします。

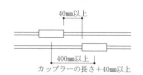

【3】 重ね継手

重ね継手は、鉄筋を所定長さを重ね、周囲のコンクリートとの付着に期待して鉄筋の応力を伝達する継手です。継手の長さは、「**鉄筋の種類**」「**コンクリートの設計基準強度**」「**フックの有無**」で決まります。

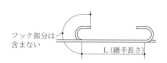

① フック付きの重ね継手長さは、折曲げ起点間の長さとし、フック部分の長さを含みません。[R1・3]

● 直径の異なる鉄筋の重ね継手の長さは、細い方の鉄筋径（呼び名の数値）に所定の倍数を乗じて算出します。[R1]

● D35以上の太物の異形鉄筋には、重ね継手は用いません。

● 梁主筋を重ね継手とする場合、水平重ね・上下重ねのいずれでもかまいません。[R2]

異形鉄筋の重ね継手の必要長さ

コンクリートの設計基準強度（N/m㎡）	SD295	SD345	SD390	SD490
18	$45d$（$35d$）	50 （$35d$）	—	—
21	$40d$（$30d$）	$45d$（$30d$）	50 （$35d$）	
24〜27	**$35d$**（$25d$）	**$40d$**（$30d$）	$45d$（$30d$）	$55d$（$40d$）
30〜36		$35d$（$25d$）	$40d$（$30d$）	$50d$（$35d$）
39〜45	30 （$20d$）			$45d$（$30d$）
48〜60		$30d$（$20d$）	$35d$（$25d$）	$40d$（$30d$）

※　dは、異形鉄筋の呼び名の数値とする。

表中では$35d$（Fc＝24〜27・SD295）をまず覚えましょう。出題の中心となる数値です。

MEMO

付着割裂強度（付着割裂破壊に抵抗できる強度）は、鉄筋断面積（径×本数）が大きいほど、強度が低下する。つまり、太径の鉄筋にするほど、付着割裂強度は低下するので、**D35以上の太物の異形鉄筋には、原則として重ね継手を用いない。**

---

② ┃あき重ね継手┃ 重ね継手の相互の鉄筋は、密着させるのが原則ですが、図の基準を満足すれば、密着させない「あき重ね継手」も同等に有効となります。配筋間隔の異なる鉄筋を無理に折り曲げて重ね合わせることは避けます。[R3]

あき重ね継手

❸ **スパイラル筋の重ね継手** スパイラル筋の重ね継手の長さは、**50d以上、かつ、300mm以上**とし、末端にはフックを設けます。
90°フック：余長**12d以上**
135°フック：余長6d以上

❹ 腹筋に継手を設ける場合、重ね継手長さは150mm程度にします。R2

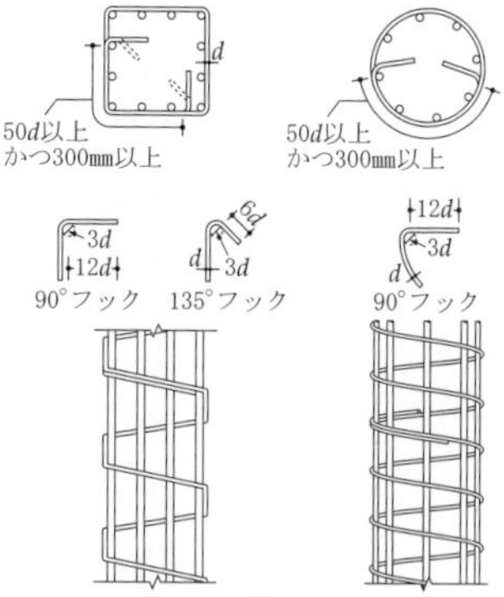

スパイラル筋末端の重ね継手

【4】ガス圧接継手

ガス圧接継手は、鉄筋端面同士を突き合せ、軸方向に**圧力**を加えながら、突合せ部分をガス炎で赤熱状態の溶融点近くまで**加熱**し、ふくらませて接合する継手です。方法は手動ガス圧接と自動ガス圧接に分かれます。

❶ **技量資格**

ガス圧接継手の良否は、作業者の技量に左右されることが多いので、JISによる技量を有する者である必要があります。その技量資格種別には**1〜4種**があり、**作業可能範囲（鉄筋の種類・径など）**が決められています。D29の場合は、2種以上の資格が必要です。R3
なお、**SD490**を圧接する場合には、**施工前試験**が必要です。

技量資格種別	作業可能範囲（鉄筋径）
1種	● ϕ25mm以下 ● D25以下
2種	● ϕ32mm以下 ● D32以下 H29・R3
3種	● ϕ38mm以下 ● D38以下
4種	● ϕ50mm以下 ● D51以下

❷ **加圧器**

加圧器は、鉄筋断面に対して**30MPa以上**の加圧能力を有するものとします。また、**SD490の鉄筋を圧接する場合**は、鉄筋断面に対して**40MPa以上**の加圧能力を有し、**上限圧及び下限圧を設定できる**機能を有するものが必要です。R3

❸ **作業環境**

強風時または降雨時は、原則として**作業を行いません**。ただし、風除け・覆いなどの対策をした場合、工事監理者の承認を得て作業できます。

④ **圧接面の処理**

圧接部の品質の良否は、圧接端面の状態に大きく左右されるので、圧接端面の処理は極めて重要です。

● 軸線上に対して**直角**になるように鉄筋を切断し、圧接端面を**平滑**に仕上げます。ばり等を除去するため、グラインダーによりその周辺を軽く面取りします。
  R6

● 圧接端面は、接合時に完全な「**金属肌**」であることが必要です。したがって、**圧接作業の当日**に圧接端面を「**グラインダー研磨**」を行うか、切断面を平滑及び直角になる「**鉄筋冷間直角切断機**」で切断します。

2 mm以下

鉄筋の突合せ面の隙間

● 圧接作業の**前日以前**に圧接端面の処理を行う場合には、防錆等のために、端面保護剤を使用します。
  R1

● 圧接による鉄筋の縮み代（しろ）（圧接箇所ごとに**1.0～1.5d程度**）を考慮します。
  R3・6

● 圧接突合せ面の隙間は**2 mm以下**とします。

圧接部の品質は、技量と施工管理によって大きく左右されます。最も多く採用される主筋の継手工法ですから、当然出題も多くなります。

⑤ **圧接作業**

鉄筋の圧接部の加熱は、**圧接端面が密着するまでは**圧接端面の酸化を防ぐため**還元炎**で行い、圧接端面同士が**密着した後は**、還元炎より熱効率の高い**中性炎**で加熱します。
  H29・R1・6

ⅰ 強度・径の異なる鉄筋の手動ガス圧接

  ● 鉄筋の**強度**が異なる場合、原則として圧接をしてはいけません。ただし、**SD345とSD390の圧接は可能**です。

  ● 径の差が**7 mm以下**の場合は**圧接できます**。ただし、自動ガス圧接及び熱間押抜ガス圧接は、径の異なる継手には適用できません。

  ● 鉄筋径または呼び名の差が**7 mmを超える**場合、**圧接できません**。

ⅱ 加熱中に火炎に異常があった場合、圧接部を**切り取り**、**再圧接**します。ただし、圧接端面同士が密着した後に異常があった場合は、**火炎を再調整**して作業を継続してもかまいません。

❻ 圧接部の形状

圧接部は、所定の「**ふくらみ**」となるように正しく加熱・加圧を行って施工します。圧接部の形状は、次のような状態であれば良好です。

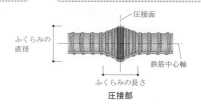

圧接部

- **ふくらみの<u>直径</u>➡径の1.4倍以上**
  (<u>径が異なる場合：細い方の径</u>) ^{R1}
- **ふくらみの<u>長さ</u>➡径の1.1倍以上** ^{R3・6}
- **鉄筋中心軸の<u>偏心量</u>➡径の$\frac{1}{5}$以下** ^{H29・R1・4}
  (<u>径が異なる場合：細い方の径</u>) ^{H29・R4・6}
- **圧接面のずれ➡径の$\frac{1}{4}$以下**

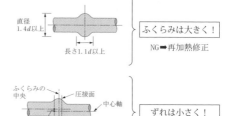

ふくらみは大きく！
NG➡再加熱修正

ずれは小さく！
NG➡切り取り再圧接

圧接部の外観検査の基準にもなります。似たような数値が多いですが、対処方法を含めて、がんばって覚えましょう。

【5】機械式継手

❶ ねじ節継手 異形鉄筋の節形状が**ねじ状**になるように圧延された鉄筋(**ねじ節鉄筋**)を、雌ねじ加工されたカップラーを用いて接合する方法です。カップラーと鉄筋の間の緩みを解消する方法として、ロックナットを締め付ける**トルク方式**、空隙にモルタル又は樹脂を注入する**グラウト方式**、両者を併用したナットグラウト方式があります。^{R5}

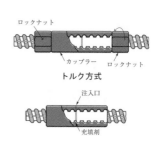

トルク方式

グラウト方式

② **鋼管圧着継手**　熱間形成されたねじ節鉄筋の端部に鋼管（スリーブ）をかぶせた後、外側から加圧して鉄筋表面の節にスリーブを食い込ませて接合する工法です。[H30]

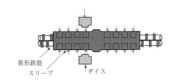

異形鉄筋　スリーブ　ダイス

③ **充填継手**　内面に凹凸のついた比較的径の大きい鋳鋼製の鋼管（スリーブ）に異形鉄筋の端部を挿入した後、スリーブ内に**無収縮高強度モルタル等を充填して一体化して接合する工法です。[H30・R2・5]

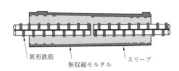

異形鉄筋　無収縮モルタル　スリーブ

④ **端部ねじ継手**　市販の異形鉄筋の端部をねじ加工した異形鉄筋、又は加工したねじ部を端部に摩擦圧接した鉄筋を使用し、雌ねじ加工されたカップラーを用いて接合する工法です。[H30・R2・5]

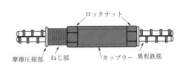

ロックナット　摩擦圧接部　ねじ部　カップラー　異形鉄筋

⑤ **併用継手**　2種類の機械式継手を組み合わせることで、それぞれの長所を取り入れ、施工性を改良したものです。圧着ねじ併用継手、充填圧着併用継手などがあります。[H30・R2]

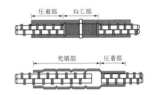

圧着部　ねじ部

充填部　圧着部

例題

Q 同一径の鉄筋のガス圧接に関し、圧接部のふくらみの長さは鉄筋径の1.4倍以上、ふくらみの直径は1.1倍以上とする。

A **×**　ふくらみの長さは1.1倍以上、直径は1.4倍以上である。

---

3 配　筋

1 各部配筋の注意点

【1】柱

① 上下階の柱断面が異なる場合、柱梁接合部内（梁せいの範囲）で主筋を折り曲げます。

② 柱の帯筋のフック位置は、柱の同一

a　柱　梁　柱主筋の折曲げ範囲　柱幅：a＜b

柱主筋の折曲げ

帯筋　フック　フック　柱

帯筋のフック位置

の隅に集中させないようにします。

【2】梁

① 梁下端筋の柱梁接合部への定着は、**曲げ上げて定着**することを原則としますが、やむを得ない場合には設計者の了解を得た上で、曲げ下げて柱内への定着することも可能です。
_{H30}

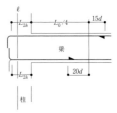

② 梁端の**上端筋をカットオフ**する場合には、梁の端部から当該梁の**内法長さの$\frac{1}{4}$となる点を起点**とし、**15d以上の余長**を確保します。なお、梁中央の下端筋をカットオフする場合には、同じ起点から、梁端側へ**20d以上の余長**を確保します。
_{H30}

③ 貫通孔の補強筋
● 補強筋は、梁の主筋の内側に配筋します。
● 孔径が**梁せいの$\frac{1}{10}$以下**、かつ、**150mm未満の場合**で、鉄筋を緩やかに曲げることで、孔を避けて配筋できるときは、**補強を省略**できます。

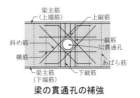

梁の貫通孔の補強

④ あばら筋
● 主筋を囲む**閉鎖形**とし、その末端は、**135°フック余長6d以上**とします。
● スラブと一体となったT形梁やL形梁において、U字形のあばら筋とともに用いる**キャップタイ**は、スラブ付き側の末端部を**90°フック余長8d**でかまいません（スラブとの高さの差が大きい場合はNG）。

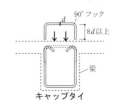

キャップタイ

● 梁の腹筋は、末端部が柱際に配置する第1あばら筋と結束できる長さとします。

⑤ 基礎梁のあばら筋
基礎梁などで水平打継を設ける場合などにおいて、あばら筋に継手を設けるときは、**重ね継手**（180°、135°、90°**フック付き**）、溶接継手、又は機械式継手とします。
_{R5}

せん断補強筋であるあばら筋は、簡単に主筋から外れないように135°フック（余長6 d）以上が基本となります。

【3】壁

❶ 柱、梁に接しない壁の開口部、縦、横及び斜めの鉄筋により補強します。

❷ ダブル配筋とする場合の**開口部の補強筋**は、かぶり厚さを確保するため、壁筋の**内側に配筋**します。

❸ 壁縦筋の配筋間隔が下階と異なる場合、重ね継手は鉄筋を折り曲げずにあき重ね継手とすることができます。

R1・3

【4】床スラブ

❶ 中央から割り付け、端部は定められた間隔以下とします。

❷ 最大径が700mm以下の開口部の補強は、開口によって**切断される鉄筋と同量の鉄筋**で周囲を補強し、隅角部に**斜め補強筋（2-D13）シングル**を上下筋の内側に配筋します。

H29

【5】屋根スラブ

出隅部及び入隅部には、補強筋を上端筋の下側に配置します。

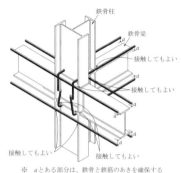

【6】鉄骨鉄筋コンクリート造

● 原則として、鉄筋は鉄骨と接触させないようにします。

● 鉄骨と鉄筋のあきは、鉄骨面から25mm以上、かつ、粗骨材の最大寸法の1.25倍以上（図の a）。

● 柱梁接合部において、柱フランジの「厚さ方向の面」に直交する梁主筋は、接触してもかまいません。

※ aとある部分は、鉄骨と鉄筋のあきを確保する

鉄骨と鉄筋のあき

型枠工事は例年１問の出題で、応用問題ではかなり細かなところから出題されます。「**型枠支保工**」「**型枠の設計**」が最重要項目です。難易度はそれほど高くありませんので、確実にポイントを押さえましょう。

1 材 料

1 型枠の構成

型枠は、コンクリートに直接触れる「**せき板**」、せき板を支える「**支保工**」、せき板と支保工を緊結する「**締付け金物**」からなり、これらを総称して「**型枠**」といいます。在来工法による一般的な型枠構成例は下図のとおりです。

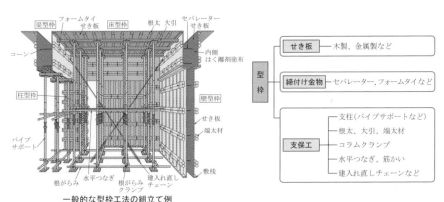

一般的な型枠工法の組立て例

2 せき板

❶ 原則として、**厚さ12㎜**とし、「**合板の日本農林規格（JAS）**」で規定される「**コンクリート型枠用合板**」を用います。

❷ シートなどで覆い**直射日光を避けて保管**し、乾燥したものを用います。

➡ 長時間太陽光にさらされると、セメントの硬化を阻害する物質の生成が増大し、コンクリート表面の硬化不良の原因となります。

❸ 製材のせき板を用いる場合、木材は**スギ、マツ**などの**針葉樹**が適します。

➡ 広葉樹のカシ、キリ、ケヤキなどはアルカリによる抽出物が多く、コンクリート表面に硬化不良をおこすのでせき板には使用しないようにします。

❹ 透水型枠　せき板に細かい孔を開け、特殊な織布を張り付けた型枠です。高い通気性・透水性により、コンクリートの余剰水を排出して水セメント比を低下させ、コンクリートの表層部をち密にする効果があります。

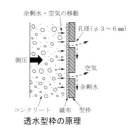
透水型枠の原理

❸ 締付け金物

　せき板の形状を保持し、せき板と支保工を緊結する部材で、セパレーター、フォームタイ、ばた材などがあります。なお、締付け金物は、型枠の変形を防止するために締めすぎないようにする必要があります。

【1】 セパレーター

　型枠の間隔を一定に保つために用いる金具です。

❶ 丸セパB型　打放し仕上げ面（表面仕上げがない場合）に用います。コーンの跡穴は、硬練りモルタルなどで埋め戻します。

コーンの跡穴埋め

❷ 丸セパC型　見え掛かりで仕上げがない箇所（設備シャフト内など）に用います。型枠取外し後、表面に座金及び頭（ねじ頭部分）が残ります。

　➡ねじ頭はハンマーでたたき折って除去し、座金部分には錆止め塗料を塗布します。

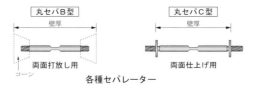
各種セパレーター

【2】 フォームタイ

　躯体内部側においてセパレーター及びコーンで離隔したせき板を、その外側からばた材を介して締め付けて固定する金具です。

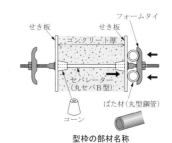
型枠の部材名称

4 支保工・その他

型枠支保工は、支柱、大引・根太、ばた材、水平つなぎ、建入れ直しチェーンなどが該当します。

【1】 支柱

① 鋼管（パイプサポートを除く）

型枠支保工の支柱として用いる場合、高さ2m以内ごとに、水平つなぎを2方向に設け、かつ、水平つなぎの変位を防止します。

② パイプサポート

鋼管の長さを調整できるように、ネジで2本を組み合わせたものです。

●継ぎ足して使用する場合、3本以上継いではいけません（2本まで）。

●4本以上のボルトまたは専用金具を用いて継ぎます。

●高さ3.5mを超えるときは、高さ2m以内ごとに水平つなぎを2方向に設け、かつ、水平つなぎの変位を防止します。
<small>H29・R3</small>
<small>H29・R5</small>

③ 組立て鋼柱

4本以上の柱で4構面を形成されたユニットを組み上げていく支柱で、高さが高く、かつ、大きい荷重を支持する場合に用いられます。高さが4mを超える場合、高さ4m以内ごとに水平つなぎを2方向に設け、かつ、水平つなぎの変位を防止します。
<small>H29・R3</small>

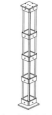

受け板
ピン穴
支持ピン
調節ネジ
台板

パイプサポート

組立て鋼柱式支保工

支柱の種類	水平つなぎの設置
鋼管（パイプサポート除く）	高さ2m以内ごとに、2方向に設ける <small>R3</small>
パイプサポート	高さ3.5mを超えるとき、高さ2m以内ごとに2方向に設ける
組立て鋼柱	高さ4mを超えるとき、高さ4m以内ごとに2方向に設ける

型枠支保工はよく出題されます。パイプサポートを中心に、特徴と水平つなぎの設置基準を正確に覚えましょう。

④ 鋼管枠

● 鋼管枠相互の間に交差筋かいを5枠以内ごとに設けます。

● 最上層及び5層以内・5枠以内ごとに、水平つなぎ及び布枠を設けます。

R1・3・5

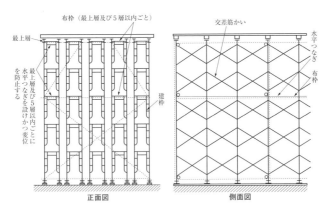

⑤ 軽量型支保梁

スラブ型枠の支保工に軽量型支保梁を使用する場合、支保梁の中間部を支柱で支持してはいけません。

R1

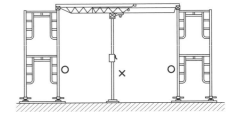

【2】 その他支保工

　ターンバックル・チェーンなどがあります。ターンバックルは、ねじによる引締め金具のことで、建入れ直し用チェーンに取り付けて、型枠の建入れや垂直保持のために使用します。

ターンバックル

【3】 その他の型枠材

　コラムクランプ　独立柱の型枠の締付けに用いる剛性の高い鋼材で、柱を4方向から水平に締め付けて使用します。柱角部の開き防止にも有効です。セパレーターと同時には用いません。

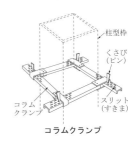

コラムクランプ

> | Q | 支柱として用いるパイプサポートの高さが3.6mであったので、水平つな ぎを高さ1.8mの位置とし、2方向に設けるとともに、水平つなぎの変位 を防止した。
> 例
> 題
> | A | ○

2 | 型枠の設計と加工・組立て

　型枠にはさまざまな荷重が作用します。それらの荷重に対して、型枠が安全か つ精度を保てるように、構造計算で確認し、型枠工事計画を立てます。

1 型枠に作用する荷重

【1】 鉛直荷重

　型枠に作用する<u>鉛直荷重</u>は、次の❶＋❷になります。

❶ | 固定荷重 | 打込み時の鉄筋、コンクリート、型枠の重量による荷重
　➡鉄筋・コンクリートの自重（23.5kN/㎡×部材厚さm）＋型枠重量
　（在来の型枠工法の場合：0.4kN/㎡）

❷ | 積載荷重 | 「打込み時の打設機具、作業員などの**作業荷重**」＋「打込みに伴 う**衝撃荷重**」
　➡在来型枠工法、**ポンプ工法**による場合：1.5kN/㎡

MEMO

厚さ20㎝の鉄筋コンクリートスラブを通常のポンプ工法で打込む場 合の型枠の設計に用いる鉛直荷重を計算してみる。
23,500N/㎡×0.2m＋400N/㎡＋1,500N/㎡＝6,600N/㎡

【2】 水平荷重

　風圧による荷重は**考慮する場合があります**が、**地震による荷重は通常考慮す る必要はありません**。一般的には以下の値により計算します。

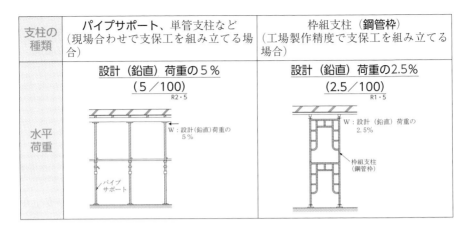

支柱の種類	パイプサポート、単管支柱など （現場合わせで支保工を組み立てる場合）	枠組支柱（**鋼管枠**） （工場製作精度で支保工を組み立てる場合）
水平荷重	設計（鉛直）荷重の**5%** （5／100） R2・5	設計（鉛直）荷重の**2.5%** （2.5／100） R1・5

パイプサポートは現場合わせで単品を組み合わせるため、安全性をより確保するため、荷重を大きく見込みます。

【3】 コンクリートの側圧

側圧は、「**打込み速さ**」「**ヘッド**」「**質量（単位容積質量**W_0**）**」「**温度**」、打込み時の「**気温**」「**打込み部位（柱・壁）**」などに影響されます。コンクリート温度、気温が高いほど凝結時間が短くなり、**側圧は減少**します。

	小 ◄—— 側圧 ——► 大	
コンクリートの**打込み速さ**	遅	速
コンクリートの**ヘッド** (H)	小	大
コンクリートの**質量**	小	大
コンクリートの**温度**、気温	高	低
打込み部位（壁、柱）	壁	柱

MEMO

コンクリートの打込み速さ
➡ 20m／h以下の場合。

【ポンプ工法による型枠設計用コンクリートの側圧（kN/㎡）】

● 型枠に作用する側圧は「コンクリート単位容積質量」×「重力加速度」×「コンクリートのヘッド（高さ）」（$=W_0H$）とします。

● 高流動コンクリート、高強度コンクリートの側圧も、「**液圧**」（W_0H）が作用するものとして算定します。

2 型枠の構造計算

❶ 型枠支保工用に用いる鋼材の「許容曲げ応力度」及び「許容圧縮応力度」は、その鋼材の「降伏強さの値」または「引張強さの値の$\frac{3}{4}$の値」のうち、いずれか小さい値の$\frac{2}{3}$の値以下にします。

H29・R1・3

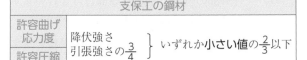

支保工の鋼材	
許容曲げ応力度	降伏強さ
許容圧縮応力度	引張強さの$\frac{3}{4}$ } いずれか小さい値の$\frac{2}{3}$以下

MEMO

コンクリート型枠用合板の曲げヤング係数は、長さ方向スパン用と幅方向スパン用では異なる数値とする。

支保工の許容応力度は鋼材の長期許容応力度に近くなります。安全率を大きくみていることになりますね。

❷ 型枠支保工以外の許容応力度は、**長期**と**短期**の**平均値**にします。

H30・R2・4

❸ 合板は、方向性によるヤング係数の低下を考慮します。

❹ 合板のたわみは、転用による劣化を考慮して、**単純梁**として扱います。

R2
H30・R6

❺ 大引のたわみは、**単純支持と両端固定支持の平均値**にします。

❻ 各部材の変形量の許容値は3mm以下とし、目安としては2mm以下、総変形量としては5mm以下が望ましいです。

H30・R2・6

❼ 鋼管枠の場合、荷重の支持方法により許容荷重が異なることに注意します。

例題

Q 型枠の強度及び剛性の計算は、コンクリート打込み時の振動・衝撃を考慮したコンクリート施工時における「鉛直荷重」「水平荷重」及び「コンクリートの側圧」について行った。

A ○

---

3 型枠の加工・組立て

❶ 配筋、型枠の組立て又はこれらに伴う資材の運搬、集積等は、これらの荷重を受けるコンクリートが**有害な影響を受けない材齢**に達してから開始します。

R4

❷ 柱型枠の足元は、垂直精度の保持・変形防止及びセメントペーストの漏出防止のための**根巻き**を行います。根巻きの方法としては、**根巻金物**を使用する

方法や桟木（敷桟）による方法などが用いられます。

❸ 支柱は、垂直に立て、上下階の支柱は、可能な限り平面上の同一位置とします。また、地盤に支柱を立てる場合は、地盤を十分締め固めるとともに、剛性のある敷板や敷角を設けるなど支柱の沈下防止のための措置を講じます。

❹ 支柱脚部の滑動防止のため、支柱脚部の固定、根がらみ取付け等行います。

❺ 型枠は、足場、遣方等の仮設物と連結させてはいけません。

❻ 鋼材の接続部や交差部は、ボルト、クランプ等の金具を用いて緊結します。

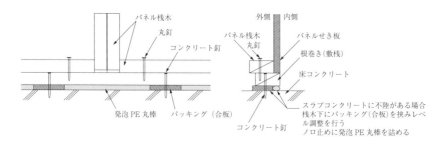

3 │ 型枠の存置期間

「コンクリートの圧縮強度試験による場合」と「コンクリートの養生期間（材齢）による場合」のいずれかを満足すれば、せき板・支保工（支柱など）は取り外すことができます。

1 せき板・支保工の取外し基準

【1】せき板の取外し

せき板は、原則として、構造体コンクリートの圧縮強度が5 N/㎟以上であることを確認後、取り外すことができます。

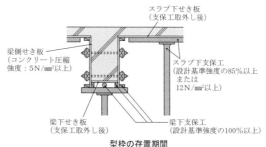

型枠の存置期間

せき板は、圧縮強度5N/㎟を確認するか、養生期間（気温20℃未満6日、20℃以上4日）を満足すれば取り外すことができます。

❶ 等価材齢換算式による方法

コンクリートの<u>温度の影響を等価な材齢に換算した式によってコンクリート強度を計算する方法です。この方法によって計算した圧縮強度が、5N/㎟以上（短期・標準）、10N/㎟以上（長期・超長期）であることを確認してせき板を取り外します。</u>_{R6}

【2】支保工の取外し

	梁下の支保工	スラブ下の支保工
圧縮強度による場合	設計基準強度の100％以上かつ構造計算による安全確認	（設計基準強度の85％又は12N/㎟以上）かつ構造計算による安全確認
材齢による場合	28日以上経過	15℃以上　17日以上経過 5℃以上　25日以上経過 0℃以上　28日以上経過

例題

Q コンクリートの圧縮強度が、設計基準強度の80％に達したので、梁下の支柱を取り外した。

A ✕　梁下は80％ではなく100％。スラブ下は85％。

支保工の取外し基準はとても重要です。強度による場合、材齢による場合いずれも正確に覚えてください。

コンクリート工事は例年2問程度の出題で、応用問題でも出題されるなど、「躯体施工」範囲の中心となります。最近では、「調合」に関する比較的難度の高い出題が見受けられるようになってきました。重要な数値は確実に覚えなければなりません。また、第1編第4章第1節「セメント・コンクリート」と本章とは関連性が高く、どちらの範囲からでも出題される可能性がありますので、必ず相互に参照してください。

1 コンクリートの調合

コンクリートを練り混ぜる際の各材料の混合割合を「**調合**」といいます。調合は、所要の**強度・耐久性・ワーカビリティー**が得られるように行います。

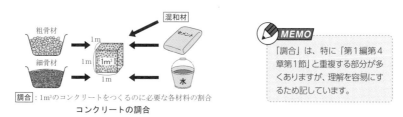

調合：1m³のコンクリートをつくるのに必要な各材料の割合

コンクリートの調合

> **MEMO**
>
> 「調合」は、特に「第1編第4章第1節」と重複する部分が多くありますが、理解を容易にするため記しています。

1 構造体の耐久性

【1】計画供用期間

計画供用期間とは、構造躯体の計画耐用年数のことで、短期から超長期までの4水準があります。

【2】計画供用期間と耐久設計基準強度 (Fd)

耐久設計基準強度 (Fd) は計画供用期間に対応する耐久性を確保するために必要なコンクリートの圧縮強度をいい、特記がない場合、次表のように決定します。

計画供用期間の級	計画供用期間	耐久設計基準強度 (Fd)
短　期	およそ30年	18N/㎟
標　準	およそ65年	**24N/㎟**
長　期	およそ100年	30N/㎟
超長期	100年超	36N/㎟

② 調合の決め方

コンクリートの調合強度はおおむね下図の流れで決定されます。

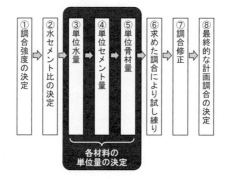

【1】 調合強度を決める

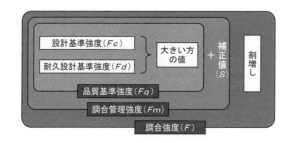

この図はとても重要です。設計基準強度、耐久設計基準強度、品質基準強度、調合管理強度、調合強度について、きちんと理解して覚えてください。

大 切な品質を正しく 管理して調合する
耐　設　品質　　補正値 調合管理 調合強度

❶ 品質基準強度 （Fq）

構造体に必要なコンクリートの圧縮強度（構造体が確保すべき強度）のことで、「設計基準強度」と「耐久設計基準強度」を確保するためのコンクリートの品質の基準として定める強度です。特記がない場合は、「設計基準強度」または

設計基準強度（Fc）　　耐久設計基準強度（Fd）
構造設計において基準とするコンクリートの圧縮強度　　計画供用期間に応じた耐久性確保に必要なコンクリートの圧縮強度

大きい方の値

品質基準強度（Fq）
構造体の要求性能に必要なコンクリートの圧縮強度
（構造体が確保すべき強度）

275

「耐久設計基準強度」の大きい方の値を品質基準強度とします。

❷ 調合管理強度（Fm）

● 構造体コンクリートの強度が、品質基準強度（Fq）を満足するようにコンクリートの調合を定めるにあたり、標準養生された供試体が満足しなければならない圧縮強度のことです。品質基準強度に、構造体強度補正値（S）を加え、$Fm = Fq + S$（N/㎟）として定めます。

● 構造体強度補正値（S）は、特記がない場合、セメントの種類及び打込みから材齢28日までの予想平均気温の範囲に応じて、普通ポルトランドセメントの場合は以下のように定めます。

普通ポルトランドセメント	コンクリートの打込みから28日までの予想平均気温（θ）の範囲	
	$\theta \geqq 8℃$	$0℃ \leqq \theta < 8℃$,　$25℃ < \theta$
構造体強度補正値（S）	3 N/㎟	6 N/㎟

❸ 調合強度（F）は、コンクリートの調合を決定する際に目標とする圧縮強度で、調合管理強度に強度発現のばらつきを考慮して割増しした強度です。その際に使用するコンクリートの圧縮強度の標準偏差は、コンクリート工場に実績がない場合、2.5N/㎟または0.1Fmの大きい方の値とします。

【2】水セメント比（x）を決める

❶ コンクリートの強度は、おもに水とセメントの質量比である水セメント比によって決まります。高い強度が必要な場合は、水セメント比を小さくします。

$$水セメント比（W / C）＝\frac{水の質量（W）}{セメントの質量（C）}×100（\%）$$

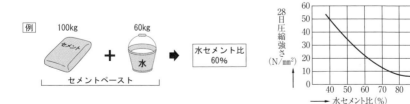

コンクリート強度は水セメント比に反比例します。

❷ 水セメント比が大きくなると、強度・耐久性・水密性の低下や乾燥収縮の増大などが生じるため、**水セメント比の最大値**が規定されています。

セメントの種類	計画供用期間の級		
	短期・標準・長期		
ポルトランドセメント （普通ポルトランドセメントなど）	65%以下		
混合セメント （高炉セメントB種、フライアッシュセメントB種など）	60%以下		

覚え方　「お店の向こうからバーゲン中毒の群れ」
　　　　水セ　　65　　　B　　　水中　　60

❸ 再生骨材Hを用いる場合、一般の場合と同程度の圧縮強度を得るためには、水セメント比を若干小さくする必要があるため、水セメント比の最大値は60%とします。再生骨材は解体工事などから、排出されるコンクリートからの再生品で、グレードにより、L、M、Hに分けられます。再生骨材Hは一般の骨材と同様に扱うことができます。

❹ 水セメント比を低減することは、密実なコンクリートとなるため、コンクリート表面からの**塩化物イオン**の浸透に対する抵抗性を高めることができます。
H29・R2

【3】 単位水量（W）を決める

　単位水量が多いと、ブリーディング量の増加、乾燥収縮の増加などの悪影響が生じます。そのため、必要なワーカビリティーが得られる範囲で、できるだけ小さくします。一般に、**単位水量は185kg/m³以下**とします。
R1・4

覚え方　「タンスに一つはゴン」
　　　　単位水量　1　　85

【4】 単位セメント量を決める

　水セメント比と単位水量から決まりますが、少なすぎると、**ワーカビリティー**が悪くなり、水密性や耐久性も低下するため、**最小値**が定められています。一方、多すぎると、**乾燥収縮や水和熱によるひび割れ**の原因になりますので、で

第3・1編 躯体施工

8

コンクリート工事

きるだけ少なくする必要があります。

【単位セメント量の最小値】

● 普通コンクリート：270kg/m³以上

　　　　　　　　　　　H29・R2

● 場所打ちコンクリート杭等の水中コンクリート：330kg/m³以上

覚え方　「セメをになってへいの中でさんざん」
　　　　　　　セメント　27　　　　　水中　　　330

【5】 単位骨材量を決める

❶ **細骨材率**とは、骨材量（細骨材＋粗骨材）に対する細骨材量の割合のことで、絶対容積の割合で表します。

$$細骨材率 = \frac{細骨材の絶対容積}{細骨材の絶対容積＋粗骨材の絶対容積} \times 100（\%）$$

細骨材率は所定の品質が得られる範囲内で、**できるだけ小さく**します。

| 過小 | 粗骨材が分離しやすく、バサバサのコンクリートになります。 |

| 過大 | 流動性が悪くなり、乾燥収縮が大きくなります。所要のスランプを得るためには、単位水量が大きくなり、単位セメント量も多くなります。 |

❷ **単位粗骨材量**は、乾燥収縮ひずみ抑制のため、**できるだけ大きく**します。
　　　　　　　　　　　　　　　　　　　　　　　　　　R2

❸ 骨材は扁平なものより**球形**に近い方が、ワーカビリティーがよくなります。
　　　　　　　　　　　　　　　　　　　　　　　　　　　　　　R5

細骨材はできるだけ少なく、粗骨材はできるだけ多くしたいところですが、施工性に大きく影響します。

【6】 空気量

コンクリートのワーカビリティー、**凍結融解抵抗性**が増加しますが、空気量が増えれば強度が低下します。普通コンクリートで**4.5%**を標準とします。
　　　　　　　　　　　　　　　　　　　　　　　　　　　　　　R3

覚え方　「空気読めずに仕事もいっこうはかどらず」
　　　　　　　　　　　4.5　　±1.5

【7】 塩化物量

塩化物量　塩化物が多いと鉄筋の腐食が生じやすくなるため、コンクリート1㎥中の**塩化物イオン量は0.3kg/㎥以下**に総量規制されます。

【8】 アルカリシリカ反応

アルカリシリカ反応とは、反応性シリカを含む骨材と、セメントなどに含まれるアルカリ金属イオンと反応したものが、水分を吸収、膨張してコンクリートにひび割れ、ポップアウトなどを生じさせる現象です。この抑制には、次の❶〜❸のいずれかの対策を実施します。

❶ 反応性の骨材を使用しない（無害の骨材を使用）。

❷ コンクリート中の**アルカリ総量の低減（3.0kg/㎥以下）**。

❸ アルカリシリカ反応の抑制効果のある、**混合セメント**を使用。

H29・R2・5

【9】 コンクリートの施工性・流動性

ワーカビリティーとはフレッシュコンクリート打込み、締固めなどの**作業の容易性**をいいます。このワーカビリティーは、主にスランプによって代表されます。**スランプ**とは、高さ30cmのスランプコーンにコンクリートを詰め、コーンを引き上げた後の、**中央部における下がり量**です。

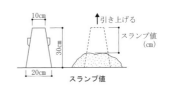

※　調合管理強度33N/㎟未満：18cm以下　許容差±2.5cm

※　調合管理強度33N/㎟以上：21cm以下　許容差±1.5cm（原則）

スランプ試験はフレッシュコンクリートの受入れにおいて、とても重要な試験です。許容差もあわせてしっかり覚えましょう。

【10】 試し練り

最終的には、原則として**試し練り**を行い、条件を満足することを確認して調合を決定します。ただし、JISA5308適合認証製品を使用する場合には、**試し練りを省略**することができます。

例	**Q**	普通ポルトランドセメントを使用する普通コンクリートの調合にあたり、水セメント比は設計基準強度を保証できる67%とした。
題	**A**	**✕** 67%ではなく65%以下。

2 製造・受入れ・運搬・打込み・養生

■1 コンクリートの発注・製造

【1】レディーミクストコンクリート工場の選定

- 所定時間限度内にコンクリートを打ち込める距離の工場を選定します。
- 同一工区に2以上の工場のコンクリートを打ち込まないようにします。

【2】レディーミクストコンクリートの発注

- 呼び強度の強度値は、「調合管理強度」以上とします。
- 呼び強度を保証する材齢は、原則として28日とします。

■2 コンクリートの運搬

- 運搬及び打込みに際しては、コンクリートに水を加えてはなりません。
- 荷卸し直前にトラックアジテータのドラムを高速回転させて、コンクリートを攪拌し、均質にした後に排出します。

トラックアジテータ
(生コン車・ミキサー車)

■3 コンクリートの現場内運搬

【1】コンクリートポンプ車

　圧送方式から、ピストン式とスクイズ式に分類されます。

スクイズ式ポンプの概要

【2】 輸送管の配置

　輸送管は、フレッシュコンクリートの圧送に用いる鋼製やゴム製の管をいいます。型枠や配筋などに直接振動を与えないように、**支持台**や**緩衝材**を用いて設置します。

コンクリートポンプ車

【3】 輸送管の径

	粗骨材の最大寸法 （mm）	輸送管の呼び寸法 （mm）
普通骨材	20、25	100A以上 R2・5
	40	125A以上 H30・R2
軽量骨材 （高所圧送・長距離圧送の場合）		

【4】 圧送負荷

　コンクリートポンプに加わる圧送負荷の算定に用いる配管長さは、**ベント管**の水平換算長さの場合、実長の**3倍**、テーパー管・フレキシブルホースの場合、実長の**2倍**で計算します。
R1・6

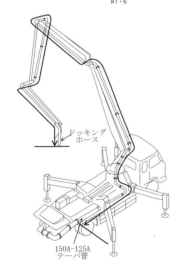

ドッキングホース

150A-125A
テーパ管

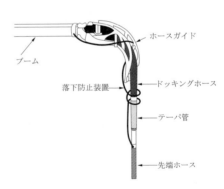

ブーム

落下防止装置

ホースガイド

ドッキングホース

テーパ管

先端ホース

圧送中に閉塞した場合は、その箇所の輸送管を速やかに取り外し、その部分のコンクリートは**廃棄します**。

【6】先送りモルタル

圧送に先立ち、配管の水密性や潤滑性の確保のために、<u>水及び**先送りモルタ ル**（富調合のモルタル）を圧送します。先送りモルタルは、原則として型枠内 には打ち込まず、全て廃棄します。</u>

H30・R3・5

4 コンクリートの打込み

【1】打込みの注意点

❶ 型枠内で分離が生じやすくなる横流しはできるだけ避けます。

❷ 自由落下高さは、コンクリートが**分離しない範囲**とします。

【2】打込み区画

❶ 遠い区画から先に打ち込み、手前に**後退** しながら行います。

❷ 階段を含む区画は、階段まわりから先に 打ち込みます。

❸ パラペットの立上り、庇、バルコニーな どは、これを**支持する構造体部分と同一 の打込み区画**とします。

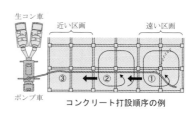

コンクリート打設順序の例

【3】柱の打込み

❶ コンクリートを一度スラブまたは梁で受けた後、柱 各面から打ち込みます。

➡自由落下高さを抑えて、コンクリートが分離する のを防ぎます。

❷ 階高が高い柱や壁（高さ4.5～5m以上）に打ち込 む場合は、**縦型シュート**などを利用して、コンク リートが分離しない高さから打ち込みます。

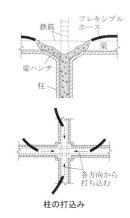

柱の打込み

いかにコンクリートが分離しないように打ち込むかがポイントですね。

【4】壁の打込み

❶ 打込み口を3m程度の間隔で移動し、各位置から平均して打ち込みます。

❷ 横流しで打込みを行うことは、分離などの原因となるため避けます。

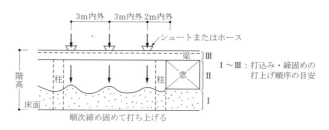

【5】梁の打込み

● 柱、壁は梁下で一度打込みを止めてコンクリートを沈下させてから打ち重ねる。梁上部まで連続して打ち込むと、コンクリートの沈降により、梁との境目にひび割れが発生するおそれがあります。

● せいが高い梁は、スラブと一緒に打ち込まず、梁だけ先に打ち込みます。

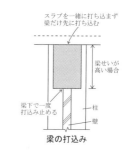

梁の打込み

【6】鉄骨鉄筋コンクリート造の梁への打込み

フランジの下端が空洞とならないように、フランジの片側から流し込み、反対側にコンクリートが上昇するのをまって全体に打ち込みます。

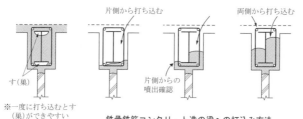

鉄骨鉄筋コンクリート造の梁への打込み方法

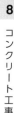

【7】 コンクリートの打込み速度

ポンプ工法による打込み速度は、スランプが18cm程度のコンクリートの場合は20〜30㎥/hを目安とします。

5 コンクリートの締固め

【1】 棒形振動機による締固め（内部振動機）

棒形振動機の例
（高周波バイブレーター）

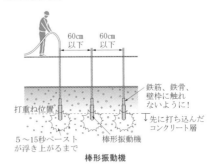

60cm
以下　60cm
以下

鉄筋、鉄骨、
壁枠に触れ
ないように！

打重ね位置

先に打ち込んだ
コンクリート層

5〜15秒ペースト
が浮き上がるまで

棒形振動機

棒形振動機

① <u>加振時間は、コンクリートの表面にセメントペーストが浮き上がるまでで、一般に、１カ所５〜15秒程度と</u>します。
R1・3・5・6

② 棒形振動機の挿入間隔は60cm以下とします。

③ 振動機は、鉄筋・埋込み配管・型枠などに接触しないようにします。

④ 振動機の先端は、先に打ち込んだ層に先端が入るようにします。

⑤ 振動機を引き抜くときは、打ち込んだコンクリートに穴が残らないように、加振しながら徐々に引き抜きます。

耐久性の高いコンクリートにするためには、密実に打ち込むことが重要です。そのための、締固めに関する規定です。

【2】 タンピング

「コンクリートの沈み」「材料分離」「ブリーディング」「プラスチック収縮ひび割れ」などの硬化前の不具合は、コンクリートの凝結が終了する前にタンパーによるタンピングにより処置を行います。

コンクリート

タンピング

6 時間管理

コンクリートの「練混ぜから打込み終了までの時間」及び「打込み継続中における打重ね時間」は以下のように、外気温によって決まります。なお、<u>打重ね時間は、先に打ち込まれたコンクリートが再振動可能な時間内</u>とします。 R3・6

外気温	練混ぜから打込み終了までの時間	打重ね時間の間隔
25℃未満	<u>120分以内</u>	<u>150分以内</u>
25℃以上	<u>90分以内</u> R3・5	<u>120分以内</u> R1

※ 高強度コンクリート、高流動コンクリートにおける「練混ぜから打込み終了までの時間限度」は、高性能AE減水剤による凝結遅延効果により外気温にかかわらず120分以内とする。

欠陥のないコンクリートにするためには、時間管理も重要ですね。

「日光で暑い打込み苦労を重ねてヒーフー」
　25℃　　　　　90分　　　1　20分

7 打継ぎ

コンクリートの打継ぎ部は、完全な一体化は期待できないため、できるだけ少なくし、やむを得ず打継ぎ部を設ける場合は、<u>応力の小さい所で打ち継ぐ</u>ことが基本です。

【1】 打継ぎ位置

① 水平打継ぎ部

柱及び壁において、水平打継ぎ部を設ける場合は、一般に<u>床スラブ、梁、基礎梁の上端</u>に設けます。

② 鉛直打継ぎ部

<u>梁及びスラブにおいて、鉛直打継ぎ部を設ける場合は、せん断応力の小さいスパンの中央部付近または曲げ応力の小さいスパンの$\frac{1}{4}$付近に設けます。</u> R6

柱及び壁の水平打継ぎ位置

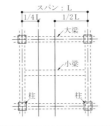

梁及びスラブの鉛直打継ぎ位置

MEMO

打継ぎとは、硬化後のコンクリートに新たなコンクリートを打つことをいい、**打重ね**とは、硬化前のコンクリートに新たなコンクリートを打つことをいう。

【2】打継ぎ面の注意点

❶ 打継ぎ面は、レイタンス、ぜい弱なコンクリート、ごみなどを取り除き、健全なコンクリートを露出させます。

❷ 打継ぎ部は、散水などにより、湿潤状態にしておきます。_{R2}

❸ 外部に面する場合、防水処理を行う目地（打継ぎ目地）を設けます。

8 養生

【1】湿潤養生（初期養生）

湿潤養生には、以下の方法があります。

❶ 透水性の小さいせき板による被覆、養生マット、水密シートなどの被覆による「水分維持」

❷ 散水又は噴霧による「水分供給」_{R4・6}

❸ 膜養生や浸透性養生剤の塗布による「水分逸散防止」_{R4}

実施時期	❶ コンクリート打設の仕上げ後
	❷ コンクリート凝結終了後
	❸ コンクリートのブリーディング終了後

実施時期

❶ コンクリート打設の仕上げ後

❷ コンクリート凝結終了後

❸ コンクリートのブリーディング終了後_{H30・R6}

養生期間 普通ポルトランドセメントの場合は5日以上、早強ポルトランドセメントの場合は3日以上とします。また、いずれのセメントの場合も圧縮強度が10N/㎟以上になれば、湿潤養生を打ち切ることができます（コンクリートの厚さ18cm以上）。_{H29・30・R4・6}

耐久性、強度の高いコンクリートにするには"水をたっぷり"与えて養生することが重要です。ただし、タイミングを誤ると水セメント比を上げてしまったり、効果が少なくなってしまいます。

【2】養生温度

打込み中及び打込み後5日間以上はコンクリートの温度を2℃以上に保ちます。なお、早強ポルトランドセメントの場合は3日間以上です。
<small>H29・R4</small>

【3】振動・外力からの保護

打込み中及び打込み後5日間は、乾燥、振動等によって凝結及び硬化が妨げられないように養生しなければいけません。少なくとも1日間（24時間）はその上を歩行したり、作業をしてはいけません。やむを得ず、歩行や墨出しなどの軽作業を行う場合は、適切な養生を行い、静かに作業します。

例題	**Q**	棒形振動機は、打込み各層ごとに用い、その各層の下層に振動機の先端が入るようにほぼ鉛直に挿入し、挿入間隔を60cm以下とし、コンクリートの上面にペーストが浮くまで加振した。
	A	○

例題	**Q**	梁において、やむを得ずコンクリートを打ち継ぐ必要が生じたので、その梁の鉛直打継ぎ部については、梁の端部に設けた。
	A ✕	せん断応力の小さいスパンの中央部付近または、曲げ応力の小さい $\frac{1}{4}$ 付近に設ける。

3 各種コンクリート

1 軽量コンクリート

軽量コンクリートは、骨材の一部または全部に**人工軽量骨材**を用いたコンクリートです。軽量コンクリートの特徴は、普通コンクリートに比べ、**単位容積質量が小さい（軽量である）**ことです。

【1】種類

1種 粗骨材に人工軽量粗骨材、細骨材に普通骨材を使用します。

2種 粗骨材及び細骨材に、主として人工軽量骨材を使用します。

コンクリートの種類	設計基準強度の最大値	気乾単位容積質量の範囲の標準
軽量コンクリート1種	36 N/㎟	1.8〜2.1t/㎥
軽量コンクリート2種	27N/㎟	1.4〜1.8t/㎥

【2】施工

❶ スランプはコンクリートの強度によらず、21cmとします。

❷ ポンプ圧送する場合、骨材の吸水によるスランプ低下や配管閉塞の危険性が生じるため、**事前に十分吸水**させた人工軽量骨材を使います。

2 寒中コンクリート

　寒中コンクリートは、コンクリート打込み後の養生期間中にコンクリートが凍結するおそれのある場合に施工されるコンクリートのことで、打設日を含む旬（10日間）の平均気温が4℃以下になることが予想される時期に打ち込むコンクリートです。

【1】品質

❶ AE剤、AE減水剤、高性能AE減水剤のいずれかを用います。

❷ 空気量は4.5〜5.5%を標準とします。

❸ 材料を加熱する場合は、水または骨材を加熱します。

● **骨材を加熱する場合、直接火で加熱してはいけません。**

● セメントはいかなる方法でも、**加熱してはいけません。**

❹ 加熱した材料を用いる場合、セメントを投入する直前のミキサー内の骨材及び水の温度は40℃以下とします。

【2】施工

❶ 荷卸し時の温度は10〜20℃とします。ただし、十分な**温度上昇**が見込まれる場合、工事監理者の承認を得て、下限値を5℃とすることができます。

❷ **初期凍害**を受けないように**初期養生**（加熱、断熱、保温）を行います。

● 初期養生の期間は、圧縮強度が5 N/㎟に達するまでとします（加熱養生の際は、散水等で加湿します）。

寒い時期は「凍害」が大敵！　凍らせないよう細心の注意を！

3 暑中コンクリート

　暑中コンクリートは、暑中に施工されるコンクリートのことで、打込み予定日の日平均気温の平年値が25℃を超える時期に打ち込むコンクリートです。

【1】品質

❶ 凝結を遅らせるため、**遅延形の混和剤**を用います。

❷ 荷卸し時の温度は、原則として**35℃以下**とします。
R1・6

❸ 構造体強度補正値（S値）は**6N/mm²**とします。

【2】施工

❶ 練混ぜ開始から打込み終了までの時間を**90分以内**とします。

❷ 湿潤養生開始時期

コンクリート上面	ブリーディング水の消失時期
せき板面	脱型直後

H29

暑すぎると強度増進が望めません。またひび割れなどの欠陥が生じやすくなります。これらを防止する方法が出題ポイントです。

4 流動化コンクリート

　流動化コンクリートは、ベースコンクリートに**流動化剤**を現場で添加し、攪拌して流動性を増大させたコンクリートです。

【1】品質

❶ 調合強度は、ベースコンクリートの圧縮強度に基づいて決めます。

❷ ベースコンクリートの単位水量は、**185kg/m³以下**とします。

❸ スランプは、ベースコンクリート**15cm以下**、流動化コンクリート**21cm以下**とします。

❶ **荷卸しから打込み終了までの時間**

流動化コンクリートは、一般に流動化後のスランプ低下が大きいため、「荷卸しから打込み終了までの時間」はできるだけ短時間とします。

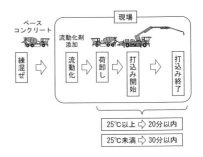

外気温	荷卸しから打込み終了までの時間
25℃未満	30分以内
25℃以上	20分以内

5 高強度コンクリート

高強度コンクリートは、設計基準強度が48N/㎟を超えるコンクリートです。

【1】 品質

❶ 単位水量は、原則として、175kg/㎥以下とします。

ただし、良質な骨材が確保できないなどの骨材事情により高性能AE減水剤を使用しても困難である場合、185kg/㎥以下にできます。

❷ 水セメント比は50%以下とします。

❸ 流動性はスランプまたは**スランプフロー**で表します。

設計基準強度	スランプフロー
48N/㎟超、60N/㎟以下	60cm以下

H29

用語

スランプフロー
スランプ試験時にスランプコーンを引き上げた後、円状に広がった直径で表す。

フレッシュコンクリート
スランプフロー試験

❹ 塩化物量は、一般と同様に、**塩化物イオン量**として**0.30kg/㎥以下**。

R4

❺ 高強度コンクリートの計画調合における品質・施工性の確認は、**実機プラント**による**試し練り**によって確認します。

❶ 練混ぜ開始から打込み終了までの時間は、外気温による影響を考慮せず、原則として一律120分とします。

_{H30・R2}

❷ 粘性が高く、振動・締固めが効きにくいので、締固めは入念に行います。

> 高強度コンクリートは採用事例が多くなってきました。今後、出題確率は上がります。要注意です！

6 マスコンクリート

マスコンクリートは、部材断面寸法が大きく、セメントの**水和熱**による**内外温度差**により有害な**ひび割れ**が入るおそれがある部分に用いるコンクリートです。

【1】品質

❶ 適用対象部材は、一般に最小断面寸法が、壁状部材については80cm以上、柱状部材などでは100cm以上を目安とします。

❷ 中庸熱・低熱ポルトランドセメントなどを用います。

❸ AE減水剤などの標準形または遅延形を用い、**促進形を使用してはいけません**。

❹ スランプは15cm以下とします。

【2】施工

コンクリートの内部温度の上昇をできるだけ低く抑え、内外の温度差を小さくすることが大切です。

❶ 荷卸し時の温度は、原則として35℃以下とします。

_{H30}

❷ 養生

●内部温度上昇の期間は、表面温度が急激に低下しないように養生します（冷却目的の散水は内外温度差を拡大させて、ひび割れを誘発します）。

_{R6}

●内部温度が最高温度到達後は、内部と表面部の温度降下が大きくならないように、**保温養生**によりひび割れを防止します。

●コンクリートの表面温度と外気温との差が小さくなってから取り外します。

マスコンクリートの大敵は温度ひび割れです。防止対策と養生方法が出題ポイントです。

7 水中コンクリート

水中コンクリートは、水中で施工するコンクリートで、**場所打ち杭**などに用いられます。

【1】品質

① 水セメント比は60％以下とします。

② 単位セメント量は330kg/m³以上とします。

③ 高い流動性をもち、振動機を使用せず十分充填できるものとします。

④ 水中または安定液中において、高い材料分離抵抗性が必要です。

【2】施工

● トレミー管などを用いて水中や安定液中に打ち込みます。

	Q	寒中コンクリートにおいて、荷卸し時のコンクリート温度の下限値については、打込み後に十分な水和発熱が見込まれるので、3℃とした。
例 題	A ✕	十分な温度上昇が見込まれる場合、工事監理者の承認を得て、下限値5℃とすることができる。通常は10〜20℃とする。
例 題	Q	暑中コンクリートにおいては、ひび割れの発生を防止するため、荷卸し時のコンクリートの温度は35℃以下とする。
	A ◯	

鉄骨工事からは例年2問程度の出題で、応用問題でも出題されます。コンクリート工事と並んで「躯体施工」の中心となる工事です。また、第1編第4章第2節「鋼材」と本章とは関連性が高く、どちらの範囲からでも出題される可能性がありますので、必ず相互に参照してください。頻出事項は「溶接」「高力ボルト接合」「建方」です。

1　工場作業

1　工作図・原寸図

【1】工作図

工作図は、カーテンウォール受材、ALC受材、設備配管用の梁貫通スリーブなどの検討や調整を行った後で、工事監理者の承認を受けます。

【2】現寸

工場の床面に実物大の現寸寸法で部材展開図を描くことを「床書き現寸」といいます。近年では、**工作図の承認をもって現寸検査に代える**ことが一般的になってきました。

【3】けがき

現寸図から作成した型板や定規を用いて、鋼材に切断・孔あけなどの位置を写し取る作業を「けがき」といいます。ポンチやたがねは、ハンマーで打つことにより鋼材表面に打痕を付けます。

- 490N/㎟級以上の**高張力鋼**及び**曲げ加工**される400N/㎟級の鋼材の外面には、原則として、**ポンチやたがねによる打痕を残してはいけません**（溶接により溶融する箇所または切断により除去される部分を除く）。
_{R6}

2 鋼材の加工

【1】 切断・切削加工（せっさく）

切断方法		特　徴
ガス切断法		切断速度が遅く、開始時余熱を必要とするが、切断面の精度もよく、経済的で、現在、**最も多用されている切断法**である
機械切断法	せん断	切断速度は速く効率的だが、切断部にかえり・バリなどが発生する。切断面が粗いため、重要部材や板厚が厚い部材への適用は避ける
	切　削	切断線を削り取って切断する方法で、のこぎり切断などによる
レーザー切断法		切断速度はガス切断の約2倍である。入熱変形が極めて少なく、切断幅が狭く、孔あけ加工が可能

❶ **ガス切断**による場合は、原則として、**自動ガス切断機**を用います（自動ガス切断機で著しい凹凸が生じた部分は修正する）。

❷ **せん断切断**する場合の板厚は、13mm以下とします。

【2】 開先加工（かいさき）

　溶接する母材の間に設ける溝を「開先（グルーブ）」といいます。

❶ **開先加工**は、**自動ガス切断機**によるガス加工又は、機械加工とします。

❷ 開先加工面の精度は、次の通りとし、精度が不良な部分は修正しなければいけません。なお、**ノッチ**とは、ガス切断により開先面に生じた、えぐられたような欠陥のことです。

あらさ	ノッチ深さ
100 μmRz以下	1 mm以下

※　$\mu = 10^{-6}$なので、$100\,\mu m = 10^{-4}m = 0.1mm$
※　μmRz（マイクロメーターアールゼット）は、表面の粗さ（面荒度）を表す単位。

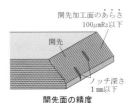
開先面の精度

【3】孔あけ加工

ドリル加工

せん断加工

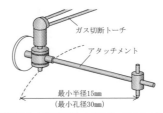

ガス加工（ガス切断トーチアタッチメント）

最小半径15mm
（最小孔径30mm）

区　分	用　途	加工法
ボルト接合	高力ボルト用孔	ドリルあけ・レーザー孔あけ
	普通ボルト用孔	ドリルあけ （板厚13mm以下はせん断孔あけ可） レーザー孔あけ
	アンカーボルト用孔	
貫通孔	鉄筋貫通孔（SRC造）	
	設備配管用貫通孔 （孔径30mm以上）	ガス孔あけ等

❶ 高力ボルト用の孔あけ加工は、板厚にかかわらずドリルあけとします。
ただし、監理者の承認がある場合はレーザー孔あけとすることが

用語

溶損部
レーザー孔あけの切断開始位置に生じる突起状又はノッチ状の凹凸部。

突起状　ノッチ状

できます。レーザー孔あけとする場合、**溶損部を含む孔径の精度は±0.5mm以下**とします。

高力ボルト用の孔あけは、ドリルあけ！　超重要事項です。

❷ ボルト用孔、アンカーボルト用孔、鉄筋貫通孔は、ドリルあけを原則とします。ただし、**板厚13mm以下はせん断孔あけ**とすることができます。
❸ 設備配管用貫通孔は孔径30mm以上の場合、ガス孔あけとしても大丈夫です。
❹ 高力ボルト接合面にブラスト処理を行う場合、孔あけ加工は、**ブラスト処理の前**に行います。
❺ 各ボルト孔の径は、ボルトの公称軸径により、次のとおりとします。

	ボルト径 (d)	孔 径
高力ボルト※	$d<27mm$	d＋2mm 以下 R6
	d≧27mm	d＋3mm 以下
ボルト	d<20mm	d＋1mm 以下
	d≧20mm	d＋1.5mm以下
アンカーボルト	—	d＋5mm 以下

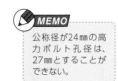

※ 溶融亜鉛メッキ高力ボルト接合も含む。
※ SRC造で、鉄骨に鉄筋の貫通孔をあける場合、径を統一することが望ましい。

【4】ひずみ矯正

　鋼材の**ひずみ**は、常温加圧もしくは局部加熱により矯正します。常温加圧により矯正する場合は、プレスまたはローラーなどを用います。

【5】曲げ加工

❶ 曲げ加工は、**常温加工**または**加熱加工**とします。

❷ 熱加工の場合は、**赤熱状態（850〜900℃）**とし、**青熱脆性域（200〜400℃）**で行ってはいけません。

❸ 柱、梁及びブレース端のハンチ等の**塑性変形能力**を要求される部材において、常温曲げ加工による**内側曲げ半径**は、**板厚の8倍以上**とします（外側曲げ半径が10倍以上の場合、機械的性質が加工前後で同等なことを**確認しなくてよい**）。

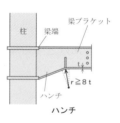
柱　梁端　梁ブラケット
r≧8 t
ハンチ

ハンチ

❹ 溶接後の精度を確保するために、溶接により生じるひずみを考慮して、あらかじめ、そのひずみの逆方向に鋼材を曲げ加工します（**逆ひずみ法**）。

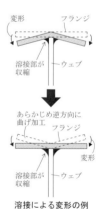
変形　フランジ
溶接部が収縮　ウェブ
あらかじめ逆方向に曲げ加工
フランジ
変形
溶接部が収縮　ウェブ

溶接による変形の例

【6】摩擦面の処理

　高力ボルト接合部は、応力伝達に必要な摩擦面処理をします。自然発錆（はっせい）、薬剤発錆、ブラスト処理で**すべり係数0.45以上**を確保します。

❶ 自然発錆

● 摩擦面のミルスケール（黒皮）は、ディスクグラインダーなどにより除去した後、屋外にて赤錆を自然発錆させます。

● ミルスケールは添え板全面の範囲について除去します。

> **用語**
> **ミルスケール（黒皮）**
> 鋼材の製造過程で、鋼材表面に形成される黒色の酸化鉄の層。ミルスケールは、高力ボルト摩擦面では除去する。溶接面では除去しなくてもよい。

❷ 薬剤発錆

● 黒皮除去後、薬剤を塗布して、所定期間養生し、赤錆状態を確保します。

❸ ブラスト処理

ショットブラストなどにより、表面粗さ50μmRz以上を確保します。

> **用語**
> **ショットブラスト**
> 小さな鋼球を処理面に吹き付け、ミルスケールや粉状の赤錆を除去する。高力ボルト摩擦接合の摩擦面の処理のほか、塗装下地の処理に用いる。

❹ 自然発錆・薬剤発錆により赤錆状態とした場合、またはブラスト処理で表面粗さ50μmRz以上とした場合、**すべり係数試験は省略**できます。

❺ **摩擦面及び座金の接する面の浮き錆、じんあい、油、塗料、溶接スパッタ**などは**取り除き**ます。

❻ 溶融亜鉛めっきの摩擦面

すべり係数0.40以上を確保することができるように、特記のない限り、表面粗さ50μmRz以上となるブラスト処理、又はりん酸塩処理とします。

> 高力ボルト摩擦接合は「摩擦面」が命！ です。各処理方法をしっかり押さえておきましょう。

【7】加工時の工夫・留意点

鉄骨鉄筋コンクリート造の最上部柱頭のトッププレートやダイヤフラムには、必要に応じて、**コンクリートの充填性を考慮した空気孔**を設置します。

R6

Q 高力ボルト用孔の孔あけ加工において、鉄骨部材の板厚が13mm以下であったので、せん断孔あけとした。

A ✕ 板厚に限らず、ドリルあけとする。

2 溶 接

1 溶接方法

　鉄骨工事の溶接は、電極間のアーク熱（放電現象の熱）で溶接棒と接合部の母材を溶かし、鋼材を一体化する**アーク溶接**が多く用いられます。

溶接種類		特　徴
アーク溶接	被覆アーク溶接 （手溶接[※1]）	金属の棒（心線）に被覆材（フラックス）を塗布した**溶接棒と母材の間に電圧をかけ**、発生したアーク熱を利用して溶接棒と母材を溶融させて溶接する方法。**風に強く**、比較的簡易な装置なので広く利用されている
アーク溶接	ガスシールドアーク溶接 （CO_2半自動溶接[※2]）	溶接部をガス（CO_2や$CO_2 + Ar$ガス）で遮断（シールド）しながら、溶接ワイヤ（ソリッドワイヤなど）を自動で送給して行うアーク溶接。**風に対して弱く、防風対策が必要**
その他の溶接	スタッド溶接 （アークスタッド溶接）	スタッドボルトの先端と母材の間にアークを発生させ、加圧して行う溶接。**合成梁や鉄骨柱脚のシアコネクタなどの溶接**に用いられる

※1　**手溶接**：溶接操作、溶接棒の交換をともに手作業で行う溶接
※2　**半自動溶接**：溶接操作は手作業、溶接ワイヤの送給が自動で行われる溶接
　　　自動溶接：溶接操作も溶接ワイヤの送給も自動で行われる溶接

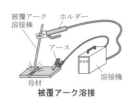

被覆アーク溶接

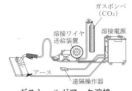

ガスシールドアーク溶接

【1】溶接材料の管理

❶ 被覆アーク溶接の溶接棒の管理

　溶接材料は充分乾燥させ、**吸湿の疑いのある場合は、再乾燥**させます。

❷ ガスシールドアーク溶接の溶接ワイヤ（ソリッドワイヤ）の管理

● 溶接ワイヤは、**梱包状態であれば乾燥の必要はありません。**

● 梱包を解いた後、数日間経っていても、適切に保管され、溶接ワイヤの**表面に錆がなければ、そのまま使用してかまいません。**

【2】サブマージアーク溶接

　サブマージアーク溶接は、自動溶接として最も代表的なもので、溶接部に沿って微細な粒状のフラックスを散布し、その中に電極ワイヤを供給して溶接を行います。自動溶接ですが、溶接状況の監視、微妙な溶接条件の調整や機械の調節は、**オペレーターによる操作が必要です。**
_{R3}

② 溶接継ぎ目

　溶接部の断面の形式を**溶接継ぎ目**といいます。鉄骨工事では主に、完全溶込み溶接、隅肉溶接、部分溶込み溶接などが用いられます。

【1】完全溶込み溶接

　接合部の**全断面**を完全に溶接するので、接合部の強さは**母材同等**となります。

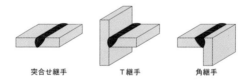

突合せ継手　　　　T継手　　　　角継手

❶ 全断面を完全に溶かし合わせるため、**開先加工**を行います。

❷ 全幅を完全に溶接しなければなりません。溶接の始端と終端には欠陥が生じやすいので、エンドタブを用いて始端・終端は母材外とします。なお、エンドタブは、**特記がない場合は切断しなくて大丈夫ですが、クレーンガーダー**などのように**高サイクル疲労荷重**が作用する箇所では、**切除して母材表面まで平滑に仕上げなければいけません。**
_{H29}

❸ **エンドタブの長さは被覆アーク溶接30㎜以上、サブマージアーク溶接などの自動溶接は70㎜以上であるため自動溶接の方が長いものが必要です。**

> 溶接は始めと終わりに欠陥が生じやすいため、エンドタブを使います。とても重要なパーツですね。

④ 溶接方法

＜片面から溶接する場合＞

● 開先の底部に溶込み不足が生じやすいので、裏当て金（うらあてがね）を用います。

　➡ ルート部に溶接欠陥が生じやすいので、**適正なルート間隔**が重要です。

　➡ パネルゾーンは裏はつりが困難なため、裏当て金を用いるなど、**裏はつりを要しない溶接**とします。

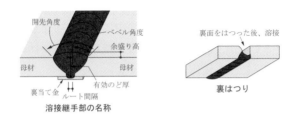

溶接継手部の名称

| 開先角度 | 開先（＝溝）全体としての角度です。 |

| ベベル角度 | ベベルとは傾斜を意味し、材料端部の傾斜角度のことです。 |

| ルート面 | ルートとは、母材間の最も接近した部分です。 |

| ルート間隔 | 開先の底部の間隔。ルートギャップともいいます。 |

● 裏当て金には、原則として**母材同等**の鋼種で厚み９㎜の平鋼を用います。
　　　　　　　　　　　　　　　　　　　　　　　　　　　　　　　R5

＜両面から溶接する場合＞

● 先に溶接した面の第１層に欠陥が生じやすいので、裏面から溶接する前に、**裏はつり**して削り落とします。

⑤ 余盛（よも）りは、母材表面から溶接金属が盛り上がった部分ですが、過大なものは欠陥となるので、**最小の余盛り高さ（３㎜以下）**とし、母材表面から滑らかに連続する形状とします。
　　　　　　　　　　　　　　　　H29・R1・3

❻ 板厚の異なる完全溶込み溶接（突合せ継手）

傾斜加工

傾斜加工 　低応力高サイクル疲労を受ける突合せ継手においては、板厚の厚い部材側にテーパー（傾斜$\frac{1}{2.5}$以下）を付けます。

T継手に準じた余盛り

T継手に準じた余盛り 　板厚差による段違いが薄い部材の$\frac{1}{4}$を超える場合、あるいは10mmを超える場合は、T字継手に準じた高さの余盛りを設けます。

なめらかに溶接

なめらかに溶接 　板厚差による段違いが薄い部材の$\frac{1}{4}$以下、かつ、10mm以下の場合は、溶接表面が薄い部材から厚い部材へなめらかに移行するように溶接します。

【2】隅肉溶接

隅肉溶接は、母材の隅部に三角形の断面をもつ溶接金属にて溶接する方法で、重ね継手やT継手に用いられます。完全溶込み

T継手

と異なり、全断面を溶接できないので母材の強さより接合部の方が弱くなります。

❶ 隅肉溶接の溶接長さ

設計図書に示す溶接長さは、有効長さに隅肉サイズ（S）の2倍を加えたもので、その長さを確保するように施工します。

隅肉溶接の溶接長さ

$$溶接長さ＝有効長さ＋2S$$

欠陥の多い始めと終わりを除くため、溶接の有効長さには、2S分は除くわけですね。

❷ 部材端部は滑らかに回し溶接を行います。

❸ サイズは薄い方の母材厚以下とします。

回し溶接

【3】 部分溶込み溶接

　部分溶込み溶接は、**全断面を溶け込ませない溶接**です。継ぎ目の全断面が溶け込んでいないので、溶接部に**応力が集中**しやすくなります。

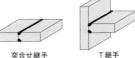
突合せ継手

T継手
部分溶込み溶接

角継手

3 **組立て溶接**

【1】 組立て溶接

① **被覆アーク溶接**または**ガスシールドアーク溶接**で行います。

② **本溶接と同等の品質**でなければなりません。

③ 溶接はJISの「**基本となる級（下向溶接）**」の有資格者が行います。

④ 組立て溶接の溶接部の品質

● **4㎜以上の脚長**を確保し、ビードは適切な間隔（400㎜程度）で配置します。

● ビード長さは**ショートビードとならない**ようにします。

⑤ 母材が以下の鋼材の場合の組立て溶接に使用する溶接棒は、「**低水素系の溶接棒**」を用います。

● 400N/㎟級の軟鋼で**板厚25㎜以上**

● 490N/㎟級以上の**高張力鋼**
R1・5

板　厚※	最小ビード長さ
$t \leqq 6$㎜	30㎜以上（50㎜）
$t > 6$㎜	40㎜以上（70㎜）

※　被組立て溶接部材の厚い方の板厚

※　（　）内はサブマージアーク溶接、エレクトロスラグ溶接の場合

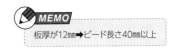
MEMO
板厚が12㎜➡ビード長さ40㎜以上

【2】 精度基準

① 溶接接合の**突合せ継手の食い違い**の許容差は、次の表のとおりです。したがって、鋼材の厚みにより異なる値となります。

R5

	管理許容差	限界許容差
 t=min(t₁, t₂)	$t \leqq 15$㎜ $\ell \leqq 1$㎜ $t > 15$㎜ $\ell \leqq \dfrac{t}{15}$かつ $\ell \leqq 2$㎜	$t \leqq 15$㎜ $\ell \leqq 1.5$㎜ $t > 15$㎜ $\ell \leqq \dfrac{t}{15}$かつ $\ell \leqq 3$㎜

【3】柱梁接合部

❶ エンドタブを組立て溶接する場合は、裏当て金に溶接し、直接母材に溶接してはなりません。ただし、本溶接時に再溶融する場合は、開先内の母材に組立て溶接を行っても大丈夫です。

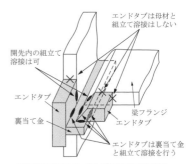

柱梁接合部のエンドタブの組立て溶接例

❷ 裏当て金を用いた組立て溶接は、梁フランジ幅の両端から5mm以内の位置、及びウェブフィレット部のR止まり、また隅肉溶接の止端部から5mm以内の位置には行いません。

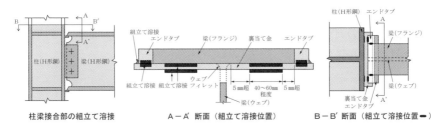

柱梁接合部の組立て溶接　　A－A′断面（組立て溶接位置）　　B－B′断面（組立て溶接位置 ➡）

❸ 柱梁接合部ではスカラップを設けます。ただし、このスカラップに起因する梁フランジのぜい性破壊を避けるため、スカラップを設けないノンスカラップ工法が推奨されます。

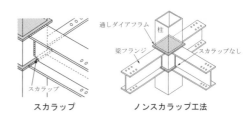

スカラップ　　　　　　ノンスカラップ工法

❹ 通しダイアフラムの板厚は、梁フランジの板厚より厚いものとします。

❺ 冷間成形角形鋼管の角部など、大きな塑性変形を受けた箇所への組立て溶接を避けます。

柱梁溶接部において、エンドタブ・裏当て金は必須のパーツです。本体に影響を与えないよう、どこを溶接するかが出題ポイントです。

4 溶接施工一般

【1】溶接環境

❶ 溶接作業場所の気温が−5℃を下回る場合は、溶接を行ってはなりません。−5℃〜5℃の間の場合、接合部より100mmの範囲の母材部分を適切に加熱（ウォームアップ）すれば溶接することができます。

❷ ガスシールドアーク溶接の場合は、風速が2m/s以上ある場合には適切な防風措置を講じなければ、溶接を行ってはなりません。
H29・R3・5

❸ 溶接姿勢は回転治具などを用いてできるだけ下向きとします。
R1

❹ 溶接割れを防止するためには、溶接部及び周辺を余熱することにより、溶接部の冷却速度を遅くしたり、継手の拘束度を小さくします。

【2】母材の清掃

❶ 開先面とその周辺は、スラグなど溶接に支障となるものは除去します。

❷ 固着したミルスケールは、除去しなくても大丈夫です。

> **用語**
> **スラグ**
> アーク熱で分解した溶接棒の被覆材（フラックス）などが溶けて固まったかすのこと。

> **用語**
> **ミルスケール**
> 鋼材の製造時の高温加熱により生じる酸化物皮膜で黒皮とも呼ばれる。

【3】溶接金属の品質（溶接入熱・パス間温度）

溶接入熱が大きく、かつ、パス間温度が高すぎると、溶接金属の強度や衝撃値が低下するなど、構造的な弱点となるおそれがあるので、溶接入熱・パス間温度は、特に管理が重要です。
H29

> **用語**
> **パス間温度**
> 複数のパス（溶接継手に沿って行う1回の溶接操作）において、次のパスを開始する前のパスの最低温度をいう。パス間温度が高すぎると、接合部の強度や変形能力が低下するおそれがある。

5 溶接欠陥と補修

欠陥		補修方法
外観不良の補修	アンダーカット 溶接の**止端**に沿って母材が掘られて、溶着金属が満たされないで**溝**となって残る溶接欠陥	(i) 深さ1mm以下 　**グラインダー**で母材の削りすぎに注意し、滑らかに仕上げる (ii) 深さ1mm超 　グラインダーなどでアンダーカットを除去し整形した後、40mm以上のビード長さの**補修溶接**を行い、必要に応じて**グラインダー**で仕上げる
	表面割れ 溶接金属の**表面に割れ**がある溶接欠陥	割れの両端から**50mm以上**余分にはつり取り、**舟底形**に溝を整えてから**補修溶接**をする R1・3・5 表面割れの補修方法例
内部欠陥の補修	ブローホール 溶接金属中にガスによってできた球状の空洞の溶接欠陥	検査記録に基づき欠陥の位置関係を溶接部にマークし、欠陥をアークエアガウジング等で完全に除去する。欠陥指示位置の両端から**20mm程度**を余分に除去し、**舟底形**に溝を整えてから**再溶接**をする
	溶込み不良 溶込みが不足してルート面などが溶融されずに残る溶接欠陥	
	融合不良 溶接境界面が互いに十分に溶け合っていない溶接欠陥	

例題

 ガスシールドアーク半自動溶接を行っていたところ、風速が2m/sとなったので、適切な防風措置を講じて、作業を続行した。

A ○

第3-1編 躯体施工

9

鉄骨工事

305

3 防錆処理

1 錆止め塗装

【1】錆止め塗装しない部分

❶ 工事現場溶接を行う箇所及びそれに隣接する両側100㎜以内、かつ、超音波探傷検査に支障を及ぼす範囲

❷ 高力ボルト摩擦接合部の摩擦面

❸ コンクリートに埋め込まれる部分

❹ ピン・ローラーなど密着する部分など

❺ 組立てによって肌合せとなる部分(密着する面。メタルタッチ継手)

❻ 密閉となる内面

工場で錆止め塗装しない
主な部分（白色部分）

① 溶接箇所

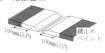

② 高力ボルト接合面

③ コンクリート埋設部

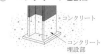

【2】錆止めの塗装環境（塗装作業の禁止条件）

❶ 気温が5℃以下、又は相対湿度が85%以上のとき

❷ 降雪雨・強風・結露などによって、水滴やじんあい（ちり・ほこり）が塗膜に付着しやすいとき

❸ 炎天下で鋼材の表面温度が50℃以上と高く、塗膜に泡を生じるおそれがあるとき

⑥ 閉鎖形断面の内面

2 溶融亜鉛めっき

❶ めっき素材表面の錆、油脂などを除去した後、高温で溶融した亜鉛の中へ浸漬して表面に亜鉛の被膜を形成させます。

❷ 閉鎖形断面の鋼管、溶接組立箱形断面材などに溶融亜鉛めっきを施す場合、その部材の両端に亜鉛・空気の流出入用の開口を設けます（合計2カ所）。

例
題

Q 高力ボルト摩擦接合部の摩擦面には、締付けに先立ち、錆止め塗装を行った。

A ✕ 塗装しない。

4 建 方

工場製作した鉄骨部材を現場で組み立てる作業を建方（たてかた）といいます。

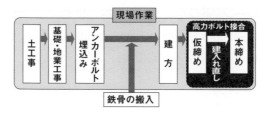

1 柱脚

【1】アンカーボルト

❶ アンカーボルトのねじが、ナット上に**3山以上出る**ようにします。

❷ ナットの戻り止めは、コンクリートに埋め込まれる場合を除き、**2重ナット**を用います。

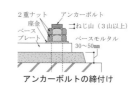

アンカーボルトの締付け

【2】ベースプレートの支持：後詰め中心塗り工法

❶ ベースプレートの中心部分にならしモルタルを施工し、建方後、中心部モルタルの周辺に側面から**無収縮モルタル**を充填します。

❷ モルタルの塗厚さは、**30㎜以上50㎜以内**とします。

❸ 中心部モルタルの大きさは、**200㎜角あるいは直径200㎜以上**とします。

❹ 中心部モルタルは、建方までに**3日以上養生**します。
R5

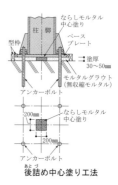

後詰め中心塗り工法

中心部モルタルは〝マンジュウ〟とか〝ダンゴ〟などと現場では呼ばれています。鉄骨建方の精度や安定性に、大きな影響を与える重要な部分です。

② 鉄骨建方

【1】建方工法

❶ 建て逃げ方式

クローラークレーン、トラッククレーンなど移動式建方機械を用い、建物端部から建て始めて、1〜3スパンごとに最上階まで建て、機械を移動させた後に、また同様に建方をする方式です。

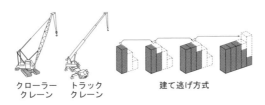

クローラー　トラック　　　　　　　建て逃げ方式
クレーン　　クレーン

❷ 水平積上げ方式

タワークレーンなどの定置式クレーンを用い、建物全体を水平割りとし、下層から順に上層へ積み上げて建方を行う方式です。

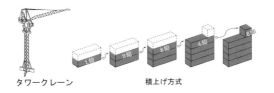

タワークレーン　　　　　　積上げ方式

「建て逃げ」か「水平積上げ（節建てとも呼ばれる）」は、現場全体をどのように進めるか、施工計画上の大きなポイントになります。

【2】特殊な建方工法（大スパンなど）

❶ 総足場工法
　H30・R2・4

鉄骨建方作業及び鉄骨架構の支持に必要な高さまで全域にわたって足場（ステージ）を組み立てて、足場上で鉄骨架構を構築する工法です。

❷ ブロック工法（地組ブロック工法）
　　　　　　H30・R2・4・6

地組みした所定の大きさのブロックをクレーン等でつり上げて架構を構築する工法です。

❸ 移動構台工法
　H30・R4・6

移動構台上で所定の範囲の屋根鉄骨を組み立てた後、構台を移動させて次の範囲の屋根鉄骨を組み立てて、順次架構を構築していく工法です。

④ **スライド工法**

H30・R2・4・6

作業構台（組立て用ステージ）上で所定
の範囲の屋根鉄骨を**ユニット**として組
み立て、ウィンチ等にて**ユニット**を所定
位置まで**水平移動**させたあとに次のユニットを組み立て、ユニット相互を接
合して、架構全体を構築する工法です。

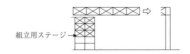

組立用ステージ

⑤ **リフトアップ工法**

H30・R2・4・6

あらかじめ地上で組み立てた屋根架構などを、先行
して構築した構造体を支えとして、**油圧ジャッキ又
は吊り上げ装置を用いて、所定の高さまでつり上
げ、または、押し上げる**方式です。

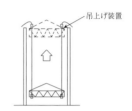

吊上げ装置

【3】 建方を容易にする工夫・留意点

① 梁の高力ボルト接合では、梁の上フランジのス
プライスプレート（添え板）をあらかじめはね
出しておきます。

② 重心のわかりにくい部材は、危険防止のため**重
心位置を明示**します。

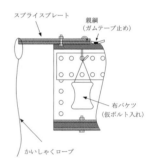

スプライスプレート
親綱
（ガムテープ止め）
布バケツ
（仮ボルト入れ）
かいしゃくロープ

【4】 建方時の施工環境

　クレーンのつり上げ作業において、**10分間の平均風速が10m/sを超える強
風下の場合は、作業を中止**します。

【5】 仮ボルトの締付け

　建方作業における鉄骨部材の組立てに使用し、ボルトの本締めまたは溶接ま
での間、架構の変形や倒壊を防ぐための仮のボルトを仮ボルトといいます。

① **一般的な高力ボルト継手に用いる仮ボルト**

中ボルトなどを用い、ボルト１群に対して$\frac{1}{3}$程
度、かつ、**2本以上**をウェブとフランジにバラン
スよく配置して締め付けます。

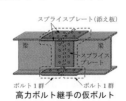

スプライスプレート（添え板）
梁
梁
スプライス
プレート
ボルト１群　　ボルト１群
高力ボルト継手の仮ボルト

② 混用接合・併用継手に用いる仮ボルト

中ボルトなどを用い、ボルト1群に対して$\frac{1}{2}$程度、かつ、2本以上をバランスよく配置して締め付けます。

③ 柱現場溶接継手の<u>エレクションピース</u>に用いる仮ボルトは、<u>高力ボルトを使用し、全数締め付けます。</u>

④ 仮ボルトは本締め用のボルトと兼用してはいけません。

エレクションピース

エレクションピース
に用いる仮ボルト

仮ボルトの材種・本数

継手の種類	仮ボルトの材種	本　数
高力ボルト	普通ボルト（中ボルト）	$\frac{1}{3}$程度・2本以上
混用接合・併用継手		$\frac{1}{2}$程度・2本以上
エレクションピース	高力ボルト	全数

⑤ 本締め前に梁上に材料を仮置き等する場合には、仮ボルト本数を割り増したり、補強ワイヤの検討を行います。

仮ボルトの材種・本数はとてもよく出題されます。しっかり覚えてください。

【6】建入れ直し

建入れ直しとは、鉄骨の建方の途中または最後に柱や梁の鉛直度・水平度などを測定し、修正する作業をいいます。

① 建入れ直し及び建入れ検査は、<u>建方の進行とともに</u>、できるだけ<u>小区画に区切って</u>行います。

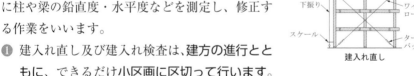

下振り　　　ワイヤロープ

スケール　　ターンバックル

建入れ直し

② 倒壊防止用<u>ワイヤロープ</u>を使用する場合、このワイヤロープを<u>建入れ直しに兼用しても大丈夫です。</u>

③ ターンバックル付き<u>筋かい</u>を有する構造物は、その<u>筋かい</u>を用いて<u>建入れ直しを行ってはなりません。</u>

④ <u>ワイヤによる建入れ直しは、スパンを収縮させる</u>方向に働くため、その前に<u>各スパンを正規の寸法に直すスパン調整作業</u>を行います。正規より小さい場合、接合部のクリアランスへ<u>くさび</u>を打ち込み、押し広げます。その際には、

スパンの寸法誤差が工場寸法検査で計測された各部材の寸法誤差の累積値以内となるようにします。
R5
❺ 補強ワイヤ、筋かいによる補強作業は、必ず建方当日に行い、翌日に持ち越してはいけません。
R1

❶ 建方精度の測定は、**日照・温度による影響**を考慮し、温度による変動が少なくなる時刻に測定します。
R3

❷ **建方精度**

●建物の建方精度については、**限界許容差**は高さの$\frac{1}{2,500}$に**10mmを加えた値以下、かつ、50mm以下**とします。

●**柱の倒れ**の建方精度については、**管理許容差**は高さの$\frac{1}{1,000}$かつ**10mm以下**とします。

用語	用語
限界許容差 これを超える誤差は原則として許されない許容差。	**管理許容差** 施工上の目標値。

例題

Q 溶接継手におけるエレクションピースに使用する仮ボルトは、中ボルトを使用し、全数を締め付けた。

A ✕ 高力ボルトを使用し、全数を締め付ける。

例題

Q ターンバックル付き筋かいを有する構造物においては、その筋かいを用いて建入れ直しを行った。

A ✕ その筋かいを用いて建入れ直しを行ってはならない。

5 高力ボルト接合

高力ボルト接合には、部材間に生ずる摩擦力によって力を伝達する「**摩擦接合**」と、材間圧縮力を利用して高力ボルトの軸方向の応力を伝達する「**引張接合**」があります。

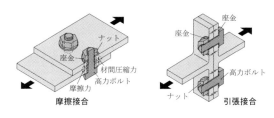

材間圧縮力
摩擦力
高力ボルト
ナット
座金

摩擦接合

座金
座金
高力ボルト
ナット

引張接合

1 高力ボルト

　一般鋼材には**トルシア形高力ボルト**などが、溶融亜鉛めっき鋼やアルミニウム合金には溶融亜鉛めっき高力ボルトが用いられます。

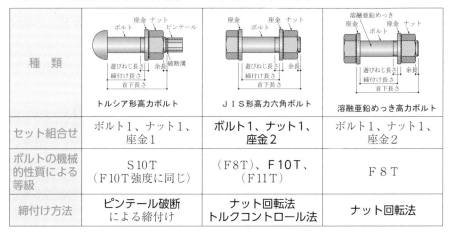

種　　類	トルシア形高力ボルト	JIS形高力六角ボルト	溶融亜鉛めっき高力ボルト
セット組合せ	ボルト1、ナット1、座金1	ボルト1、ナット1、座金2	ボルト1、ナット1、座金2
ボルトの機械的性質による等級	S10T（F10T強度に同じ）	（F8T）、F10T、（F11T）	F8T
締付け方法	ピンテール破断による締付け	ナット回転法 トルクコントロール法	ナット回転法

【1】 高力ボルトの長さの選定

　高力ボルトの長さは首下長さで表し、締付け長さに右表の長さを加えたものを標準とします（M20の長さ＝締付け長さ＋30㎜、M22の場合＋35㎜）。

ボルトの呼び径	締付け長さに加える長さ（㎜）
	トルシア形高力ボルト
M12	―
M16	25
M20	30 R2
M22	35 H28・R4
M24	40
M27	45
M30	50

【2】 高力ボルトの取扱い

❶ 梱包未開封状態のまま工事現場へ搬入、**乾燥した場所**に保管し、梱包は施工直前に解きます。

❷ 種類、等級、径、長さ、ロット番号などをメーカーの**規格品証明書**と照合し、発注条件と合っていることを確認します。

【3】 接合部の組立て

❶ 接合部に**1㎜を超える**はだ<u>すき</u>がある場合、**フィラープレート**を挿入します。フィラープレートの材質は、母材の材質にかかわらず、400N/㎟級の鋼材とします。

R2・4

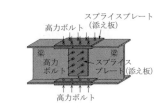

MEMO
フィラープレートは、母材に溶接しない。

はだすき量	処理方法
1㎜以下	処理不要
1㎜を超えるもの	フィラーを入れる

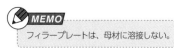

フィラープレート

❷ 高力ボルトの頭部またはナットと接合部材の面が$\frac{1}{20}$以上傾斜している場合は、**勾配座金**を使用します。

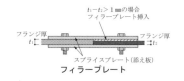

勾配座金

❸ **高力ボルト孔のくい違い**

部材組立て時に生じた**ボルト孔のくい違い**については、くい違い量によって以下の対処方法をとります。

孔のくい違い	処理方法
2㎜以下の場合	**リーマ掛け**して修正
2㎜を超えるの場合	修正は工事監理者と協議して決定

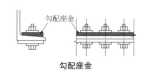

ボルト孔のくい違い

用語
リーマ
ボルト孔などの径の修正またはくい違いの修正に用いられる、孔さらい用のきり。

第3-1編 躯体施工

9

鉄骨工事

313

2 高力ボルトの締付け

【1】 高力ボルトの締付け

① 1群の高力ボルトの締付けは、群の中央から周辺に向かう順序で行います。

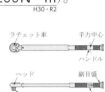

ボルト1群
ボルト
H形柱

② 1次締め➡マーキング➡本締めの順に3段階で行う。

③ 1次締め

トルクレンチや電動式インパクトレンチを用いて、一定のトルクで締め付けます（M20とM22が約150N・m、M24が約200N・m）。

H30・R2

ボルトの呼び径	1次締めトルク
M12	約50N・m
M16	約100N・m
M20、M22	約150N・m
M24	約200N・m
M27	約300N・m
M30	約400N・m

ラチェット車　　手力中心
ハンドル
ヘッド　　　副目盛
角ドライブ　　主目盛
プリセット形トルクレンチ

④ マーキング

ボルト、ナット、座金、母材にかけて、マーキングを施します。

⑤ 本締め　本締め方法は、ボルトの種類によって異なります。

ⅰ トルシア形高力ボルト

● 専用の締付け機を用い、ピンテールが破断するまでナットを締め付けます。

● 専用締付け機が使用できない場合には、高力六角ボルトに交換して、ナット回転法またはトルクコントロール法にて締め付けます。

ピンテール

マーキングの例
（トルシア形高力ボルト）

ⅱ JIS形高力六角ボルト

● トルクコントロール法またはナット回転法にて、締め付けます。

＜トルクコントロール法＞

ボルトの締付けを、「締付けトルク」により制御する締付け方法です。標準ボルト張力が得られるように調整された締付け機器を用いて行います。

＜ナット回転法＞

　ナットを所要量回転させることによって、締め付ける方法です。1次締め完了後を起点として、通常、**ナットを120°回転**させて行います。

ⅲ 溶融亜鉛めっき高力ボルト

● **ナット回転法**にて締め付けます。

> 本締めの3つの方法（トルシア形の場合、高力六角ボルトのトルクコントロール法、ナット回転法）はしっかり区別しておきましょう。

【2】施工一般（各高力ボルト共通事項）

❶ ナット及び座金には表裏があるので、**逆使いしないよ**うに注意します。

| 座金の表 | 内側に面取りのある側 |

| ナットの表 | 等級の表示記号がある側 |

❷ 挿入から本締めまで、**同日中に完了**させることを原則とします。

❸ 作業場所の温度が**0℃以下**になり着氷のおそれがある場合には、原則として、**締付け作業を行いません**。

❹ 高力ボルトの頭部が接する鋼材面や座金との接触面に、鋼材のまくれなどがある場合は、ディスクグラインダー掛けにして平らに仕上げます。

高力六角ボルト
座金
母材
面取り
座金は内側面取りが
ある側が表

ナット

ナットは表示記号の
ある側が表
ナット・座金の表裏

MEMO
ボルトの再使用禁止
一度使用したボルトは、再使用してはならない。

③ 本締め後の検査

【1】トルシア形高力ボルト

　全てのボルトを目視検査し、異常のないものを合格とします。

❶ ピンテールの破断

❷ 共回り・軸回りがないこと。

❸ ナット回転量は、**平均回転角度±30°の範囲**。範囲を外れたボルトは全て**取り替え**ます。
R4

❹ ナット面から突き出たボルトの余長：**ねじ山の出が1～6山**
R2・4

用語
共回り
ナットの締付けとともに、座金またはボルトがナットと一緒に回転してしまう現象。

用語
軸回り
ナットと座金が動かず、ボルトだけが回転してしまう現象。

| トルシア形高力ボルト
マーキング | 本締め
正常終了 | ナットと座金の
共回りの例 | ボルトの
軸回りの例 |

【2】 JIS形高力六角ボルトなど

<ナット回転法>

JIS形高力六角ボルト、溶融亜鉛めっき高力ボルト

❶ 共回りがないこと

❷ ナット回転量は120°±30°の範囲内で合格
_{R4}

　➡範囲を超えた場合：ボルト取換え

　➡回転量不足の場合：追締め

❸ ナット面から突き出たボルトの余長：ねじ山の出が
1〜6山

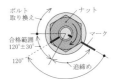

高力六角ボルトの
ナットの回転量

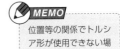

位置等の関係でトルシ
ア形が使用できない場
合、JIS形を使用します。

<トルクコントロール法>

JIS形高力六角ボルト

❶ 共回りがないこと

❷ 回転量に著しいばらつきの認められる締付け群

　➡全てのボルトを、トルクレンチを用い、追締めすることにより締付けトル
　クの適否を検査します。

❸ 施工法確認時に設定した締付けトルクの±10%以内

　➡トルク超過：ボルト取換え

　➡トルク不足：追締め

❹ ナット面から突き出たボルトの余長：ねじ山の出が1〜6山

本締めの3つの方法ごとに、判定基準や対応方法が違います。しっかり区別して覚え
ましょう。

4 混用接合・併用継手

【1】混用接合（混用継手）

❶ ウェブを高力ボルト接合、フランジを溶接接合など、異なる接合面に異なる接合方法を用いる接合（継手）を混用接合（混用継手）といいます。

❷ 原則として<u>先に高力ボルトを締め付け、後に溶接を行います。</u>
_{R1·3}
➡先に溶接を行うと、溶接変形により孔がずれるなどの弊害が生じます。

➡梁せいや梁フランジ厚が大きい場合、溶接部に割れなどが生じるおそれがある場合には「1次締め➡溶接➡本締め」などを検討します。

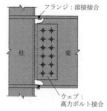
混用接合の例

【2】併用継手

❶ 高力ボルト接合のスプライスプレート（添え板）の周囲を隅肉溶接するなど、1つの接合面に異なる接合方法を用いる継手を併用継手といいます。

❷ 原則として先に高力ボルトを締め付け、後に溶接を行います。

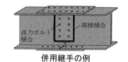
併用継手の例

例題		
	Q	高力ボルトの締付け作業において、仮ボルトを用いて部材を密着させてから高力ボルトを取り付け、マーキングを行った後に1次締めを行った。
	A ✕	高力ボルトの1次締め後にマーキングを行う。仮ボルトは建入れ時の精度確保と倒壊防止のために使用。

6 耐火被覆工法

【1】左官工法（ラス張りモルタル塗り）

左官工法は、鉄骨に下地となる**鉄網（ラス）**を取り付け、そこへ各種モルタルを塗る工法です。

- どのような下地にも継目のない耐火被覆を施すことができます。
- 屋外ではモルタル内部に水が浸入して、鋼材が腐食する可能性があります。
- 軽量セメントモルタルの場合には、硬化まで雨水養生が必要です。

【2】吹付け工法（ロックウール吹付け）

❶ 吹付け工法には、乾式工法、半乾式工法があります。

乾式工法 ロックウールとセメントを工場配合した材料と水を別々に圧送して、ノズル先端で混合吹付けする工法。

半乾式工法 ロックウールとセメントスラリーを別々に圧送して、ノズルの先端で混合吹付けする工法。

❷ 耐火被覆材の吹付け厚さは、**確認ピン**を用いて確認します。

❸ 吹付け厚さの確認は、スラブ及び壁面については、5㎡につき1カ所、**柱は1面につき各1カ所以上**、梁は1本当たりウェブ両側に各1本、フランジ下面に1本、下フランジ端部両側に各1本、**確認ピンを差し込んで確認します**。なお、確認ピンはそのまま残置しておきます。

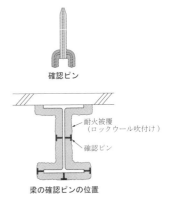

確認ピン

耐火被覆
（ロックウール吹付け）

確認ピン

梁の確認ピンの位置

吹付け工法では、プラントヤードから吹付け場所までホースで圧送します。そのとき、材料を乾いた状態で水と別に送るのが乾式工法、セメントに水を加えてノズル先端でロックウールと混合するのが半乾式工法です。

【3】 成形板張り工法

❶ パネル状の成形板耐火被覆材（繊維混入けい酸カルシウム板やせっこうボードなど）を、柱や梁などの鉄骨部材に張り付ける工法です。

❷ 成形板耐火被覆材を化粧仕上げとするためには、鉄骨ウェブ部に捨張り板を取り付けて、**浮かし張り**とします。

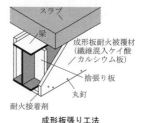

スラブ
梁
成形板耐火被覆材
（繊維混入ケイ酸
カルシウム板）
捨張り板
丸釘
耐火接着剤

成形板張り工法

❸ 繊維混入けい酸カルシウム板は、一般に吸水性が大きいため、雨水がかからないよう養生を行い、接着剤と釘を併用して取り付けます。

【4】 巻付け工法

❶ 巻付け工法は、無機繊維のブランケットを鉄骨に取り付ける工法であり、施工時の粉じんの発生がほとんどありません。

❷ 巻付け工法において、耐火被覆材の取付けに用いる固定ピンは、鉄骨にスポット溶接により取り付けます。

| 例題 | **Q** | 吹付けロックウールによる耐火被覆の施工において、吹付け厚さの確認に用いる確認ピンについては、施工後もそのまま存置した。 |
| | **A** | ○ |

本章では、大断面木造建築物及び木質構造を学習します。木造建築物等は、2〜3年に一度出題されています。「躯体施工」の問題として頻繁に単独出題される分野ではありませんが、環境的な社会的ニーズの高まりを考慮すると無視できない分野です。

1　大断面木造建築物

大断面木造建築物とは、構造耐力上主要な部分である柱や梁などの断面を大きくすることで、大スパンの架構を可能にする木造建築物です。このような場合、原則として一定の構造や防火の技術的基準を満足する必要があります。また、大断面木造建築物の主要な部分は、大断面集成材が多く用いられます。

▊ 構造上の技術的基準

❶ 柱や梁などの小径は15cm以上とし、断面積は300cm²以上とします。

❷ 集成材の継手、仕口が十分応力を伝達できるか、構造計算等で確認します。

▊ 防火上の技術的基準

防火被覆を設けていない柱や梁の断面は、火災時の燃えしろを見込んだ大きさとし、燃えしろを除く断面の長期応力度が部材の短期許容応力度を超えないことを確認します。

準耐火建築物の柱、梁の燃えしろ

柱梁部材	必要な燃えしろ		
	30分耐火性能	45分耐火性能	1時間耐火性能
集成材等	25mm	35mm	45mm
構造用製材	30mm	45mm	60mm

いわば、固定荷重や積載荷重に対しては、燃えて断面が小さくなった状態でも、短時間なら安全であることを確認するわけですね。

1 加工・部材精度

① 接合金物にあけるボルトの孔径は、**径16mm未満はボルト径＋1mm、径16mm以上はボルト径＋1.5mm**とします。
_{H30・R2・3・5}

② ドリフトピンの孔径の許容誤差は**±0mm**とします。
_{R1・3・5}

　　➡ドリフトピンは、ドリフトピンと先孔との隙間の存在により構造部に支障をきたす変形を生じさせないことが重要で、**たたき込み**によりピン孔に挿入します。

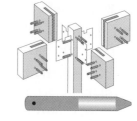

ドリフトピン

③ **ラグスクリュー部の孔あけ及び締付け**

●ラグスクリューの孔あけ加工は、2段の孔あけ加工とします。胴部の孔あけは、**胴部径と同径**とし、その長さは胴部長さまでとします。またスクリュー部の孔あけは、**スクリュー径の50〜70%程度**とし、その長さはスクリュー部長さと同じとします。
_{R6}

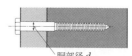

胴部径 d
ラグスクリュー

●スパナ、インパクトレンチ等を用いて、**必ず回しながら行います。たたき込みによる挿入は行いません。**
_{R2・4・6}

④ **ボルトの締付け**

●アンカーボルトと土台の緊結は、座金とナットが十分に締まり、かつ、ねじ山が**2〜3山出る**ようにします。
_{R6}

●ボルト長さは、首下長さとし、ナットの外にねじ山が**2〜3山以上出る**ように締め付けます。

●座金が木材等へ**軽くめり込む程度**とし、過度に締め付けてはいけません。
_{R2・4・6}

●1群のボルトの締付けが一様となるように行います。

●工事中、木材の乾燥収縮等により**緩んだ**ナットは、緩みのないように**締め直す**。

⑤ ボルト孔の間隔のずれ（心ずれ）の許容誤差は**±2mm**とします。
_{H30・R1・3〜5}

⑥ 柱・梁の長さの許容誤差は**±3mm**とします。

⑦ 梁の曲がりの許容誤差は長さの$\dfrac{1}{1,000}$**以下、かつ20mm以下**とします。
_{R1・3}
_{R1・5}

2 保管・建方などにおける留意点

❶ 集成材の保管

● 平坦な場所に、地面に直接置かずに**間隔3m程度に支持棒**を敷き、その上に保管します。積み重ねる場合は、反りの発生を防ぐために、2段目以後についても同間隔に支持棒を敷きます。

● 15日以上屋外に保管する場合は、雨がかからないように**防水シート**などで覆いを掛け、湿気がこもらないよう**通風を確保**します。
_{H30}

❷ 建方

● 建方が全て完了してからでは十分な修正が困難となります。

➡ 建方の進行とともに**小区画（ブロック）**ごとに建入れ直しを行います。
_{H30}

❸ 建方精度

建入れ直し後の柱、梁、桁などの水平、垂直精度	$\dfrac{1}{1,000}$以内
建物の倒れ	高さの$\dfrac{1}{2,500}$＋10mm、かつ、50mm以内
建物のわん曲	長さの$\dfrac{1}{2,500}$、かつ、25mm以内

耐震改修工事からは、2年に一度程度出題されます。典型的な耐震補強である「鉄筋コンクリート壁の増設」「柱補強」「鉄骨ブレース増設」「耐震スリット新設」のポイントを押さえてください。

1 あと施工アンカー

耐震改修工事に使用するあと施工アンカーは、**金属系アンカーでは改良型本体打込み式**、**接着系アンカーではカプセル方式の回転・打撃型**とします。

接着系アンカーの埋込み時において、接着剤があふれ出るようにアンカー筋を埋め込みます。また、上向きで施工する場合には、くさび等を打って脱落防止の措置を施して、接着剤が硬化するまではアンカー筋に触れないように養生します。

R5

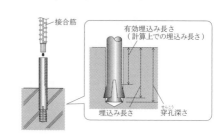

金属系アンカー（改良型本体打込み式）の例

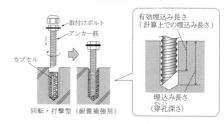

接着系アンカー（カプセル方式）の例

2 現場打ち鉄筋コンクリート壁の増設工事

現場打ちによるRC造の壁の増設工事には、新設耐震壁、増打ち耐震壁、開口閉塞壁、新設袖壁などがあります。

現場打ち鉄筋コンクリート壁の増設工事
- 新設耐震壁 ……耐震壁のないところに耐震壁を新設
- 増打ち耐震壁 …既存壁の壁厚を増す
- 開口閉塞壁 ……既存開口壁の開口をふさぐ
- 新設袖壁 ………袖壁を新設する

1 既存部分の処理

❶ 既存躯体の表面に、電動ピックなどを用いて**目荒し**を行い、新旧コンクリートの一体化を図ります。

❷ 目荒し（水玉模様状）の面積と深さ

| **既存柱・梁** | 打継ぎ面の**15〜30％**の面積に平均深さ**2〜5㎜の凹面** |

R5

| **既存壁** | 打継ぎ面の**10〜15％**の面積に平均深さ2〜5㎜の凹面 |

2 既存躯体と新設壁の接合方法

【1】新設耐震壁における接合

❶ あと施工アンカーの**だぼ効果**により接合します。

❷ 開口部がある耐震壁の増設工事において、その**開口部補強筋**の端部の定着に用いるあと施工アンカーは、**埋込み長さが11da**（da：アンカー筋の外径）以上の**接着系アンカー**を用います。

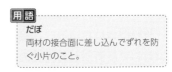

> **用語**
> **だぼ**
> 両材の接合面に差し込んでずれを防ぐ小片のこと。

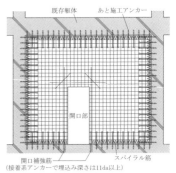

❸ 既存躯体との取合い部には、**割裂補強筋**（スパイラル筋など）を設けます。

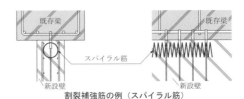

割裂補強筋の例（スパイラル筋）

【2】 増打ち耐震壁における接合

❶ 既存壁と増打ち耐震壁の一体性を増し、はく離による耐力低下を防ぐためのだぼ筋として「シアコネクタ」を設けます。

❷ シアコネクタは、一般に縦横30〜50cm程度の間隔で、径10〜13mm程度のあと施工アンカー(金属系または接着系)を用います。また、シアコネクタはセパレーターを兼用できます。

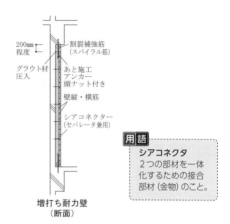

200mm程度
グラウト材圧入
割裂補強筋(スパイラル筋)
あと施工アンカー頭ナット付き
壁縦・横筋
シアコネクター(セパレータ兼用)

増打ち耐力壁
(断面)

> **用語**
> **シアコネクタ**
> 2つの部材を一体化するための接合部材(金物)のこと。

3 コンクリートの打込み

【1】 流込み工法

　型枠上部から重力を利用して流し込む工法です。**流込み工法**は、既存部との取合い部に**グラウト材を注入する場合(グラウト材注入工法)**と、全てを**流込み工法で打ち込む場合**があります。

既存コンクリート躯体
エア抜き 10φ
パッキング
グラウト材
約200mm
パイプ注入口
グラウト材の充填完了はエア抜きパイプよりオーバーフローしたグラウト材で決定する
新設壁

流込み工法
(グラウト材注入工法)

既存コンクリート躯体
フレキシブルホース
すき間ができやすいので注意
コンクリートはつり取り部分
約20cm
1段目打終り
新設壁

流込み工法
(全てを流し込む場合)

❶ 型枠の上部に「流込み用開口」を設けます。

❷ 打込み区画は1壁ごととし、原則として、打継ぎはしません。

❸ グラウト材注入工法

　既存躯体と新設壁との取合い部の隙間部分にグラウト材を注入します。

　　ⅰ 一般には、既存梁と新設壁との取合い部に、200mm程度の隙間をあけ、その部分にグラウト材を注入します。

> **MEMO**
> 壁上部と既存梁下との間に注入するグラウト材の練混ぜにおいては、10〜35℃となるように、練り混ぜる水の温度を管理する。
> R1・5

ⅱ 打設コンクリートの打継ぎ面のレイタンスやぜい弱部などを取り除き、健全なコンクリートを露出させます。

ⅲ 既存梁下に**エア抜きパイプ**（直径10mm程度）を設け、パイプからグラウト材が出てくることにより、充填完了を確認します。

ⅳ グラウト材の供試体の材齢は３日、28日とし、供試体は**現場封かん養生**とします。

【2】 圧入工法

型枠に「圧入孔」を設けて、ポンプなどで圧力を加えながら、流動性の高いコンクリートを型枠内部に打ち込む工法です。
R5

❶ 圧入孔管

● 圧入孔管は、型枠の下部に設けます。

● 打込み高さが大きい場合は、２段以上配置します。

❷ 型枠上部には、**オーバーフロー管**を設けます。

❸ オーバーフロー管の流出先の高さは、既存梁の下端の高さより５～10cm程度高くします。

❹ 打込み区画は１壁ごととし、原則として、打継ぎはしません。

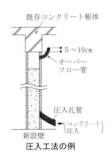

圧入工法の例

コンクリートの打込みは、いかにして既存躯体との間に隙間をつくらず、一体化するかが重要なポイントですね。

3　柱補強工事

1 RC巻き立て補強

既存柱の外周部を、**厚さ60～150mm程度**（一般に100mm程度）の「鉄筋コンクリート」または「鉄筋補強モルタル」で巻き立てて補強する方法です。
H29

MEMO

RC巻き立て補強＝溶接金網巻き工法＋溶接閉鎖フープ巻き工法

❶ 補強鋼材には「**溶接金網**」又は「**溶接閉鎖フープ**」、充填材には「**コンクリート**」又は「**構造用モルタル**」を用いる場合などがあります。溶接金網の<u>重ね継手長さは1節半以上、かつ150mm以上</u>とします。

❷ フープ筋コーナー部の折曲げ内法直径は、<u>フープ筋の呼び名に用いた数値の3倍以上</u>とします。なお、これは通常の鉄筋工事と<u>同様</u>です。^(R3)^(H29)

コンクリートまたはモルタル
縦筋
既存柱
帯筋（溶接閉鎖フープ）
フレア溶接
10d以上

溶接閉鎖フープを用いる補強

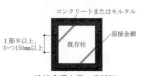

コンクリートまたはモルタル
溶接金網
既存柱
1節半以上、かつ150mm以上

溶接金網を用いる補強

MEMO
溶接金網巻き工法において、溶接金網に対するかぶり厚さ確保のため、溶接金網は型枠建込み用のセパレーターに結束して固定することができる。

❸ フープ筋の継手は、<u>片側10d以上のフレア溶接</u>とします。

❹ 壁付きの柱の場合は、壁に穴をあけて<u>閉鎖型にフープ筋</u>を配置し、壁穴にはセメンペースト等をグラウトします。^(H29・R3)

❺ RC巻き立て補強は、その目的に応じ、柱の柱頭及び柱脚に30〜50mm程度のスリットを設ける場合と、巻き立て部分を上下階の柱に連続させる場合があります。^(H29)

RC巻き立て補強

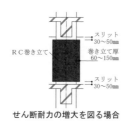

RC巻き立て
スリット 30〜50mm
巻き立て厚 60〜150mm
スリット 30〜50mm

せん断耐力の増大を図る場合

スラブ貫通
パネルゾーン補強
RC巻き立て補強

せん断耐力＋曲げ・軸耐力の増大を図る場合

構造体のじん性を向上させるためには、せん断耐力を向上させ、曲げ降伏を先行させる必要があります。スリットを設けるのは、このような場合です。

❻ コンクリート及び構造体用モルタルの打込み
「流込み工法」を用いる場合は、1回の打込み高さは1m程度とし、1回ごとに締固めを行います。

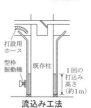

打設用ホース
型枠振動機
既存柱
1回の打込み高さ（約1m）

流込み工法

② 鋼板系巻き立て補強

柱の隅角部は、炭素繊維の損傷防止のため、面取り半径10～30mm程度の面取りを行います（鉄筋のかぶり厚さ確保に注意する）。

既存柱の周囲に鋼板を巻き立て、内部にモルタル（グラウト材）を充填して補強する方法です。鋼板の厚さは4.5～9mm（現場突合せ溶接による場合には6mm以上）とします。補強方法は、以下の3種類があります。

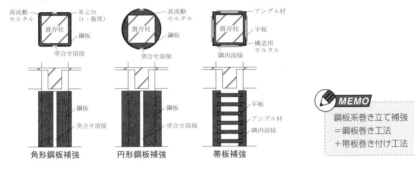

角形鋼板補強　　円形鋼板補強　　帯板補強

MEMO
鋼板系巻き立て補強
＝鋼板巻き工法
＋帯板巻き付け工法

❶「角形鋼板」「円形鋼板補強」では流動性の高い無収縮モルタルを下部から圧入し、「帯板補強」では硬練りの無収縮モルタル（構造用モルタル）を手作業で充填します。

鋼板巻工法（角形・円形）では、無収縮モルタルを圧入します。

❷ 角形鋼板補強におけるコーナー部は、曲げ内法半径が板厚の3倍以上のアールを設けます。

❸ 柱の鋼板巻き工法において、角形鋼板巻きとする場合、コ形に加工した2つの鋼板を□形に一体化するため、接合部は突合わせ溶接とします。

❹ 隙間に圧入するグラウト材は、あらかじめ製造所で調合されたプレミックスタイプの無収縮モルタルを用い、下部から圧入します。

③ 連続繊維補強

炭素繊維シートなどの連続繊維補強材を、エポキシ樹脂を含浸させながら既存柱の外周部に巻き付けて補強する工法です。

【2】 炭素繊維シートの巻き付け

❶ プライマーの塗布・乾燥後、含浸接着樹脂の**下塗り**を行い、**シートを巻き付けて**シートへの樹脂の含浸を確認します。その後、シートの表面保護のためにさらに含浸接着樹脂の**上塗り**を行います。

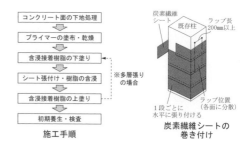

施工手順

炭素繊維シートの
巻き付け

❷ 炭素繊維シートは、1段ごとに水平に張り付けます。

❸ シートの水平方向の<u>ラップ位置（重ね位置）</u>は、原則として、柱の各面に分散して設けます。

❹ シートの繊維方向の**ラップ長（重ね長さ）**は200mm以上とします。

---

4 鉄骨ブレース増設工事

枠付き鉄骨ブレース（筋かい）を設置し、その接合部にモルタル（グラウト材）などを充填する工法です。

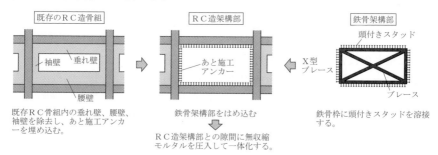

既存RC骨組内の垂れ壁、腰壁、袖壁を除去し、あと施工アンカーを埋め込む。

鉄骨架構部をはめ込む
RC造架構部との隙間に無収縮モルタルを圧入して一体化する。

鉄骨枠に頭付きスタッドを溶接する。

【1】 既存躯体と枠付き鉄骨ブレースとの取合い部

❶ 鉄骨枠の外周に取り付ける「頭付きスタッド」と、既存躯体に埋め込む「あと施工アンカー」の所定の**ラップ長（重ね長さ）**を確保します。

❷ 取合い部には、**割裂補強筋**を設け、割裂補強筋に**スパイラル筋**を用いる場合、**アンカー筋とスタッドとが交互になるように配筋**します。

❸ 取合い部の型枠は、圧入後に充填状況が確認できるよう、少なくとも片側は**取外し可能な木製型枠**などとします。

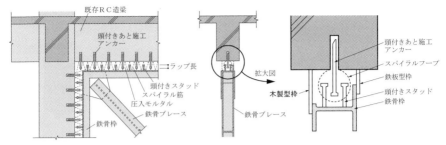

既存躯体と枠付き鉄骨ブレースとの取合い部の例

❹ グラウト材の圧縮強度試験は、供試体の材齢を3日、28日とし、供試体の養生方法は**現場封かん養生**とします。

❺ グラウト材と既存躯体との間に隙間が発生した場合には、隙間が5mm程度以下の場合には**エポキシ樹脂**を、5mm程度以上の場合には**無収縮モルタル**を圧入する等の処置を行います。

鉄骨ブレースと、既存躯体の接合部の施工方法が出題のポイントです。

5 耐震スリット新設工事

柱と壁との接合部などに「**耐震スリット**」を設ける工事です。主に、既存建物の耐震診断で得られた耐震上の問題点を改善するために（**短柱の解消など**）用いられます。耐震スリットには、「**完全スリット**」「**部分スリット**」の2種類があります。

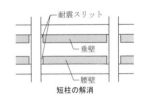

短柱の解消

【1】 完全スリット

壁と柱を完全に縁切りするもので、既存RC造の壁にコンクリートカッターなどを用いて、隙間を設けます。
- 隙間は30〜40mmとし、内部にロックウールなどのスリット材（充填材）を挿入し、外・内部の2カ所にシーリング材により**止水処理**を行います。

完全スリット

【2】部分スリット

大地震時にはスリット部を損傷させることにより、柱への影響を断つことを目的とする工法です。既存を50mm程度残して隙間を設けるもので、隙間にはスリット材（充填材）を挿入して止水処理を行います。

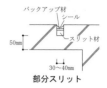

部分スリット

【3】既存壁の切断

❶ コンクリートカッターなど切断機は、**あと施工アンカー**により固定します。

❷ アンカーは、柱・梁への打込みは避け、構造耐力上支障の少ない、**垂れ壁、腰壁**などへ打ち込みます。

例題	**Q** RC造の耐力壁の増設工事において、既存梁と接合する壁へのコンクリートの打込みを圧入工法で行う場合、型枠上部に設けたオーバーフロー管の流出先の高さについては、既存梁の下端より10cm高い位置とした。
	A ○

例題	**Q** 溶接金網を用いる柱のRC巻き立て補強において、コンクリートなどの打込みに流込み工法を用いる場合、打込み高さ1m程度ごとに締固めを行う。
	A ○

例題	**Q** 炭素繊維シートによる独立した角柱の補強工事において、シートの水平方向のラップ位置については、構造的な弱点をなくすため、柱の同一箇所、同一面とした。
	A ✕　ラップ位置は、柱の各面に分散させる。

出題頻度は高くはありませんが、建設業法における建設業許可の業種区分の1つとなったこと、市街地における新築工事では解体工事を伴うことが多いことなどを考慮すると、一定の基礎知識と既出問題はぜひ押さえておく必要があります。

主な出題項目は、地上躯体の解体における「階上作業による解体」「地上作業による解体」「転倒解体」、解体工事における騒音・振動・粉じん対策などです。

1 躯体解体工法

破砕機等を使用して部分的な破砕を繰り返す「**破砕解体**」と、部材又はそれらの組み合わさったブロックに切り離し、建築物の外へ移動した後に破砕する「**部材解体**」とがあります。

また、作業場所の相違により、「**階上作業による解体**」「**地上作業による解体**」の2つの方法があります。

階上解体か地上解体かは、解体工事の施工計画上最も重要な計画上のポイントです。特徴をしっかり押さえましょう。

■ 主な解体機
① 大型ブレーカ、ハンドブレーカ、圧砕機等を用います。
② 大型ブレーカは、台車（バックホウ等）にブレーカユニットを取り付けたもので、反力に自重のほか油圧が利用できるため、作業方向の自由度が高いです。
③ ハンドブレーカは、手に持って作業するので狭い場所でも作業が可能ですが、反力は自重が主となるため下向き作業が甚本となります。

大型ブレーカ　　　ハンドブレーカ　　　ピックハンマー

- 騒音が大きく、通常市街地では地上部においては使用されません。地下部の解体についても、近隣等の了解を得て使用します。
- 粉じんが発生します。
- 大型ブレーカは振動も伴います。

④ 圧砕機は、油圧により開閉する2つの刃でコンクリート等を挟み、圧縮して破砕します。圧砕機は、**大割破砕用**と**小割破砕用**があります。

大割用圧砕機

- 粉じんが多いので，多量の**散水**が必要です。また、飛散物やコンクリート塊などの落下には厳重な注意が必要です。

小割用圧砕機

- 圧砕機を上階に乗せて作業する場合、ベースマシンが重い場合は**強力サポート**による床版の補強が必要です。

2 階上作業による解体

階上作業による解体（いわゆる**階上解体**）は、屋上に揚重した解体重機で最上階から解体し、解体で発生したコンクリート塊を利用して**スロープ**をつくり、解体重機を下階に移動させ、**1階ごとに解体**する工法です。

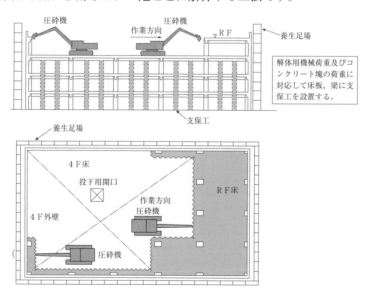

【1】ポイント

❶ 階上解体に先立ち、解体・粉砕したコンクリート塊を地上まで落下させるため、各階のスラブに３ｍ×３ｍ程度の開口部（ダメ穴）をハンドブレーカ等を用いて開けます。

❷ １階分の解体は原則として**中央部分から先**に解体します。

❸ 大型ブレーカの階上作業によるスラブや梁など水平材の解体作業は、大型ブレーカの走行階の部材を後退しながら解体していきます。なお、外周の壁や柱などの鉛直部材は、走行階の立上り部分の部材を前進しながら解体していきます。

❹ **コンクリート塊のスロープ**

解体用機械が下階へ移動する際にコンクリート塊を集積したスロープを利用する場合は、その部分の荷重が極端に大きくなるため、解体用機械よる荷重等と合わせて適切に補強します。

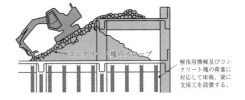

コンクリート塊のスロープ

解体用機械及びコンクリート塊の荷重に対応して床板、梁に支保工を設置する。

スロープ部分は、重機＋スロープ構成材（解体材）で既存躯体に大きな荷重が加わります。

❺ 騒音、粉じんなどの防護壁として建物外壁を利用しながら**中央**部分を先行して解体し、**最後に建物外壁を内側に転倒させて二次破砕する転倒解体工法**を採用することが一般的です。

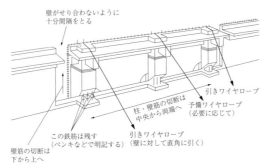

壁がせり合わないように
十分間隔をとる

この鉄筋は残す
（ペンキなどで明記する）

壁筋の切断は
下から上へ

柱・壁筋の切断は
中央から両端へ

引きワイヤロープ
（壁に対して直角に引く）

引きワイヤロープ

予備ワイヤロープ
（必要に応じて）

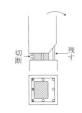

切断　残す

前方鉄筋を残す縁切り方法

⑥ 外周部の転倒解体は、次の手順で行います。

壁下部の水平方向、壁端部及び梁端部の垂直方向の縁切り

➡柱脚部の縁切りでは柱脚部の転倒支点が残存するよう注意深くはつります。

➡前側鉄筋は外側への転倒防止のため切断せずに残し、側面鉄筋を切断した後、転倒開始する直前に後方鉄筋を切断します。

➡**転倒**(引き**ワイヤ**等により頂部を引く方法と**解体用機械**でつかんで引き倒す方法がある)

⑦ 転倒解体の幅は1～2**スパン**程度とし、また転倒時のねじれを防ぐため柱2本以上を含むようにします。また、**高さは1層分以下**とします。

⑧ 転倒解体工法では、外周部を転倒させる位置に、**クッション材**としてコンクリート塊、鉄筋ダンゴ、古タイヤなどを積み上げます。

③ 地上作業による解体

地上作業による解体（いわゆる**地上解体**）は、地上から解体重機（圧解機）で行い、上階から下階へ床、梁、壁、柱の順に解体していく工法です。

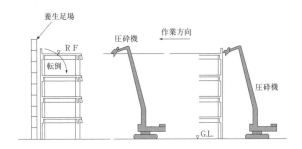

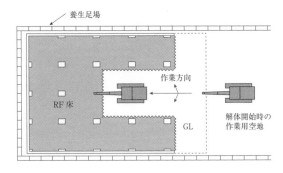

● 作業開始面の外壁及び外周1スパンを、上階から下階に向かって全階解体し、

圧砕機オペレーターの視界を確保します。

地上解体の重機は、ロングアームの大型重機になりますので、作業地盤の安全性にも留意する必要があります。

4 騒音・振動・粉じん対策

① 外部足場には、コンクリート片の飛散防止や騒音防止のため、**防音パネル**を隙間なく取り付けます。

② 振動レベルの測定器の指示値が**周期的又は間欠的**に変動する場合は、その変動ごとの指示値の**最大値の平均値**を振動レベルとします。
H30・R2

③ 解体時に発生する**粉じんの飛散**を防止するため、粉じん発生部に充分な散水を行います。

④ コンクリートガラが雨水にさらされると雨水排水が**強アルカリ性**となるため、**pH調整**を目的とした装置が必要となります。

例題

Q 地上作業による解体は、屋上に揚重した解体重機で最上階から解体し、解体で発生したコンクリート塊を利用してスロープをつくり、解体重機を下階に移動させながら行う。

A ✕ 設問は、階上作業による解体である。

第13章　建設機械

　建設機械からは例年１問出題されます。各建設機械は、当然その機械が使用される工事及び仮設工事と密接に関連します。本編の各章と関連させて、理解するようにしてください。安定的な得点源とすることができます。

1　土工事用機械

■　地業工事の建設機械

【1】　場所打ちコンクリート杭の掘削機

❶　アースドリル掘削機

　アースドリル工法に用いる機械で、孔壁保護に安定液（ベントナイト溶液など）を用い、先端に取り付けた**ドリリングバケット**を回転させ、地盤を掘削します。掘削能力は70m程度です。

❷　リバース掘削機

　リバース（サーキュレーション）工法に用いる機械で、掘削孔の中に清水を満たしながら**ビット**を回転させて掘削し、**中空ドリルパイプ内を泥水とともに吸い上げて排土し**ます。排出した泥水は、土砂を分離して水を再び孔内へ循環（逆循環）します。掘削能力は70〜100m程度で、一般に、**アースドリル掘削機より深い掘削能力**があります。
_{R5}

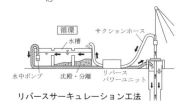

リバースサーキュレーション工法

❷ 土工事用の建設機械

【1】 掘削機械

❶ **クラムシェル**　クレーンブームにバケットをつる
し、その口を開いて落下させ、閉じて土砂を掘削しま
す。最大掘削深さは40m程度で、軟弱地盤に適しま
す。

クラムシェル

❷ **バックホウ（Hoe：鍬くわ）**　機械の接地面より下
方の掘削、硬い土質の掘削りに適し、水中掘削も可
能です。
R5

バックホウ

接地面より上方の掘削に向いているか、下方の掘削に向いているかにも注意しましょ
う。

【2】 整地・地ならし・締固め用の建設機械

❶ **振動ローラー**　ローラーの振動エネ
ルギーを利用して締固めを行う機械で
す。

振動ローラー

❷ **タイヤローラー**　複数のゴムタイ
ヤを前後に配置した締固め機械です。
ロードローラーに比べ機動性に優れ、
砂質土の締固めに適しますが、粘性土
や砕石の転圧には適しません。

タイヤローラー

❸ **ランマー（タンパー）**　エンジンで
跳ね上がり、落下の際の自重と衝撃に
よって地表面を締め固める手持ち式
の機械です。

❹ **振動コンパクター**　平板の上に振
動機を乗せたもので、地表面を振動打

ランマー（タンパー）　　　振動コンパクター

撃して締め固める手持ち式の機械です。

【3】その他の土工事用建設機械

❶ **ブルドーザー** 地盤の掘削、盛土・押土・整地・運搬などに用います。<u>平均接地圧</u>は、<u>全装備質量が同程度の場合</u>、**普通ブルドーザー**より<u>湿地ブルドーザー</u>の方が小さくなります（約半分程度）。これは、湿地・軟弱地盤の場合には、キャタピラの幅を広くして接地面積を大きくすることにより、接地圧を下げて、走行性をよくするためです。

❷ ショベル系掘削機においては、クローラー式がホイール式より**登坂能力**が高いです。

例題
Q バックホウは、機械の接地面より上方の掘削、硬い土質の掘削りに適し、水中掘削も可能である。

A ✕ 上方ではなく、機械接地面より下方の掘削に適している。

---

2 揚重運搬機械

1 移動式クレーン

【1】油圧式トラッククレーン

❶ 全旋回型のクレーン部分をトラックシャーシの上に装備した移動式クレーンで、作業時にはアウトリガーをきかせて使用します。

❷ 走行時の**車輪荷重**と作業時における**アウトリガー反力**について、支持部分（支持地盤など）の強度検討を行います。

トラッククレーン

❸ 最も荷重がかかるアウトリガー反力は、**自重と荷物の合計荷重の75%**が**1カ所**にかかると仮定します。4カ所に平均にかかるのではありません。

❹ 油圧式トラッククレーンの**つり上げ性能**は、アウトリガーを最大限に張り出し、ジブ長さを最短にし、ジブの傾斜角を最大にしたときにつり上げることができる最大の荷重で示します。

【2】 ホイールクレーン（ラフテレーンクレーン）

同じ運転室内でクレーン及び走行操作ができ、小回りがきき、機動性に優れます。
_{R5}

【3】 クローラークレーン

❶ キャタピラで走行する移動式クレーンです。

❷ 移動式クレーンの中では、機動性、走行性は劣りますが安定性に優れ、**接地圧が小さく**、不整地、軟弱地盤での走行性及び作業性がよいです。

クローラー
クレーン

❸ クローラークレーンは、クローラシューの接地圧で本体を支えています。**ブームの旋回角度が45°のとき、接地圧が最大となることが多く、最も不安定**なので、転倒防止に配慮する必要があります。

❹ つり上げ荷重が同程度の場合、クローラークレーンは、トラッククレーンに比べて、一般に**作業半径は広くなります**。

2 **定置式クレーン**

【1】 タワークレーン（傾斜ジブ式タワークレーン）

❶ **重量物の揚重**に適し、市街地の狭い場所で、ジブの起伏動作によって**作業半径を自由**に変えることができます。

❷ 昇降可能なクレーンで、建物内部に設置する（内部建て）と、建物外部に設置する（外部建て）があります。

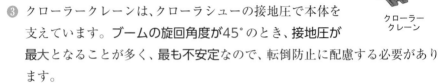

タワークレーン

❸ クレーン本体を上げていくことを「**クライミング**」といいます。

❹ **定格荷重**とは、クレーンの構造及び材料並びにジブもしくはブームの傾斜角及び長さ等に応じて負荷させることができる**最大荷重**から、それぞれフック等のつり具重量に相当する荷重を控除した荷重をいいます（移動式クレーンも共通）。
_{H29・R1}

❺ 地表又は水面から**60m以上**の高さの物件の設置者は、原則として当該物件に航空障害灯を設置しなければいけません。
_{H29・R4}

移動式、定置式クレーンは、安全管理など他の分野の出題とも関係します。特徴をしっかり押さえてください。

3 走行クレーン

【1】 天井クレーン

屋内の天井に軌道レールを設け、ガーターがレール上を走行し、平面的に荷物を移動させます。

【2】 橋形クレーン（門形クレーン）

レール軌道上を走行し、平面的に荷物を移動させます。

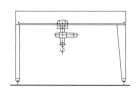

MEMO

定格荷重
クレーンでジブを有しないものにあっては、**つり上げ荷重**から、フック等の**つり具重量**に相当する荷重を控除した荷重をいう。

4 クレーン類共通

❶ クレーンのつり上げ作業において、**10分間の平均風速が10m/sを超える強風の場合は、作業を中止**します。

❷ 瞬間風速が30m/sを超える暴風後に作業を行うとき、又は中震（震度4）以上の地震の後に作業を行うときは、あらかじめ、クレーンの各部分の異常の有無について**点検**を行わなければいけません。

❸ クレーンにより、労働者を運搬し、または労働者をつり上げて作業してはいけません。ただし、作業の性質上やむを得ない場合、または安全な作業の遂行上必要な場合は、クレーンの吊り具に、**専用の搭乗設備を設けて作業する**ことができます。

❹ クレーンで重量物をつり上げる場合、**地切り**の後にいったん巻き上げを停止し、機械の安全や荷崩れの有無を確認します。

用語

地切り
荷物が地面または荷台から少しだけ離れた状態。

❺ クレーンの旋回範囲に**送電線**がある場合は、以下の**安全距離**をとります。

区　分	電　圧	離隔距離	安全距離
配電線	6,600V以下	1.2m	$\frac{2m}{\text{R2・4}}$
送電線	11,000～44,000V	2 m　（66,000Vの場合、2.2m以上）	3 m
	66,000～77,000V		4 m

● 隔離距離は最小限守らなければいけない距離、安全距離は送電線の揺れ等を考慮した安全な距離です。

⑤ 垂直運搬機械

【1】 ロングスパン工事用エレベーター

❶ 定格速度10m/分以下で昇降し、数名の人員と長尺物の材料の垂直運搬ができ、設置が簡単です。

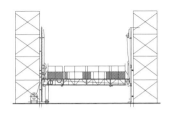

❷ 搬器は、周囲（搭乗席の周囲を除く）に高さ90cm以上の堅固な手すりが設けられ、かつ、中桟及び幅木が必要です。
　　　　　　　　　　　　　　　H30

❸ 昇降路と搬器の**出入り口の床先**の相互間隔は４cm以下とします。

❹ 搭乗席には、高さ1.8m以上の囲い及び落下物による危害を防止するための堅固な**ヘッドガード**を設けます。

❺ 次の安全装置を備えなければいけません。

● 搬器の昇降を知らせる**警報装置**（この装置は安全上支障がない場合には備えないことができる）
　　　　　　　　　　H30・R4

● 搬器の**傾き**を容易に**矯正できる装置**

● 搬器の傾きが$\frac{1}{10}$勾配を超えないうちに**動力を自動的に遮断する装置**
　　　　　　　　　　　　　　　　　　　　　R1・3・6

● 遮断設備が設けられているものにあっては、**遮断設備が閉じていない場合には、搬器を昇降させることができない装置**

【2】工事用エレベーター

❶ 人員と荷物を同時に運搬でき、効率がよいです。

❷ 一定速度を超えた場合には、自動的に制止する装置（非常止め装置）を備えなければなりません。この装置は定格速度が0.75m/sを超える場合は「次第ぎき非常止め装置」でなければならず、0.75m/s以下の場合には「早ぎき非常止め装置」とすることができます。
_{R1・6}

工事用エレベーター

【3】建設用リフト

❶ 荷物だけを運搬し、人員の昇降は禁止されています。
_{H30・R2・4}

❷ 停止階には、荷の積卸口に遮断設備を設けます。
_{H29}

❸ 定格速度とは、搬器に積載荷重に相当する荷重の荷をのせて上昇させる場合の最高の速度をいいます（工事用エレベーターも共通）。
_{H30・R3}

❹ 建設用リフトの運転者を、搬器を上げたままで運転位置から離れさせてはなりません。

❺ 建設用リフトは、組立て又は解体の作業を行う場合、作業を指揮する者を選任して、その者の指揮のもとで作業を実施します。
_{R2}

建設用リフト

エレベーターは「人」＋「荷」、リフトは「荷」のみを運搬します。

6 その他運搬機械

【1】トラックアジテータ（生コン車・ミキサー車）

最大混合容量4.5m³のトラックアジテータの最大積載時の総質量は約20ｔです。
_{R3}

トラックアジテータ
（生コン車・ミキサー車）

【2】 ゴンドラ

- **アームを有しないゴンドラの積載荷重**は、その構造上作業床に人又は荷をのせて上昇させることができる最大の荷重です。
- **アームを有するゴンドラの積載荷重**は、**アームを最小の傾斜角にした状態**において、その構造上作業床に人又は荷をのせて上昇させることができる最大の荷重です。

建築物

ゴンドラ

| 例題 | **Q** | 油圧式トラッククレーンのつり上げ荷重は、負荷させることができる最大の荷重であり、吊り具の重量は含まない。 |
| | **A** | **×** クレーンのつり上げ荷重には、吊り具の重量が含まれている。 |

344

第 **3-2** 編

仕 上 施 工

仕上施工は、建築工事の仕上げ工程にかか
る施工技術を問う科目です。防水工事や塗装・
左官など、多様かつ専門的な知識が問われま
すので、苦手意識をもつ方が少なくありません。
ただ、躯体施工同様に応用問題や二次検定でも
出題されますので、しっかり学習しましょう。

本編では、防水工事から塗装、内外装改修まで「仕上施工」全般について学びます。試験では10問出題され、7問を選択して解答するほか、応用問題で3問出題されます。さらに二次検定でも出題される重要科目ですが、範囲が広く、かつ、かなり専門的な知識を問う出題もあるため、全分野で深く学習することは、受験戦略上は得策ではありません。失点を最小限にするディフェンスに努めるため、過去問からの範囲には確実に対応できるように学習し、5/7以上（応用問題は2/3以上）の正解を目標にしましょう。

第1章 防水工事

防水工事は1問程度の出題で、応用問題でも出題される、「仕上施工」の中では出題頻度が最も高い工事です。建築物の基本機能を考えれば当然ともいえます。各工法の特徴等のポイントを押さえて得点源としましょう。

1 防水工事の種類・下地

1 防水工事の種類

```
          ┌── アスファルト防水工事
          │
          ├── 改質アスファルトシート防水工事
          │
          ├── 合成高分子系シート防水工事
          │   （シート防水工事）
防水工事 ──┤
          ├── 塗膜防水工事
          │
          ├── その他の防水工事
          │   （ステンレスシート防水工事など）
          │
          └── シーリング工事
```

各種防水の概要

防水層	特　徴
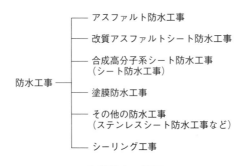 アスファルト防水層	● ルーフィング類を溶融したアスファルトで密着させ、**数層繰り返し張り重ねる** ● 多層にすることでシームレス（継ぎ目のない）な防水層が得られる ● 防水層は厚い。損傷を受け難く、さらに保護層が施せる ● 溶融アスファルトの**煙や臭気**が近隣に迷惑を及ぼすおそれがある

 改質アスファルトシート防水層	●アスファルトの性質を改良した、改質アスファルトシートを**トーチバーナー**で加熱し、溶融密着させる ●工程数が少なく、施工が早い ●溶融アスファルトを使用しないので、臭気は比較的少なく、周辺環境への影響が少ない
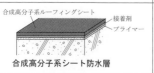 合成高分子系シート防水層	●合成ゴムまたは合成樹脂を主原料とした1〜2mm厚のルーフィングシートを、**接着剤張り**、もしくは金物類で**機械的に固定**する ●単層（1層）仕様のため、シート相互の継ぎ目の施工に十分な管理が必要
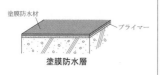 塗膜防水層	●塗膜防水材を**塗り重ね**て、継ぎ目のない連続的な防水層を形成する ●塗膜防水材には、ウレタンゴム系とゴムアスファルト系がある ●**塗り厚の確保**が防水性能を左右するので、所定の塗膜厚、かつ、均一な塗り厚を確保するための入念な施工管理が必要

② 防水の下地

【1】下地の勾配・状態（全防水種別共通）

❶ コンクリート・砂利などで防水層を保護する場合　$\frac{1}{100} \sim \frac{1}{50}$

❷ 仕上**塗料塗り・仕上げなし**の場合　$\frac{1}{50} \sim \frac{1}{20}$

❸ 平場の**排水勾配**は、原則として、**下地（躯体）**の施工段階で確保します。
　➡保護層・仕上げ層で勾配をとることは好ましくありません。

❹ 下地面は**十分に乾燥**させます。乾燥が不十分だと、プライマーの付着が悪く、防水層の施工後にふくれや漏水の原因となるおそれがあります。

❺ 下地の乾燥状態は、**高周波水分計**による含水率や、コンクリート打込み後の**経過日数**により判断します。

【2】下地の形状（全防水種別共通）

❶ 平場のコンクリート表面は、**金ごて仕上げ**とします。

❷ **立上り部**のコンクリートは、**打放し仕上げ**とします。

　➡セパレータは丸セパ**B型**を用い、コーン穴には**硬練りモルタル**を充填し、平たんに仕上げます。

【3】 入隅・出隅

（いりすみ・ですみ）

① 入隅　アスファルト防水の場合は面取り、その他では直角。

入隅面取りは露出防水の場合には、角度45度・見付幅70mm程度の**成形キャント材**を使用する場合もあります。

② 出隅　すべて面取りします。

	アスファルト防水	アスファルト防水以外 ●改質アスファルトシート防水 ●シート防水（合成高分子系） ●塗膜防水※
入隅	45° 面取り	90° 通りよく直角
出隅	45° 面取り	

※　FRP系塗膜防水を除く塗膜防水

防水の下地関連はとてもよく出題されます。特に出隅・入隅の処理は超重要事項です。

3 ドレン回り

【1】 ドレンの設置

① ドレンを型枠に固定し、コンクリートに打ち込みます。

② ルーフドレンのつばは、**防水層の張りかけ幅が100mm程度以上確保できる形状**のものとします。

③ ルーフドレンのつばの天端は、コンクリート天端より**約3〜5cmほど下げ**、半径60cm前後をドレンに向かって斜めに天端ならし（**すりつけ**）を行います。

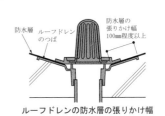

防水層　ルーフドレン
　　　　のつば

防水層の
張りかけ幅
100mm程度以上

ルーフドレンの防水層の張りかけ幅

【2】 ルーフドレンとパラペットの立上り部は、適切な距離をとる。

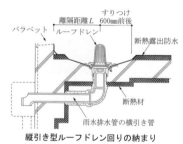

縦引き型ルーフドレン回りの納まり

離隔距離はルーフドレン径＋250mmと覚える！

	ルーフドレン径 C mm	80	100	125	150	200
	中心距離 L mm	325	350	375	400	425

例題	Q	アスファルト防水の下地面の入隅は、通りよく45°に仕上げた。
	A	○

例題	Q	ウレタンゴム系塗膜防水の下地面は、入隅を丸面に仕上げ、出隅を通りよく直角とした。
	A	× 入隅は直角、出隅は45度面取り。

2 アスファルト防水

1 アスファルト防水の工法と種類

ルーフィングの張付け工法	防水層の保護方法	断熱材の有無	工法の名称
密着工法 （脱気装置不要）	保護防水	無	屋根保護防水密着工法
		有（保護断熱防水）	屋根保護防水密着断熱工法
	露出防水	無	ない
		有（露出断熱防水）	ない
絶縁工法 （脱気装置必要）	保護防水	無	屋根保護防水絶縁工法
		有（保護断熱防水）	屋根保護防水絶縁断熱工法
	露出防水	無	屋根露出防水絶縁工法
		有（露出断熱防水）	屋根露出防水絶縁断熱工法

2 密着工法と絶縁工法

【1】密着工法

下地面に防水層を全面接着する工法です。

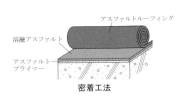

密着工法

❶ 下地の亀裂などにより破断しやすいという特徴があります。

❷ 下地が乾燥していないと、防水層のふくれや漏水の原因になりやすいです。

【2】絶縁工法

下地面と防水層を部分接着する工法で、第1層目（最下層）に「部分粘着層付改質アスファルトルーフィングシート」または「砂付あなあきルーフィング」を用います。

❶ 下地のひび割れ箇所やジョイント部に挙動が予測される場合に採用します。

❷ 砂付あなあきルーフィングは、砂付面を下向きにして、突き付けて敷き並べます。

❸ 周辺部及び立上り部は密着とし、部分粘着層付改質アスファルトルーフィングシートなどは省略します。

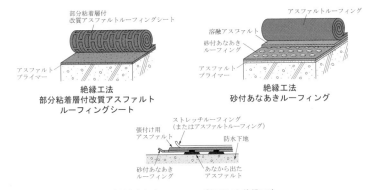

絶縁工法
部分粘着層付改質アスファルト
ルーフィングシート

絶縁工法
砂付あなあきルーフィング

砂付あなあきルーフィングを用いた絶縁工法

MEMO

砂付き面の上下の向きと目的の違い
❶ 露出防水の最上層の砂付ストレッチルーフィング
　➡砂付き面は上向き（防水層の保護）
❷ 絶縁工法における砂付あなあきルーフィング
　➡砂付き面は下向き（絶縁）

密着工法は〝ぴったり〟と、絶縁工法は〝のったり〟と接着します。

③ 保護防水と露出防水

【1】 保護防水

防水層の上に保護コンクリートや砂利などの保護層を設ける防水です。

屋根保護防水密着工法の例　　屋根保護防水絶縁工法の例

● 保護コンクリート（現場打ちコンクリート）

●水下で厚さ80mm以上とします。

●溶接金網は、線径6.0mm、網目寸法100mm程度とし、重ね幅は、金網部分を１節半以上、かつ、150mm以上とします。

② 伸縮目地

●目地の深さは、保護コンクリート表面から、防水層上面の絶縁用シートに達するまでとします。

●パラペットなどの立上り部の際から0.6m程度、中間部は縦横方向とも、３m程度の間隔とします。

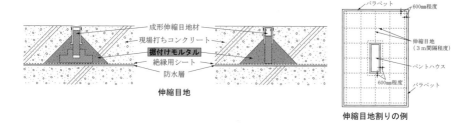

伸縮目地　　　伸縮目地割りの例

❸ 絶縁用シート　ポリエチレンフィルム、フラットヤーンクロスなど。

【2】 保護断熱防水

　防水層の上に断熱材を設け、絶縁シートを敷き、保護層を設けます。日射や気温変化の影響から防水層を保護するので、耐久性に優れます。

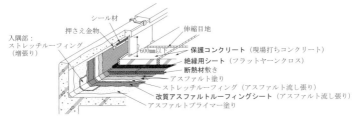

屋根保護防水密着断熱工法の例

【3】 露出防水

　防水層の上にコンクリートなどの保護層を設けない、ルーフィング露出型の防水です。保護層がない分、重さを軽減できます。

❶ 最下層に「部分粘着層付改質アスファルトルーフィングシート」又は「砂付あなあきルーフィング」を張り付けて「絶縁工法」とします。

❷ 下地面の水分を逃がすために「脱気装置」を用います。

❸ 最上層には「砂付ストレッチルーフィング」を用い、塗装を行います。

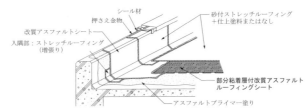

屋根露出防水絶縁工法の例（最下層：部分粘着層付改質アスファルトルーフィングシート）

＜脱気装置＞

　防水層のふくれの原因となる下地面の湿気を外部に逃すために設ける装置で、「平場部脱気型」と「立上り部脱気型」があります。

❶ 25～100㎡に1カ所設けます。

❷ 面積が大きい場合は、必要に応じて2種類の脱気装置を併用します。

❸ 密着工法には設けません。

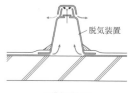

脱気装置

平場部脱気型

立上り部脱気型

脱気装置の種類

4 施工

【1】アスファルトプライマーの塗布

❶ 下地を十分に乾燥させた後、均一に塗布し、十分に乾燥させます。ルーフィング類の張付けは、原則として翌日とします。

❷ コンクリート下地の場合、使用量は0.2kg/㎡とします。

❸ ALCパネル下地の場合は、2回塗り（合計0.4kg/㎡）^{R3}とします。

【2】アスファルトの溶融・施工

❶ 溶融がまは、できるだけ施工場所の近くに設置します。

❷ アスファルトの溶融は、小塊にして溶融がまに投入します。

❸ 溶融温度は製造所指定の温度以下とします。一般に、低煙・低臭型アスファルトの上限は240℃以下とします。_{H29}

❹ 溶融アスファルトは、施工に適した温度を保つように管理します。

❺ アスファルトの使用量は、1層につき1.0kg/㎡程度です。

溶融がま

【3】アスファルトルーフィング類の張付け

❶ 増張り

以下の増張りは、平場部のルーフィングの張付けに先行して行います。

出隅、入隅　幅300mm以上のストレッチルーフィングを最下層に増張りします。
R3・5

第3-2編 仕上施工

1 防水工事

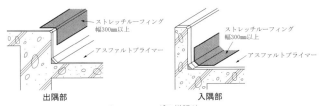

出隅部   入隅部

アスファルトルーフィングの増張り

コンクリート打継ぎ部   幅50mm程度の絶縁用テープを張り付けた後、幅300mm以上のストレッチルーフィングを増張りします。

ドレン回り   防水層の張り掛け幅100mm 程度。

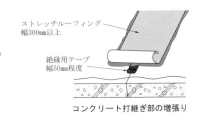

コンクリート打継ぎ部の増張り

貫通配管回りの増張り   最下層に網状アスファルトルーフィングを増張りして、十分にアスファルトで目つぶし塗りを行います。次に、配管の根元の平場にストレッチルーフィングを150mm程度張り掛けて増張りします。立上りの防水層端部をステンレス製既製バンドで締め付けて密着させた後、上部にシール材を塗り付けます。

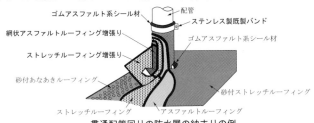

貫通配管回りの防水層の納まりの例

❷ 平場の張付け

ⅰ 砂付あなあきルーフィング

砂付面を下向きに、突き付けて敷き並べます。

ⅱ 部分粘着層付改質アスファルトルーフィングシート

はく離紙をはがしながら、突き付けて張り付けます。

ⅲ 張付けの方向と継ぎ目の重ね幅（上記以外のルーフィング類）

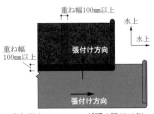

水勾配とルーフィング類の張付け例

- 溶融アスファルトをロール状ルーフィングの前方にひしゃくを用いて流し、ロールを押し広げながら張る「流し張り」とします。
- 張付けは水下側から水上側へ、**重ね幅は100㎜以上**とします。

H29

③ **立上り部の張付け**

- 立上りは、原則として平場から連続して張り上げます。
- **高さが300㎜以上の場合は、平場と立上りを別々に、平場を張り付けた後に、平場に150㎜程度張り掛けて、立上りを張り付けます。**

R3・5

立上り部の張付け
（高さ300㎜以上）

- 露出防水における最上層の砂付ストレッチルーフィングの場合は、**立上りを先に張り付けた後に平場を張り付けます**（美観のため）。
- 絶縁工法における入隅の立上りは、**幅700㎜以上**のストレッチルーフィングを用いて、**平場に500㎜以上張り掛けます**。砂付あなあきルーフィングとは突付けとします。

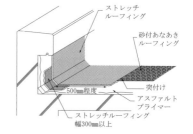

ストレッチルーフィング

砂付あなあきルーフィング

突付け

500㎜程度

アスファルトプライマー

ストレッチルーフィング

幅300㎜以上

> ルーフィング類の接合の基本は、上から下に流れてくる水が浸入しにくくなるように接合することです。

【4】その他

① 打放しコンクリートのパラペット天端は、ひび割れや表面の劣化を防ぐため、**塗膜防水材を塗布する**か、**金属笠木で保護**します。

② 防水層立上りに使用する**乾式保護板は高さ600㎜以下**とします。

③ ルーフィング類に、空隙、気泡、しわなどが生じた場合は、各層ごとに補修します。ただし、**ふくれに進行性がなく小面積のものは、補修しない方がよい場合があります**。

④ 立上り部の末端部は、**押さえ金物で固定**し、**ゴムアスファルト系のシール材を充填**します。

シール材

押さえ金物

防水層

立上り部の防水層末端

3 改質アスファルトシート防水

　改質アスファルトシート防水は、合成ゴムまたはプラスチックなどを添加してアスファルトを改良し、性能を高めた「**改質アスファルトシート**」を用いて、トーチ工法や常温粘着工法で施工する工法です。

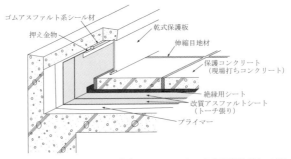

改質アスファルトシート防水（トーチ工法・密着保護仕様）の例

1 工法

【1】 トーチ工法

　改質アスファルトシートの裏面及び下地面を**トーチバーナー**であぶって加熱溶融させ、ロールを広げながら下地に接着する工法です。

トーチ工法

【2】常温粘着工法

粘着層付改質アスファルトシート又は部分粘着層付改質アスファルトシートを、裏面のはく離紙をはがしながら、下地面に接着させる工法です。

2 施工
【1】プライマー

トーチ工法におけるプライマーの塗布は、はけ、ローラーばけなどを用いて0.2kg/㎡を均一に塗布します。ただし、ALCパネル下地の場合は、はけ塗り2回（合計0.4kg/㎡）とします。
_{R1}

【2】増張り

❶ 出隅、入隅の角は、平場のシートの張付けに先立ち、200㎜角程度の増張り用シートを張り付けます。
_{R1}

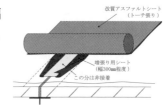

入隅の増張り

出隅の増張り

出入隅角の増張り

❷ 密着工法では、ALCパネル短辺接合部に、幅300㎜程度の増張り用シートを絶縁増張りします。

改質アスファルトシート（トーチ張り）

増張り用シート（幅300程度）

この分は非接着

❸ 絶縁工法では、ALCパネルの短辺接合部を、改質アスファルトシートの張付けに先立ち、幅50㎜程度の絶縁用テープで処理します。
_{R1・5}

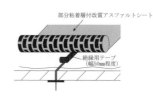

部分粘着層付改質アスファルトシート

絶縁用テープ（幅50㎜程度）

【3】平場の張付け

❶ 一般平場部の改質アスファルトシート相互の重ね幅は、長手方向・幅方向ともに100㎜以上とします。
_{R5}

❷ 重ね部の張付けは、トーチバーナーであぶり、改質アスファルトがはみ出す程度まで十分に溶融し、密着させます。

❸ 露出工法用シートの砂面に重ね合わせる場

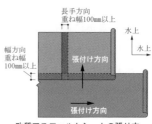

長手方向
重ね幅100㎜以上

水上

水上

幅方向
重ね幅
100㎜以上

張付け方向

張付け方向

改質アスファルトシートの張り方

合は、重ね部の砂面をあぶって砂を沈めるか、砂をかきとった上で重ねます。

④ 原則として水上側が水下側の上に重なるように張り付けます。

⑤ シート3枚重ね部は、水みちになりやすいので、中間の改質アスファルトシート端部を斜めにカットするか、焼いた金ごてを用いて平滑にするなどの処理をします。

例題

Q 改質アスファルトシート防水（トーチ工法）において、一般平場部のシート相互の重ね幅は、長手方向・幅方向とも100mm以上とした。

A ○

---

4 | 合成高分子系シート防水

　合成高分子系シート防水は、一般に「シート防水」と総称されます。通常は1～2mm厚の合成高分子系シート（合成ゴム系《加硫ゴム系》または合成樹脂系《塩化ビニル樹脂系》など）を接着剤で張り（接着工法）、もしくは金物類で機械的に固定して（機械的固定工法）、防水層を形成します。エチレン酢酸ビニル樹脂系シートの場合は、ポリマーセメントペーストを接着剤として用います。

【1】 プライマー

　下地の乾燥後、当日の施工範囲を、ローラー刷毛で、むらなく塗布します。ALCパネルに施工する場合もプライマーを塗布します。

【2】 出隅・入隅の増張り等

❶ 加硫ゴム系シートの場合
　出入隅角に対しては、ルーフィングシート張付けに先立ち、200mm角程度の非加硫ゴム系の増張り用シートを張り付けます。

❷ 合成樹脂系シート（塩化ビニル樹脂系シート）の場合
　ルーフィングシートを施工後に、成形役物を張り付

用語

加硫ゴム
天然ゴムに硫黄を加えて弾力をもたせた一般的なゴム。

出隅角用　　　入隅角用
成形役物

出隅・入隅の増張りを、一般部より先に施工するか後に施工するかが、加硫ゴム系と合成樹脂系で逆になります。よく出題されますので注意しましょう。

❸ 接着工法の場合、ALCパネル下地の場合、短辺接合部に、**幅50mmの絶縁用テープ**を張り付けます。

【3】 一般部のルーフィングシート張付け

❶ **水上側のシートが水下側のシート**の上になるよう張り重ねます。

❷ 接着剤を均一に塗布し、下地に**全面接着**とします（<u>塩化ビニル樹脂系シートの場合は、接着剤は、**エポキシ樹脂系**、ポリウレタン系、又はニトリルゴム系とし、**下地側のみに塗布する**</u>）。
<u>H30</u>

❸ できるだけ**引張り**を与えないように、また、しわを生じさせないようにゴムローラーなどを用いて転圧して張り付けます。

【4】 シートの接合部の施工

❶ **加硫ゴム系シートの場合**

●**接着剤**をシート両面に塗布し、かつ、**テープ状シール材**を併用して張り付け、ローラーなどで押さえて十分に密着させます。

●シートの重ね幅は、長手、幅方向ともに**100mm以上**とします。
<u>H30・R4</u>

❷ **塩化ビニル樹脂系シートの場合**

●重ね部は、**溶着剤**（テトラヒドロフラン系）による**溶着**または熱風融着とし、接合端部は液状シール材でシールします。

●シートの重ね幅は、長手、幅方向ともに**40mm以上**とします。
<u>R2・6</u>

❸ **エチレン酢酸ビニル樹脂系シートの場合**

シートの重ね幅は、長手、幅方向とも**100mm以上**とします（密着工法）。
<u>R4・6</u>

シートの接合部（加硫ゴム系）

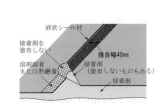
シートの接合部（塩化ビニル樹脂系）

シートの重ね幅は、加硫ゴム系の場合は100mm、塩化ビニル系樹脂系の場合は40mmですね。

【5】 立上り部

❶ 末端部

接着仕様の防水層立上り端部は、<u>**テープ状シール材**を張り付けた後、シートを張り付け、末端部は押さえ金物で固定し、シール材を充填します。</u>
_{R2}

❷ 平場部取合

<u>加硫ゴム系シート防水接着工法において、立上りと平場との重ね幅は150mm以上とし、立入りシート下端は平場面から20mm程度浮かします。</u>
R2・4・6

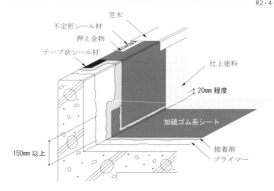

	Q	シート防水のルーフィングシートの平場部の接合幅は、加硫ゴム系シートでは40mm以上、塩化ビニル樹脂系シートでは100mm以上とする。
例題	A ✕	加硫ゴム系シートでは100mm以上、塩化ビニル樹脂系シートでは40mm以上とする。

5 | 塗膜防水

塗膜防水は、液状の**塗膜防水材**（主に**ウレタンゴム系**）を、数層下地に塗布することで防水層を形成します。補強布を使用する「**高伸長形**」と補強布を使用しない「**高強度形**」の2種類があります。また、通常の「**密着工法**」の他に、**通気緩衝シート**を張り付けた上に、塗膜を構成する「**絶縁工法**」があります。

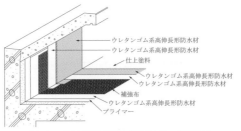

ウレタンゴム系高伸長形塗膜防水工法・密着仕様

【1】 補強布

❶ 補強布はあらかじめ仮敷きをして下地によくなじませ、しわや耳立ちが生じないように注意しながら、防水材を塗りながら張り付けます。

❷ 補強布の重ね幅は50mm以上とします。

❸ コンクリートの打継ぎ箇所、著しいひび割れ箇所は、U字形にはつり、シーリング材を充填した上で、幅100mm以上の補強布を用いて、防水材で補強塗りを行います。

覚え方

「塩ビシートウレタンゴムそれ以外は100mm」
　　40　　　　50（布）

【2】 防水材の塗布

❶ 防水材の塗継ぎの重ね幅は、100mm以上とします。

❷ ウレタンゴム系の総使用量は、硬化物比重が1.0の場合、平場部3.0kg/㎡、立上り部2.0kg/㎡とし、所定の塗膜厚さ（平場：平均3mm、立上り：平均2mm）を確保します。

なお、硬化物比重1.3の場合、平場部3.9kg/㎡、立上り部2.6kg/㎡とします。硬化物比重1.0の場合の使用量から、換算して求めることができます。

平　　場　使用量(kg/㎡)＝3.0(kg/㎡)×硬化物比重
立上り部　使用量(kg/㎡)＝2.0(kg/㎡)×硬化物比重

❸ ゴムアスファルト系室内仕様の総使用量は、固形分60％の場合、4.5kg/㎡とする。これは、平均2.7mmの硬化後の防水層の塗膜厚さとするた

めです。

❹ 低温時に粘度が高い場合は、メーカーの指定範囲で**希釈剤**を使用します。

補強布の重ね幅は50㎜、防水材の塗継ぎ重ね幅は100㎜です。勘違いしないように注意してくださいね。

【3】防水材の使用量の管理（膜厚の管理）

膜厚確保が防水性能を左右するため、防水材の使用量管理が重要です。防水材の**使用済み容器の数**を数えて総使用量を出し、対象面積で除して単位面積当たりの**平均使用量**を算出し、所定どおりであることを確認します。

【4】保護・仕上げ

保護・仕上げは、**仕上塗料**を塗布します。

【5】絶縁工法（通気緩衝工法）の場合の注意点

❶ 通気緩衝シートは、接着剤を塗布し、シート相互を突付け張りとします。 _{R1・6}

❷ あなあきタイプの通気緩衝シートは、下地にシートを張り付けた後、ウレタンゴム系防水材でシートの孔を充填します。

❸ <u>立上り面</u>には**密着工法**を適用し、平場部と立上り部の接合部は、**補強布**を平場部の通気緩衝シートの上に100㎜張り掛けて防水材を塗布します。 _{H29・R1・3・6}

❹ 脱気装置は25〜100㎡に、１カ所程度設置します。 _{R3}

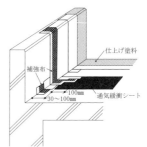

6 | その他の防水（ステンレスシート防水）

　板厚0.4mm程度のステンレスシート又はチタンシートを溝形に成型し、その接合部を溶接によって一体化して防水層とします。溶接で一体化するため、完全な水密性のある防水層が形成でき、また耐久性に優れていますが、複雑な納まりの施工には不向きです。

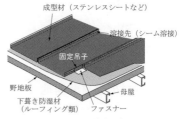

ステンレスシート防水の例

❶ 現場に搬入したロール状シートを所定の長さに切断し、**成型機**でシート両端を折り上げて成型します。

❷ 固定吊子を下地に固定し、成型材の折上げ部とスポット溶接で仮付けします。

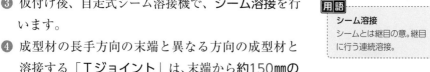

成型材の形状

❸ 仮付け後、自走式シーム溶接機で、**シーム溶接**を行います。

> **用語**
> **シーム溶接**
> シームとは継目の意。継目に行う連続溶接。

❹ 成型材の長手方向の末端と異なる方向の成型材と溶接する「**Tジョイント**」は、末端から**約150mm**の折上げ部を倒し、接続する成型材と平行に折り上げてシーム溶接します。

❺ 貫通部　貫通部回りは、その大きさに合わせた**役物部材**をつくり、一般部の成型材と溶接して一体化します。

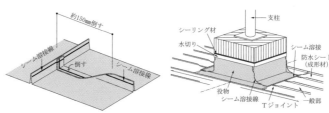

ステンレスシート防水層のTジョイント　　　ステンレスシート防水層の貫通部

7　シーリング工事

1 目地の構造

【1】 ワーキングジョイント

　ムーブメントが大きい目地のことで、次のような目地が該当します。

用語

ムーブメント
温度変化や部材自体の動きなどにより、部材間に生じる動き・変形。

- 金属部材の部材間目地（メタルカーテンウォール、金属笠木、金属建具）
- 外壁パネルの部材間目地（PC、ALC、ECP）
- ガラス回り目地

❶ 2面接着

　目地部にシーリング材を充填した場合、目地部を構成する材料の相対する2面で接着し、目地底に接着させないことを「2面接着」といいます。<u>ワーキングジョイントの場合は、2面接着とします。</u>
R4

2面接着と3面接着のシーリング材の伸び状態の違い

MEMO
ワーキングジョイントの場合、3面接着とすると、ムーブメントによりシーリング材が破断しやすい。

<u>ワーキングジョイントの目地深さは、目地幅20mmの場合、10〜15mm程度です</u>（目安は「目地深さ＝幅×50〜75%」）。
H30・R5

❷ バックアップ材

- 3面接着の回避、充填深さの調整などを目的とした弾力性のある材料（ポリエチレンフォーム、合成ゴム成形材）です。
- <u>目地幅より直径が20%程度大きいものを用います。</u>
H30・R5

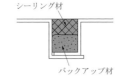

MEMO
バックアップ材、ボンドブレーカーとも、シーリング材と接着せず、かつ、**シーリング材の性能を低下させないものとする。**

❸ ボンドブレーカー

● 目地が深くない場合に３面接着を回避する目的で、目
地底に張り付ける粘着テープです。

● ボンドブレーカーは<u>ポリエチレン製テープ</u>とします。

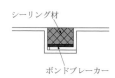

H30・R2・5

【２】 ノンワーキングジョイント

　ムーブメントを生じないか、または非常に小さい目地のことで、主に次のよ
うな目地が該当します。

❶ コンクリートの各種目地

　（打継ぎ目地、ひび割れ誘発目地、コンクリートと建具枠回り）

❷ 石目地、タイル目地

❸ ３面接着

　目地部にシーリング材を充填した場合、目地部を構成する材料の相対する２
面及び目地底の３面で接着することを「３面接着」といいます。**ノンワーキ
ングジョイント**の場合は、３面接着の目地構造を標準とします。

> **MEMO**
>
> ガラス回り目地（ガラスと建具枠の間の目地など➡ワーキングジョイント）と建具回り（コンクリート外壁と建具枠との間の目地など➡ノンワーキングジョイント）の違いに注意。

❹ 水みち

　コンクリートの**打継ぎ目地**やひび割れ誘発目地、外壁の建具回りなどのノン
ワーキングジョイントの場合は、「水みち」となる２面接着より、シーリン
グ材が目地底に接着している**３面接着**の方が有効です。

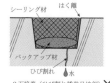 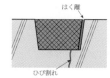

２面接着（ひび割れ誘発目地例）✕　　３面接着（ひび割れ誘発目地例）○

ノンワーキングジョイントの２面接着と３面接着の違い

動きが大きい（ワーキングジョイント）➡２面接着！
動きが小さい（ノンワーキングジョイント）➡３面接着！

2 施工

【1】 施工順序

	順　序	施工法
1	被着面の清掃	● 被着面を十分乾燥させた後、シーリング材の施工に支障のないよう清掃する
2	バックアップ材の装填又はボンドブレーカー張り	● バックアップ材は、目地深さが所定の深さになるように装填 ● ボンドブレーカーは、目地底に一様に張り付ける
3	**マスキングテープ張り**	● 目地周辺の構成材の汚れを防止し、かつ、シーリング材が通りよく仕上がるように、マスキングテープを張る
4	プライマー塗布	● 接着面とシーリング材との接着性を良好にする目的で、刷毛などで均一に塗布し、乾燥させる
5	シーリング材の調整・シーリングガンの準備	● 2成分形の場合は、均質になるよう調整し、気泡が入らないように、シーリングガンに充填する
6	シーリング材の充填	● 目地の充填は、原則として、**目地の交差部またはコーナー部から行う** ● 目地への打ち始め・打継ぎ箇所は、目地の交差部及びコーナー部を避け、斜めに打ち継ぐ
7	へら仕上げ	● 充填シーリング材をへらで押さえ、表面を平滑に仕上げる
8	**マスキングテープはがし**	● **へら仕上げ終了直後**（シーリング材の硬化前）に、マスキングテープをはがす
9	充填後の清掃	● 充填箇所以外に付着したシーリング材などを清掃する

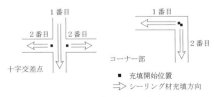

シーリング材充填の順序

> **MEMO**
> マスキングテープは、シーリング材の可使時間を超えてから除去すると目地際がきれいに仕上がらない。

【2】 施工一般

❶ シーリング材の打継ぎ

シーリング材の打継ぎ箇所は、**目地の交差部及びコーナー部**を避け、そぎ継ぎ（斜めに打ち継ぐ）とします。

R4・5

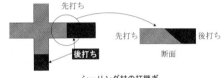

シーリング材の打継ぎ

366

② 異種シーリング材の打継ぎ

種類の異なるシーリング材を打ち継ぐことは、原則として避けます。やむを得ず打ち継ぐ場合は、一般に、先打ちをポリウレタン系、後打ちをポリサルファイド系又は、先打ちをポリサルファイド、後打ちを変成シリコーン系とします。
_{H30・R4}
_{R2・5}

③ 外壁コンクリートと鋼製建具との目地は、変成シリコーン系シーリング材を用います。

④ 打継ぎ目地・ひび割れ誘発目地などは、３面接着を標準とし、２成分形変成シリコーン系や２成分形ポリサルファイド系などを用います。

⑤ ALCなどの材料引張強度の低い（表面強度が小さい）ものには、低モジュラスのシーリング材を用います。
_{R2}

各種シーリング材の特性や適用対象は、第１編第４章第５節も参照してください。

⑥ 充填箇所以外にシーリング材が付着した場合、直ちに取り除きます。ただし、シリコーン系は、未硬化状態でふき取ると汚染が拡散するおそれがあるため、硬化してから取り除きます。

⑦ ２成分形シーリング材の練混ぜ後の硬化状態の確認

２成分形シーリング材の硬化状態については、１組作業班の１日施工箇所を１ロット、１日に１回、作成したサンプルにより、定期的に確認します。

⑧ 被着体が５℃以下または、50℃以上になるおそれがある場合、湿度が高く結露のおそれがある場合（85％以上）には、施工を中止します。
_{R2}

⑨ 外部に面するシーリング材は、施工に先立ち接着性試験を行います。接着性試験は、特記がなければ簡易接着性試験とし、シーリング材の凝集破壊又は薄層凝集破壊した場合に合格とします。

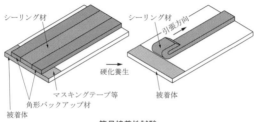

簡易接着性試験

「凝集破壊」とは、材料自体がちぎれるように破壊する状態です。

例	**Q**	RC造外壁に設ける「ひび割れ誘発目地」は、一般に、3面接着とする。
題	**A**	○

屋根工事からは、例年1問出題され、「仕上施工」の中では出題頻度の高い工事です。専門性の高い内容も多く含まれますが、基本事項を丁寧に押さえておけば、高い確率で正答を導き出すことができます。

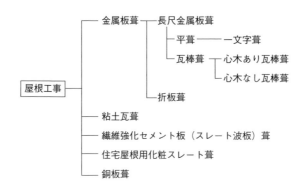

---

1 下葺（したぶき）

金属板葺（折板を除く）、粘土瓦葺、住宅屋根用化粧スレート葺などの屋根仕上げの下葺として、雨漏りや結露水・湿気を防ぐために、下葺材料を敷き込みます。

1 材料

【1】アスファルトルーフィング

一般には、**アスファルトルーフィング**を用いますが、緩勾配で漏水のおそれのある場合は、防水性の優れた**改質アスファルトルーフィング**の使用を検討します。J形瓦で、屋根勾配 $\dfrac{4}{10}$ 未満で流れ長さが10mを超える場合などがそうです。

J形瓦

勾配が緩い屋根の場合は、軟らかくなじみやすく、かつ性質のよい改質アスファルトルーフィングを用います。

【2】 亜鉛めっき鋼板に使用する金物

　<u>塗装溶融亜鉛めっき鋼板</u>を用いた金属板葺の固定ボルト、ドリリングタッピンねじ等の留付け用部材は、<u>亜鉛めっき製品</u>とします。これは異種金属間の電食を防止するためです。_{H29・R2・6}

2 施工

　下葺のルーフィング類は、屋根の下地板の上に軒先と平行に敷き、その重ね幅は、<u>シートの長手方向（水平方向）は200mm以上、幅方向（勾配方向）は100mm以上</u>とします。_{R2}

　ステープルによる仮止め間隔は、重ね部分で300mm程度とします。

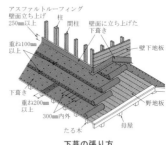

下葺の張り方

① 棟部は破断をおこしやすい部位であるため、棟の両側に250mm以上**折掛け**し、一枚もので**左右300mm以上の増張り**を行います。

② 谷部は水が集まる箇所であり、漏水をおこしやすい部位であるため、**左右300mm以上**の下葺材の一枚ものを先張りし、その上に下葺材を左右に重ね合わせ、谷底から250mm以上延ばします。

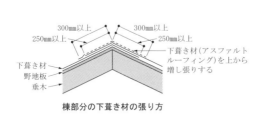

棟部分の下葺き材の張り方

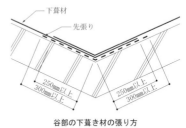

谷部の下葺き材の張り方

2　金属板葺

1 心木なし瓦棒葺

　<u>心木なし瓦棒葺</u>の葺板の施工は、次の手順で行います。

① 溝板を所定の位置に並べ、各溝板の間に通し吊子を入れます。

② 溝板は、通し吊子を介して母屋に留め付けます。

370

❸ キャップを溝板と通し吊子にはめ込み、均一にはぜ締めを行います。

● 通し吊子の鉄骨母屋への留付けは、平座金を付けたドリルねじを用い、下葺、野地板を貫通させ母屋に固定します。
_{H30・R2・4・6}

● 通し吊子の固定間隔は、一般地域で250mm、強風地域で200mmとします。

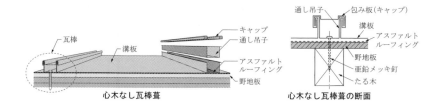

心木なし瓦棒葺　　　　　心木なし瓦棒葺の断面

【1】 各所納まり

❶ 棟部の納め

溝板の水上端部に八千代折りとした水返しを付けた後、棟包みを取り付けます。棟包みの継手の位置
_{R4}
は、瓦棒に可能な限り近い位置とします。
_{H30}

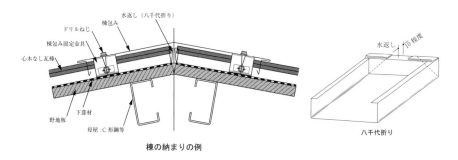

棟の納まりの例　　　　　八千代折り

❷ 軒先の納め

取付け手順は次のとおりです。

● 破風板を母屋に取り付けます。

● 唐草を各通し吊子の底部にドリルねじ留めします。

● 瓦棒の先端に設ける桟鼻を、キャップと溝板の立上がり部分でつかみ込んで取り付けます。

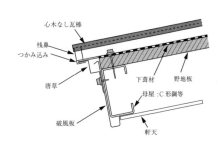

❸ けらばの納め

● 端部の溝板の幅は、瓦棒の働き幅の
$\frac{1}{2}$ **以下**とします。
H30・R4

● 端部を唐草に**つかみ込んで**納めます。

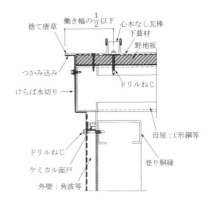

❹ 水上部分と壁との取合い部

● 雨押えを設け、溝板には水返しを設けます。

● 雨押えは、壁際立上がりを**120mm以上**として胴縁に留め付けます。
H30・R4

● 壁の出隅部分と取り合う溝板の立上り部には**切欠き**ができるので、その切欠き部の裏面に**当て板**をはんだ付けします。

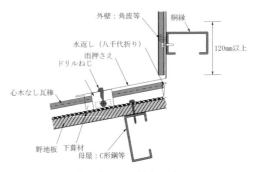

水上壁取り合い締まりの例

● 屋根の流れ方向に平行な壁との取合いに設ける**幅広の雨押え**には、流れ方向と**直角方向に水勾配**を付けます。

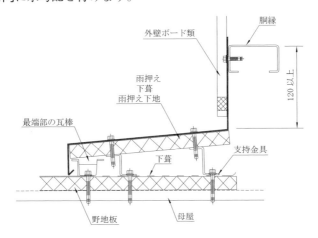

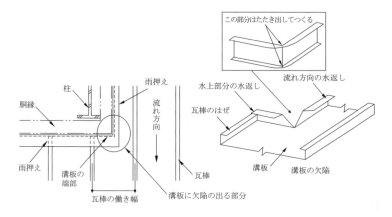

この部分はたたき出してつくる

柱

胴縁

雨押え

雨押え

流れ方向

瓦棒

溝板の
端部

瓦棒の働き幅

溝板に欠陥の出る部分

水上部分の水返し

流れ方向の水返し

瓦棒のはぜ

溝板

溝板の欠陥

金属屋根のポイントは、棟・軒先・けらば・立上り部の納まりです。図とともにしっかり覚えてください。

② 平葺

平葺の葺き方は次図のとおりです。

① **吊子**　葺板と同種・同厚、幅30mm、長さ70mm程度です。
_{H29・R2}

② 小はぜ掛けは、上はぜの折返し幅は15mm程度、下はぜの折返し幅は18mm程度とします。
_{H29・R6}

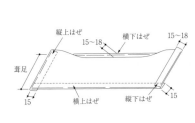

縦上はぜ

15〜18

横下はぜ

15〜18

葺足

15

横上はぜ

縦下はぜ

15

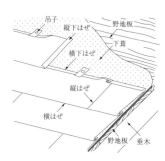

吊子

縦上はぜ

野地板

下葺

横下はぜ

縦はぜ

横はぜ

野地板　垂木

第3-2編
仕上施工
2
屋根工事

❸ 立て平葺の棟部は、溝板のはぜ締め後、はぜを水平に倒して折り上げ、立上
げ部分の先端に水返しを付け、**棟包み**を取り付けます。

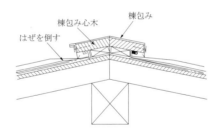

③ **横葺**

　横葺は、上下の葺板をはめ合わせ、その部分で吊子を介して下地に留め付け
ます。

　葺板の継手位置は、千鳥などとし、縦一直線の直線継ぎは施工性及び雨水の
排水が悪いので使用しません。
H29・R6

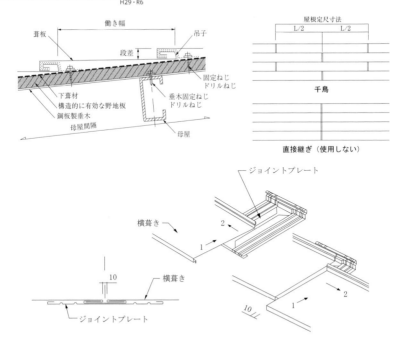

3 折板葺

鋼板を成形加工した**折板**を用いる金属屋根の工法で、工場・車庫などの鉄骨の建物に多く用いられます。

❶ **重ね形**折板は、山ごとにタイトフレームに固定し、折板の重ね部に使用する緊結ボルトの間隔は600㎜程度とします。
_{R1·5}

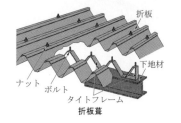

折板葺

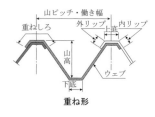

重ね形

用語
タイトフレーム
折板を受け梁に固定するための部品。

❷ タイトフレーム取付のための墨出しは、山ピッチを基準に行い、割付は建物の桁行方向の**中心から**行います。
_{R3}

❸ **タイトフレーム**と受け梁との接合は、緩みを防ぐため隅肉溶接とします。

❹ タイトフレームの立上り部の縁から10㎜程度残し、下底部**両側**を隅肉溶接します。

❺ 隅肉溶接のサイズは**タイトフレーム**の**板厚**と同じ寸法とします。

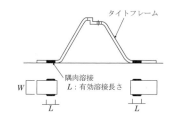

❻ 溶接はタイトフレームの**防錆処理が施されたまま**で行うことができます。

❼ タイトフレームの溶接後はスラグを除去して、錆止め塗料を塗布します。

❽ **タイトフレーム**の受梁に継手部分があったり、また、大梁の接合部で切れて段差がある場合には、溶接接合ができないため、梁上にタイトフレームと同厚の添え材（C形鋼-100x50x20x3.2程度）を取り付けて、溶接できるようにします。
_{R3}

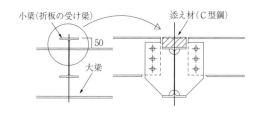

第3·2編 仕上施工 **2** 屋根工事

⑨ 折板の流れ方向には、原則として継手を設けてはいけません。

⑩ 折板のけらば納めは、**けらば包み**による方法を原則とし、けらば包みは
1,000mm程度の間隔で下地（端部用タイトフレーム）に取り付けます。
R1・5

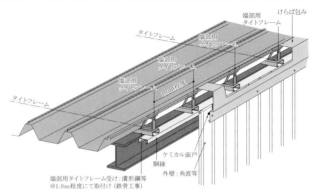

折板屋根の出題は、タイトフレームに関係するものが大半です。しっかり押さえてお
きましょう。

⑪ けらば包みの継手は**60mm以上**重ね合わせ、間に定形シール材又はブチル系
などの不定形シール材を挟み込んで留めます。継手位置は、**けらば用タイト
フレーム**にできるだけ近い位置とします。
R1

⑫ けらば包みを用いない場合、けらば先端部に、**1,200mm以下**の間隔で、折板
の山間隔の**3倍以上**の長さの変形防止材を取り付けます。

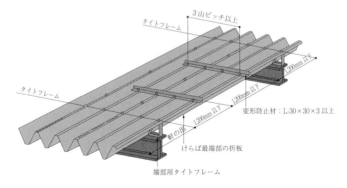

⑬ **軒先の落とし口**は、尾垂れ寸法を控え
た位置に折板の底幅より小さく穿孔し、
テーパー付きポンチで押し広げ、**尾垂れ**
を付けます。その後、**テーパーの付いた
ポンチ**で孔周辺を下方に向けてたたく
と、尾垂れも簡単に付けることができま
す。

● **尾垂れ**は、折板の裏面に雨水が伝わらな
いように、軒先に設けるもので、**5〜10
mm以上**、15°程度曲げます。

⑭ **水上の壁との取合い部に設
ける、雨押えは150mm程度立
ち上げ**、折板水上端部雨水を
止めるために**止水面戸**を設
け、周囲にシーリングを施し
ます。

⑮ **軒先アール曲げ加工**は、屋根
材の端部をアール加工して、軒先の外観意匠性や寒冷地の雪の巻きだれ防止
効果を考えた工法です。加工寸法は以下を標準とし、**曲げ半径は450mm以上**
とします。

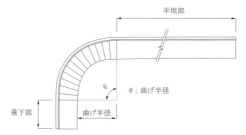

加工寸法	寸法範囲
曲げ半径	450 mm以上
平坦部長さ	1000 mm以上
垂下部長さ	300 mm以上

例
題

Q タイトフレームと受け梁との接合は、風による繰り返し荷重の溶接欠陥へ
の応力集中を避けるため、高力ボルト接合とした。

A ✕ タイトフレームと受け梁との接合は、緩みを防ぐため隅肉溶接とする。

第3-2編 仕上施工 **2** 屋根工事

　左官工事からは2年に1回程度出題されます。従来、左官工事は仕上げ工事の中で最も重要な工事の1つでしたが、現代においては単独の仕上げになることは少なくなりました。しかし、タイル、塗装、吹付け等の下地としても採用されることは多く、重要な工事です。

1 下 地

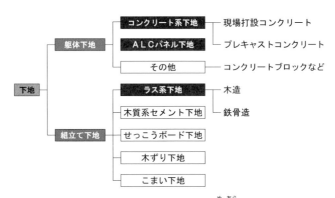

　コンクリート系下地は、はく離防止のため、目荒（め あら）しまたは清掃・脆弱層の除去などを行った後、不陸（ふりく（ふろく））の著しい箇所はモルタル等でつけ送りをして、仕上げ厚が均一となるように不陸調整を行います。

|用語| |用語|
|不陸| |つけ送り|
|平たんでない状態のこと。| |下地に過度の凹凸がある場合、あらかじめモルタルなどで不陸を調整すること。|

【1】現場打設コンクリート下地（壁・天井）

表面処理

処理方法	適用目的	概　要
超高圧水洗浄	目荒し、脆弱層の除去	超高圧水（吐出圧150～200N/㎠）を表面に噴射し、洗浄・目荒しする
高圧水洗浄		高圧水（吐出圧30～70N/㎠）を表面に噴射し、洗浄・目荒しする
サンダー掛け		ディスクサンダーなどにより、表面を目荒し後、水洗いにより表面の粉じんを除去する

高強度コンクリートは、表面が緻密化しモルタルとの付着性が低下するため、目荒しなどによる下地処理が必要です。

【2】つけ送り

❶ つけ送りは、浮きやはく落の原因となるので、厚塗りしません（1回の塗り厚は、6㎜を標準、最大9㎜を限度とする）。

❷ つけ送りの塗り厚が25㎜を超える場合の補強は、アンカーピン、ラス、溶接金網、ネットなどを取り付けて補強し、モルタルを塗り付けます。

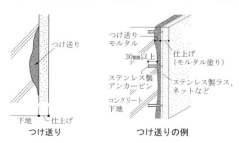

つけ送り　　　　　　　つけ送りの例

【3】ALCパネル下地

　ALCの特性（表面強度・剛性が低く、吸水しやすいなど）を考慮する必要があります。

❶ 原則として、吸水調整材を塗布します。

❷ 既調合モルタルとし、現場調合モルタルは使用しません。

❸ 厚塗りにしてはいけません。

2 作業条件

　気温が5℃以下の場合は作業を中止します。やむを得ず作業を行う場合は、工事箇所の周辺を板囲い、シートなどの防寒・防風設備で囲い、その内部を加熱器を用いて採暖します。

3 左官塗りの種類

1 セメントモルタル塗り

　コンクリート系下地面における、セメントモルタル塗りは、

$\boxed{下塗り}\Rightarrow\boxed{むら直し}\Rightarrow\boxed{中塗り}\Rightarrow\boxed{上塗り}$ の順に行います。

R3

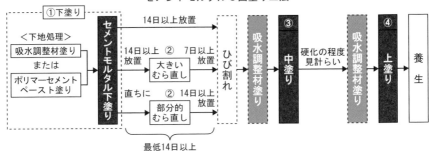

セメントモルタル３回塗り工法

【1】材料

❶ 砂の最大寸法は、塗り厚の半分以下で、塗り厚に支障のない限り粒径の大きなものとします。

❷ セメント・せっこうプラスターなどの保管場所は、吸湿・風化を防止するために、床を30cm以上上げた倉庫などに、乾燥状態で保管します。

【2】下塗り

❶ 吸水調整材またはポリマーセメントペーストの塗布（下地処理）

● 吸水調整材を塗布することにより、塗り付ける材料（セメントモルタル）の水分が急激に下地面に吸水されること（ドライアウト）を防止します。

● 吸水調整材は、薄塗りとし、塗り回数は２回を限度とします。

　➡塗りすぎると膜が厚くなり、はく落の危険性が増大します。

● 塗装合板や金属製型枠を用いた場合には、付着性を向上させる目的で、ポリマーセメントペーストなどを塗布します。

❷ 下塗り

● 吸水調整材を塗布した場合（原則）

　➡吸水調整材が乾燥後、セメントモルタルの下塗りを行います。
　<u>R1・5</u>

　➡<u>下塗り時期は、一般に吸水調整材を塗布後１時間以上とし</u>、<u>１日程度</u>経過
　<u>H29</u>
　後に塗布することが望ましいです。

● ポリマーセメントペーストを塗布した場合

　➡<u>ポリマーセメントペーストが乾燥しないうちに、セメントモルタルの下塗りを行います。</u>
　<u>H29・R3</u>

- 下塗りした面は、金ぐし類（金ぐし、木ごてなど）で荒し目をつけます。
- 下塗り後、14日（2週間）以上放置してひび割れなどを誘発させます。ただし、気象条件等により、モルタルの接着を確保できる場合は、放置期間を短縮することができます。_{R5}

【3】 むら直し　塗りむらが著しい場合に、むら直しを行います。中塗りや上塗りの塗厚を均一にするため、通常下塗りの後に行います。_{R1・3・5} _{R3}

「むら直し」は中・上塗りの塗厚を均一にするため、通常は下塗りの後に行います。

【4】 中塗り　定規塗りを行い、平らに仕上げます。

【5】 上塗り

❶ 中塗りの硬化の程度を見はからい行います。

❷ 吸水調整材を全面に塗りつけます。

❸ こてによる仕上げ

こて種類	施工箇所
金ごて	一般塗装下地、壁紙張り下地、防水下地、タイル接着剤張り下地
木ごて	タイル下地（モルタル張り）

❹ 額縁のちりじゃくり（隙間を防ぐための溝）の範囲は、こて1枚の厚さだけ透かして仕上げます。

【6】 塗り厚（床の場合を除く）

❶ 1回の塗り厚は、6mmを標準、最大9mmを限度とします。

❷ 全塗り厚は25mm以下とします（天井・庇下部は12mm以下）。_{R1・3}

【7】 モルタルの調合

❶ 1回の練混ぜ量は60分以内に使い切る量とします。

❷ 下塗りに用いるものは富調合（強度、付着力が高いモルタル）とします。

	セメント	砂	調　合	強度・付着力	ひび割れ
下塗り	1	2.5 R1・3・5	富調合 （ふちょうごう）	大	多
むら直し・中塗り	1	3	貧調合 （ひんちょうごう）	小	少
上塗り	1	3			

用語

富調合
砂に比べてセメントの割合を多くしたモルタルの調合。強度は高いが、ひび割れが発生しやすい。

用語

貧調合
砂に比べてセメントの割合を少なくしたモルタルの調合。強度は低いが、ひび割れが少ない。

下塗りは付着力を大きく、中・上塗りはひび割れを少なくするためです。

② セメントモルタル塗り（床面）

　コンクリート床面は、コンクリートの**硬化後、なるべく早い時期に塗付け**を行います。工程上やむなく長時間放置したものは、粉じんなどを清掃後、水洗いを行う必要があります。

③ 床コンクリート直均し仕上げ

【1】 コンクリートの仕上がりの平たんさ

コンクリートの 内外装仕上げ	平たんさ （凹凸の差）	適用部位による仕上げの目安	
		柱・梁・壁	床
仕上げ厚さが7mm以上の場合、または下地の影響をあまり受けない場合	1mにつき 10mm以下	●モルタル塗り ●胴縁下地	●セメントモルタルによるセラミックタイル張り ●モルタル塗り ●二重床
仕上げ厚さが7mm未満の場合、その他かなり良好な平たんさが必要な場合	3mにつき 10mm以下	●セメントモルタルによるセラミックタイル張り ●仕上塗材塗り	●カーペット張り ●防水下地 ●セルフレベリング材塗り
コンクリートが見えがかりとなる場合、または仕上げ厚さが極めて薄い場合、その他良好な表面状態が必要な場合	3mにつき 7mm以下	●化粧打放しコンクリート ●塗装仕上げ ●壁紙張り ●接着剤によるセラミックタイル張り	●合成樹脂塗床 ●ビニル系床材張り ●床コンクリート直均し仕上げ ●フリーアクセスフロア（置敷式）

※　セメントモルタルによるタイル張りは、床と壁で平たんさの標準値が変わる。

●**目地工法**の特記がない場合は、**押し目地**とし、目地割が２㎡程度、最大間隔３ｍ程度とします。

例	**Q**	下塗りには、上塗りよりも「富調合のモルタル」を使用した。
題	**A**	○

4 セルフレベリング材塗り

セルフレベリング材（SL材）は、内装の張物下地の床下地として用います。

> **用語**
> **セルフレベリング材**
> せっこう系またはセメント系の自己流動性を持つ材料。非常に流動性が高く、床面に流した後、こて仕上げなどをせずにトンボでならし、平たん・平滑な精度の高い床下地をつくることが可能である。

【1】 下地処理

下地コンクリートの乾燥を見はからい、十分な清掃後、**吸水調整材**の２回塗りを標準とし、十分に乾燥させます。

【2】 SL材の種類・品質

せっこう系のSL材は、収縮がなく施工性がよいが耐水性に劣るので、**水掛かり**となる床には、**セメント系**のものを用います。

【3】 養生

❶ 流し込み作業中も施工後も硬化するまでは、窓や開口部をふさぎ、できる限り通風は**なくします**。その後は自然乾燥とし、人工的な乾燥促進は避けます。
　➡硬化前に風があたると表層部が動き、硬化後にしわが発生するおそれがあります。

❷ 養生期間は、一般に**７日以上**、低温の場合は**14日以上**とし、表面仕上げ材の施工までの期間は30日以内を標準とします。

5 仕上げ塗材

主に、繰り返し出題されている**防水形合成樹脂エマルション系複層仕上げ塗材（防水形複層塗材E）**について学習します。

| 下塗り | ➡ | 増塗り | ➡ | 主材塗り（基層塗り➡模様塗り） | ➡ | 凸部処理 | ➡ | 上塗り |

_{R4}

の工程で施工しますが、防水形の場合には、塗り厚の確保が防水性能に直接影響するため、所要量の確認が特に重要です。

【1】 下地調整

❶ モルタル及びプレキャストコンクリート面

原則として、合成樹脂エマルションシーラーを全面に塗り付けることとします。ただし、仕上塗材の下塗材で代用する場合は、**省略することができます**。合成樹脂系シーラーは、耐アルカリ性、造壁性及び耐水性が良い合成樹脂エマルション又は合成樹脂溶液で、仕上塗材の下地に対する吸込みを抑え、付着性を高めるために用います。

❷ ALCパネル面

合成樹脂エマルションシーラーを全面に塗り付けます。屋外の場合は、その上に仕上塗材の製造所の仕様により**下地調整塗材C−1**又は**下地調整塗材E**を全面に塗り付けて、平滑にします。

【2】 下塗り

所要量0.1kg/㎡以上、専用薄め液で均一になるように行います。下塗り材の吸込みは、下地の種類や状態によって異なるため、試し塗りを行って確認します。

_{H30・R2}

【3】 増塗り

出隅、入隅、目地部、開口部回り等に、はけ又はローラーにより、端部に段差のないように行います。

_{H30}

【4】 主材塗り

❶ **基層塗り**　所要量1.7kg/㎡以上、２回塗りとします。だれ、ピンホール、塗残しのないように均一に塗り付けます。混合時の気泡の混入は最小限にします。 _(H30・R2・4・6)_

❷ **模様塗り**　ゆず肌状又はさざ波状の場合はローラーを用い、凹凸状や砂壁状の場合は吹付け工法により、0.9kg/㎡以上を１回塗りで、見本と同様の模様になるように塗り付けます。 _(R2・4・6)_

種　類	呼び名	仕上げの形状	工　法
薄付け仕上げ塗材	可とう形外装塗材E	さざ波	ローラー塗り
	内装薄塗材E	平たん状	こて塗り
	内装薄塗材W	京壁状じゅらく	吹付け
厚付け仕上げ塗材	内装厚塗材C	凸部処理	吹付け
		凹凸状（スタッコ状）	こて塗り
複層仕上塗材	複層塗材E	凹凸模様	吹付け
		ゆず肌状	ローラー塗り
	防水形複層塗材E	凸部処理、凹凸模様	吹付け
		ゆず肌状	ローラー塗り
軽量骨材仕上塗材	吹付用軽量塗材	砂壁状	吹付け

仕上げと工法の対応関係をしっかり押えてください。

【5】 凸部処理

こて又はローラー押さえにより、見本と同様の模様になるように、主材の模様塗り後１時間以内の適当な時間を選んで行います。 _(H30)_

【6】 上塗り

所要量0.25kg/㎡以上、２回塗りで、色むら、だれ、光沢むらが発生しないように均一に塗り付けます。 _(R2・4)_

例題

Q 室内の床面のセルフレベリング材塗りにおいて、流し込み後、硬化するまでの間は窓や出入口をふさぎ、その後は自然乾燥とした。

A ○

タイル工事は2年に1回程度の出題で、応用問題でも出題確率の高い分野です。近年、はく落防止の観点から、外壁タイル張りにおいて接着剤張りがかなり早いスピードで普及してきましたが、現状の出題傾向はセメントモルタル張りが主流です。各工法の特徴、注意点を正確に押さえましょう。

1　壁タイル張り工法

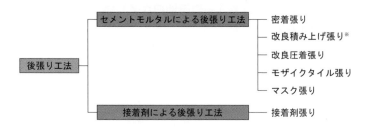

※　改良積上げ張りは、令和4年公共建築工事標準仕様書からは削除された。

1　セメントモルタルによる後張り工法

【1】各工法共通事項

❶　下地調整

　　コンクリート下地面の場合は、下地の乾燥の程度に応じ、**吸水調整材を塗布**します。モルタル下地の場合は、水湿しでも大丈夫です。

❷　タイルの張付け順序は、目地割りに基づき、水糸を引き通し、窓や出入口回り、隅、角などの**役物を先に張り付けます**。

❸　モルタル練りからタイル張り完了まで**60分以内**とします。

【2】密着張り

　　下地モルタル面に張付けモルタルを塗り付け、**振動工具（ヴィブラート）を用いて、タイルをモルタルの中に1枚ずつ埋め込むようにして張り付ける工法です。

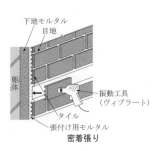

密着張り

❶ 張付けモルタル

● 塗付け面積の限度は、触れると手に付く状態のままタイル張りが完了できることとし、2㎡/人以内とします。

● 2度塗りとし、その合計塗り厚は5～8㎜とします。

❷ 上部から下部へ1段置きに張り付け、間を埋めるように張り付けます。

❸ 加振は、張付けモルタルがタイルの4周から目地部分にはみ出るまで行います。なお、盛り上がったモルタルを目地ごてで押

1段置きに数段　タイル
上
張付けモルタル
2㎡内
水糸
下

さえ、目地も同時に仕上げる「一発目地押さえ」は深目地になりやすいため、行ってはいけません。

❹ タイルの接着力は、与える衝撃の時間や程度に影響され、タイルの大きさと適正な衝撃時間、衝撃位置は以下のとおりです。

タイルの大きさ（㎜）	衝撃時間	衝撃位置（参考）
小口平（108×60）	3～5秒	両端と中間の3カ所
二丁掛（227×60）	7～11秒	両端と中間3カ所の5カ所

【3】改良積上げ張り

　タイル裏面に「張付けモルタル」を載せて平らにならし、下地モルタル面に、1枚ずつ押し付けるようにたたき締めを行い、1段ごとに下部から上部へと張り上げていく工法です。

❶ 張付けモルタルはタイル裏面に、塗り厚7～10㎜で平らに塗り付けます。

❷ タイル裏面のモルタルの塗り置き時間は5分以内とし、直ちに張り付けます。

❸ 1日の張付け高さは1.5m以内とします。

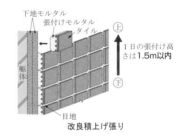

下地モルタル
張付けモルタル
タイル
上
1日の張付け高さは1.5m以内
躯体
下
目地
改良積上げ張り

【4】改良圧着張り

　中塗りまで施工した下地モルタル面側及びタイル裏面の両面に張付けモルタルを塗り、たたき押さえて張り付ける工法です。

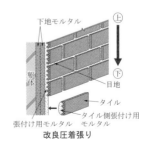

下地モルタル
上
下
躯体
目地
タイル
タイル側張付け用モルタル
張付け用モルタル
改良圧着張り

【張付けモルタル】

❶ <u>下地面へは２度塗り</u>とし、その合計塗り厚は<u>４〜６㎜</u>とします。
R4・6

❷ <u>タイル裏面</u>には厚さ<u>１〜３㎜</u>程度に張付けモルタルを塗ります。

❸ 塗付け面積の限度は、触れると**手指に付く状態**のままタイル張りが完了できることとし、<u>２㎡／人以内</u>とします。
H29・R2

【5】モザイクタイル張り

約300㎜角の表張りユニットタイル（タイルの大きさ：小口未満のタイル）を、**下地面**に塗り付けた「張付けモルタル」が軟らかいうちに、たたき板でたたき押さえて張り付ける工法です。

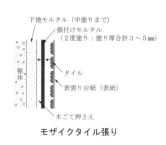

モザイクタイル張り

❶ 張付けモルタル

● <u>下地面へ２度塗り</u>とし、塗り厚は<u>３〜５㎜</u>とします。
R2・4・6

● <u>１層目はこて圧</u>を十分にかけます。
H30・R4・6

● 塗付け面積の限度は、触れると**手に付く状態**のままタイル張りが完了できることとし、３㎡／人以内とします。

❷ たたき押さえは、タイル目地部分に盛り上がった張付けモルタルの水分により、紙張りの**目地部分が湿るまで**、十分に<u>たたき押さえ</u>を行います。

❸ タイル張り付け後、表面に水湿しを行って表張り台紙（表紙）をはがします。

【6】マスク張り

25㎜角（通常50㎜角）以上のユニットタイルに用いる工法で、<u>ユニットタイル裏面</u>にモルタル塗布用の厚さ<u>４㎜</u>の<u>マスク板</u>をかぶせて、張付けモルタルを塗り付け、マスク板を外した後、ユニットタイルをたたき押さえして張り付ける工法です。
R2・6

マスク張り

❶ 張付けモルタルの<u>塗り置き時間</u>は、<u>5分以内</u>とし、<u>直ちに壁面に張り付け</u>、たたき込みます。
H30

❷ タイル張り付け後、表面に水湿しを行って、表張り台紙（表紙）をはがします。

張付けモルタルを下地側へ塗るのか、タイル裏面に塗るのか、両方なのかを意識しながら、各工法の特徴を押さえてください。

② 接着剤によるタイル後張り工法（接着剤張り）

有機系接着剤を用いて壁タイルを張り付ける工法で、屋外（外壁）の接着剤張りについてポイントをまとめます。接着剤は、JIS規格品の一液反応硬化形の変成シリコーン樹脂系のものを使用します。

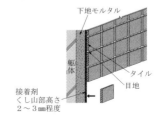

接着剤張り

【1】 下地調整

他の工法の下地と異なり、**乾燥状態**であることを確認する必要があります。

【2】 接着剤塗り・タイル張り

❶ 塗付け面積の限度は、製造所の仕様による張付け可能時間に張り終える面積とします。一般に30分以内です。

❷ 接着剤は、下地面に「金ごて」などで塗り厚3mm程度に塗布した後、「**くし目ごて**」を用いて、くし目を壁面に対して60°立てます。

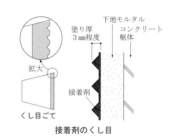

接着剤のくし目

❸ くし目の方向は裏足方向と平行にならないようにします。

❹ タイルは手でもみこんだ後、たたき板や加振機で押さえます。

接着剤張りは、外壁タイルにおいても、最近採用が急速に増えています。今後、出題は増加すると思われますので、しっかり押さえましょう。

例題		
	Q	密着張りによるタイルの張付けにあたり、下部から上部へ、1段置きに水糸に合わせて張った後、間を埋めるように張り進めた。
	A	**✕**　上部から下部へ1段置きに張り付ける。

1 目地の種類と構造

【1】伸縮調整目地

　温度変化、湿度変化、外力など
により建物や建物各部に生ずる変
形による、タイルのはく離、ひび
割れなどを防止する目的で、下地
及び仕上げ層に設ける目地を「伸
縮調整目地」といいます。

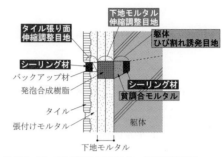

外壁タイルのひび割れ誘発目地・伸縮調整目地

❶「**タイル張り面の伸縮調整目
　地**」の位置は、「**下地モルタル
　の伸縮調整目地**」及び「**コンク
　リート躯体のひび割れ誘発目地**」の位置と一致するように設けます。

　　➡位置が異なると、ひび割れ、はく離などが発生するおそれがあります。

❷ 鉛直方向目地は、**柱の両側部及び中間3〜4m**程度の位置に設けます。

❸ 水平方向目地は、**各階ごとの打継ぎ目地**の位置に設けます。

	外部側に柱形がない場合	外部側に柱形がある場合
鉛直方向	柱の両側又は開口端部上下 及び中間3〜4m程度 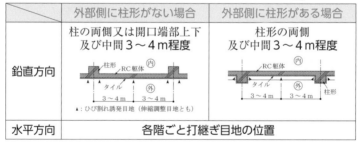	柱形の両側 及び中間3〜4m程度
水平方向	各階ごと打継ぎ目地の位置	

H30

❹ 床タイル張りの場合の目地は、縦・横ともに**4m以内**ごとに設けます。

【2】目地詰め

　タイル張り付け後、伸縮調整目地以外の目地部
に、目地モルタルを確実に充填したうえ、硬化を
見計らい目地押えを行います。

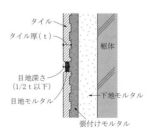

タイルの目地詰め

❶ 目地深さは、**タイル厚の$\frac{1}{2}$以下**とします。

❷ 目地幅は、小口・二丁掛タイルでは、6〜11

mm程度とする。

➡ 目地幅が6㎜以下では目地押さえが困難になりやすいです。

❸ 目地詰めはタイル張り付け後、24時間以上経過した後、張付けモルタルの硬化を見はからって行います。

H30・R2

目地は、見かけの問題だけではなく、はく落防止にも重要な役目を果たします。

② 張付け用材料（セメントモルタル）

【1】調合

張付けモルタルの調合（容積比）は、以下のとおりです。

張付け工法		セメント	砂
壁	密着張り	1	1～2
	改良積上げ張り		2～3
	改良圧着張り		1～2
	ユニットタイル（モザイクタイル張り・マスク張り）		0.5～1
床	ユニットタイル		0.5～1
	一般床タイル		1～2

> **MEMO**
> 石張りに用いる、**敷きモルタ ル**の調合は、セメント：砂＝ 1：4（容積比）とする。

【2】混和剤

張付けモルタルには、モルタルの乾燥防止・作業性の向上を目的に、混和剤（保水剤など）を使用します。保水剤は、**メチルセルロース**などの水溶性樹脂です。

③ タイル工事一般

【1】タイル張り下地面の面精度

下地面は、張付けモルタルの塗り厚が小さいほど高い精度が要求されます。

● モザイクタイル：2mにつき3㎜以下（張付けモルタル厚3～5㎜）

● 小口平タイル以上：2mにつき4㎜以下（張付けモルタル厚7～10㎜）

【2】 タイル張り下地面の状態

セメントモルタルによる タイル後張り工法	下地面の清掃後、「吸水調整材の塗布」または 「水湿し」により、吸水調整を行う
接着剤による タイル後張り工法	下地面の清掃後、下地面は十分に乾燥させる （水湿し及び吸水調整材の塗布は行わない）

【3】 作業条件

　気温が5℃以下になるおそれがある場合は、初期凍害や硬化遅延をおこすことがあるため、**施工を行いません**。ただし、**仮設暖房や保温**などによる施工面の養生を行った場合は、施工することができます。

【4】 養生

　強い直射日光、風、雨などにより損傷を受けるおそれのある場合は、シートを張るなどして養生します。

【5】 タイルの清掃

❶ 清掃は、原則として、**水洗い**とし、ブラシなどを用いてタイル表面に汚れが残らないように行います。

❷ **汚れが著しい場合は、工事監理者の承認を得て**、30倍に希釈した工業用塩酸を用いて**酸洗い**を行ってもよいです。酸洗い前後は、水洗いを行い、サッシ、金物部などに酸類が残らないようにします。

> **Q** 鉄筋コンクリート造の建築物において、柱と柱との内法寸法が6mで開口部がない外壁面にタイル張りを行う場合、その壁に設ける鉛直方向の伸縮調整目地の位置については、壁の中央付近と柱の両側とに計画した。
>
> 例題
>
> **A** ○

石工事からは２年に１回程度、概ねタイル工事と交互に出題されます。細かな数値の暗記が必要ですが、タイル工事と同様に専門性はそれほど高くありません。効率的にポイントを押さえて、数値を正確に覚えましょう。工法的には、外壁乾式工法が重要です。

1 下地ごしらえ

石材は重量物であるため、はく離・はく落等が生じないよう、確実な下地ごしらえを行うことが大切です。

❶ 流し筋工法

<u>埋込みアンカーを、縦横450mm程度の間隔でコンクリートに打ち込み、これに縦筋を溶接し、石材の横目地位置に合わせて横筋を溶接して、</u>R1 引き金物緊結下地とします。主に外壁湿式工法に適用されます。

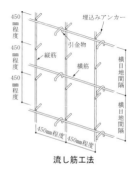

流し筋工法

❷ あと施工アンカー工法

引き金物位置に合わせてあと施工アンカーを打ち込み、引き金物緊結下地とします。主に外壁乾式工法に適用されます。

❸ あと施工アンカー・横筋流し工法

引き金物取付け位置から両側100mm程度の箇所にあと施工アンカーを打ち込み、これに横筋を溶接して引き金物緊結下地とします。主に外壁湿式工法・内壁空積み工法に適用されます。

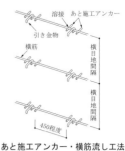

あと施工アンカー・横筋流し工法

2 工法の種類

1 外壁湿式工法

外壁湿式工法は、コンクリート躯体に埋め込んだアンカーや鉄筋に、石材を引き金物で緊結した後、裏込めモルタルを全面に充填する工法です。

【1】特徴

❶ 外部からの衝撃に強いので、1階の腰壁などに採用されます。

❷ 濡れ色、白華（エフロレッセンス）などが生じるおそれがあります。

❸ 地震時などの躯体の挙動には追従しにくいです。

❹ 全重量が大きく、構造的負担が大きくなります。

【2】施工

❶ 石材の厚さ25mm以上70mm以下、面積0.8㎡以内とします。

❷ 石裏面と躯体との間隔は、40mmを標準とします。

❸ 裏込めモルタルは、2〜3回に分け空隙ができないように密実に充填します。各段のモルタル天端は石材天端−30〜40mmとします。

❹ 伸縮調整目地を鉛直方向は1カ所/スパン、かつ、間隔6m以内、水平方向は各階ごとに設けます。

❺ 引き金物は、石厚40mm未満の場合は径3.2mmステンレス製、石厚40mm以上の場合は径4.0mmのものを使用します。

❻ 溶接箇所には錆止め塗料を塗布します。

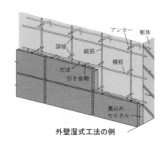

外壁湿式工法の例

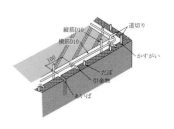

最近、全面的に湿式工法を採用することは減りましたが、1階腰壁など部分的には採用されます。

2 外壁乾式工法

外壁乾式工法は、主にコンクリート躯体に、あと施工アンカーで固定されたファスナー（取付け金物）を用いて石材を1枚ごとに固定する工法で、外壁への石材取付け工法の主流となっています。

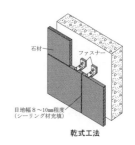

目地幅8〜10mm程度（シーリング材充填）

乾式工法

【1】 特徴

❶ 躯体の変形に追従することができます。

❷ エフロレッセンス（白華）、凍結による被害を受けにくいです。

【2】 施工

❶ 石材は主に花崗岩とし、<u>幅・高さ1,200mm以下、面積 0.8㎡以下、重量70kg以下</u>とします。

❷ 石材は、<u>厚さ30mm以上、70mm以下</u>とします。^{H29}

❸ <u>石裏面と躯体コンクリート面の間隔は、70mmを標準</u>とします。^{H29・R1}

❹ 石材のだぼは一般に<u>径4〜5mm×50mm程度、だぼ孔はだぼより1〜3mm大きくし</u>、端あき寸法は<u>石材の厚みの3倍以上</u>とします。^{H29}

❺ <u>ロッキング方式</u>におけるだぼは、<u>径4.0mm、埋込み長さ20mm</u>のものを使用します。スライド方式の場合は、径5.0mm、埋込み長さ20mmのものを使用します。^{H29・R3・5}^{R1・5}

❻ <u>スライド方式</u>のファスナーに設けるだぼ穴は、外壁面内方向に<u>ルーズホール</u>とします。

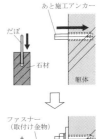

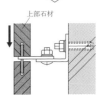

乾式工法の石材取付け順序

ロッキング方式は、1枚1枚の石が回転するように、スライド方式は上下の石が水平方向にずれるように取り付けます。

❼ だぼ孔からはみ出た充填材は<u>硬化前に除去</u>します。

❽ 目地

● 目地幅の調整のためのスペーサーは石材の固定完了後、<u>取り外します。</u>

　➡ スペーサーがあると、荷重が下部石材に伝達されてしまいます。

● <u>目地幅8〜10mm</u>とし、シーリング材を充填します。

● 一般に、2成分形のポリサルファイド系又は変成シリコーン系のシーリング材を用い、シリコーン系は汚れが発生するため用いません。^{R3・5}

⑨ 止水

　石材表面を「一次止水面」とし、躯体面を「二次止水面」とし、あらかじめ躯体表面に防水処理を施して防水性を高めます。

⑩ 下地

　コンクリート躯体位置の許容差は一般に±20mmですが、外壁乾式工法においては、ファスナーの面外調整機構は±10mm程度であるため、<u>下地となるコンクリート躯体の位置の許容差は±10mm</u>とします。

_{R5}

_{H29・R1・3}

3 内壁空積工法
<small>ないへきからづみ</small>

　コンクリート躯体に埋め込んだアンカーや鉄筋に、石材を引き金物で緊結し、緊結部にだけ**取付け用モルタルを充填する工法**です。

① 高さ4m以下の内壁に用いられます。

② 石裏面とコンクリート躯体との間隔は40mmを標準とします。

③ 引き金物と下地の緊結部分は、**高さ50mm×幅100mm程度の取付け用モルタルを充填**します。

④ 石材の移動や衝撃による破損などを防ぐために、**幅木裏には全面に裏込めモルタルを充填**し

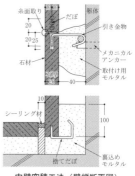

内壁空積工法（壁縦断面図）

ます。また、幅木のない場合は最下部の石裏に**高さ100mm程度まで裏込めモルタルを充填**します。

---

3 | 石材の清掃

【1】石材の取付け終了後

　適切な時期に、付着した汚れやセメントモルタルなどを除去します。

【2】石材の清掃

　原則として、**酸類を使用しません**。ただし、**花崗岩類において、やむを得ず酸類を使用する場合**は、周辺の金物を養生し、石面に清水を注ぎかけた後、酸洗いをし、石面に酸類が残らないように十分水洗いをします。

例題

Q 鉛直面への張り石工事の際、上下の石材間の目地幅の調整に用いたスペーサーは上部の石材の荷重を下部の石材に伝達させるため、工事完了後も存置した。

....

A ✕　スペーサーは固定完了後、取り外す。

　金属工事は例年１問の出題で、応用問題でも出題確率の高い分野です。実務においても軽量鉄骨天井下地、軽量鉄骨壁下地は頻繁に取り扱う工事であり、なじみのある工事の１つという受験生も多いと思います。しかし、そうであるがゆえに、仕上施工の中では、ぜひ得点したいところです。そのためには、基本の理解とともに数値もしっかり暗記する必要があります。

1 　軽量鉄骨下地（天井・壁）

1 　鋼製天井下地（軽量鉄骨天井下地）

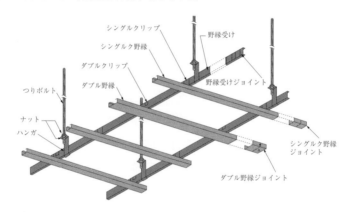

シングルクリップ
シングルク野縁
ダブルクリップ
ダブル野縁
つりボルト
ナット
ハンガ
野縁受け
野縁受けジョイント
シングルク野縁ジョイント
ダブル野縁ジョイント

【1】吊りボルトの取付け

❶ 取付け間隔

　　つりボルトの間隔は900㎜程度とし、周辺部は端から150㎜以内に取り付けます。 　R3

❷ ダクトやダクト支持金物等に固定・接触してはいけません。

❸ ハンガは、つりボルトにナット２個で挟み込んで固定します。

❹ ダクト等によってつりボルトの間隔が900㎜を超える場合、その間に水平つなぎ材を架構し、中間からつりボルトを下げる２段づりとします。 　R3

【2】 野縁受け

❶ 野縁受けのジョイント（継手）の配置は千鳥状にします。

❷ 廊下など、天井裏に通るダクト幅が広くて野縁受けをつれない場合は、野縁
受けの部材断面を大きくするなどの処置をとります。

【3】 野縁の取付け

❶ 野縁は、つりボルトに**ハンガ**を用いて固定した**野縁受け**に、クリップを用い
て留め付けます。野縁の幅は、シングル野縁が25㎜、ダブル野縁が50㎜です。

❷ クリップの留付けは、外れ防止のため、つめ
の向きを交互にします。

❸ 野縁受けからのはね出しは150㎜以上はね
出さないようにします。
　　　　　　　R5

クリップ

❹ 天井に点検口、照明、ダクトなどを設置するため、野縁などの下地材を切断
せざるを得ない場合は、**溶断は行いません。**

> **MEMO**
> 亜鉛めっき鋼板類を溶断してはいけない理由は、切断時の
> 熱によって発生する白煙（酸化亜鉛）が有害であるため。

❺ 下地張りがなく野縁が壁等に突き付く場所
に天井目地を設ける場合、**厚さ0.5㎜のコ形
の金物を野縁端部の小口に差し込みます。**天
井目地の目地底にするとともに、野縁の通り
　　　　　　　　　　　　　R3
をよくするためのものです。

❻ 野縁の配置

● 下地張りあり➡**ダブル野縁@1,800㎜程度**

　　　　　　その間にシングル野縁
　　　　　　4本（@360㎜程度）
　　　　　　　R3・5

● 下地張りなし➡**ダブル野縁@900㎜程度**

　　　　　　その間にシングル野縁2本（@300㎜程度）

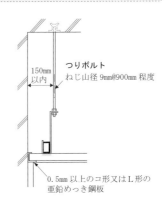
150㎜
以内
つりボルト
ねじ山径 9㎜@900㎜ 程度
0.5㎜以上のコ形又はL形の
亜鉛めっき鋼板

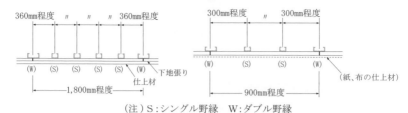

（注）S：シングル野縁　W：ダブル野縁

下地張りのある場合　　　　　　下地張りのない場合

【4】振れ止め

❶ 天井ふところが1,500mm以上ある場合には、振れ止めとして、**水平補強は縦横間隔を1,800mm程度**とし、**斜め補強は相対する斜め材を1組**とし、縦横間隔を3,600mm程度とします。補強には**施工用補強部材**又は［－19×10×1.2（mm）以上の鋼材を用います。

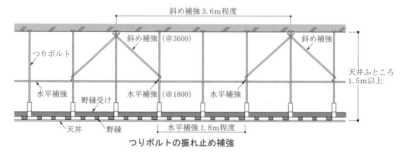

つりボルトの振れ止め補強

天井内の補強方法はよく出題されます。数値も含め正確に覚えましょう。

❷ 下がり壁など、天井に**段違いがある箇所**の振れ止め補強については、**野縁受けと同材**又はL－30×30×3（mm）程度の部材で、段違い部分の野縁受けまたはスタッドに、**間隔2,700mm程度で固定**します。

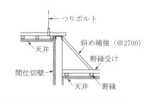

天井段違い箇所の振れ止め補強
（間仕切壁による場合）

【5】その他

❶ 鋼製下地材に溶接を行った場合は、**錆止め塗料**を塗布します。

❷ 高速カッターなどにより切断した場合の切断面は、**亜鉛の犠牲防食作用**が期待できるため、**錆止め塗装は行わなくてかまいません**。

② 鋼製壁下地（軽量鉄骨壁下地）

【1】 ランナ（上下のレール）の取付け

❶ ランナは、間隔900mm程度でスラブなど
に打込みピンなどで固定します。なお、
両端部の固定は、端部から50mm内側と
します。
<small>H30・R4</small>

❷ ランナの継手は、突付け継ぎとします。

❸ 野縁と平行となる上部ランナは、野縁受
けにタッピンねじ又は溶接にて、間隔
900mm程度で固定します。なお、野縁と
直角となる上部ランナは、野縁に固定します。

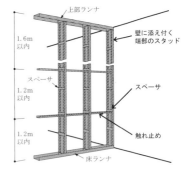

❹ 鉄骨梁に取り付く上部ランナは、耐火被覆の後、あらかじめ鉄骨に取り付け
られた先付け金物にタッピンねじ類又は溶接で固定します。
<small>H29・R2</small>

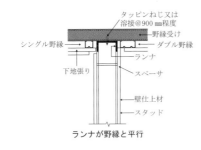

ランナが野縁と平行

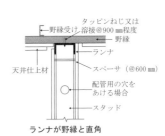

ランナが野縁と直角

【2】 スタッド（間柱）の取付け

❶ 上下ランナに差し込み、半回転させて取り付けます。

❷ 長さが4.0m超4.5m以下の場合は、90形のスタッドを用います。
<small>H29・R6</small>

❸ スタッドの建込み間隔の精度は±5mm、垂直精度は、約±2mmとします。
<small>H30</small>

❹ スタッドは、上部ランナの高さに合わせて切断します。上部ランナ上端とス
タッド天端の隙間は10mm以下となるようにします。
<small>R2・4</small>

⑤ スタッドの間隔

ボードの枚数	スタッドの間隔
ボード2枚張りの場合（下地張りのある場合）	450mm程度
ボード1枚張りの場合（仕上材料などの直張り）	300mm程度

⑥ コンクリート壁に添え付く端部のスタッドについては、スペーサで振れ止め上部を押さえ、必要に応じて打込みピン等でコンクリート壁に固定します。
H29・R2・6

> ランナ・スタッドの取付基準はよく出題されます。数値を正確に覚えましょう。

【3】振れ止め（水平材）・スペーサの取付け

❶ 振れ止めは、床面ランナ下端から**約1,200mmごとに**フランジを**上向きにして引き通し、スペーサで固定**します。
H30・R2・4

❷ 上部ランナ上端から**400mm以内**となる振れ止めは、省略できます。
H29

❸ スペーサは、各スタッドの端部を押さえるため**上下ランナの近く、及び振れ止め上部を固定し、間隔は600mm程度**とします。
H30・R4・6

スペーサー
振れ止め
フランジ上向き

【4】補強材

❶ 出入口などの**開口部両側及びそで壁端部の垂直方向の補強材**は、戸の開閉による振動や衝撃荷重に耐えられるように、**床から上部のはり下またはスラブ下に達する長さまで延ばして固定**します。
R6

❷ **65形で補強材の長さが4.0mを超える場合**は、同材の補強材を**2本抱き合わせ**、上下端部及び間隔**600mm程度に溶接**したものを用います。
H29・R4

❸ 設備配管などにより**振れ止めを切断する場合**は、振れ止めと同材またはつりボルトにより補強します。

あと施工アンカーで固定した金物に溶接またはボルトで固定する
補強材：上部まで延ばす
ランナ
開口部補強材
スタッド
床面
振れ止め
ランナ

開口部両側の補強材

2 天井の脱落防止措置

天井の落下防止装置は、地震に対する安全性を確保するためのものです。

1 特定天井の定義

特定天井とは、吊り天井であって、次の全ての条件に該当するものです。

❶ 居室、廊下その他の人が日常立ち入る場所に設けられるもの。

❷ 高さが6mを超える天井の部分で、その水平投影面積が200㎡を超えるものを含むもの。

❸ 天井面構成部材等の質量が、天井面1㎡当たり2kgを超えるもの。

用語
天井面構成部材等
天井板、天井下地材や、照明設備等。

MEMO
自重を天井材に負担させる照明設備等が含まれることに注意。

覚え方 「特上天井でむちゃニコニコ超うれしい」
特定天井　6m　200㎡ 2kg　超

2 特定天井の構造方法

告示の仕様ルートによる特定天井には、次の「隙間を設ける」方法と「隙間を設けない」方法の2種類があります。

隙間を設ける特定天井

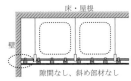

隙間を設けない特定天井

【1】 天井と周囲の壁等との間に「隙間を設ける」構造方法

　地震時に天井に加わる外力を**斜め部材**で受けるとともに、6cm以上の隙間を設けることで、天井と周囲の壁等が衝突しないようにするものです。

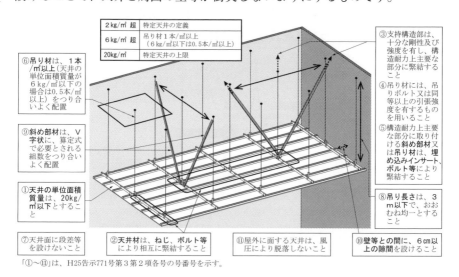

2kg/㎡ 超	特定天井の定義
6kg/㎡ 超	吊り材1本/㎡以上 （6kg/㎡以下は0.5本以上）
20kg/㎡	特定天井の上限

⑥吊り材は、1本/㎡以上（天井の単位面積質量が6kg/㎡以下の場合は0.5本/㎡以上）をつり合いよく配置

⑨斜め部材は、V字状に、算定式で必要とされる組数をつり合いよく配置

①天井の単位面積質量は、20kg/㎡以下とすること

⑦天井面に段差等を設けないこと

②天井材は、ねじ、ボルト等により相互に緊結すること

⑪屋外に面する天井は、風圧により脱落しないこと

③支持構造部は、十分な剛性及び強度を有し、構造耐力上主要な部分に緊結すること

④吊り材には、吊りボルト又は同等以上の引張強度を有するものを用いること

⑤構造耐力上主要な部分に取り付ける斜め部材又は吊り材は、埋め込みインサート、ボルト等により緊結すること

⑧吊り長さは、3m以下で、おおむね均一とすること

⑩壁等との間に、6cm以上の隙間を設けること

「①～⑪」は、H25告示771号第3第2項各号の号番号を示す。

❶ 天井材は、ボルト接合、ねじ接合その他これらに類する接合方法により**相互に緊結**します。野縁や野縁受けは、相互に**ジョイントを差し込んだ上でねじ留めし、隣り合うジョイントの位置は、互いに1m以上離し、千鳥状に配置**しなければいけません。_{R1}

❷ **吊り材は、天井面の面積が1㎡当たりの平均本数を1本**（隙間あり仕様の場合：天井面構成部材等の単位面積質量が6kg以下のものにあっては0.5本）以上とし、つり合いよく配置します。_{R1}

❸ 吊り材は、**天井面構成部材を鉛直方向に支持**します。_{R1}

特定天井については、定義・仕様等正確に覚えましょう。

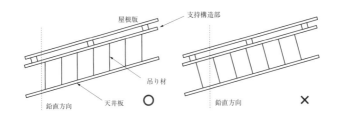

屋根版　支持構造部

吊り材

鉛直方向　天井板　〇

鉛直方向　×

❹ 天井面構成部材に**天井面の段差**その他の地震時に有害な**応力集中**が生ずる
おそれのある部分を設けません。ただし、段差がある場合でも、<u>鉛直方向に
1 ㎝以上のクリアランスを設けて完全に縁が切れていれば大丈夫です。</u>

_{R1}

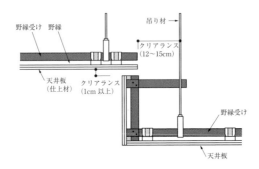

野縁受け　野縁

吊り材

クリアランス
(12〜15cm)

天井板
(仕上材)　クリアランス
(1cm 以上)

野縁受け

天井板

【2】 天井と周囲の壁等との間に「隙間を設けない」構造方法

　天井と周囲の壁等とが一体となって動き、地震時に天井に加わる外力を周囲の
壁等を介して構造躯体に伝達するもので、次の特徴があります。
❶ 天井が壁等の層間変形に追随するため、**斜め部材を設けません**。
❷ 天井面の長さは、張り間方向、桁行方向とも、**20m以下**とします。

【3】 既存の特定天井を改修する場合

　ネットを天井下に張る、天井をワイヤでつるなどにより**落下を防止する工法**
も認められています。

例題		
Q	居室に設ける吊り天井で、高さが 5 m、水平投影面積が300㎡、天井面構成部材等の単位面積質量が 5 kgのものは、特定天井に該当する。	
A	✕	特定天井の定義、高さ 6 m超、水平投影面積200㎡超、天井面構成部材等の質量が 2 kg /㎡超。

3 その他の金属工事

1 アルミニウム製笠木

【1】 笠木の割付け

コーナー部などの役物を先に、直線部については、全体の形状を考慮して、定尺のものを優先して割り付けます。調整部分を中心部にもってくる方法、両側に割りふる方法、片側にもってくる方法があります。

【2】 笠木のジョイント部分

原則として、はめあい方式による**オープンジョイント**とし、温度変化による部材の伸縮への対応のため、**長さ4mごとに5〜10mmのクリアランス**を設けます。

【3】 固定金具

パラペット天端に、**あと施工アンカー**などにより所定の位置に堅固に取り付けます。

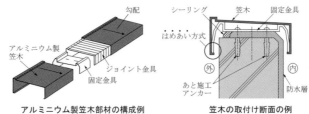

アルミニウム製笠木部材の構成例　　　笠木の取付け断面の例

2 手すり

【1】 伸縮調整継手

① 温度変化による伸縮を考慮し、**5〜10m間隔に伸縮調整部**を設けます。

② 温度差が40℃の場合の部材伸縮の目安は、鋼材は0.5mm程度/m、アルミニウムは1.0mm程度/mで、アルミニウムの方が伸縮が大きくなります。

　➡伸縮調整継手の間隔：アルミニウム合金製手すり＜鋼製の手すり

【2】 手すり支柱

コンクリート・モルタル中に入る部分であっても、**錆止め処置**を行う必要があります。

建具工事からは例年1問出題されます。かなり専門的な内容も含まれますが、過去問のポイントをしっかり押さえておけば、正答を見つけることができる出題も多くあります。建具工事の基本とともに、過去問のポイントを押さえてください。

1 アルミニウム製建具

アルミニウム合金製建具は、軽量で塗装を要せず、錆びにくいことなどから、住宅などでもアルミサッシとして広く用いられます。

■ 表面処理・防食処理

【1】 アルミニウムと異種金属

異種金属の接触腐食が生じないよう、異種金属を直接接触させることは避け、一般には、めっきまたは塗膜処理を施します。

➡電位の低い金属が融解する「電食」を生ずることがあります。

●見え隠れ部分の補強材に鋼材を使用する場合には接触腐食をおこすおそれがあるため、防食処理（亜鉛めっき処理、塗装等）を行います。
_{H30}

【2】 アルミニウムとモルタル

アルカリ性材料（コンクリート・モルタルなど）に接する箇所には、**耐アルカリ塗料**（アクリル樹脂系またはウレタン樹脂系の塗料）を施します。

❶ 着色陽極酸化皮膜の表面処理は、絶縁処理が必要で、モルタルに接する箇所の耐アルカリ性塗料塗りを省略できません。

❷ 陽極酸化塗装複合皮膜の表面処理は、絶縁処理（アルミニウム材と充填モルタルとの絶縁及びアルミニウム材と鋼材等との接触腐食を避けるための絶縁）も兼ねているため、耐アルカリ性塗料塗りは省略できます。
_{R2}

> アルミニウムは錆びにくい材料ですが、異種金属との接触腐食対策、アルカリ性対策は必要です。

② 工場製作

【1】加工・組立て

❶ 枠、かまち、水切り、ぜん板、額縁は、ア
ルミニウム板を折曲げ加工する場合は、厚
さ1.5mm以上とします。
_{H30・R4}

❷ 建具の仕口や隅部の突付け部分の組立て
は、漏水防止のため**シーリング材又はシー
ト状の止水材（成形シール材）**を挟んで、
タッピンねじ止めとします。
_{H30・R6}

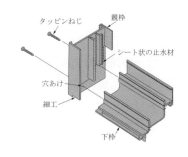

親枠
タッピンねじ
シート状の止水材
穴あけ
細工
下枠

③ 現場施工

【1】アルミニウムに接する小ねじなど
材質は、**ステンレス**とします。

【2】鉄筋コンクリート造への取付け

❶ 躯体付けアンカーを型枠に取り付け、コンク
リート中に埋め込みます。なお、建具枠、く
つずり、水切り板等のアンカーは、両端から
150mm内外逃げた位置から、**間隔500mm以下**と
します。
_{H30・R2・4・6}

❷ サッシはくさびなどで仮留めし、位置及び形状
を正確に決め、躯体付けアンカーに溶接して本
取付けを行います。

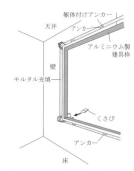

躯体付けアンカー
天井
アンカー
アルミニウム製
建具枠
壁
モルタル充填
くさび
アンカー
床

アルミニウム製建具枠の取付け

❸ 取付け精度
心墨（逃げ墨）、陸墨などを基準墨とし、**倒れ精度**許容差は**±2mm**とします。
_{R4}

❹ 仮留め用のくさび
➡外部に面する建具は、モルタル充填時、くさびを**必ず取り除きます**。
➡屋内で水がかりでない場合、取り除かずモルタル充填できます。

❺ シーリング材の施工
挙動の少ない鉄筋コンクリート造のサッシ回りでは、バックアップ材を省略
し、3面接着とします。

【3】 鉄骨造への取付け

シーリング材の施工は、バックアップ材等を用いて、2面接着です。

【4】 充填モルタル

❶ 建具周囲への充填モルタルは、セメント1：砂3（容積比）とします。

❷ 外部建具周囲に用いる充填モルタルは、防水剤及び必要に応じて凍結防止剤入りとします（ただし塩化カルシウムを含まないものとする）。

❸ 塩化物によるアルミニウムの腐食は、保護塗装でも防げない場合が多いので、充填モルタルに使用する砂の塩分含有量は、NaCl換算0.04％（質量比）以下とし、海砂等は除塩したものを使用します。
R2・4・6

❹ 建具枠の下部のモルタルの確実な充填のためには、水切り板とサッシ下枠部とを2度に分けてモルタル詰めを行います。

充填モルタルは、建具の固定・雨漏り防止のために、とても重要です。

【5】 水切りと下枠との取合い部のシーリング

建具枠回りと同一のシーリング材を使用します。これは2つのシーリング材が連続する部分での異種シーリングの打継ぎを避けるためです。
R2・6

【6】 清掃・養生

❶ 表面にモルタル・塗料などが付着した場合、放置するとしみが生じるおそれがあるので、ただちに柔らかい布と清水などで除去します。

❷ アルミニウム製建具に油類が付着した場合は、5〜10％エチルアルコールを加えた水又は温湯をつけた布などで表面の汚れを拭き取ります。

2 鋼製建具・鋼製軽量建具

【1】 加工・組立て

❶ 鋼製建具の戸の表面板は、厚さ1.6mmの鋼板を標準とします。
R1・3・5

❷ 建具枠の補強板は、厚さ2.3mm以上とします。
H29・R1・5
（丁番やピボットヒンジなどにより、大きな力が加わる建具枠等）

❸ 力骨は厚み2.3㎜、中骨は厚み1.6㎜とします。
_{R3}

❹ 枠類の厚さは1.6㎜とします。
_{R5}

❺ 鋼製建具（出入口）のくつずりはステンレス製とし、板厚1.5㎜、表面仕上げをHL（ヘアライン）とします。
_{R1・3}

❻ フラッシュ戸の中骨の間隔は300㎜以下とし、構造用接合テープを用いて接合します。
_{R3}

❼ 外部に面する両面フラッシュ戸の見込み部は、下部を除き三方の見込み部を表面板で包みます（三方曲げ）。内部建具は二方曲げとします。

❽ 組立ては、一般に溶接とし、小ねじ留めは水掛かりでない屋内の鋼製建具には使用することができます。
_{R1・3・5}

❾ くつずりは、裏面に鉄線を付け、あらかじめモルタル詰めを行った後に取り付けます。

❿ 鋼製軽量建具の戸の表面板は厚さ0.6㎜、力骨は厚さ1.6㎜とします。
_{H29・R1・3}

鋼製建具・鋼製軽量建具の厚さ等の比較

区分	使用箇所	鋼製建具 厚さ（㎜）	鋼製軽量建具 厚さ（㎜）
枠類	一般部分	1.6	←
	くつずり：ステンレス	1.5	←
戸	表面板	1.6	0.6以上
	力骨：四周	2.3	1.6
	中骨：中間	1.6間隔300㎜以下	←
補強板類		2.3以上	←

各部材の厚みを正確に覚えましょう。

【2】現場施工

❶ 取付けは、芯墨、陸墨などを基準とします。

❷ 倒れ精度の許容差は面内、面外とも±2㎜とします。

❸ 枠及び戸の取付け精度は、ねじれ、反り、はらみ、それぞれの許容差を2㎜以内とします。
_{R3}

❹ 表面に付着したモルタルは、直ちに柔らかい布と清水で除去します。

3 自動ドア開閉装置

❶ 開閉速度は、開速度500㎜/秒以下、閉速度350㎜/秒以下とします。

❷ 戸は、220N以下の力で開閉できなければいけません。

❸ 電源が切られた状態で、使用者が日常的に戸を手動で操作することが想定される場合は、100N以下の力で開閉できなければいけません。

❹ タッチスイッチなどの手動起動装置を使用する場合は、連続する歩行者を考慮し、併用センサーを設置しなければいけません。

❺ タッチスイッチの高さは、車いすや高齢者に配慮したユニバーサルデザインに基づき、床面からスイッチ中心までの高さを950±50㎜とします。

❻ バリアフリートイレ（高齢者障害者用便房）用自動ドアの便房内のスイッチは、戸より700㎜以上後退し、座位による操作を考慮して1000㎜程度の高さとします。

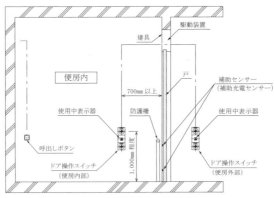

バリアフリートイレ（高齢者障害者用便房）

4 シャッター

❶ 防火シャッターのスラットはインターロッキング形、防煙シャッターはオーバーラッピング形とします。

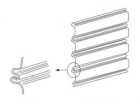

インターロッキング形スラット

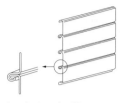

オーバーラッピング形スラット

❷ 電動式の場合は、リミットスイッチを設けます。

リミットスイッチとは、シャッターが全開した場合又は全閉した場合に作動し、シャッターを停止させるスイッチです。

❸ スラットは板厚1.6mmの溶融亜鉛めっき鋼板とします。

❹ 耐風圧性を高めるためには、スラットのはずれ止め機構を設けます。

❺ 電動シャッターは、不測の落下に備え、急降下制動装置（ガバナー装置）、又は急降下停止装置を設けます。

❻ 電動シャッターは、降下中に障害物を感知した場合、自動的に停止する機能を有する障害物感知装置を設けます。

❼ 防火シャッター及び防煙シャッターは、降下中に障害物を感知した場合、自動的に停止又は反転上昇して停止し、障害物がなくなると、再び降下を開始して閉鎖する機能を有する危害防止装置を設けます。

シャッターは、防火防煙の区別・安全装置が出題のポイントです。

5 排煙窓他

　排煙窓の手動開放装置の操作部分は、壁に取り付ける場合においては、床面から80cm以上1.5m以下の高さに、天井からつり下げて設ける場合においては、床面からおおむね1.8m以下の高さに設けます。

H29

Q 表面処理が陽極酸化塗装複合皮膜のアルミニウム製部材は、モルタルに接する箇所の耐アルカリ性塗料塗りを省略した。

A ○

Q 外部鋼製建具枠の組立てにおいて、厚さ2.3mmの裏板補強のうえ、小ねじ留めとした。

A ✕　組立ては、一般に溶接とする。小ねじ留めは水がかりでない屋内には使用可。

ガラス工事からの出題は近年ありません。効率的な学習のため、本章もごく限定的な内容としています。類似問題等が出題された場合は、確実に対応できるようにしましょう。

1 はめ込み構法

■ 不定形シーリング材構法

金属などのU字形の溝にガラスをはめ込む場合に、シリコーン系などの弾性（不定形）シーリング材を用いる構法です。

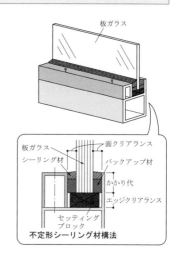

不定形シーリング材構法

【1】面クリアランス

ガラス面からサッシ溝の内側までの寸法をいい、主に風圧力の作用による不均一な発生応力の防止や、窓枠との接触による熱割れ防止、シーリング材の充填などのスペースです。

【2】エッジクリアランス

ガラス小口（エッジ）と建具枠との距離をいい、**セッティングブロック**により確保します。また、両サイドの建具枠との距離を確保するためには**エッジスペーサー**を用います。これは、**地震時に窓枠が面内変形したときのガラスと窓枠の接触**を防止し、可動窓開閉時の衝撃による**ガラスの損傷防止**のために必要なスペースです。

【3】かかりしろ

建具枠に飲み込まれるガラスの寸法をいい、主に**風圧力による板ガラスの窓枠からの外れ防止**や、**ガラス切断面の反射を見えなくする**ために必要です。

3つの寸法（面クリア、エッジクリア、かかりしろ）は、その機能を正確に押さえましょう。

【4】 セッティングブロック

　下辺のガラスはめ込み溝内に置き、**ガラス自重を支える材料**です。

❶ サッシ溝底とガラスの接触を防止し、かつ適当なエッジクリアランスとガラスのかかりしろを確保することを目的に使用されます。

❷ ガラスの両端部より**ガラス幅の$\frac{1}{4}$のところに、2 カ所設置**します。

【5】 バックアップ材

　シーリング施工の場合、ガラスを固定するとともに、シール打設時のシール受けの役目をする材料です。

2 グレイジングガスケット構法

　グレイジングガスケット構法には、**グレイジングチャンネル構法**と**グレイジングビード構法**があります。それぞれU字形をした**グレイジングチャンネル**、J字形をした**グレイジングビード**を用い、ガスケットを伸ばさないようにし、各隅を確実に留め付けます。

> **用語**
> **グレイジングガスケット**
> ガラス板の固定等のために、ガラス周囲に巻き付けられるゴム状のシーリング材。

【1】 グレイジングチャンネル構法

　戸建て住宅の引違い戸のガラスなど、窓枠のかまちが分割できる場合に用いられます。

❶ グレイジングチャンネルをガラスに巻き付ける際、**継ぎ目は上辺中央**とし、隙間が生じないように突き合わせた後、サッシの枠を取り付けます。

❷ 高い水密性が要求される**高層ビルには適しません**。

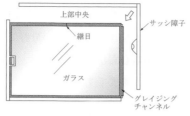

グレイジングチャンネルの巻付け

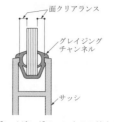

グレイジングチャンネルの納まり

【2】 グレイジングビード構法

　戸建て住宅のガラスなどに用いられ、溝内への
水の浸入を許容する場合に使用できます。ただし、
浸入した水は速やかに排出される構造とします。

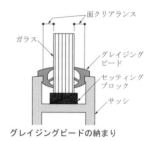

グレイジングビードの納まり

3 構造ガスケット構法

　構造ガスケットは、**ジッパーガスケット**とも呼ばれ、クロロプレンゴムなど
の押出し成形によってつくられます。**ガラスの保持機能**とガラス周囲のシール
材としての**水密機能**を兼ねた、ガラスの**支持材兼防水材**です。

　ジッパーを取り付ける際には、ジッパーとジッパー溝に**滑り剤**を塗布します。

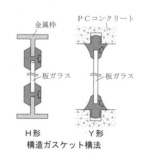

H形　　Y形
構造ガスケット構法

構造ガスケット

　内装工事は例年1問程度の出題で、応用問題でも出題確率の高い分野です。日頃なじみのある工事ですが、比較的専門性の高い出題もあります。まずは、出題頻度の高い、すなわち基本事項をしっかり押さえることが重要です。

1　ボード類（せっこうボードなど）の張付け

1　留付け材

① 鋼製の小ねじ類は、亜鉛めっきなどの防錆処置を行ったものとします。

② 浴室、洗面所、便所、厨房などの錆びやすい箇所に使用する小ねじ類は、ステンレス製とします。

③ 長さ　木造（釘）：ボード厚×3倍　※　釘頭が平らに沈むまで打ち込みます。
_{R2}
　　　　　鋼製下地（ドリリングタッピンネジ）：裏面余長10mm
_{R6}

④ ドリリングタッピンねじは、ボード端部から10mm程度内側の位置で留め付けます。
_{R2}

2　工法

【1】 ボード類の取付け方法及び間隔

下地への取付け方法	下地種類	施工箇所	留付け（塗付け）間隔		
			周辺部	中間部	
小ねじ類	軽量鉄骨下地木造下地	壁	200mm程度	300mm程度_{H30・R6}	
		天井	150mm程度	200mm程度	
接着剤による直張り工法	コンクリート下地など	壁はり	150〜200mm	床上1.2m以下	床上1.2m超
				200〜250mm	250〜300mm_{H30・R4}

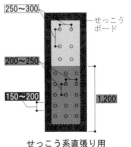

せっこう系直張り用接着材の間隔（mm）

間隔は、同じような数値で混乱するところですがしっかり覚えてください。min150〜max300。危険性の高い範囲や周辺部は150〜200mm程度、危険性の低い範囲や中間部は250〜300mm程度です。

【2】 ボードの張付け順序

天井へ張り付ける場合、室の中央から周囲に向かって張ります。

【3】 ボード類の二重張り

❶ ボード類を下地張りの上に張る場合は、**接着剤を主**とし、必要に応じて、小ねじ類やタッカーによる<u>ステープル</u>（足の長さ20mm）などを併用して留め付けます。
_{R6}

❷ 上張りの**継ぎ目**と下張りの**継ぎ目**は**同位置にならない**ようにします。<u>ロックウール吸音化粧板を天井せっこうボードに重ね張りする際には、目地を50mm以上ずらします。</u>
_{R6}

【4】 コンクリート下地などへの直張り工法（GL工法）

コンクリート面において、**せっこう系直張り接着剤**を一定間隔で下地面へ塗り付け、ボードをじかに張り付ける工法です。

❶ 直張り工法は、**耐震性**、**遮音性が劣る**ので、層間変位の大きいALC外壁、集合住宅の**戸境壁**_{（こざかい）}などへの採用には**十分留意**します。

❷ 床面からの水の吸上げによる**ボードの濡れ防止**及び乾燥のために、ボード下端にスペーサーを置き、<u>10mm程度浮かした状態</u>で張り付けます。
_{R2・4・6}

❸ コンクリートの下地面からボードの仕上がり面までの寸法(a)は、下地面の凹凸を考慮して、ボードの厚さにより次表のとおりとします。

ボード下端と床面の取合い

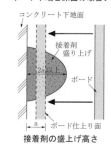

接着剤の盛上げ高さ

ボードの厚さ	仕上がり面までの寸法(a)
9.5mm	20mm
12.5mm	25mm _{R4}

※ ボード厚の約2倍と覚える。

❹ 一度に練る量は**1時間以内**に使い切る量とし、1回の塗布面積は**ボード1枚分**とします。

❺ 下地が**ポリスチレンフォーム断熱材**や**現場発泡断熱材**、**ALCパネル**などの場合は、<u>プライマー処理</u>を行います。
_{H30}

❻ **乾燥期間**：仕上げ材施工までの放置期間

- 仕上げ材に通気性がある場合（布系壁紙など）：7日以上
- 仕上げ材に通気性のない場合（ビニルクロス、塗装など）：20日以上

乾燥期間が不十分だと、カビの発生につながりますね。

❼ 寒冷期の施工

寒冷期に**接着剤**（せっこう系直張り用接着材を含む）を用いる場合、施工時及び接着剤硬化前に気温が5℃以下になる時は、**施工を中止**します。やむを得ず施工する場合は、ジェットヒーター等による**採暖**を行い、室温を10℃以上に保ちます。

【5】せっこうボードのジョイント処理（継ぎ目処理工法）

テーパーエッジボード（テーパー付きせっこうボード）、ベベルエッジボードを用いて、目地のない平滑な面をつくる工法です。

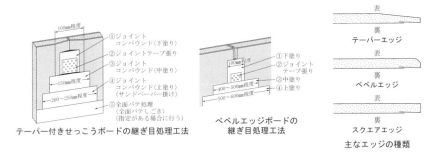

テーパー付きせっこうボードの継ぎ目処理工法

ベベルエッジボードの継ぎ目処理工法

主なエッジの種類

❶ せっこうボードは、温湿度が変化してもほとんど伸縮しない特性を利用し、継ぎ目処理工法により、目地なしの平滑な壁面とすることができます。

❷ ジョイントコンパウンドを塗り付け、直ちにジョイントテープを張ります。

❸ グラスメッシュのジョイントテープを用いる場合は、ジョイントコンパウンドの下塗りを省略できます。

❹ 目地処理は、テーパーボードの場合は幅200～250mmの範囲、ベベルエッジボードの場合は幅500～600mmの範囲で行います。

せっこうボードの優れた寸法安定性により、継ぎ目処理を行うことで目地なし壁面が可能になります。

❶ 出隅部

壁、開口部回りなどの出隅部において、衝突による
損傷などを防止するための補強材（コーナービード）
を取り付けます。

❷ せっこうボードを曲率の小さな下地に張る場合、ボード
の片面に**切れ目**を入れて曲面を形成することができま
す。

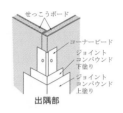

せっこうボード
コーナービード
ジョイント
コンパウンド
下塗り
ジョイント
コンパウンド
上塗り

出隅部

例題	**Q**	せっこうボードのせっこう系直張り用接着剤による直張り工法において、その接着剤の塗付け間隔については、ボード周辺部で250〜300㎜とした。
	A ✕	ボード周辺部は150〜200㎜とし、中央部床上1.2m以下で200〜250㎜、1.2m超で250〜300㎜とする。

---

2 ビニル床シート張り

【1】 下地（コンクリート・モルタル塗り下地の場合）

❶ 下地面は、十分に乾燥していることを確認します。

　➡モルタル下地14日以上、コンクリート下地28日以上施工後放置します。

❷ 材料が薄く光沢のあるものが多く、わずかな不陸や突起なども目立つため、
下地面は金ごて仕上げとし、下地精度には十分留意します。

　➡下地コンクリートの平たんさは、3mにつき7㎜以下とします。

❸ 下地表面の傷、へこみなどは、ポリマーセメントモルタルなどを用いて補修
を行った後、サンダー掛けなどにより表面を平滑にします。

【2】 張付け

❶ シート類は、長手方向に縮み、幅方向に伸びる性質があるので、長めに切断
して仮敷きし、室温20℃以上で24時間以上放置して巻きぐせをとってなじ
ませます。

❷ 張付けに用いる接着剤は、所定のくし目ごてを用いて下地面へ平均して塗布
し、また必要に応じて裏面にも塗布し、べた張りとします。

③ 張付けは、下地面に接着剤を均一に塗布した後、**所定のオープンタイム**が経過した後、張付け可能時間内に張り付けます。

➡所定のオープンタイムをとらずに張り付けると、初期粘着力の不足、密封された溶剤による床材の軟化やふくれの原因となります。

④ 張付けは、**圧着棒**を用いて空気を押し出すように行い、その後**45kgローラー**で圧着します。
H29・R3・5

仮敷き・張付け方法は、使用する接着剤とともによく出題されます。

⑤ シートを立ち上げて**幅木**とする場合は、以下のような小端処理を行います。
　ⓘ シリコーンシーリング材等でシールする方法
　ⓘⓘ キャップをかぶせる方法
　ⓘⓘⓘ 入り幅木とする方法

⑥ 張付け時及び接着剤の硬化前に**5℃以下**になるおそれがある場合は、接着剤が硬化せず、所要の接着強度が得られないので施工を**中止**します。

⑦ やむを得ず施工する場合は、ジェットヒーター等による採暖等を行い、室温を**10℃以上**に保ち、施工後12時間程度は極端な温度変化が生じないようにします。
R1・5

【3】接着剤

❶ **湿気のおそれのある床**（防湿層のない土間コンクリート、地下部分の最下階、洗面脱衣室、便所など）に張り付ける場合は、化学反応で硬化し、耐水性のある「反応形」の接着剤（**エポキシ樹脂系**又は**ウレタン樹脂系**の接着剤）を用います。
R1・3

❷ 「エマルション形」の接着剤（酢酸ビニル樹脂系、アクリル樹脂系）は、接着剤中の水分の蒸発により硬化するため、多湿な場所には適しません。

【4】 床シートの接合部

　ビニル床シート張り付け後、防湿・防じんなどの目的で、はぎ目及び継手を熱溶接する「**熱溶接工法**」がよく用いられます。

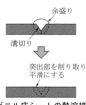

ビニル床シートの熱溶接

❶ <u>12時間以上放置し、**接着剤が硬化後**、継手部分に溝切りを行います。</u><u>溝切りはV字型またはU字型とし、深さをシート厚の$\frac{2}{3}$程度とします。</u>
R1・3
R5

　➡接着剤中の溶剤又は水分が残留された段階で熱溶接を行うと、溶剤又は水が急激に蒸発し、継目部分が膨れたり接着不良を発生します。

❷ <u>**熱溶接機**による180〜200℃の熱風で加圧しながら、床シートと溶接棒を同時に溶解させます。</u>溶接部が完全に冷却した後、余盛りを削り取り、平滑にします。
H29・R1・5

例題

Q ビニル床シートの張付けは、シートの搬入後、直ちに、室の寸法に合わせて切断して張り付けた。

A ✕　長めに切断し24時間以上仮置きし、巻きぐせをとる。

---

3 ビニル床タイル張り

❶ 接着剤を、所定のくし目ごてを用いて下地面へ均一に適量を塗布します。

❷ <u>所定のオープンタイムの経過後、張付け可能時間内に床タイルを張り付け、ローラーなどで圧着します。</u>
H29

　➡所定のオープンタイムをとらずに張り付けると、初期粘着力の不足、溶剤による床材の軟化やふくれなどの原因となります。

❸ **冬期低温時**におけるビニル床タイルの張付けは、ビニル床タイルが硬くなり下地になじみにくくなっているので、<u>トーチランプやバーナー等でビニル床タイルを軽く加熱しながら圧着します。</u>
H29

4 フローリング張り

❶ 継手は乱にします（隣接の継手から150mm程度離す）。

❷ 湿度変化によるフローリングボードの膨張伸縮を考慮し、壁、幅木及び敷居
との取合い部分には、隙間を設けます。

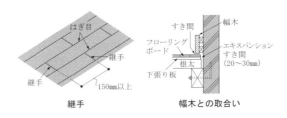

継手　　　　　　　　　幅木との取合い

5 カーペット敷き

【1】 グリッパー工法

床の周囲に釘または接着剤で固定したグリッパーにカーペットの端を引っ掛
け、緩みのないように、一定の張力を加えて敷き詰める工法です。

● カーペットの伸張作業には、一般にニーキッカーが用いられます。なお、面
積が広くなったり、幅狭や長い廊下の場合には、パワーストレッチャーなど
の工具を用います。

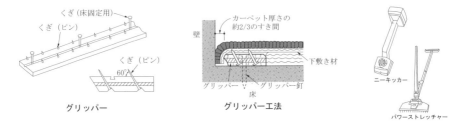

グリッパー　　　　　グリッパー工法

【2】 全面接着工法

接着剤を使ってカーペットを床に固定する工法です。接着剤は、カーペット
自体の収縮を抑えるため、はく離強度よりもせん断強度を重視したタイプのも
のを使用します。

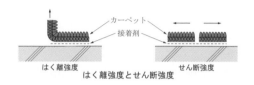

はく離強度　　　　　　　　　　せん断強度
はく離強度とせん断強度

カーペットは、はがれないことより、ずれないことが安全上重要です。

【3】タイルカーペット全面接着工法

❶ 粘着はく離形（ピールアップ形）接着剤を用います。

❷ 原則として、市松敷きとします。

❸ 出入口部分は$\frac{2}{3}$以上の大きさのものが配置されるようにします。

❹ フリーアクセスフロア（二重床）への施工の場合

➡下地面の段違い、床パネルの隙間を1mm以下に
調整します。

➡タイルカーペットの割付けは、下地のフリー
アクセスフロアのパネルの目地とタイルカー
ペットの目地を100mm程度ずらして、またがる
ように張り付けます。

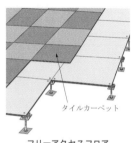
タイルカーペット

フリーアクセスフロア

6　合成樹脂塗床

第3-2編　仕上施工

9

内装工事

【1】下地

❶ 下地となるコンクリート又はモルタルは、原則として、金ごて仕上げとします。
R6

❷ コンクリート下地面は、十分に乾燥した状態とします。

❸ 合成樹脂塗床材は、塗り膜厚が薄いため、下地表面の平滑度を高めます。

❹ コンクリート表層部分は、レイタンスやぜい弱層を研磨機等で除去します。

❺ 合成樹脂を配合したパテ材（樹脂パテ）や樹脂モルタルを用いて下地処理
（くぼみ、隙間、目違い部分を平らにする）する場合は、プライマー塗布後
に行います。
H30・R4

➡樹脂パテは、塗床材と同質の樹脂に、無機質系充填材、セメント等の水硬

性物質等を加えパテ状としたものです。
_{H30}

【2】 プライマーの塗布

❶ 下地面の清掃を行った後、プライマーを均一に塗り付けます。

❷ プライマーの吸込みが激しく塗膜を形成しない場合は、全体が硬化した後、吸込みが止まるまで繰り返しプライマーを塗布します。
_{R2・6}

【3】 塗床材の塗り工法

工法の種類	流しのべ工法※	樹脂モルタル工法
用途例	実験室、化学工場など	駐車場、重作業室、機械室、倉庫など
工法の特徴	ペースト状の床塗材を厚く流しのべ、自己流動性により平滑に仕上げるセルフレベリング工法。平滑で美観性がよく、耐摩耗性・耐薬品性を主目的とした床に用いられる	骨材量を増やした塗床材をこて塗りする工法で、耐荷重性・耐衝撃性を主目的とした床に用いられる
工法の断面図	ベースコート(2) ベースコート(1) プライマー	ベースコート(目止め) ベースコート(樹脂モルタル) プライマー

※ 流しのべ工法　骨材を混合したペースト状の樹脂を金ごてなどで塗布し、材料の自己流動性で平滑な塗膜（厚さ0.8～2.0㎜）を得る工法である。完全な樹脂塗膜であり、耐薬品性、耐摩耗性、清潔性に優れているため、薬品を使用する実験室、化学工場、厨房などの床に適している。

【上記以外の工法】

コーティング工法　樹脂に添加剤を配合した低粘度の液体をローラーまたはスプレーにより塗布し、厚さ0.05～0.2㎜の薄い塗膜を得る工法である。軽歩行・軽作業用途の防じん床などに採用される。
_{H30・R2・4}

ライニング工法　ガラス繊維などの補強材を積層し、樹脂を塗り重ねる工法である。重防蝕性が要求される貯液槽などに採用される。

一般的な用途の部屋の場合、流しのべ工法やコーティング工法が比較的多く採用されます。

【4】 弾性ウレタン塗床の表面仕上げの種類と工程

❶ **平滑仕上げ**（へいかつ）　プライマー塗り➡下地調整➡ウレタン塗床材塗り（金ごて、ローラーばり、はけ等）
_{R2}

❷ **防滑仕上げ**（ぼうかつ）　プライマー塗り➡下地調整➡ウレタン塗床材塗り➡ウレタン塗床材＋弾性骨材を混合して塗付け➡トップコート塗り

❸ **つや消し仕上げ**　プライマー塗り➡下地調整➡ウレタン塗床材塗り➡つや消し材入トップコート塗り

❹ 弾性ウレタン樹脂系塗材は、硬化するときに少量のガスを発生することがあり、1回の塗付け量があまり多いと内部にガスを封じ込めて仕上がり不良となるため、**ウレタン樹脂の1回の塗付け量は2kg/㎡以下とします**（塗付け量2kg/㎡は硬化物比重1.0の場合、厚さ2㎜となる）。
_{R6}

【5】 エポキシ樹脂モルタル塗床の工程

❶ プライマーと樹脂モルタルの間に**タックコートを塗付します**。タックコートは、樹脂モルタルの付着性を高め、金ごての作業性をよくします。

❷ **樹脂モルタルの塗付け**は、定規を用いて平滑に仕上げ、硬化後にモルタル仕上げ面にピンホールが残らないように**目止め**を行います。

❸ 防滑のための骨材散布は、**上塗り1回目が硬化する前に所定の骨材をむらのないように均一に散布**します。1回目の上塗りが適度に硬化後、最終工程である**2回目の上塗り**を行います。
上塗り1回目➡骨材（硬化前）➡上塗り2回目（硬化後）
_{R2・4}

【6】 施工管理

❶ 気温が5℃以下、相対湿度が80％以上の場合は、低温による塗床材の硬化不良、結露による仕上り不良等の不具合を生じる危険性があるため、**施工を中止**します。

❷ **主剤と硬化剤の練混ぜ量は30分以内に使い切る量**とします。
_{R6}

❸ 施工中は、**直射日光を避ける**とともに、換気及び火気に注意し、また、周辺を汚さないよう養生を行います。

❹ 塗床の施工後、塗床に適度な表面硬度が発現する期間は、冬期で3日、春秋期で2日、夏期で1日が目安であり、この間は歩行禁止とします。

① 断熱材

形　状	種　類	
	材　種	材料名
フェルト状断熱材	無機質繊維系断熱材※1	グラスウールなど
ボード状断熱材	無機質繊維系断熱材	グラスウールなど
	木質繊維系断熱材※2	インシュレーションボードなど
	発泡プラスチック系断熱材※3	ポリスチレンフォーム 硬質ウレタンフォームなど
吹込み用断熱材 （ばら状断熱材）	無機質繊維系断熱材	吹込み用グラスウールなど
	木質繊維系断熱材	吹込み用セルローズファイバー
現場発泡断熱材	発泡プラスチック系断熱材	吹付け硬質ウレタンフォーム

※1　無機質繊維系断熱材
　　　ガラス原料や鉱石を溶かして繊維状にした、不燃性の高い断熱材。透湿性があるため、防
　　湿層を設ける必要がある。

※2　木質繊維系断熱材
　　　ボード状製品の場合、木材繊維を主原料とするインシュレーションボード（軟質繊維板）
　　などを用いる。

※3　発泡プラスチック系断熱材
　　　プラスチックを発泡させたもので、板状製品と現場で発泡して用いるものがある。吸水
　　性が少なく、断熱性に優れるが、燃焼性にやや難がある。

② 工法

工　法	概　要	断熱材の種類
❶はめ込み工法	断熱材を床の根太、壁の間柱などの下地材の間にはめ込む工法	フェルト状断熱材 ボード状断熱材
❷張付け工法	断熱材を接着剤・ボルト・釘などにより壁面などに張り付ける工法	ボード状断熱材
❸打込み工法	あらかじめ、断熱材をせき板に取り付けるか、断熱材をせき板として使ってコンクリートを打ち込む工法	
❹吹込み工法	断熱材をホースなどにより吹き込む、または壁体などの隙間に流し込む工法	吹込み用断熱材 （ばら状断熱材）
❺吹付け工法	断熱材を、壁面などに吹き付ける工法	現場発泡断熱材

共同住宅などの断熱では、現場発泡断熱材の吹付け工法が比較的多く採用されます。

【1】はめ込み工法

❶ 断熱材を根太・間柱などの間にはめ込みます。

❷ フェルト状断熱材を切断する場合は、はめ込む部分の内法寸法より5〜10㎜大きく切断します。

❸ 隙間が生じないように均一にはめ込みます。

❹ 防湿層にポリエチレンフィルムなどのシートを用いる場合、シートの継ぎ目は木下地の上で重ね合わせ、その重ね幅は30㎜以上とします。

【2】張付け工法

❶ 断熱材の全面に接着剤を塗布して張り付けます。
　➡隙間があると、その部分に結露が生じやすくなります。

❷ 下地コンクリートの不陸・豆板（じゃんか）
　➡セメント系下地調整材などで平滑に補修し、隙間が生じないようにします。下地の不陸が3㎜以下の場合は、接着剤を厚く塗ることで対応できます。

❸ 窓枠等の施工が困難な部分は、硬質ウレタンフォームを吹き付けます。

【3】打込み工法

❶ 断熱材の継ぎ目は突付けとし、コンクリートの流出を防止するため、テープ張り等の処置を講じます。

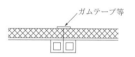
ガムテープ等

❷ 断熱材の継ぎ目にコンクリートがはみ出している箇所は、現場発泡工法によりそのまま補修します。ただし、継目の隙間が大きい場合にはVカットした後に現場発泡工法により補修します。

❸ セパレーターなどの金物類が断熱材を貫通する部分は冷・熱橋（熱貫流抵抗が局部的に小さい箇所）となるので、断熱材の補修を行います。

❹ コーンの撤去跡などには、現場発泡工法などによる断熱材の補修を行います。

❺ 断熱材が欠落している箇所は、その部分のコンクリートをはつり取り、現場発泡工法などにより隙間なく補修します。

❻ 開口部の枠回りは、形状が複雑で打込み工法による施工が困難な場合が多いため、現場発泡工法（吹付け工法）により施工します。

【4】 吹込み工法

　木造において、綿状のロックウールなどの断熱材をホースで天井裏や壁の空隙に吹き込む工法です。

【5】 吹付け工法（現場発泡工法）

❶ 目地のない連続した断熱層が得られ、複雑な形状にも施工が容易です。

❷ 断熱層の厚さを調整できますが、厚さが不均一になりやすくなります。

❸ 接着性（自着性）があるため、接着剤は不要です。
_{R3・6}

❹ 換気の少ない場所では、酸欠状態となりやすいため、強制換気等の対策を講じます。

❺ 吹付け面の温度・乾燥度などは、発泡性・付着性に大きく影響するため、吹付け面の温度は5℃以上に保つなど適切な条件で施工します（コンクリート面は20〜30℃が最適）。
_{H29}

❻ 厚さ5mm以下の下吹きを行い、吹付けの総厚さが30mm以上の場合は、多層吹きとします。ただし、1日の総吹付け厚さは80mm以下とします。
_{H29・R1} _{R1}

❼ 厚さの許容誤差は、0〜+10mmで、マイナスは許容されません。
_{R6}

❽ ワイヤゲージなどを用いて、随時厚みを測定しながら吹付け作業を行います。

　➡所定の厚さに達していない箇所は、補修吹きを行います。

　➡厚く吹きすぎた箇所は、カッターナイフなどで表層を除去します。
_{R3}

❾ 吹付け厚さは、確認ピンを用いて確認します。

　➡スラブ・壁は5㎡程度につき1カ所以上、柱・梁の場合は1面につき1カ所以上。

　➡確認ピンはそのまま存置します。

吹付け工法の厚みは、施工誤差が大きくなりますが、マイナスは許されません。注意しましょう。

外装工事等からは例年１問出題されます。「押出成形セメント板」「ALC」がそれぞれおおむね２年に１回、「屋上緑化システム」「カーテンウォール」が数年おきに出題されます。基本をしっかり押さえましょう。

1 押出成形セメント板工事

1 パネルの取付け方法

パネルの縦使い（縦張り工法）と横使い（横張り工法）の２つの方法があります。地震時の層間変位にパネルが追従できるように、縦使いの場合は**ロッキング方式**、横使いの場合は**スライド方式**とします。

	パネル縦使い（縦張り工法）	パネル横使い（横張り工法）
	ロッキング方式	スライド方式
工 法		
荷重受け	パネルは、**各段ごとに構造体に固定**した下地鋼材で受ける	パネルは、**積上げ枚数３枚以下ごと**に、柱などの構造体に固定した**自重受金物**で受ける H29・R2・6

❶ **パネル取付け金物（Ｚクリップ）は、下地鋼材への<u>かかり代30mm以上</u>を確保し、<u>層間変形に追従</u>できるように正確、かつ堅固に取り付けます。**
R2・4
Ｚクリップは、<u>電気亜鉛めっき処理</u>したものを用います。ただし、<u>高湿度環境</u>の場合は、<u>溶融亜鉛めっき処理</u>とします。
R6

❷ 縦張りロッキング方式➡Ｚクリップを**パネル上下端部に上下動**できるように取り付けます。

❸ 横張りスライド方式➡クリップを**パネル左右端部に左右スライド**できるように取り付けます。

● **Ｚクリップは回転しないように、<u>下地に長さ15mm以上溶接します。</u>**
R6

第3・2編 仕上施工

10

外装工事等

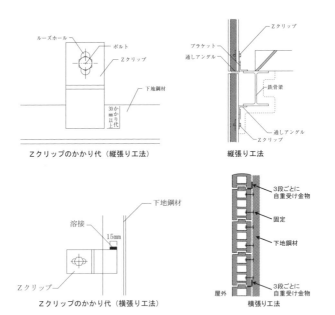

Ｚクリップのかかり代（縦張り工法）

縦張り工法

Ｚクリップのかかり代（横張り工法）

横張り工法

2 施工

【1】 パネルの切断・溝掘り・孔あけなど

❶ パネル幅の最小限度は、原則として300mmとします。
_{H29・R2}

❷ パネルには、原則として**欠込み**は行いません。

❸ やむを得ず孔あけ及び欠込みを行う場合は、強度計算を行って安全を確認するとともに、孔あけ・欠込みは**パネル幅の$\frac{1}{2}$以下、かつ300mm以下**、切断後の残部幅は300mm以上（孔あけの場合は150mm以上）とします。
_{H29・R4}

【2】 各部納まり

❶ パネル相互の目地幅は、**長辺10mm以上、短辺15mm以上**とし

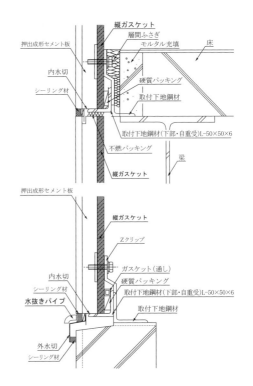

ます（縦張り・横張り共通）

② 2次的な漏水対策として、室内側にガスケット、パネル最下部に水抜きパイプを設置する構法もあります。

2 ALCパネル工事

1 外壁パネル構法

　ALCパネルを外壁として取り付ける場合、縦壁、横壁に大別され、次のような取付け構法があります。

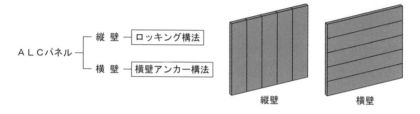

縦壁　　　横壁

【1】ロッキング構法

　構造躯体の変形に対して、パネルが1枚ごとに微少回転して追従する構法で、パネル内部に設置されたアンカーと取付け金物（イナズマプレート、平プレートなど）により上部、下部の2点でピン支持となるように躯体に固定します。層間変形に対する追従性に最も優れた構法です。

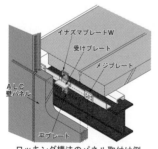

ロッキング構法のパネル取付け例

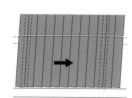

パネルの動き（ロッキング構法）

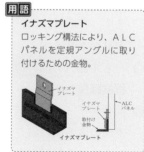

用語

イナズマプレート
ロッキング構法により、ALCパネルを定規アングルに取り付けるための金物。

① パネルは、格段ごとに、構造体に固定した下地鋼材に取り付ける。パネル重量は下部の**パネル中央**に設置する**受けプレート**で支持します。

② **ロッキング構法の横目地は伸縮目地**とし、**目地幅10～20mm**とします。

【2】横壁アンカー構法

躯体の層間変位に対し、上下段のパネル相互が水平方向にずれ合い追従する構法で、横壁パネルの両端部を**フックボルト**などにより躯体に固定します。<u>パネル重量はパネル下部の**両端**に位置する**自重受け金物**により、積上げ段数5段以下ごとに支持します。</u>
_{R5}

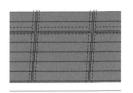

パネルの動き（横壁アンカー構法）

> 横壁タイプの自重受けは、押出成型セメント板の場合は3段以下、ALCの場合は5段以下になりますね。

2 間仕切りパネル構法

間仕切りパネル構法には、縦壁ロッキング構法、横壁アンカー構法、縦壁フットプレート構法があります。前2者は外壁と同様です。

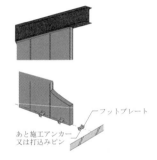

フットプレート

あと施工アンカー又は打込みピン

【1】縦壁フットプレート構法

❶ <u>面内方向に可動（スライド）</u>となるように、また躯体変形や地震時の動きを吸収するため、パネル上部の取付け部には、**20㎜程度のクリアランス**を設けます。
_{R1}

❷ <u>パネルの一体化等の目的で、パネル相互の接合に接着材を用いる場合があります。接着材には、シリカ系**接着材**、セメント系接着材、アクリル樹脂系接着材があります。</u>
_{R1}

❸ <u>パネル面外方向の荷重に対してパネルを支持するために、**かかり代を20㎜程度確保**します。</u>
_{R1}

❹ <u>間仕切りチャンネルをデッキプレート下面の溝方向に取り付ける場合、チャンネルの取付けに先立ち、下地として**平鋼**などをデッキプレート下面にアンカーなどにより取り付けておきます。</u>
_{R5}

デッキプレート

平鋼 @1200
間仕切りチャンネル② 2.3

③ 屋根及び床パネル構法

　屋根及び床パネルの構法は、**敷設筋構法**とします。長辺は突き合わせ、短辺小口相互の接合部には20㎜程度の目地を設けて敷設し、長辺溝部及び短辺に設けた**目地部分**に、**目地鉄筋を挿入し目地用モルタルを充填**する構法です。

❶ パネルは、表裏を正しく置き、有効な掛かりしろを確保します。

❷ 集中荷重が作用する部分は、直下に受け梁を設け、パネルは梁上で分割して割り付けます。

❸ 屋根及び床の周辺部や階段室まわりなどで、目地鉄筋によりパネルの固定ができない箇所は、**ボルトと座金（丸座金または角座金）**を用いてパネルを取り付けます。

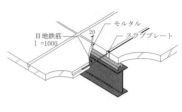

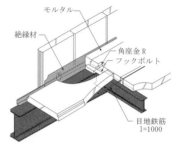

④ 施工

【1】 パネルの切断・溝掘り・孔あけなど

❶ パネルの切断・溝掘り・孔あけは、原則として行いません。行う場合は**主筋を切断しない範囲**で、かつ強度上支障のない範囲内とします。

❷ 外壁及び間仕切りパネルへの孔あけは直径が**パネル幅の$\frac{1}{6}$以下**、床パネルへの孔あけ加工は、主筋の位置を避け、直径50㎜以下で、1枚当たり1カ所とします。

❸ 加工などにより露出した鉄筋には、錆止め塗料で防錆処理を行います。

❹ パネル全体にわたりひび割れのあるものや鉄筋が露出しているような欠けがあるものなど、**構造耐力上支障があるものは廃棄**します。

❺ 使用上支障のない程度の欠けのパネルは、監理者と協議の上、通常は所定の補修モルタルで補修して使用します。

> ALCの場合、支障のない欠けは補修して使用することが認められています。

【2】補強鋼材

❶ 窓・出入口などの開口部回りには、**開口補強鋼材**を取り付けます。

❷ 開口補強鋼材には、通常は山形鋼などが用いられ、開口部及び開口部回りのパネルに加わる外力（風圧力など）を**直接躯体に伝達**します。

開口補強鋼材（ヨコ材）
開口補強鋼材（タテ材）

開口補強鋼材
（ロッキング構法の場合）

【3】パネル間目地のシーリング

ロッキング構法でのパネル間目地は、全てワーキングジョイントであり、パネル目地に追従できるように**2面接着**とします。

【4】各部納まり

❶ 出隅・入隅のパネル接合部、パネルと間仕切パネル、パネルと他部材とのなどの取合い部の目地は**伸縮目地**とし、目地幅10〜20mmとします。[R1・3]

❷ 耐火又は防火上必要な場合、伸縮目地を構成するパネル相互の接合部には所定の耐火目地材を挿入します（モルタルは充填しない）。[R3]

例題	**Q**	ロッキング構法によるALCパネル工事において、定規アングルにALCパネルを取り付けるための金物を、イナズマプレートという。
	A	○

3 　カーテンウォール工事

カーテンウォール（以下、CWという）は、工場生産された部材で構成される非耐力外壁のうち、地震や強風による建物変形に対して追従できる壁をいいます。CWは、主要構成部材の材料により、メタルCWとプレキャストコンクリートCWの2つに大別されます。

1 メタルCWの施工

❶ CW部材の躯体への取付けは、**躯体付け金物及び取付け金物**で行います。

> **用語 躯体付け金物**
> CW部材を取り付けるため、あらかじめ鉄骨躯体に溶接などで取り付けたり、コンクリート躯体に埋め込む金物をいう。
>
> 取付け金物
> 躯体付け金物
> **躯体付け金物・取付け金物**

❷ 特記のない場合、躯体付け金物の取付け位置の寸法許容差は、**鉛直方向：±10mm、水平方向：±25mm**とします。

❸ CW部材の取付けは、**パネル材では３カ所以上、形材（方立など）では２カ所以上を仮止め**し、脱落しないように固定します。

❹ 部材の熱伸縮等による発音防止のため、滑動する金物間に**摩擦低減材**を挟みます。

❺ 床面に取り付ける**取付け金物**のボルト孔は、躯体の施工誤差を吸収するため、**ルーズホール**とします。

ルーズホール・
スライドホール

> **用語 ルーズホール**
> CW部材の取付けに際し、躯体精度、部材精度を吸収する機能をもつ長孔。取付位置の調整後、ボルト締めや溶接で固定する。

> **用語 スライドホール**
> 地震時の層間変位や熱伸縮に追従する機能をもつ長孔。滑動を阻害する強固なボルト締めや溶接を行ってはならず、一般に手締め程度とし、緩み止めを施す。

取付金物は、面外方向、面内方向の機能等の違いにより、現場では１次ファスナー、２次ファスナーと区別されて呼ばれることがあります。

❻ CW部材の取付け位置における、目地幅の寸法許容差は、特記のない場合は次表によります。

	メタルCW	プレキャスト コンクリートCW
目地の幅の許容差	±3mm	±5mm

4 屋上緑化工事

　防水層のある屋上に緑化を行う工事において、耐根層、耐根層保護層、排水層、透水層及び土壌層から構成される**屋上緑化システム**を用います。

❶ 植物根茎が防水層を貫通せず、防水層の重ね合わせ部に侵入しないようにします。

❷ <u>耐根層（耐根シート）は、保護コンクリートの上部、または防水層直上部に設けます。</u>

❸ 露出防水の場合、防水層は機械的衝撃に弱く、わずかな傷からも漏水しやすいため、<u>防水層、耐根層を保護するため、耐根層保護層（衝撃緩衝層）を敷設してから植栽を行います。</u>_{H30}

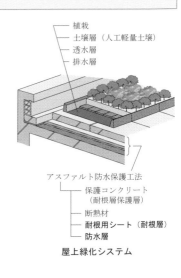

植栽
土壌層（人工軽量土壌）
透水層
排水層

アスファルト防水保護工法
保護コンクリート
（耐根層保護層）
断熱材
耐根用シート（耐根層）
防水層

屋上緑化システム

❹ 防水立上り上端は漏水等の事故が多いため、土壌面は防水立上り上端より150mm以上低くします。

❺ 耐根シートの重ね合わせの接合部については、平場と同等の性能となるよう接合します。

❻ ルーフドレンは、1排水面積に最低**2カ所以上**設置し、ルーフドレンの口径は<u>目詰まりを考慮して**余裕のある管径**とします。</u>

❼ <u>植栽地の**見切り材（土留め材）**に設ける**排水孔**は、目詰まり**防止**、土壌流出防止のための処理を行います。</u>_{H30}

塗装工事は例年1問の出題で、応用問題でも出題されます。内容は専門性が高く、難易度も高いため、体系的、網羅的な学習は効率がよくありません。出題事項を中心に、効率的にポイントを押さえましょう。

1　素地ごしらえ

1　木部の素地ごしらえ

【1】節止め

樹脂（やに）が塗装面に染み出すことによる塗装膜の軟化、ふくれなどを防止するために、節回り及び樹脂の出るおそれのある部分に、あらかじめ、速乾不透過性の塗料（セラックニス）を刷毛で1〜2回塗る作業をいいます。

```
汚れ・付着物の除去
  ↓
やに処理
  ↓
研磨紙ずり
  ↓
節止め
  ↓
穴埋め（パテかい）
  ↓
研磨紙ずり
```
木部の素地ごしらえ
（不透明塗料塗りの場合）

【2】穴埋め（パテかい）

素地表面を平滑にするために、割れ目、孔、隙間、くぼみなどにパテを埋め、平らにする作業をいいます。木部の穴埋めには、合成樹脂エマルションパテ（耐水形）を用います。なお、このパテは、耐水形であっても外部には使用しません。

用語	用語
セラックニス 昆虫の分泌液（樹脂質）を精製し、アルコール類に溶解した茶褐色のニス。	**パテかい** パテしごきともいい、塗装素地面の隙間、くぼみなどにパテをヘラで塗り付けて平らにすることをいう。

2　鉄鋼面の素地ごしらえ

【1】油類の除去

鉱物油（機械油など）は、石油系溶剤などを用いて、**溶剤洗浄**をします。動植物油（防錆油等）は、弱アルカリ性脂剤で洗浄します。

```
汚れ・付着物の除去
  ↓
油類の除去
  ↓
錆落とし
  ↓
下塗り（錆止め塗装）
```
鉄鋼面の素地ごしらえ
（現場処理の場合）

【2】 錆落し

赤錆は、ディスクサンダー、ワイヤブラシ、スクレーパー、研磨紙などで取り除き、直ちに錆止め塗料を塗布します。

3 亜鉛めっき鋼面の素地ごしらえ

【1】 亜鉛めっき鋼面

仕上げの塗膜がはく離することが多いので注意して素地ごしらえを行います。

汚れ・付着物の除去
⬇
油類の除去
⬇
化成皮膜処理
⬇
下塗り（錆止め塗装）

亜鉛めっき鋼面の
素地ごしらえ
（工場塗装の場合）

【2】 化成皮膜処理

亜鉛めっき鋼面において、防錆性と付着性を高めるために、リン酸塩化成皮膜処理またはクロメートフリー化成皮膜処理を行います。なお、エッチングプライマーは六価クロムを含むため用いません。

【3】 素地ごしらえ後

錆止め塗料を塗布します。

 MEMO

> 亜鉛めっき鋼面の素地ごしらえには、従来、エッチングプライマーが使用されていたが、エッチングプライマーは、有害な六価クロムを含むことなどから、使用しないこととなった。

4 モルタル面及びせっこうプラスター面の素地ごしらえ

【1】 乾燥

素地面は、十分に乾燥していることが必要です。

乾 燥
⬇
汚れ・付着物の除去
⬇
吸込み止め
⬇
穴埋め（パテかい）
⬇
研磨紙ずり

モルタル面などの
素地ごしらえ
（特記がない場合）

【2】 吸込み止め

シーラー塗りともいい、吸水性のある下地面において、塗料の吸込み程度のむらが生じることを防ぐ工程です。

➡ 一般に、吸込み止めは、穴埋め・パテかいを行う前に行います。穴埋め・パテかい後に行うことは、塗膜の耐水性などを維持する上で好ましくないので避けます。

【3】 穴埋め（パテかい）

屋内のモルタル面の穴埋めには、合成樹脂エマルションパテ（耐水形）を用います。

用語

シーラー
素地表面をシールする（隙間を塞ぐ）ことにより、下地をなめらかにし、塗料の吸込みを防ぐ下地調整材をいう。

MEMO

耐水形であっても、屋外や水がかり部分には、合成樹脂エマルションパテは用いない（はく離の原因となる）。

吸込み止め（シーラー塗り）➡穴埋め・パテかいの順番は、他の工事においても共通です。

5 コンクリート面などの素地ごしらえ

【1】 乾燥

素地面は、十分に乾燥していることが必要です。

素　地	夏　期	冬　期
コンクリート	21日（3週間）	28日（4週間）
モルタル	14日（2週間）	21日（3週間）

【2】 下地調整材塗り

建築用下地調整材塗りを全面に1〜2mm程度塗り付けます。

6 その他の素地ごしらえ（ケイ酸カルシウム板）

表面がぜい弱なケイ酸カルシウム板（ケイカル板）の素地ごしらえは、穴埋め（パテかい）の前に、吸込み止めの処理として、反応形合成樹脂シーラー又は弱溶剤系反応形合成樹脂シーラーを全面に塗り付けます。これには表面補強効果もあります。

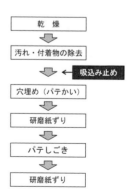

乾　燥
↓
汚れ・付着物の除去
↓
下地調整材塗り
↓
研磨紙ずり
↓
パテしごき
↓
研磨紙ずり

コンクリート面などの
素地ごしらえ
（特記がない場合）

乾　燥
↓
汚れ・付着物の除去
↓ ← 吸込み止め
穴埋め（パテかい）
↓
研磨紙ずり
↓
パテしごき
↓
研磨紙ずり

ケイ酸カルシウム板の
素地ごしらえ

2　錆止め塗料塗り

　金属系素地面（鉄鋼面、亜鉛めっき鋼面）においては、塗装に先立ち、防錆を目的に素地ごしらえの後の**下塗り**として、**錆止め塗装**を行います。

素地の種類	使用する錆止め塗料
鉄鋼面	●鉛・クロムフリー錆止めペイント ●水系さび止めペイント
亜鉛めっき鋼面	●一液形変性エポキシ樹脂錆止めペイント ●変性エポキシ樹脂プライマー

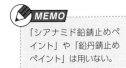

MEMO

「シアナミド鉛錆止めペイント」や「鉛丹錆止めペイント」は用いない。

3　各種塗料

1 合成樹脂調合ペイント（SOP）塗り

❶ 適用素地

　主に金属系、木部。

❷ はけ目が少なく、光沢がよく、平滑な仕上がり塗膜が得られます。

2 合成樹脂エマルションペイント（EP）塗り

❶ 適用素地

　主にセメント系、せっこう系、木部。

❷ 一般建築物の内外の壁や天井などの保護と美装を目的として用います。

❸ 合成樹脂と顔料を結合させた**乳液状**のものを水で薄めて塗装する、不透明性の**水性塗料**です。<u>水で希釈することができます</u>。
　H29・R1・4・6

❹ 臭気が少なく、引火の危険性もないので作業性がよいです。

❺ <u>1種は外部や水がかり部分に、2種は内部に用います</u>。
　R2

❻ <u>下塗り、中塗りの工程間隔時間（次工程の塗装を行うために必要な最低限度の時間間隔）は3時間以上（気温20℃）とします</u>。
　R3・5

合成樹脂調合ペイント	●アルカリ性に弱い塗料である ●セメント系素地面（モルタル・コンクリート面）には適さない
合成樹脂エマルションペイント	●鉄鋼面などの金属系素地面には適さない

合成樹脂ペイントは、モルタル・コンクリートに塗れず、合成樹脂エマルションペイントは、金属面に塗れません。

③ つや有合成樹脂エマルションペイント塗り（EP-G）

❶ 適用素地

主に金属系、セメント系、せっこう系、木部。

❷ 主に、屋内の鋼製または亜鉛めっき鋼製の建具や設備機器、建築物の内外の壁や天井などのつや有仕上げを必要とする部位に用います。

● 工程間隔時間は、セメント系下地の場合下塗り後３時間以上、<u>中塗り後５時間以上、最終養生時間は48時間以上</u>とします。

R1・2

④ フタル酸樹脂エナメル塗り

❶ 適用素地

主に金属系。

❷ 主に、屋外で使用する鋼製のドア、サッシ、シャッターなどの美装仕上げに用います。

❸ 合成樹脂調合ペイント塗りに比べて、平滑性や美装性に優れた不透明塗料です。

⑤ アクリルシリコン樹脂エナメル塗り

❶ 適用素地

主に金属系、セメント系。

❷ 主に強い腐食環境にある場所で、長期の防錆効果、高度な耐久性や美装性を必要とする部位や、内外の柱や壁などに対する平滑仕上げを施す場合に用います。

❸ <u>コンクリート素地面への下塗りには、反応形合成樹脂シーラー又は弱溶剤系反応形合成樹脂シーラー</u>を使用します。

H30

● 次工程までの<u>工程間隔時間は原則として16時間以上７日以内</u>とします。

⑥ 2液形ポリウレタンエナメル塗り

❶ 適用素地

主に金属系、セメント系。

❷ 主として、腐食雰囲気での長期にわたる耐候性、美装性を必要とする部位や、内外の柱や壁などに対する平滑仕上げを施す場合で、特に耐久性や美装性が求められる部位などに用います。

- 2液形ポリウレタンエナメルなどの2液形塗料の混合は所定の比率を正確に守り、十分均一に攪拌して**可使時間内に使用**します。可使時間を過ぎると、外観は使用可能に見えても、乾燥後の塗膜性能は低下するので、絶対に使用してはいけません。
- 次工程までの<u>工程間隔時間は原則として16時間以上7日以内</u>とします。

H29・R1・6

7 アクリル樹脂系非水分散形塗料塗り（NAD）

❶ 適用素地

　　主にセメント系。ただし、せっこう系は適していません。

❷ 主に内外の壁などにつや消しの平滑仕上げを施す場合に用います。

- 種別A種の場合には下塗り後<u>中塗り前に研磨紙P220〜240を用いて研磨</u>します。これは素地調整の工程で平滑化できなかった凹凸部を平滑化する工程です。

H29・R2・5

- <u>下塗り、中塗り、上塗りの材料は同一で、塗付け量も同量0.10kg/㎡</u>とします。

H30・R1・3・6

- <u>工程間隔時間は、3時間以上</u>とします（気温20℃）。

R4

NADの下塗り・中塗り・上塗りは、材料も塗厚も全て同じですね。

8 常温乾燥形ふっ素樹脂エナメル塗り

❶ 適用素地

　　主に金属系素地面、セメント系。

❷ 主として、腐食雰囲気での長期にわたる防錆効果、耐候性、美装性を必要とする部位や、内外の柱や壁などに対する平滑仕上げを施す場合に用います。

- 亜鉛めっき鋼面の<u>下塗り</u>には、**変性エポキシ樹脂プライマー**又は**一液形変成エポキシ樹脂錆止めペイント**を使用します。

H30・R3・5

- 塗装方法は、はけ塗り、ローラーブラシ塗り、吹付け塗りとします。ただし、<u>下塗り</u>においては、素地によく浸透させる目的で、**はけ塗り、ローラーブラシ塗り**とします。中塗りや上塗りは原則として**吹付け**とします。

H29・R2・4・6

- <u>工程間隔時間は原則として16時間以上7日以内</u>とします。

9 木材保護塗料塗り（WP）

❶ 外壁、門、ベランダやウッドデッキなどの屋外で使用される木質系素地に対する半透明塗装仕上げに用います。

● 屋外の木質系素地面の**木材保護塗料塗り（WP）**においては、木材保護塗料は<u>原液</u>で**使用**することを基本とし、**希釈はしません。**
  H30・R3・5

①**気温5℃以下**、**湿度85％以上**、**結露**等で塗料の乾燥に不適当な場合は、塗装を行うことはできない。
②外部の塗装は、**降雨**のおそれのある場合又は**強風**時は、原則として、行なうことはできない。

ただし、採暖、換気等を適切に行う場合は、この限りではありません。

内外装改修工事は例年1問の出題で、応用問題でも出題されます。出題範囲が広く、専門性の高いものもありますが、ある程度パターン化したものもあり、また施工管理としては類推できる範囲のものもあります。効率的にポイントを押さえ、得点源としてください。

1　コンクリート打放し仕上げ外壁の改修

部分的に露出した鉄筋及びアンカー金物などは、健全な部分が露出するまでコンクリートをはつり、錆を除去し、鉄筋コンクリート用防錆剤などを塗布し、防錆処理を行います。

■ コンクリートの「ひび割れ部」の改修工法

ひび割れ部の改修に適用する工法は、ひび割れ幅、ひび割れの挙動の有無などにより、以下から選択します。

改修工法	幅	挙動	使用材料
シール工法	0.2㎜未満	無	パテ状エポキシ樹脂 R6
		有	可とう性エポキシ樹脂
エポキシ樹脂注入工法	0.2㎜以上1.0㎜以下	無	硬質形エポキシ樹脂
		有	軟質形エポキシ樹脂 R2
			可とう性エポキシ樹脂
Uカットシール材充填工法	1.0㎜超 H30・R1	無	可とう性エポキシ樹脂
		有	シーリング材 R6

ひび割れの幅、挙動の有無に対応する工法名称や、材料がよく出題されます。しっかり覚えましょう。

【1】シール工法

0.2㎜未満の微細なひび割れに用いる改修工法です。プライマー塗布後、シール材をパテへらなどで塗布し、表面を平滑に仕上げます。

●シール工法は、一時的な漏水防止処理に適し、改修後の耐用年数は長期には

期待できません。

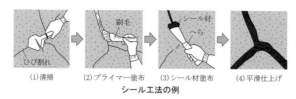

(1)清掃　　(2)プライマー塗布　(3)シール材塗布　(4)平滑仕上げ

シール工法の例

【2】エポキシ樹脂注入工法

　低・中粘度のエポキシ樹脂を用いて、ひび割れ部に樹脂を注入する工法です。工法は、**自動式**、**手動式**、**機械式**の３種類があり、特記がなければ「自動式低圧エポキシ樹脂注入工法」とします。

❶ 自動式低圧エポキシ樹脂注入工法

　自動的に注入できる機能をもった注入用器具を、ひび割れに所定の間隔で取り付け、樹脂を低圧で注入する工法です。

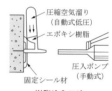

樹脂注入工法

- 注入器具の取付け間隔（注入間隔）は、ひび割れの幅を考慮して決めますが、特記がない場合は、200〜300mm間隔とします。
- 注入完了後は、**注入器具を取り付けたまま硬化養生**をします。

❷ 手動式エポキシ樹脂注入工法

　ひび割れにパイプを取り付けて注入口とし、手動式のポンプを用いて樹脂を注入する工法です。

　垂直方向のひび割れは**下部の注入口から上部**へ、水平方向のひび割れは片端部の注入口から他端へ順次注入し、注入口を密封し、硬化養生をします。

【3】Ｕカットシール材充填工法

　ひび割れ部を中心としてＵ字形に溝切り（Ｕカット）を行い、その部分に**シーリング材**などを充填します。

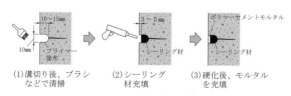

(1)溝切り後、ブラシ　　(2)シーリング　　(3)硬化後、モルタル
　などで清掃　　　　　　　材充填　　　　　　を充填

Ｕカットシール材充填工法の例

② コンクリートの「欠損部」の改修工法

❶ ポリマーセメントモルタル充填工法

コンクリート表面のはがれ、はく落が比較的浅い、**軽微な欠損部（深さ30㎜程度以下）** に適用します。

❷ エポキシ樹脂モルタル充填工法

比較的深く、大きな欠損部（深さ30㎜超）に適用します。

例題	Q	コンクリート打放し仕上げ外壁の改修工事において、幅が1.0mm を超え、かつ、挙動するひび割れは、エポキシ樹脂注入工法により行った。
	A ✕	ひび割れ部が幅1.0㎜を超える場合はUカットシール材充填工法とする。

---

2 タイル張り仕上げ外壁の改修

① タイルの浮きの調査方法

【1】打診法

打診用ハンマー（タイル用テストハンマー）を用いて検査する方法で、タイル壁面を全面にわたってたたき、その反発音（打診音）によってタイルのはく離や浮きを判断します。一般に、正常音（高く、硬い音）であれば浮きがなく、異常音（響くような低く大きな音）であれば浮きがあります。

【2】赤外線装置法

タイル張り壁面の表面温度を赤外線装置で測定し、浮き部と接着部における熱伝導の違いにより浮きの有無を調査する方法です。タイル表面の温度を測定するため、日射、気温、時刻の影響を受けやすい欠点があります。

② タイルの「ひび割れ部」の改修工法

ひび割れ部での漏水や錆汁が認められる場合やひび割れ部周辺に浮きが共存する場合は、監理者と協議が必要です。

タイル張り仕上げの撤去時は、ひび割れ周辺をタイル目地に沿って、ダイヤモンドカッターなどで切り込みを入れ、ひび割れ部と健全な部分との縁切りを

行います。タイルのひび割れ部の改修工法は、ひび割れがどの量まで達しているか、ひび割れ幅、ひび割れの挙動の有無などにより、工法を選択します。

【1】 ひび割れが構造体コンクリート内部まで達している場合

改修工法	幅	挙動	使用材料
エポキシ樹脂注入工法	0.2mm以上 1.0mm以下	無	硬質形エポキシ樹脂
		有	軟質形エポキシ樹脂
			可とう性エポキシ樹脂
Uカットシール材充填工法	1.0mm超	無	可とう性エポキシ樹脂
		有	シーリング材

表の工法は、コンクリートの「ひび割れ部」の改修工法と同じです。

❶ エポキシ樹脂注入工法

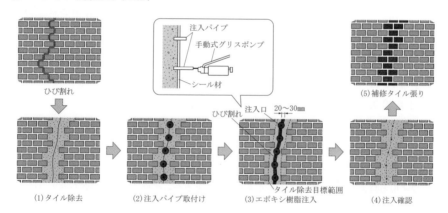

449

❷ Uカットシール材充填工法

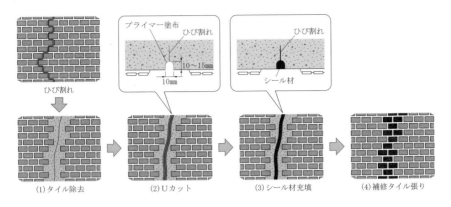

(1)タイル除去　　　(2)Uカット　　　(3)シール材充填　　　(4)補修タイル張り

【2】ひび割れがタイル陶片のみに存在する場合

タイル陶片のみに0.2mm以上のひび割れがある場合、次のいずれかによります。

● タイル片を撤去せずにエポキシ樹脂注入工法
● タイル部分張替え工法（ただし、面積は0.25㎡以下）

タイル張りにはポリマーセメントモルタル又は外装タイル張り用有機系接着剤を用います。_{R4}

❸ タイルの「欠損部」の改修工法

タイルの欠損部の改修工法は、以下の2工法から選択します。

改修工法	適用欠損部
❶タイル部分張替え工法	● 1カ所の張替え面積が小さい場合（0.25㎡以下）
❷タイル張替え工法	● 1カ所の張替え面積が大きい場合

※ タイル張替え工法は、タイルがモルタル下地をともなってはく離し、通常レベルの打撃力で剥落する浮きや欠損などで、一箇所の張り替え面積が大きい場合に適用する。_{R6}

【1】 タイル部分張替え工法

❶ ポリマーセメントモルタルを使用する場合は、下地面に水湿し又は吸水調整材の塗布を行います。

❷ 外装タイル張り用有機系接着剤を使用する場合は、下地面をよく乾燥させます。

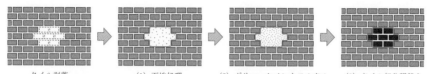

タイル剥落　　　　　　（1）下地処理　　　　（2）ポリマーセメントモルタル　（3）タイル部分張替え
　　　　　　　　　　　　　　　　　　　　　　　または外装タイル張り用接着剤

【2】タイル張替え工法

❶ 施工は、各種タイル張り工法に準
じます。

❷ 「コンクリート躯体のひび割れ誘
発目地」の位置には、「タイル張
り面の伸縮調整目地」及び「下地
モルタルの伸縮調整目地」を一致
するように設けます。

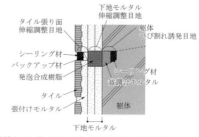

外壁タイル張りのひび割れ誘発目地・伸縮調整目地

❸ 既存の躯体にひび割れ誘発目地
がない場合であっても、一般的には、下地とタイル面だけでも伸縮調整目地
を設けます。

4 タイルの「浮き部」の改修工法

【1】注入口付アンカーピンニングエポキシ樹脂注入
タイル固定工法

❶ タイル陶片の浮きに対して、無振動ドリルにより、
タイルの中心に穿孔し、注入口付アンカーピンとエ
ポキシ樹脂の注入によって、タイル陶片を固定する
工法です。
H30・R2・6

❷ 小口平タイル以上の比較的大きなタイルに適用し
ます。

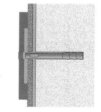

注入口付アンカーピンニング
エポキシ樹脂注入
タイル固定工法

【2】アンカーピンニング部分エポキシ樹脂注入工法

❶ 全ねじ切りアンカーピンとエポキシ樹脂で構造体のコンクリートに固定す
る工法です。

❷ タイル陶片の浮きがなく、目地モルタルが健全で、構造体コンクリートと下
地モルタル間で浮きが発生し、浮き面積が0.25㎡未満の場合に用いられま
H30・R2・4

す。

❸ 打ち込むアンカーピンの本数は、**一般部分**は16本/㎡以上、見上げ面、庇の鼻（先端）、まぐさなどの**指定部分**は25本/㎡以上とします。

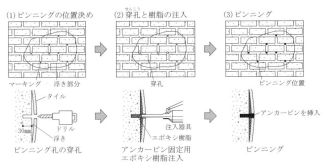

アンカーピンニング部分エポキシ樹脂注入工法

一般に、タイル浮きに対してはアンカーピンニング部分エポキシ樹脂注入工法が比較的多く採用されます。

【3】アンカーピンニング全面エポキシ樹脂注入工法

❶ エポキシ樹脂の注入とアンカーピンの打込みによりタイル浮き部を固定し、さらに打込んだアンカーピン同士の間に、樹脂注入のための穿孔部から、浮き部全面に樹脂を充填する工法です。

❷ 浮き面積が0.25㎡以上の場合に用いられます。

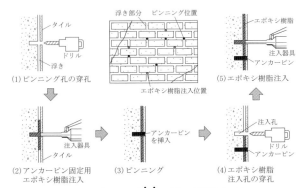

アンカーピンニング全面エポキシ樹脂注入工法

【4】 アンカーピンニング全面ポリマーセメントスラリー注入工法

❶ アンカーピンニング全面エポキシ樹脂注入工法と同様に、エポキシ樹脂の注入とアンカーピンの打込みによりタイル浮き部を固定し、さらに打込んだアンカーピン同士の間に、穿孔部から、浮き部全面にポリマーセメントスラリーを充填する工法です。

❷ 浮き面積が0.25㎡以上、浮き代が1.0㎜を超えるの場合に用いられます。
_{R4}

5 タイル目地部の改修工法

目地自体のひび割れ（幅0.2㎜以上）や部分的なはく落や欠けなどの比較的軽微な損傷の場合には、不良目地部を斫って除去し、既製調合目地材による目地ひび割れ改修工法で改修します。
_{R4}

---

3 塗り仕上げ外壁・その他の外壁改修

1 塗り仕上げ外壁の改修工法

【1】 既存塗膜の除去工法

工　法	特　徴
サンダー工法	サンダーやスクレーパーなどで既存塗膜・素地の劣化部分のみを除去し、水洗い後、壁全体に塗り仕上げを行う場合の工法で、最も多く採用されている。ただし、粉じんは最も多い
高圧水洗工法	高圧水洗機を使い、既存塗膜表面の洗浄を兼ね、劣化の著しい既存塗膜、素地のぜい弱部分を除去し、壁全体に改めて塗り仕上げを行う工法である
塗膜はく離剤工法	塗膜はく離剤により、塗膜を化学的に軟化・膨潤させ、手工具または高圧水洗機で塗膜を全面除去する工法で、有機系塗膜（特に防水形複層塗材のような弾性塗膜）の除去に適している
水洗い工法	既存塗膜は除去せず、下地のひび割れなどの補修後、塗膜表面をデッキブラシなどで水洗いし、清掃後、壁全体に塗り仕上げを行う場合の工法である。上塗りのみの塗替えなどに適する

【2】 下地調整（コンクリート面）

❶ コンクリート下地面には、下地調整材を全面に塗り付けます。

❷ 塗り厚が厚い、厚付け仕上塗材仕上げなどの場合は、下地調整材の塗付けは省略します。

　➡塗り厚が厚いので、目違いをサンダーで除去する程度で十分です。

② その他の外壁改修工法

<ピンネット工法>

　劣化した外壁（モルタル塗り仕上げ、タイル張り仕上げなど）に用いられる改修工法で、**繊維ネット及びアンカーピンを併用した外壁複合改修構工法**です。繊維ネットを既存外壁仕上げの上からアンカーピンで留め付け、劣化した既存仕上げ層（モルタル、タイルなど）のはく落を防止します。

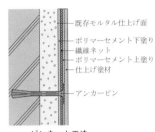

既存モルタル仕上げ面
ポリマーセメント下塗り
繊維ネット
ポリマーセメント上塗り
仕上げ塗材
アンカーピン

ピンネット工法
（モルタル下地の例）

> **例題**
>
> **Q** 既存の塗り仕上げ外壁の改修において、劣化の著しい既存塗膜や下地コンクリートのぜい弱部分の除去には、高圧水洗工法を採用した。
>
> **A** ○

4 　防水の改修

① 既存保護層、防水層の撤去

【1】 既存保護層の撤去

　保護コンクリートなどの撤去は、**ハンドブレーカー（質量15kg未満）** などを用い、取合い部の仕上げ及び構造体などに影響を及ぼさないように行います。

【2】 既存防水層の撤去

　下地コンクリートに損傷を与えないように丁寧に行います。

※　既存の保護層・防水層は、撤去してから新設防水層を設ける工法と、撤去せずにこれらを新設防水層の下地とする工法がある。

② 既存下地の補修・処置

【1】 既存のアスファルト防水層を残して行う防水改修工事

　アスファルトルーフィングの接合部のはく離・浮き部分などがある場合は、その部分を切開し、バーナーで熱した後、溶融アスファルトを充填し、張り合わせます。

【2】 既存の塗膜防水（ウレタンゴム系）を残して行う防水改修工事

　既存防水層に破断、穴あき箇所の浮き部分、ふくれ部分などがある場合は、その部分をカッターなどで切除し、ポリマーセメントモルタルで平滑に補修します。

③ ルーフドレン回りの処理

❶ 既存保護層の撤去

　既存保護層（図a）は、ルーフドレン端部から500mm程度の範囲を四角形に撤去します。

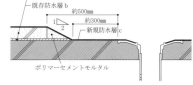

既存防水層・保護層撤去部分の納まり

❷ 既存防水層の撤去

　既存防水層（図b）は、ルーフドレン端部から300mm程度の範囲を四角形に撤去します。これにより新規防水層（図c）をスラブコンクリートに直接300mm程度張り掛けることができます。既存の保護層・防水層の撤去・非撤去にかかわらず、**ドレン回りの既存防水層は撤去し、新規防水層をスラブコンクリートに直接300mm程度張り掛けること、及び立上り部の既存防水層は撤去が原則です。**

❸ 撤去部分の段差処理

　撤去部分と既存保護層との段差は、ポリマーセメントモルタルにより$\frac{1}{2}$程度の勾配に仕上げます。

> まず、保護コンクリートをドレン外端から500mmの正方形で撤去し、次に防水層をドレン外端から300mmの正方形の範囲を撤去します。

④ 施工一般

【1】 施工時の気象条件

　降雨・降雪などのおそれがある場合、下地が十分に乾燥していない場合、ま

たは気温が著しく低い場合や高湿の場合には、原則施工を中止します。

【2】養生

1日の作業終了後は、原則として降雨などによる漏水のないように、シートなどで養生します。なお、アスファルト防水の場合は、新規防水層の1層目のルーフィング張り（絶縁工法では2層目）まで作業を行うことにより、この養生を省略することができます。

5 | シーリングの改修

【1】シーリング再充填工法

❶ 既設シーリング材を除去の上、同種または異種のシーリング材を再充填する工法で、最も一般的に行われています。

❷ 既設シーリング材の除去は、目地被着体に沿ってカッターなどで切込みを入れ、できる限り除去し、その後、バフ掛け、サンダー掛けまたは清掃用溶剤により清掃を行います。

【2】拡幅シーリング再充填工法

❶ 目地の拡幅（幅及び深さ）を行った後、シーリング材を新たに充填する工法です。

❷ 目地の拡幅は、ダイヤモンドカッターなどを用いて、所定の目地幅及び深さまで、凹凸、広狭などがないように切断します。

6 | その他の仕上げ改修

■ 建具改修工事

既存建具を新規金属製建具に改修する場合や新設する場合、以下の2工法から選択します。

工　法	概　要	既存建具の劣化状況
かぶせ工法	既存建具の枠を残して、新規建具を取り付ける工法	既存建具が鋼製建具の場合、枠の厚さが1.3mm以上残っていること
撤去工法	既存建具を撤去して、新規建具を取り付ける工法	既存建具の枠の劣化状態は問わない

＜かぶせ工法＞

❶ 既存枠へ新規に建具を取り付けるにあたり、原則、**小ねじ留め**とし、留付け間隔は、端部は**100mm以下**、中間は**400mm以下**とします。

❷ 新規建具は既存建具にビス留め等で取り付け、**乾式**で取り付けることが一般的で、新規建具と躯体間の目地は**挙動が大きくなるため、2面接着が基本**となります。

❸ **挙動が少ないこと**が確認できる場合には、バックアップ材またはボンドブレーカーを省略し、**3面接着とすることも許容**されます。

② 内装改修工事

【1】 既存壁の撤去及び下地補修

❶ コンクリート間仕切壁等の撤去において、開口部等、小規模な取壊しは、所定の位置に両面より**ダイヤモンドカッター**等で切込みを行い、壁面の大半を撤去する大規模な取壊しは、**油圧クラッシャ**等を使用します。いずれも、**他の構造体及び仕上げに損傷を与えない**ように行います。

❷ 既存壁を撤去する際は、それに取り合う天井、壁、床についても改修が必要となり、改修範囲は、特記がなければ壁厚程度とし、既存仕上げに準じた仕上げを行います。

❸ 天井内の既存壁を撤去する際は、天井を取り除いて作業スペースを確保するため、天井の改修範囲は、特記がなければ**壁面より両側600mm程度**とし、既存仕上げに準じた仕上げを行います。

【2】 既存天井の撤去及び下地補修

❶ 軽量鉄骨天井下地の**埋込みインサート**は、つりボルトの確認試験を該当階において3カ所程度行い、400N程度の荷重で引き抜けないことを確認の上、**再使用**することができます。

❷ 照明器具などの割付けが変わり、新設の照明器具などの開口のために**野縁が切断**された場合は、野縁または野縁受けと同材で補強を行います。

【3】 壁紙の張替え

防火認定が必要な壁紙の張替えは、裏打ち紙を含め**既存の壁紙を残さず撤去**し、下地基材面を露出させてから新規の壁紙を張りつけなければいけません。

【4】 合成樹脂塗床の改修

❶ 既存塗床材の除去は、<u>電動ケレン棒、電動はつり器具等による機械的方法</u>を基本とし、除去範囲は、<u>モルタル下地の場合にはモルタル下地とも</u>、_{R1}コンクリート下地の場合には<u>表面から3mm程度</u>とします。_{H29}

モルタル下地の場合は、浮いている可能性が高いため下地とも撤去します。

❷ 下地面に油が付着している場合には、<u>油面処理用のプライマー</u>を用います。

❸ 既存床下地コンクリート表面の凹凸、段差部分等は<u>エポキシ樹脂モルタルにより補修</u>します。_{H29・R3}

❹ 既存床材が新規塗材と同質材で、摩耗、損傷等が少なく、下地に十分接着している場合は、<u>表面の目荒し・研削処理を行ってから塗り重ね</u>ます。_{H29・R3・5}

❺ 既存床材撤去後の下地コンクリート面において、<u>プライマーの下地への吸い込みが激しい場合</u>は、時間をおいて<u>数回に分け塗布</u>します。_{H29}

【5】 その他の床の改修

❶ 既存の<u>ビニル床シートの撤去は、カッター等で切断し、スクレーパー等により</u>他の仕上材に損傷を与えないように行います。_{R1・3}

❷ 浮き、欠損部等による下地モルタルの撤去は、ダイヤモンドカッター等により、健全な部分と縁を切った後、撤去します。その際、<u>カッターの刃の出は、モルタルの厚さ以下</u>とします。_{R5}

❸ ビニル床シート、ビニル床タイル、ゴム床タイル等の接着剤は、<u>ディスクサンダー等により、新規仕上げの施工に支障のないよう除去</u>します。_{R5}

❹ 既存の<u>乾式工法によるフローリングの撤去は、丸のこ等で適切な寸法に切断し、ケレン棒等ではがし取り</u>ます。_{R1}

❺ 既存の<u>床タイルの撤去は、張替え部をダイヤモンドカッター等で縁切りを行い、タイル片を電動ケレン棒、電動はつり器具等</u>により、周囲を損傷しないように撤去します。_{R1・3}

❻ ビニル床シート、ビニル床タイル、ゴム床タイルを施工する場合、**モルタル塗り下地は施工後14日間、コンクリート下地は施工後28日間以上放置し、**乾燥したものとします。この乾燥程度を判断する方法として**高周波式水分計**

による測定があります。

7 アスベスト含有建材の処理工事

アスベスト含有成形板の除去は、不用意な破損、飛散防止のため、原則として
アスベストを含まない内装材及び外部建具等の撤去にさきがけて行います。石
綿含有吹付け材（吹付けアスベスト）の処理工事等を、以下に示します。

1 吹付けアスベストの飛散防止処理工法

【1】除去工法

吹付けアスベスト層を下地から**取り除く**工法です。

【2】封じ込め工法

吹付けアスベスト層をそのまま残し、その表面に薬液を塗布して塗膜を形成
したり、層内に薬液を浸透させることにより固化させ、飛散を防止する工法で
す。

【3】囲い込み工法

吹付けアスベスト層をそのまま残し、表面が露出しないように**板状の材料な
どで完全に覆い**、飛散を防止する工法です。

工 法	特 徴
除去工法	処理後、維持保全が不要であるが、除去したアスベスト廃棄物の処理が必要になる。一般的には、工期が長く、工事費も高価である
封じ込め工法	除去工法に比べ、工期は短く、工事費は安価で、アスベスト廃棄物が発生しない。ただし、アスベスト吹付け材の劣化・損傷の程度が大きい場合は、工事実施が困難である
囲い込み工法	当該アスベスト吹付け材が残るので、処理後の維持管理に留意する。また、将来の建物解体時にアスベストの飛散防止措置が必要となる

封じ込め工法と囲い込み工法を、しっかり区別して特徴を覚えてください。

2 アスベスト含有吹付け材の除去

アスベストは、粉じん飛散抑制剤により**十分湿潤化**してから**除去**します。

【1】作業場の隔離

❶ 作業場はプラスチックシートなどで**隔離**します。

❷ **前室**、**洗身室**及び**更衣室**の連携した3室で構成される**セキュリティーゾーン**の区画を行います。

❸ **作業場の入口**には、**前室**を設けます。

❹ 作業場及びセキュリティーゾーン内は、**集じん・排気装置**を使い、**常時負圧**に保つ、**負圧隔離養生**を行います。

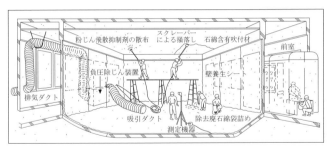

除去処理工事の概要図

【2】除去物・汚染物の処分など

アスベスト含有吹付け材除去工事から発生した除去物・汚染物は、廃棄物処理法の規定による「**廃石綿等**」に該当し、「**特別管理産業廃棄物**」として処理します。

❶ 湿潤化・固形化

除去したアスベスト吹付け材は、飛散しないように粉じん飛散抑制剤等を散布し、十分に湿潤化又は固形化した後に除去し、プラスチック袋に入れて密封します。なお、この作業は、作業場内（排出現場）で行います。

❷ 密封処理（二重袋梱包）

前室または洗浄室で、さらにプラスチック袋をかぶせ、二重に梱包して密封し、「廃石綿など」である旨の表示をします。

❸ 使用した隔離シートは内側に粉じん飛散抑制剤等を塗布し、内側へ折りたたみ、密封処理します。

❹ 事業者は作業員の記録を40年間保存しなければいけません。

さくいん

わかって合格る
1級建築施工管理技士
基本テキスト

2025年度版

第3分冊

第4編　施工管理

第5編　法　規

licensed building site manager

TAC出版

TAC PUBLISHING Group

施 工 管 理

　以前は、「施工管理は最重要科目なので何より優先的に」というのが一般的でしたが、試験制度の改定後は躯体施工や仕上施工の重要度が高まったため、やや趣が変わりました。ただ、全問題を解答する必要がありますから、重要度の高さは変わりません。また、躯体・仕上げの施工計画、試験・検査関連等は、応用問題や二次検定でも出題されます。第 3 編と関連づけながらしっかり学習しましょう。

施 工 管 理

本編では、「施工管理」として、施工計画、工程管理、品質管理、安全管理について学びます。
本試験では10問出題され、全問に解答しなければいけません。また、応用問題としても4問出題
される重要科目です。普段、聞き慣れない内容も含まれますが、条件は全員同じです。しっかり
学習し8割（8問）以上正解を目標にしましょう。

第 **1** 章　施工計画

　施工計画からは3問程度出題されます。各工事との関連性が高いため、第3編と関
連づけながら学習してください。第4編の中では比較的なじみのある内容ですが、「施
工計画」は範囲が広いため、第3編と同じく、失点を最小限にする取組みが必要です。
「施工計画の基本・仮設計画・仮設設備」「材料の保管・取扱い」は落とせないところ
です。

1　施工計画の基本・仮設計画・仮設設備

1 施工計画の基本

【1】 施工計画の立案

　施工計画の立案は、以下に配慮して「施工者」が行います。

❶ 設計図書に工事の手段・方法などの指定がある場合

　➡設計図書に従って、工事の手段・方法などを決定します。

❷ 設計図書に工事の手段・方法などの指定がない場合

　➡「施工者」の責任において、工事の手段・方法などを決定します。

【2】 施工計画書

　施工者が、当該工事で実際に施工する内容を、具体的な図書にしたものです。

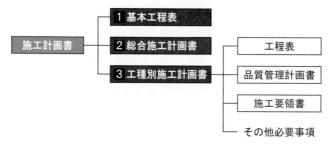

❶ 施工計画書に記載する内容は、主に、仮設計画、安全対策、環境対策、工程計画、品質計画、養生計画です。

❷ 施工計画書（基本工程表、総合施工計画書、工種別施工計画書）は、工事着手に先立って施工者が作成し、監理者に提出します。

【3】基本工程表

はじめに基本工程をまとめた「基本工程表（実施工程表・全体工程表)」を作成します。基本工程表は、工事着工前に監理者の承認を受ける必要があります。さらに必要に応じ、細かい部分工事の工程表（工種別工程表）や月間工程表、週間工程表などを作成します。

❶ 基本工程表に記載する内容

● 実施する工事の進捗が理解できる程度の詳細な工程

● 施工図、見本などの承認、検査、立会いなどの日程

❷ 基本工程表の訂正

大きな設計変更などがあった場合は、施工の順序や工期全体に影響を及ぼすため、速やかに訂正します。

【4】総合施工計画書

総合仮設を含めた工事の全般的な進め方、主要工事の施工方法、品質目標と管理方針、重点管理時効等の大要を定めた総合的な計画書です。

＜総合施工計画書に記載する内容＞

❶ 工事中の工事敷地内の仮設資材や工事用機械の配置、道路や近隣との取合いなどを、具体的に図面で示します。

❷ 設計図書に指定された仮設物などがある場合は、その内容を記述し、監理者

の承認を受けます。

【5】 工種別施工計画書

　総合施工計画書に基づいて、工種別の施工計画を定めた計画書で、品質計画、施工の具体的な計画、一工程の施工の確認内容及びその確認を行う段階を定めたものです。

❶ 工程表、品質管理計画書、施工要領書、その他必要事項を含みます。

❷ どの工事においても共通して使用できるように作成するのではなく、対象工事について**具体的**に検討した上で作成します。

❸ 各工種ごとに作成しますが、**工種により省略することもできます**。

❹ 工事の内容及び品質計画に係る部分については、**監理者の承認**を受けます。

❺ 品質管理計画は、要求品質を満たすように「品質管理組織」「管理項目・管理値」「品質管理実施方法」「品質評価方法」「管理値を外れた場合の措置」について、施工者が記載し、**監理者の承認**を受けます。

基本工程表、総合施工計画書、工種別施工計画書の３つは、施工計画上特に重要なものです。どういう場合に工事監理者の承認が必要か注意しましょう。

【6】 施工計画上のポイント

❶ 施工時間
　設計図書に定められた施工時間を**変更**する場合、**監理者の承認**を受けます。

❷ 現場での発生材の処理
　解体や土工事などによる発生材は、抑制・再利用・再資源化及び再生資源としての活用に努めます。

❸ 工法の提案
　設計図書に定められた**工法以外**で、所要の品質及び性能の確保が可能な工法などの提案がある場合は、**監理者と協議**します。

❹ 現場における各工事の施工の**検査**は、**品質管理計画書**などに基づいて「施工者」が実施し、必要に応じて監理者の立会いを求めます。

❷ 仮設計画

　施工者が**仮設工事計画書**を作成します。また、資機材搬出入のため壁や床に**仮設開口**を設ける場合や、建築物の一部を仮設工事に使用する場合にも、事前に仮設工事計画書を作成し、構造的な**補強方法**や仕上げ材の**養生方法**などを明確にし、**復旧方法**についても計画を立てておきます。

【1】仮囲い

　工事現場と外部とを区画する仮設構築物で、工事関係者以外の出入りを禁止したり、通行人などの第三者に対する災害の防止、盗難防止などを目的として設置し、既製の鋼製板や木製板などを主に使用します。近年、多くは周辺の美観に配慮し、壁面に塗装を施して設置します。

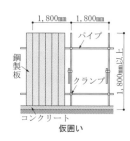

仮囲い

❶ 設置条件

　以下の工事を行う場合は、所定の構造の仮囲いを設けます。

工　事	仮囲いなどの設置条件
木造の建築物	高さが13mもしくは軒の高さが9mを超えるもの
木造以外の建築物	2階建て以上のもの

　※　工事現場の周辺や工事の状況により**危害防止上支障がない**などの場合には、**設けなくともよい**。
H30・R6

❷ 構造

- ●仮囲いの高さ：地盤面から1.8m以上にします。
- ●出入口・通用口などの扉は、**引き戸または内開き**とします。
- ●仮囲い下部の隙間は、現場内側に**木製の幅木**を取り付けたり、土台コンクリートを打設したりして塞ぎます。**道路に傾斜がある場合は、土台コンクリートを階段状に打設して、隙間が生じないようにします。**
R4・6
- ●控え杭打ちや掘削などで、仮囲いを設置する道路面を傷めることがないように、**H鋼**などの鋼材をベースとして敷き、それに固定する方法があります。ただし、強風時の転倒に対する検討等を、慎重に行う必要があります。
R2・4

【2】 ゲート

❶ 重量と風圧を軽減するためには、上部に網を張る構造にします。

❷ 生コン車が出入りする場合、空荷時の生コン車が通過できる高さとします。

【3】 仮設建物

　仮設事務所は、全工期を通じてできるだけ支障が生じないように計画します。また、作業場が見渡せ、作業員や資機材の搬出入を管理しやすい場所が望ましく、出入口（ゲート）付近に計画するのが、一般的です。

❶ 施工者用事務室と監理者用事務室は、独立して設けます。ただし、日常の業務の関連性を考慮して配置します。

❷ 作業員詰所は、大部屋方式と小部屋分割方式がありますが、大部屋方式の方が、職種数や作業員の増減への対応が容易で、異業種間のコミュニケーションや整理整頓あるいは空調設備コストからも効果的であり、大部屋方式が一般的に多く採用されます。

一般的には大部屋方式です。ただし、もちろん感染症対策が必要な場合を除きます。

❸ 塗料や溶剤の保管庫は、原則として不燃材料で造った独立した平屋建ての貯蔵倉庫内とし、周囲建物から所定の離隔距離（1.5m）を確保します。

ボンベ類貯蔵所の例

❹ ボンベ類の貯蔵所は、通風がよく火気が近づくおそれのない位置を選び、通気をよくするため、1面は開口とし、他の3面は上部に開口部を設けます。

H30・R2・6

❺ 工事の進捗上または構内建築物などの使用上、仮設の現場事務所等が障害となり、かつ、その仮設の現場事務所等を移転する場所がない場合は、施工者は、監理者の承認を受けて、施工中の建築物の一部を使用することができます。

【4】 その他施設

　高さ3m以上の高所から物体を投下するときは、シュートなどの投下設備を設け、監視人を置くなどして労働者の危険を防止します。

3 仮設設備

【1】 電気設備

❶ 工事用使用電力量は次式で算出します。

> 工事用使用電力量(kWh)＝設備電力(kW)×需要率×負荷率×使用時間

需要率及び負荷率は、使用状況や機器の種類などにより異なりますが、**需要率及び負荷率を加味した係数（同時使用係数）の概略値は、電動工具や照明器具など場合は0.7～1.00**です。なお、タワークレーン、リフト、水中ポンプなどの汎用機械の場合は0.5～0.7です。
_{H29・R1・3}

> 「同時使用係数」はよく出題されます。照明・100V系は0.7～1.0と高く、クレーン等の動力・200V系は0.5～0.7と低い値ですね。

❷ 工事用の**動力負荷は、工程表に基づいた電力量山積み（動力負荷設備容量）の60%を、電灯負荷の場合は80%を実負荷**とします。
_{H30・R4}

> 動力負荷＝動力負荷設備容量(山積みのkW)×60%
> 電灯負荷＝電灯負荷設備容量(山積みのkW)×80%

❸ 鉄骨工事における現場溶接作業など、使用電力量が工程上、一時期に極端なピークを生じる場合、**短期的な電力需要の増加にはエンジン付発電機の使用や臨時電力契約の併用**などで対応することを計画します。

❹ 一般に、**工事用使用電力が50kW未満の場合は低圧受電で、50kW以上2,000kW未満の場合は高圧受電で、2,000kW以上の場合は特別高圧受電**で契約します。
_{R1・3}

^{R5}

> 📝 **MEMO**
> 第2編第1章第3節参照。

契約電力の区分（一例）

区 分	契約電力	受電電圧
低圧引込	50kW未満	100V、200V
高圧引込	50kW以上2,000kW未満	6kV
特別高圧引込	2,000kW以上	20kV、30kV、60kV、70kV等

低圧引込（契約）は50ｋＷ未満、それ以上は高圧引込（契約）です。

なお、電圧の種別は、次のように区分されます。

電圧の区分

区　分	直　流	交　流
低　圧	750 V 以下	600 V 以下
高　圧	750 V を超え7,000 V 以下	600 V を超え7,000 V 以下
特別高圧	7,000 V を超えるもの	

❺ 仮設の照明設備において、労働者を常時就業させる場所の作業面の照度は、普通の作業の場合は150ルクス以上とします。

❻ 工事用電気設備の建物内での幹線立上り場所は、エレーベータシャフト、OAシャフト、階段室など最終工程まで支障のない位置を選択します。
H30・R2・4

❼ 現場内のケーブルの埋設深さは0.6m以上（重量物が通過する場合は1.2m以上）とし、埋設表示します。
H29・R5

❽ 仮設照明用のビニル外装ケーブル（Fケーブル）は、コンクリートに直接打ち込むことができます。
R4

❾ タワークレーンなどの機械専用の動力配線は、機械と受変電設備の距離をできるだけ短くします。

❿ 低圧の移動電線に１種キャブタイヤケーブルを使用する場合は、300V以下で、かつ屋内に施設する場合のみとします（溶接用ケーブルを使用する場合を除く）。なお、キャブタイヤケーブルの１～４種はケーブルの頑丈さを示すグレードで、４種が最も耐衝撃性・耐摩耗性があります。

電線の種類		区　分		
		使用電圧300V以下		使用電圧300V超
		屋　内	屋側・屋外	
キャブタイヤケーブル	1種	○	× H28・30	×
	2種			
	3種	○	○ R2	○
	4種			

用語

屋側
建物の屋外側面のこと。

470

【2】 給排水設備

❶ 給水設備において、工事事務所の使用水量（飲料水・雑用水）の目安は、40〜50ℓ/人日です。
_{H30・R3・5}

❷ 給水設備において、水道本管からの供給水量の増減に対する調整（安定した給水）とポンプの負荷の低減のためには、受水タンク（貯水槽）を設けた方がよく、タンク容量は1〜2時間分の使用水量とします。
_{R2・4}

❸ 作業員の洗面所の数は、作業員45名にあたり3連槽式洗面台1台程度を目安で設置します。
_{R3}

❹ 事務所や作業員詰所などに設置する仮設便所の便器等の個数は以下のとおりとします。

男性用　大便器：60人以内ごとに1個以上
_{R2}

男性用　小便器：30人以内ごとに1個以上
_{H29・R5}

女性用　　　：20人以内ごとに1個以上
_{R1・4・6}

> 仮設便所の便器等の個数はよく出題されます。男大60人、男小30人、女20人をしっかり覚えましょう。

❺ アースドリル工法による掘削に使用する水量は、1台当たり10㎥/hが目安です。
_{H29・R1・4}

例題	**Q** 仮設、工法などの工事を完成する手段や方法については、設計図書に指定のある場合を除き、施工者の責任において作成する。
	A ○

例題	**Q** 作業員の仮設男性用大便所の便房の数は、同時に就業する男性作業員70人以内ごとに、1個以上設置する計画とした。
	A ✕　男性用大便器は60人以内ごとに1個以上とする。

2 事前調査・準備

1 事前調査

【1】近隣・周辺道路等調査

❶ 杭工事、根切り工事等近隣に影響を与える可能性のある工事を行う場合には、関係者の立会いを求め、近隣建物等を事前調査し、できるだけ写真、測量等により現状を記録しておくことが重要です。_{R1}

❷ 根切り計画の際には、地中障害物や過去の土地利用によって地盤の安定性等が異なってくるので、地中障害物の調査のみならず、過去の土地利用の履歴の調査を行います。

❸ 比較的良好な洪積地盤の場合、山留め壁からの水平距離が掘削深さ相当の範囲内にある既設構造物を調査すれば足ります。

❹ 動くおそれのある道路境界石は、たとえ境界石をコンクリートで固定しても、その動きを止めることができるわけではないため、必ず境界ポイントの控えをとります。

❺ 山留め計画や地下水排水計画の検討のために必要な地盤情報は、建築物の基礎設計のために必要な情報と重複しているものが多く、重複した調査項目は省略することができますが、深さが異なるなど、情報が不足している場合は追加の調査を実施します。

❻ 地下水を公共下水道に排出する場合は、事前に公共下水道の排水方式（合流式・分流式）、放流先、排水水質基準等を調査します。_{R3}

❼ クレーンの設置や鉄骨工事計画にあたっては、周辺道路の交通規制や電気・ガスなどの道路埋設物、道路幅員、架空電線、電波障害の可能性などについて事前調査を行って、タワークレーンの設置や、鉄骨部材の搬入や建方に問題がないか確認します。障害が予想される場合には、事前に近隣住民等へ作業内容を説明し、了解を得る必要があります。_{R3・5}

❽ 工事車両出入口、仮囲い・足場・歩道構台・朝顔などの設置に伴う道路占用を計画するにあたり、歩道・車道、私道・公道などの区別、幅員、交通量を調査し確認します。_{H29・R1・3・5}

❾ ポンプ車、クレーン、作業等で道路を一時的に使用する場合には使用開始前に道路使用許可申請書を警察署長に、足場や仮囲いなどで道路を継続的に長期間使用する場合には道路占用許可申請書を道路管理者に提出しなければ_{R1}_{R5}

472

いけません。

⑩ 敷地内の排水工事計画にあたって、敷地の排水及び新設する建築物の**排水管の勾配**が、排水予定の排水本管、**公設桝**、水路等まで確保できるか、雑用水と汚水との区分の必要があるか等を確認します。

⑪ 建設リサイクル法の対象建設工事においては、<u>再資源化施設の場所を調査</u>します。
R6　　　　　　　　　　　R6

> 周辺道路（歩道・車道）、電線、埋設物、近隣建物等を事前調査することは、施工計画のために重要なステップですね。

【2】環境への影響

1日当たりの平均的な排出水量50㎥以上を、**海域以外の公共用水域に排出する場合**、水素イオン濃度（pH）の許容限度は5.8以上8.6以下です。セメントで地盤改良した土の掘削工事における排水は、高いpHになる危険性があるため排水の水質調査を行う必要があります。
H29・R1

2 準備

【1】ベンチマーク・縄張り（なわは）・遣方（やりかた）

❶ ベンチマーク

● 建物などの**高低・位置の基準**となるもので、木杭やコンクリート杭などを用いて移動しないよう設置し、周囲を養生します。

● **2カ所以上設け、相互チェック**できるようにします。
H29・R5

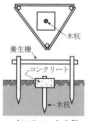

ベンチマークの例

❷ 縄張り

● 縄張りとは、建物の位置を決定するため、敷地境界石などを基準にして、**建物の形のとおりに縄などを張ること**、または消石灰粉などで線を引くことです。

● 建物と敷地及び道路との関係、また、<u>隣接建物との関係を確認</u>して不都合があれば修正を行い、建物の位置や方向を最終的に決定します。
H29

❸ 遣方

● 遣方とは、建物の高低・位置・方向・柱や壁
などの中心の基準を明示するための水杭、水
貫などの仮設物のことです。

● 監理者は遣方の検査において、墨出しの順序
を変えるなど、請負者が行った方法とできる
だけ異なった方法でチェックします。

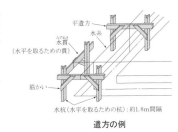

遣方の例

---

3 施工計画

　施工計画は各工事を構成する重要な要素であり、第3編と重複する部分がか
なりあります。しかし、重要なところであり、かつ、学習の利便性から、重複
をおそれず、出題事項を中心にまとめています。効率的にポイントをつかんで
ください。

■ 躯体工事の施工計画

【1】 場所打ちコンクリート杭

❶ 1次スライム処理

　アースドリル工法において、スライムの1次処理は、<u>底ざらいバケット又は</u>
<u>安定液置換</u>により行います。これに対し、リバース工法においては、孔底よ
り少し上でビットを空回りさせて、吸上げ処理を行います。

❷ 2次スライム処理

1次スライム処理後、鉄筋かご建
込みの際の孔壁の欠損によるス
ライムや、建て込み中に生じたス
ライムは、鉄筋建て込み後、コン
クリート打ち込みの直前に、<u>2次
スライム処理</u>として、トレミー管
を用いたサクションポンプや、<u>水
中ポンプ</u>などによる吸上げ処理を行います。
<small>H29</small>

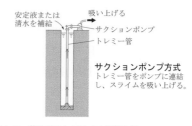

安定液または清水を補給　　吸い上げる

サクションポンプ
トレミー管

サクションポンプ方式
トレミー管をポンプに連結
し、スライムを吸い上げる。

トレミー管を用いたスライム処理の例

❸ コンクリート打設

場所打ちコンクリート杭におけるコンク
リートの打込みは、<u>トレミー管を用い、泥水
などを上に押し上げるように行います</u>。打
ち込み中のコンクリート上面は、劣化した安
定液やスライムなどと接しており、これらを
コンクリート中へ混入させないために、トレ
ミー管は常に<u>コンクリート中へ2m以上挿
入</u>しておかなければいけません。ただし、最
長9m程度とします。

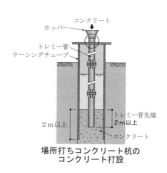

コンクリート
ホッパー
トレミー管
ケーシングチューブ
2m以上
トレミー管先端
2m以上
コンクリート

場所打ちコンクリート杭の
コンクリート打設

【2】 既製杭―支持層深度の確認

セメントミルク工法などのプレボーリング埋込み工法では、支持層深度の確
認は以下のとおりです。

❶ <u>オーガー駆動電流値・積分電流値</u>（掘削抵抗電流値と掘削時間を積算したも
の）<u>の変化</u>と柱状図・N値の変化の対比
<small>H29・R4</small>

❷ オーガーヘッド<u>先端に付着している掘削土</u>の土質標本等との対比
<small>R4</small>
なお、電流値・積分電流値で行う場合には、想定深度に近づいたら<u>掘削速度
を一定</u>に保ち、値の変化を読み取って支持層への到達を確認します。

【3】 土工事

埋戻しにおいて、<u>透水性の悪い山砂、粘性土の場合</u>は、<u>まき出し厚30cm程度</u>
ごとにローラー、ランマーなどで<u>締め固め</u>ながら埋め戻します。なお、透水性
<small>R2</small>

のよい山砂などは、まき出し厚30cm程度ごと**水締め**とします。

【4】地下躯体工事中の通路

　地下躯体の工事において、作業場所への通行や資材の小運搬などのための通路で、切りばりの上に設置するものを**切りばり上通路**といいます。

【5】逆打ち工法

　山留め壁、仮支柱を設けた後、**先行して1階の梁・床を築造し、**これを山留め支保工及び資機材の搬入用の作業構台として、地下各階の梁・床を支保工として順次掘り下げていきながら、同時に地上部の躯体施工も進めていく工法です。剛性が非常に高く、山留め壁の変形が少ないため、軟弱地盤での工事、地階が深く広く、**不整形な建築物に有効です。**また、地下・地上の同時施工が可能で全体工期の短縮が可能で、超高層大規模建築物に適しています。

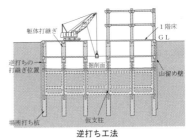

躯体打継ぎ
逆打ちの打継ぎ位置
掘削面
場所打ち杭
仮支柱
1階床
GL
山留め壁
逆打ち工法

R4・6 / H29

【6】鉄筋工事

❶ ガス圧接の端面処理

　ガス圧接を行う鉄筋の端面には、平滑さ、直角度が要求されるため、シャーカッターによる切断の後、**グラインダー**での端面処理を行うか、「冷間直角切断機」を用います。また、端面は完全な**金属肌の状**態にする必要があるため、グラインダー研削や冷間直角切断機による切断は、**圧接作業当日に行います。**

鉄筋
冷間直角切断機

R2

❷ 鉄筋の地組み

　工期短縮などのために、柱や梁の鉄筋を**地組み（工場や現場でかご状に先組みすること）**とする場合、継手には一般に、機械式継手や溶接継手を用います。

R2・6

【7】 型枠工事

❶ コラムクランプ

コラムクランプは、柱型枠（独立柱）を四方から水平に締め付けるための柱型枠の締付金具です。スリット状の孔に、**くさび（ピン）** を差し込み、柱型枠幅に合わせて微細な寸法調整をして締め付けます。

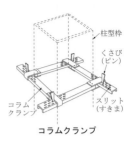

コラムクランプ

❷ MCR工法

専用シートを型枠に取り付けた後、コンクリートを打設し、硬化後に取り外して**コンクリート表面に凹凸をつくる工法**で、凹凸がモルタルに食い込むことで、タイル張りなどのモルタル下地のはく離を防止します。

MCR工法による
凹凸処理

【8】 コンクリート工事ー打設の時間管理

コンクリートの「練混ぜから打込み終了まで」の時間は、外気温が25℃未満のときは120分以内、25℃以上ときは90分以内とします。

気温と各作業の時間の限度

気温＼作業	練混ぜから打込み終了までの時間	打重ね時間
25℃未満	120分以内	150分以内
25℃以上	90分以内	120分以内

【9】 鉄骨工事

❶ ボルトの孔あけ

● ボルト孔の径は、ボルトの公称軸径により、次のとおりとなります。

	ボルト径（d）	孔 径
高力ボルト※	$d<27$mm	$d+2$mm 以下
	$d\geqq27$mm	$d+3$mm 以下
ボルト	$d<20$mm	$d+1$mm 以下
	$d\geqq20$mm	$d+1.5$mm 以下
アンカーボルト	―	$d+5$mm 以下

※ 溶融亜鉛メッキ高力ボルト接合も含む。

- 高力ボルト用の孔は、板厚にかかわらずドリルあけを原則とします。
- ボルト、アンカーボルト、鉄筋貫通孔はドリルあけを原則としますが、**板厚が13mm以下と薄い場合は、せん断孔あけ**とすることができます。

H29・R2

❷ 鉄骨建方

- 建て逃げ方式

クローラークレーン、トラッククレーンなど移動式建方機械を用い、建物端部から建て始めて、1〜3スパンごとに最上階まで建て、機械を移動させた後に、また同様に建方をする方式です。この方式はコスト面では有利ですが、建入れ修正が難しく、また、**骨組の安定性**の確認が必要です。

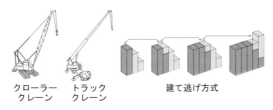

クローラー　トラック　　　建て逃げ方式
クレーン　　クレーン

- 水平積上げ方式

タワークレーンなどの定置式クレーンを用い、建物全体を水平割りとし、下層から順に上層へ積み上げて建方を行う方式です。

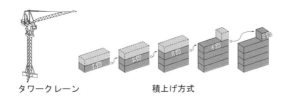

タワークレーン　　　　　積上げ方式

❸ 建入れ直し

- 建入れ直しとは、鉄骨の建方の途中または最後に、柱や梁の鉛直度・水平度などを測定し、修正する作業のことです。
- 建入れ直し及び建入れ検査は、建方完了後にまとめて行おうとすると困難になることが多いため、**建方の進行とともに、できるだけ小区画に区切って行います。**

R2・6

❹ 耐火被覆

- 吹付けロックウール工法は、施工中の粉じんの飛散が多く、吹付けにあたり、**十分な飛散防止養生**が必要です。

H29・R2・4

● 耐火材巻き付け工法は、粉じんの飛散がなく、被覆厚さの管理が容易な工法です。

【10】プレキャストコンクリート

● プレキャストコンクリート部材の現場接合部は、狭い空間に鉄筋やシヤーコッターがあり、締固め作業が困難です。**高流動コンクリート**は、非常に高い流動性と優れた施工性をもつため、**振動・締固めなしに充填することができ**、現場接合部などに適しています。

● プレキャストコンクリート部材を使用するプレキャスト工法は、躯体を構成する構造部材を工場等で先行製造します。そのため**現場作業の省力化と能率向上**により、一般的には**工期短縮**が期待できます。

例題

Q 外気温が25℃を超えていたため、コンクリートの練混ぜ開始から打込み終了までの時間を90分以内とした。

A ○

---

② 仕上工事の施工計画

【1】防水工事

　トーチ工法による**改質アスファルトシート**の重ね幅は100mm以上とし、先に張り付けたシートの表面と、張り合わせるシートの裏面をあぶり、改質アスファルトが**はみ出す程度まで十分溶融**させ、密着させます。はみ出した溶融アスファルトを確認することで、水密性の目視確認を行います。

　なお、露出用砂付シートを重ね合わせる場合は、重ね部の砂をあぶって沈めるか、砂をかき取ったうえで張り合わせます。

【2】左官工事

　コンクリート壁にモルタルを塗る場合の1回の塗り厚は6mmを標準、最大9mmを限度とし、下塗り➡中塗り➡上塗りの3回塗りとします。総塗り厚（仕上げ厚）も、あまり厚くするとはく離する危険性が大きくなるので、一般壁面では25mm以下とします。

【3】 タイル工事

❶ 改良積上げ張りの1日の張付け高さの
限度は、1.5m程度とします。改良積上
げ張りでは、タイルを下部から上部に張
り上げていきます。そのため、下部タイ
ルに荷重がかかり、タイルはく離の危険
性があるため、張付け高さを規定してい
ます。

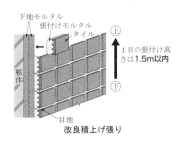

❷ 改良圧着張りは、張付けモルタルを下地側とタイル裏面の**両方**に**塗って**、タ
イルを張り付ける工法です。**下地側にはモルタルを薄くこすり付けるように**
塗り付け、直ちに張付けモルタルを4～6mm程度塗り付けます。 1回の塗付
け面積の限度は、2㎡/人以下とします。なお、**タイル裏面側には1～3mm**
程度の厚さで塗り付け、直ちにタイルを張り付けます。

H29・R2

【4】 石工事

　乾式工法は、ファスナーを用いて石材1枚ずつ荷重を受ける方法で躯体に取
り付け、裏込めモルタルを用いない工法です。**石裏と躯体コンクリート面の間**
隔（取付けしろ）は、ファスナーの寸法を考慮して、70mmを標準とします。

H29

【5】 金属工事

　海岸付近のような過酷な腐食環境下で、特に厚いめっきが必要な箇所や、塗
装仕上げを行わない箇所には、**溶融亜鉛めっき（どぶづけめっきとも呼ばれる）**
とします。**電気亜鉛めっきは溶融亜鉛めっきより、亜鉛の付着量がはるかに少**
なく、厳しい腐食環境には適切ではありません。

【6】 カーテンウォール工事

❶ カーテンウォールの部材を取り付けるための**躯体付け金物**は、あらかじめ鉄
骨躯体に**溶接**したり、コンクリート躯体に埋め込んで取り付けます。

H29・R2

❷ 躯体付け金物の取付け位置の寸法許容差は、**鉛直方向で±10mm、水平方向**
で±25mmとします。

【7】 塗装工事

亜鉛めっき鋼面への塗装においては、防錆性と付着性を高めるために、<u>素地ごしらえとして、化成皮膜処理（リン酸塩化成皮膜処理又はクロメートフリー化成皮膜処理）を行います。</u>
_{H29・R2}

③ 躯体改修工事の施工計画

【1】 コンクリートの中性化

❶ コンクリートの**中性化**とは、空気中の炭酸ガスの作用によって、コンクリートがしだいにアルカリ性を失って中性に近づく現象です。

❷ <u>コンクリートの中性化が鉄筋位置まで進行している場合には、**浸透性アルカリ性付与材**を塗布して、中性化した部分に含浸させます。</u>
_{H30}

【2】 コンクリートのひび割れ

ひび割れ幅、ひび割れの挙動の有無などにより、以下から選択します。

改修工法	幅	挙動	使用材料
シール工法	0.2mm未満	無	パテ状エポキシ樹脂
		有	可とう性エポキシ樹脂
エポキシ樹脂注入工法	0.2mm以上 1.0mm以下	無	硬質形エポキシ樹脂
		有	軟質形エポキシ樹脂 R2
			可とう性エポキシ樹脂
Uカットシール材充填工法	1.0mm超 H30・R1	無	可とう性エポキシ樹脂
		有	シーリング材 R6

● ひび割れ幅が1.0mmを超えている場合、挙動しないひび割れであっても「Uカットシール材充填工法」を用います。

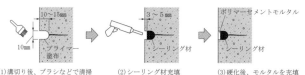

Uカットシール材充填工法の例

【3】 コンクリートの欠損

❶ ポリマーセメントモルタル充填工法　コンクリート表面のはがれ、はく落が比較的浅く、軽微な欠損部（深さ30mm程度以下）に適用します。

❷ エポキシ樹脂モルタル充填工法　比較的深く、大きな欠損部（深さ30mm超）に適用します。

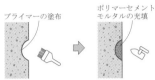

プライマーの塗布　ポリマーセメントモルタルの充填

ポリマーセメントモルタル充填工法の例

浅い欠損の場合は、"ポリマーセメントモルタル充填工法"
深い欠損の場合は、"エポキシ樹脂モルタル充填工法" を採用します。

【4】 露出鉄筋

　コンクリートの欠損部から露出している鉄筋は、健全な部分が露出するまで周囲のコンクリートをはつり取り、浮き錆を除去した後に鉄筋防錆剤を塗布して防錆処理を行います。

4 耐震補強工事の施工計画

【1】 増設耐震壁

　増設躯体と既存梁下などに注入するグラウト材の練混ぜにおいては、水温の管理を十分に行い、練上り時の温度が10～35℃の範囲のものを注入します。

【2】 増打ち耐震壁

❶ シアコネクタは、一般に縦横30～50cm程度の間隔で、径10～13mm程度のあと施工アンカー（金属系または接着系）を用います。

❷ シアコネクタはセパレーターを兼用できます。

【3】 柱の溶接閉鎖フープ巻き工法

❶ 既存柱の外周部を60～150mm程度（一般に100mm程度）の厚さの鉄筋コンクリート又は鉄筋補強モルタルで巻き立てて補強する方法の一つです。

❷ フープ筋の継手は、溶接長さが片側10ｄ以上のフレア溶接とします。

【4】 柱の連続繊維補強

❶ 炭素繊維シートなどの連続繊維補強材を、エポキシ樹脂を含浸させながら外周部に巻き付けることにより、柱のせん断補強を行う工法です。

❷ 繊維（水平）方向の重ね位置（ラップ位置）を、同一箇所、同一面に集中することは構造的な弱点となるため、柱の各面に分散させます。

❸ シートの重ね長さ（ラップ長）[R1]は、母材破断を確保できる長さとして、200㎜以上とします。

❹ 柱の隅角部は、炭素繊維の損傷防止のため、半径10～30㎜程度の面取りを行[R3]います（鉄筋のかぶり厚さ確保に注意）。

炭素繊維シート
既存柱
ラップ長200㎜以上
1段ごとに水平に巻き付ける
ラップ位置（各面に分散）

炭素繊維シートの巻付け

5 仕上改修工事の施工計画

【1】 防水の改修

　既存の保護層、アスファルト防水層を存置する防水改修工事の場合、原則として、既存ルーフドレン端部から500㎜程度の範囲の既存保護層 a を四角形に撤去した後、ルーフドレン周囲の既存防水層 b を[H30]、ルーフドレン端部から300㎜程

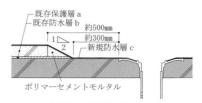

既存保護層 a
既存防水層 b
約500㎜
約300㎜
新規防水層 c
ポリマーセメントモルタル

既存防水層・保護層撤去部分の納まり

度まで四角形に撤去します。これは、新規防水層 c をスラブコンクリートに直接300㎜程度張り掛けるためです。

【2】 タイル張り外壁の改修

❶ タイルの欠損部の改修工法は、以下の2工法から選択します。

改修工法	適用欠損部
タイル部分張替え工法	1カ所の張替え面積が小さい場合（0.25㎡以下）[R1]
タイル張替え工法	1カ所の張替え面積が大きい場合

❷ ピンネット工法　繊維ネット及びアンカーピンを併用した外壁複合改修構工法で、アンカーピンによる仕上げ層のはく落防止と、繊維ネットによる既存仕上げ層との一体化により、安全性を確保する工法です。

既存モルタル仕上げ面
ポリマーセメント下塗り
繊維ネット
ポリマーセメント上塗り
仕上げ塗材
アンカーピン

ピンネット工法
（モルタル下地の例）

【3】建具の改修

　かぶせ工法は、既存建具の外周枠を残し、その上から新規金属製建具を取り付ける工法です。既存建具が鋼製建具の場合は、枠の厚さが1.3mm以上残っていることが前提で、1.3mm未満の場合には鋼板・アルミ板等で補強します。
H30

> かぶせ工法を適用するには、既存鋼製建具の枠の厚さが1.3mm以上必要ですね。

【4】壁紙の張替え改修

　防火認定が必要な壁紙の張替えは、既存の壁紙を残さず撤去し、下地基材面を露出させてから新規の壁紙を張り付けなければ防火材料に認定されません。既存の残った裏打ち紙は、水を塗布して裏打ち紙を張り付けている糊を溶解させてはがします。また、防火材料の認定を受けた壁紙は、防火性能のあることを表す施工管理ラベルを1区分（1室）ごとに2枚以上貼り付けて表示します。
R1

【5】合成樹脂塗床面の改修

　既存床材が、新規塗材と同質材の硬質無機床仕上げで、摩耗、損傷等が少なく、下地に十分接着している場合は、塗り重ね可能です。ただし、表面の目荒し、研削処理を行います。
R1・3

【6】塗り仕上げ外壁の改修

高圧水洗工法　高圧水（吐出圧力約30MPa以上）で物理的な力を加えて塗膜などを除去する工法で、劣化の著しい塗膜の除去や素地の脆弱部分の除去に適しています。特に塗膜を全体的に除去する場合は高効率です。
H30

6 解体工事の施工計画

【1】再生資源利用促進計画

　以下に該当する**指定副産物**を工事現場から**搬出**する建設工事を施工する場合、あらかじめ**再生資源利用促進計画**を作成し、その計画及び実施状況の記録を当該建設工事完成後、**5年間保存**しなければいけません。

❶ 500㎥以上の建設発生土

❷ 合計200 t 以上のコンクリート塊、アスファルト・コンクリート塊または建設発生木材
_{H30}

【2】強度検討

❶ 検討用作業荷重は、解体重機やコンクリート塊による振動・衝撃を考慮して、解体重機とコンクリート塊の荷重を1.3倍程度に割り増します。
_{H30}

❷ 解体重機やコンクリート塊をやむを得ず、同一床上に**長期間置く場合**、検討用作業荷重と固定荷重による各部の応力度が、**長期許容応力度以下**であることを確認します。**短期間**である場合には、**短期許容応力度以下**であることを確認すれば大丈夫です。
_{H30}

【3】転倒解体

❶ 転倒解体とは、柱、壁等の転倒方向を定めて脚部の**一部を破壊**し、所定の方向に**転倒**させ解体する解体工法です。

❷ 転倒解体の幅は **1～2スパン**程度とし、また転倒時のねじれを防ぐため**柱2本以上**を含むようにします。また、安全上、**高さは1層分以下**とします。
_{R1}

❸ 転倒させる壁の大きさや重量によって発生する振動が大きくなるため、解体、転倒させる部材の大きさを検討し、倒壊時の振動を規制値以内に収めるように計画します。
_{H30}

【4】階上作業による解体（階上解体）

❶ 基本的に外壁を残しながら中央部分を先行して解体します。こうすることで、外部への<u>飛散物の減少</u>や<u>騒音拡散の低減</u>を図ることができます。

解体ガラによるスロープ

❷ 1階分の解体が完了した時点で、コンクリート塊等で<u>スロープ</u>を作成し、解体重機を下の階に降ろします。スロープ部分には、コンクリート塊と解体重機が同時に載荷されるため、<u>構造的な安全性</u>を確認し、必要に応じて<u>仮設支柱で補強</u>します。_{R1}

【5】地上作業による解体（地上解体）

圧砕機の地上作業による解体では、作業開始面の外壁及び1スパンを上階から下階に向かって全階解体し、圧砕機オペレーターの視界を確保します。_{R1}

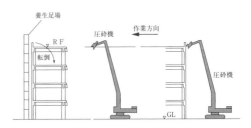

７ 建設現場における生産性向上

❶ 3次元の測量データ、設計データ及びGNSSの<u>衛星位置情報</u>を活用するICT建設機械による自動掘削などの「ICTの全面的な活用」が、建設現場における生産性の向上を目的として、国土交通省を中心に取り組まれています_{R6}（ICT：Information and Communication Technology）。

4 　材料等の保管・取扱い

保管・取扱いの主な出題ポイントは以下のとおりです。

材　料	保管方法
既製コンクリート杭	まくら材上 1 段・移動止めくさび（2段 ➡ 同径・まくら材同一鉛直面） R1・3
コンクリートブロック	種類により区分し、雨水を吸水しないように適切に養生・積み上げ高さ1.6m以下
鉄筋	地面から10cm以上・シート等覆い
せき板（型枠用合板）	直射日光を避ける・シート等覆い（コンクリート表面の硬化不良防止）
高力ボルト	乾燥場所に箱ごと保管（3〜5段）・施工直前開封 H29・R1・4
溶接材料（溶接棒等）	十分乾燥・吸湿疑い ➡ 乾燥器で再乾燥 R3
アセチレンガスボンベ	転倒のおそれのないように立置き
耐火被覆材	吸湿、汚染避ける・シート掛け
セメント	床を地面から30cm以上（湿気防止）
板ガラス	湿気避け・室内で立てかけ（裸台車のまま可） H29・R2・4
断熱材（ボード状）	直射日光避ける・屋内・平積み H29
可燃性塗料	離隔距離1.5m・不燃材・独立平家建
ALC	台木の上に平積み・1m以下：2段 H30
押出成形セメント板（ECP）	台木の上に平積み・1m以下：1段（重い） R2
プレキャストコンクリート部材	❶ 部材を平置きする場合 ➡ 台木（まくら木）を2カ所 ❷ 積み重ね ➡ 床部材－6段まで 　　　　　　柱・梁部材は2段まで 　　　　　　上下の台木は上下同一鉛直線上に配置 R3・4
フローリング	シート敷き、角材上 R1・5
袋入りアスファルト	10段以下・荷崩れ注意。屋外 ➡ 雨露土砂避けシート掛け R1・4

※杭の仮置き：まくら材・くさび・杭

※鉄骨の保管：シート養生・地面から10cm以上離す・台木

※板ガラス：車輪付き裸台

※ALCの保管：2m以下・1m以下

アスファルトルーフィング	縦置き（たて積み）	
長尺ビニル床シート	※ 砂付ストレッチルーフィングはラップ部分（砂なし）を上 H30・R2・3・5	
巻いたビニル壁紙		
ロールカーペット	俵積み（横積み）2～3段 H30・R2・4	
タイルカーペット	5～6段積み	
障子・ふすま	立てかけ（変形防止） H30・R5	
ガラス戸		
アルミ製建具		
フラッシュ戸	平積み H30・R5	

材利用の保管方法は、第3編の躯体施工、仕上施工と関連づけながら押さえましょう。

5 ｜ 届 出

　建設工事にあたり、着工前・施工中、竣工後の定められた時期において、建築基準法をはじめ、関係法規に基づく諸手続きを、遅滞なく行う必要があります。

　出題は労働安全衛生法に関する手続きが中心です。

以下、1～4のカテゴリー別に原則は誰が誰に届け出るものかを意識し、その原則から外れている届出に注意しながら覚えてください。

1 建築基準法に関連する手続き

原則：建築主➡主事

	申請・届出の名称	提出時期	提出者	提出先
❶	建築確認申請	着工前	建築主	建築主事または指定確認検査機関
❷	中間検査申請	特定工程の工事後4日以内		
❸	完了検査申請（工事完了届※1）	完了後4日以内		
❹	仮使用申請	—	建築主	特定行政庁・建築主事・指定確認検査機関
❺	安全上の措置等に関する計画届※2	事前	建築主	特定行政庁

※1　用途変更の工事が完了したときに完了検査申請書に代えて建築主事に届け出るものである（建築基準法第87条）。

※2　不特定多数の人々が利用する百貨店、病院、ホテルなどにおいて、営業などを行いながら避難施設などの工事を行う場合、工事に伴う火災事故などを防止するために行う届出（建築基準法第90条の3に基づく）である。

2 労働安全衛生法などに関連する手続き

原則：事業者➡労基署長

申請・届出の名称と内容		提出時期	提出者	提出先
❶ 建設物・機械等設置届※1 R3	●型枠支保工（3.5m以上） ●足場（10m以上） R3	工事開始日の **30日前まで** R1・5	事業者	労働基準監督署長
クレーン設置届 R1・5 エレベーター設置届 建設用リフト設置届 R1 ゴンドラ設置届 R1 ボイラー設置届※2	●各種安全規則に基づく設置届			
❷ 建設業等の附属寄宿舎の設置届			使用者	
❸ 建設工事計画届 R1	●高さ31m超の建築物・工作物の建築等※3 R1・3・5	工事開始日の **14日前まで** R3・5	事業者	
	●地山の掘削（高さ・深さ10m以上） R3			
	●石綿等の除却作業※4 R3・5			
❹ 選任報告	●総括安全衛生管理者の選任	14日以内 選任後延滞 なく		
	●安全管理者の選任			
	●衛生管理者の選任			
❺ 特定元方事業者の**事業開始報告**		工事開始後 延滞なく	特定元方事業者※5	
❻ 共同企業体代表者届※6 R5		工事開始日の **14日前まで** R5	事業者	都道府県労働局長

※1　建設物・機械等設置届の届出を要するもの
- ●型枠支保工の設置➡支柱の高さが3.5m以上のもの
- ●足場の設置➡吊り足場、張出し足場及び高さ10m以上の足場（移動式含む）で、かつ、60日以上設置するもの R3
- ●計画作成には、安全衛生の実務に3年以上従事した一級建築士等の参画が必要。

※2　クレーン・エレベーター・建設用リフト・ゴンドラの設置届の届出を要するもの
- ➡クレーン：吊り上げ荷重3t以上のもの R1
- ➡エレベーター：積載荷重1t以上のもの（本設EVの仮使用も同じ）
（あらかじめエレベーター設置届を提出し、設置後、**落成検査**を受けなければ使用できない）
- ➡建設用リフト：ガイドレールの高さ18m以上で、積載荷重0.25t以上のもの R1

※1、2の設置届と建設工事計画届はこの表の中でも特に重要です。届出が必要な対象工事、提出時期も、正確に覚えましょう。

※3　建設工事計画届の提出を要する、<u>高さ31m超の建築物・工作物の「建築等」とは、建設、改造、解体または破壊の仕事をいう</u>。<u>主要構造部を変更しない改修は含まない</u>。建設工事計画届の目的は、高さが31mを超える建築物の建設等を行う事業場において、危険な工法等が採用されないように事前に労働基準監督署が審査し、労働災害を防止することである。
_{R1・3}

※4　石綿含有吹付材や石綿含有保温材の除去・封じ込め・囲い込み作業

※5　**特定元方事業者**とは、建設業などの特定事業において、発注者から直接仕事を元請けする事業者（元方事業者）をいう。一般的には、元請業者が該当する。

※6　1つの工事を複数の企業が共同で工事を受注し、施工するための組織を**共同企業体**（JV：joint venture）という。

MEMO
※1の型枠支保工、足場は「機械等」に該当する。

MEMO
積載荷重0.25 t以上1 t未満のエレベーターを設置する場合は、「エレベーター設置届」ではなく、**「エレベーター設置報告書」**を提出する。この場合は落成検査の必要はない。

| 例題 | Q | 積載荷重1 t以上の人荷用エレベーターを設置する場合は、その計画を当該工事の開始の日の14日前までに届け出なければならない。 |
| | A　✕ | 積載荷重1 t以上の人荷用エレベータを設置する場合は、工事開始日の30日前までに届け出なければならない。 |

建設工事に伴う関係手続き

原則：施工者・設置者➡知事

申請・届出の名称		提出時期	提出者	提出先
❶ 建築工事届（床面積10㎡超）		着工前※1	建築主	都道府県知事
❷ 建築物除却届（床面積10㎡超）			施工者	
❸ 特定粉じん排出等作業実施届※2		作業開始の14日前	発注者	
❹ 特定建設資材の対象建設工事の届出※3		作業開始の7日前	発注者または自主施工者	
❺ 産業廃棄物管理票交付等状況報告書※4		指定の時期	管理票の交付者	
❻ 宅地造成等工事許可申請書		着工前	工事主	
❼ 危険物貯蔵所設置許可申請書		設置前	設置者	都道府県知事※5
❽ 消防用設備等設置届出書		完了後4日以内	関係者	消防長または消防署長
❾ 特定建設作業実施届出書※6	騒音規制法に基づく作業	作業開始の7日前	施工者	市町村長
	振動規制法に基づく作業			
❿ 航空障害灯、昼間障害標識の設置届※7		設置前	設置者	地方航空局長

※1　建築工事届は、確認申請又は計画通知が必要な場合においては、それらと同時に行う。

※2　特定粉じんは、石綿（アスベスト）を示す。

※3　建設リサイクル法（建設工事に係る資材の再資源化等に関する法律）による届出である。

※4　廃棄物処理法（廃棄物の処理及び清掃に関する法律）による届出である。

※5　消防本部及び消防署を置く市町村では市町村長、それ以外は都道府県知事に届け出る。

※6　●騒音規制法による指定地域内において、杭打ち機などの騒音を発する建設機械などを用いた特定建設作業を行う場合

　　　●振動規制法によ指定地域内において、大型ブレーカーなどの振動を発する建設機械などを用いた特定建設作業を行う場合

※7　●航空障害灯とは、夜間に飛行する航空機に対して超高層建築物などの建築物や煙突、鉄塔などの存在を示すために使用される電灯である。

　　　●昼間障害標識とは、航空機の飛行の安全に影響を及ぼす高層の煙突、鉄塔などの構造物などに設ける、赤と白に塗り分けられた塗装などをいう。

4 道路に関連する手続き

原則：施工者等➡道路管理者

申請・届出の名称	提出時期	提出者	提出先
❶ 道路使用許可申請書 … 一時的使用[※1] （トレーラーなどを道路に停めて作業する場合など）	着工前	施工者	警察 署長
❷ 道路占用許可申請書 … 継続的使用[※1] （仮囲いなどで長期間道路を使用する場合など）			道路 管理者
❸ 道路工事施工承認申請書 （歩道の切下げなどを行う場合）			
❹ 特殊車両通行許可申請書[※2] （車両の幅、重量、高さなどが限度を超えた特殊車両の通行の場合）	随時	特殊車両を通行させる者	

※1　道路の「占用」と「使用」

「**占用**」とは「道路に一定の工作物・施設等を設置し、**継続して道路を使用すること**」をいう。したがって、「占用」は継続的な「使用」であるから、例えば、道路内に工事用の仮囲い、足場などの工事用施設を設置する場合は、「**道路管理者による占用許可**」と「**警察署長による使用許可**」の両方が必要になる。

	道路管理者による占用許可が必要	警察署長による使用許可が必要
	継続的な使用	一時的な使用
道路内の工事用仮囲い、足場の設置 _{R6}	○	○
工事用車両の乗入れのための歩道の切下げ	○	○
道路上に設置した**コンクリートポンプ車**によるコンクリートの打込み作業 _{R3}	×	○
道路上に一時駐車したトレーラー車による資材や機材の搬入作業	×	○

○：許可が必要　　×：許可が不要

「使用」は一時的、「占用」は継続的な利用です。事例も含めて区別できるようにしておきましょう。

※2　**特殊車両通行許可申請書**は、車両の幅、重量、高さなどが制限を超え、道路を痛める可能性がある場合に、道路法に基づき**道路管理者**に提出するものである。

これと似たものに「**制限外積載等許可申請書**」がある。こちらは、積載物の重量や大きさなどが制限を超える場合に、**道路交通の安全**のために、道路交通法に基づき**出発地の警察署長**に提出し、制限外許可証の交付を受けなければならない。

制限は若干異なるが、制限を超えれば、両方の許可が必要になる。_{R6}

間違えやすい届出先

届　出	届出先	
	誤	正
ボイラー設置届	消防署長	**労働基準監督署長**
特定粉じん排出等作業実施届出書	労働基準監督署長	**都道府県知事**
危険物貯蔵所設置許可申請書	消防署長	**都道府県知事（消防署を置く市町村長）**
騒音規制法に基づく特定建設作業実施届出書	都道府県知事	**市町村長**
道路使用許可申請書	道路管理者	**警察署長**
道路占用許可申請書	警察署長	**道路管理者**

よく出題される内容です。一見もっともらしい提出先が、実は不適当な提出先であるというひっかけ問題に多用されます。

6　工事記録他

■ 工事記録一般

【1】 工事記録の対象

❶ 工事の全般的な経過を記載した書面を作成します。

❷ 監理者の指示事項、監理者との協議結果について、記録を整備します（承認・協議を行わなければならない事項については、それらの経過内容の記録を作成し、施工者・監理者双方で確認し、監理者に提出する）。

❸ 設計図書に定められた内容に疑義が生じた場合又は設計図書によることが困難もしくは不都合が生じた場合、監理者と協議した結果、設計図書の訂正又は変更に至らない事項についても、記録を整備します。

❹ 試験を行った場合は、直ちに記録を作成します。

❺ 次のような場合は、施工記録、工事写真、見本等を整備します。

●隠ぺい部等で、後日の検査が不可能な部分の施工を行う場合

●一工程の施工を完了した場合

●適切な施工であることの証明を監理者から指示された場合

❻ 近隣建物へ影響を与えるおそれがある工事を行う場合は、近隣建物等にひび割れ、はく落、沈下等の事故が生じた場合の現状確認の資料とするため、関係者の立会いを求め、できるだけ写真、測量等により現状を記録しておきます。

❼ 監理者の立会いの上施工するものと設計図書で指定された工事において、監理者の都合や指示により立会いができない場合、工事写真などの施工を適切に行ったことを証明する記録を整備し、監理者に提出します。_{H30}

後日もめないようにするためにも、「工事記録として何を残しておくべきか」が重要です。

【2】その他記録に関わる注意点

❶ 元請建設業者は、以下の「営業に関する図書」を目的物の引渡し時から10年間保管しなければなりません（建設業法）。

● 完成図（工事目的物の完成時の状況を表した図）_{H29・R6}

● 発注者との打合せ記録（工事内容に関するもので、当事者間で相互に交付されたものに限る）_{H29}

● 施工体系図_{R2・6}

❷ 材料・部材・部品を受け入れるにあたっては、設計図書に定められた条件に適合することを、書面等の記録により確認しなければいけません。設計図書に適合しないものはもちろん、たとえ適合していてもそれを証明するものがないような場合は、工事現場に搬入することはできません。

❸ 過去の不具合事例等を調べ、あとに問題を残しそうな施工や材料については集中的に記録を残しておきます。_{H30・R2・4}

❹ デジタルカメラによる工事写真の有効画素数は、黒板の文字及び撮影対象を確認できることを指標（100〜300万画素程度）として設定します。_{R4}

② 各種工事の記録

【1】杭工事

❶ 既製杭工事においては、施工サイクルタイム記録、オーガ掘削時に地中から受ける抵抗に係る電流値や積分電流値、根固め液及びくい周固定液の注入量等の施工記録の適正性を確認しなければいけません。この施工の適正性を確認する施工記録については、発注者から直接建設工事を請け負った建設業者が、あらかじめ保存期間を定め、当該期間保存しなければいけません。

❷ 場所打ちコンクリート杭においては、全杭について、所定の深さから排出される土により支持地盤を確認し記録します。_{H30・R2・4}

【2】 その他の工事

　現場に搬入された鉄筋が所定の規格のものであることは、ミルシートと荷札の照合、圧延マークの目視などにより確認し、写真などの記録に残します。

第2章　工程管理

　「工程管理」は例年2〜3問程度の出題で、応用問題でも出題されます。ネットワーク工程表の用語、計算など、普段なじみのない内容も多く含まれますが、範囲は広くなく、習得すれば確実に得点できる分野です。用語の目新しさに怯まず、しっかり身につけて合格に大きく近づきましょう。

1　工程計画の基本

◼ 工程計画

【1】工程計画と工程表

❶ 工程計画では、手順計画と日程計画が大きな柱であり、一般的に、**手順計画 ➡ 日程計画**の順序で進めます。
　　　　　　　　　　R1・3・5

❷ 工程計画の基本的な考え方には、積上げ方式と割付け方式があります。それぞれ利点・欠点があるため、工程計画においては両者を使い分けながら検討します。

　積上げ方式（順行型）　各部分で採用する工事方法を検討し、実現可能な所要日数を算定し、全体の工期を**積み上げる**方式です。工事内容が**複雑**で、**実績や経験が少ない**工事・工種において用いられます。

　割付け方式（逆行型）　主要な工程（地業、地下躯体、地上躯体、仕上げなど）に、おおまかに必要日数を割り当て、その工程で完成する工事方法を検討した上で、さらに詳細な部分に**割り当て**ていく方式です。工期が**制約**され、工事内容が比較的**容易**で、**実績や経験が多い**工事・工種の場合に多く用いられます。
　　　　　　　　　　　　　　　　　　　　　　　　　　　　　H29・30・R1〜4

❸ **工区分割**は、負荷が特定の専門工事業者等に集中せず、できるだけ作業数量がほぼ均等になるように調整します。
　　　　　　　　　H29・R1

> 一般には、工期が指定されますので割付け方式をベースに、部分的に積上げ方式を併用することが多いでしょう。

【2】基本工程表・部分工程表・職種別工程表

基本工程表 工事全体を１つの工程表としてまとめた工程表であり、**主要な作業の進捗**や、**マイルストーン**を表示します。

部分工程表 工事の特定の部分を取り出し、それに関わる作業、順序関係、日程などを記した工程表です。

職種別工程表 特定の職種が関連する工程を取り出し、それに関わる作業、順序関係、日程などを記した工程表です。

【3】マイルストーン

工事の進捗を表す**主要な日程上の区切り**を示す指標であり、掘削開始日、地下躯体完了日、鉄骨建方開始日、最上階コンクリート打設日、屋上防水完了日、外部足場解体日等が用いられます。

R3

② 工程計画の手順

【1】工程計画の手順（工程表の作成順序）

❶ 工事全体の総合的な工程計画を立てます。

❷ 工種別の具体的な施工計画を立てます。

> **MEMO**
> 各工事の毎日の作業量は、なるべく均等にする。
> **所要日数＝工事量／１日の作業量**

❸ 各作業の作業量を算出し、各工事における単位当たりの標準的な人・材料などの数量を目安に作業の**所要日数**を算出します。

❹ 休日及び季節、天候などの影響を考慮し、工事の実質的な**作業可能日数**を算出し、**歴日換算**した日数を用いて、工程を作成します。

R1・4

【2】 工程表に示す事項

(1)	気候、風土、慣習などの影響
(2)	施工計画書・製作図・施工図の**作成時期とその承諾時期**
(3)	主要材料などの準備製作期間・**現場への搬入時期**
(4)	試験の時期・期間
(5)	検査・施工の立会いを受ける時期（工事監理者、特定行政庁など）
(6)	電気設備・機械設備・その他の工事の工程
(7)	**仮設物の設置期間**
(8)	(1)〜(7)に対する適度な**余裕を見込む**

【3】 工程計画上注意が必要な工事

工事名	工程計画の注意点
土工事 基礎工事	工程が変動しやすいので、**十分な余裕を見込んで**工程計画を立てる
躯体工事	工期の設定は、**天候による影響、労働力の季節変動、地理的な立地条件**などを見込んでおく
仕上工事	関連作業が多いため、作業員を多く投入しても**工期短縮を図りにくいので、十分な余裕を見込む**

※　仕上工事は、躯体工事より余裕を多く見込む。

【4】 工程計画上の留意点

❶ 使用可能な**前面道路の種別**（国道、市道等）、**幅員、交通規制**、埋設物を調査し、**使用重機や搬入車両の能力、搬入資機材の最大寸法、重量等を考慮して工程計画を立てます。**
   _{H29}

❷ 作業に従事する作業者や工事用機械が、できるだけ連続して作業を実施し得るように手順を定め、**作業者の不連続な就業や工事用機械の不稼働をできるだけ少なくします。**
   _{H29・R5}

❸ 工程とコスト

【1】 最適工期

直接費と間接費の和である**総建設費（総工事費）**が最小となる最も経済的な工期のことです。
_{R1・6}

間接費	管理費、共通仮設費、減価償却費、金利等の費用

直接費　労務費、材料費、仮設備費（共通仮設を除く）、機械運転費用等の費用

【2】 施工速度と間接費

● 施工速度を**速める**　（工期**短縮**）　➡ 間接費は**減少**
<small>R1・4</small>
● 施工速度を**遅くする**（工期**延長**）➡ 間接費は**直線的に増加**

※　間接費は、一般に工期の長短に相関して増減する。
<small>R2・6</small>

【3】 施工速度と直接費

❶ 作業速度を**速める**　（工期**短縮**）　➡ 直接費は**増加**
<small>R1</small>
　（交代費用、同時作業の効率低下、材料費の割高、労務のむだ等）

❷ 直接費が最小となる工期を**ノーマルタイム（標準時間）**、費用を**ノーマルコスト（標準費用）**といいます。
<small>R4・6</small>

❸ 標準より作業速度を速めて工期を短縮すると、一般に直接費は増加します。ただし、直接費を増加しても、ある限度以上には短縮できない時間があり、これを**クラッシュタイム（特急時間）**、その費用を**クラッシュコスト**と呼びます。
<small>R2・4・6</small>

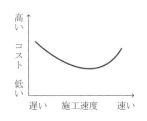

【4】 工程（施工速度）と総工事費（コスト・総建設費）の関係

　施工速度を上げて施工効率が上がると総工事費（コスト）は安くなりますが、さらに施工速度を上げて**突貫作業**を行うと逆にコストは**上昇**します。

　工期を大きく短縮すれば一般に**間接費**は減少しますが、**直接費は増加**し、総工事費としては増加します。逆に、工期を延長すれば直接費は減少しますが、間接費が直線的に増加し、総工事費としては増加します。したがって、**総工事費は工期に比例するものではなく、工期を最適工期より短縮しても、延長しても増加する**ことになります。

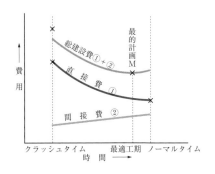

<small>R6</small> <small>R1・4</small>

工程とコストを問題にするとき、コスト（総工事費）を直接費と間接費に分けて考えます。

【5】 突貫工事において工事原価が比例的でなく急増する原因

❶ 材料の手配が施工量の急増に間に合わず、**労務の手待ち**が生じ、あるいは高価な材料を購入することになります。
_{H30}

❷ 施工量に比例的でない賃金方式を採用せざるを得なくなります（例：割増賃金、残業手当、深夜手当等の支給）。
_{H30}

❸ 一交代から二交代、三交代へと日の作業交代の増加に伴う現場経費や固定費が増加します。
_{H30}

❹ 消耗品などの使用量が施工量に比例的でなく急増します（例：支給材料の増加、型枠等の転用回数減少に伴う使用量増加）。
_{H30}

❺ 施工量増加に対応するための労務宿舎、その他の仮設・機械器具の増設、監督職員の増員等により経費が増加します。

2 工程表

1 工程表の種類と特徴

【1】 ガントチャート

❶ 各作業の完了時点を100％として横軸にその達成度をとり、**ある時点の進行状態を棒グラフで示す図表**です。

❷ 作成は容易ですが、各作業の前後関係や所要日数、他の作業や全体工期に影響を及ぼす作業等はわかりません。

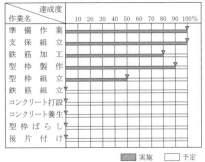

ガントチャート

❸ 作業の順序や期間を示すものではなく、バーチャートやネットワーク工程表とは全く異質のものです。

【2】 Sチャート

❶ 工程の進捗を数量で表現する手法です。

❷ 縦軸に出来高の累積値などを、横軸に時間を配置して、各時点における累積値を図上に記載します。このグラフの形が、Sに似ているためSチャートと呼ばれます。

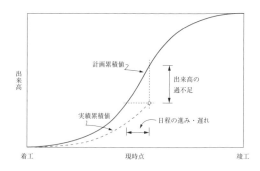

❸ 各作業の所要日数や遅れ等はわからないので、バーチャートやネットワーク工程表と併用して用いられることが多くなります。

【3】 横線式工程表 （バーチャート （bar chart））

❶ 縦軸に工事種目、横軸に各工事日数をとり、工事ごとに、横線で工事の開始時期・終了時期を示し、各工事の期間を表した工程表です。

❷ 施工の流れを単純な形の表で表すので、作業の開始日、終了日、所要日数はわかりやすくなります。

❸ 作業の相互関連（作業順序、前工程の遅れが後工程に与える影響等）は理解しにくくなります。

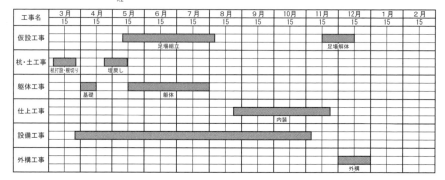

比較的、作成が容易で見た目もわかりやすいのはバーチャート工程表ですね。

502

【4】ネットワーク工程表

工程計画において、全体工事の中で各作業の相互関係を〇（結合点）と ➡（作業）の組み合わせによって表した網状の工程表のことです。

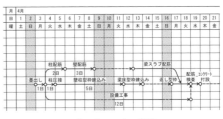

ネットワーク工程表

❶ 作業の前後関係がわかりやすく、余裕のある作業と余裕のない作業の区別など、各作業の相互関係が明確で、工程の調整に向いています。

❷ クリティカルな作業が明らかになるので重点管理が可能になります。

各作業の相互関係を表現し、工程調整に向いているのはネットワーク工程表ですね。

工程表	横線式工程表（バーチャート）	ネットワーク工程表
工程表の作成	容易	難しい
各工事の出来高	明確	不明確
重点管理作業	わかりにくい	明確
各作業の相互関係	不明確	明確 （関連作業の多い工事の工程調整に向き、労務・材料計画の管理がしやすい）

【5】タクト工程表

タクト工程とは、同種の作業を複数の工区や階で繰り返し実施する場合、作業の所要期間を一定（タクト期間）に同期させることによって、各作業が工区や階を順々に移動しながら作業を行う工程を計画する手法です。

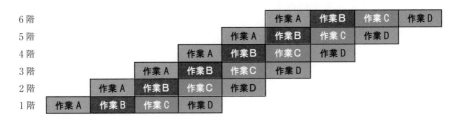

❶ 一連の作業は、同一の日程で開始され終了するため、各作業者は同じ日程で次の工区や階へ移動して作業を始めることとなり、一連の作業は切れ目なく

503

実施することができます。

❷ 同一設計内容の基準階を多く有する**高層建築物の工事**や**集合住宅・ホテル客室**の仕上げ工事における工程計画手法として適しています。

❸ 設定したタクト期間では終わることができない一部の作業については、当該作業期間をタクト期間の**2倍又は3倍などの整数倍**に設定し、作業班を2班又は3班投入することによって、切れ目のない工程にします。

6階						作業 A	作業 B (第 2 班)	作業 C	作業 D
5階					作業 A	作業 B (第 1 班)	作業 C	作業 D	
4階				作業 A	作業 B (第 2 班)	作業 C	作業 D		
3階			作業 A	作業 B (第 1 班)	作業 C	作業 D			
2階		作業 A	作業 B (第 2 班)	作業 C	作業 D				
1階	作業 A	作業 B (第 1 班)	作業 C	作業 D					

❹ 繰返し作業による習熟効果により生産性が向上するため、工事途中で、タクト期間の短縮又は作業者数の削減が可能になります。

❺ 一部作業の遅れが、工程全体に大きな影響を与えるためため、全ての作業に遅れが生じないように管理することが重要です。

サイクル工程とは全く別の概念の手法です。

② ネットワーク工程表の作成・計算

【1】 基本用語

❶ 作業（アクティビティー）⟶

　工事の作業など、時間を要する諸活動を矢印を使って示します。矢印は作業が進行する方向に記載し、矢印の上側に作業内容、下側に所要日数を書きます。右図では、A作業の所要日数は5日となります。この矢印は、**アロー**とも呼びます。

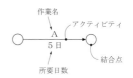

❷ 結合点○

○印で示して、作業（またはダミー）の開始、及び終了時点を表します。この○印は、**ノード**とも呼びます。

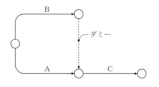

❸ ダミー -----▶

架空の作業（ダミー）について、**点線の矢印**で示し、作業の前後関係のみを表します。右図において、C作業は、A作業の他にB作業も終わらないと着手できないことを示します。このようにダミーは、作業とは区別され、**作業の相互関係のみを示します。**

【2】その他の用語

用　語	意味・計算方法
最早開始時刻（EST）	その作業が**最も早く開始できる時刻**。作業の始点から完了日までの各イベントの作業日数を加えていき、複数経路日数のうち、作業の完了を待つことになる最も遅い日数 _{R3}
最遅開始時刻（LST）	●工期に影響することなく、作業の着手を遅らせうる限界の時刻 ●後続の最早結合時刻（ET）から作業日数（D）を減じて求める _{R1} ●その作業の最遅終了時刻（LFT）から作業日数（D）を減じて求める _{R5}
最早終了時刻（EFT）	●その作業が最も早く完了できる時刻のこと ●その作業の最早開始時刻（EST）に作業日数（D）を加えて求める _{R1・5}
最遅終了時刻（LFT）	その作業が後続作業に影響を与えない範囲で最も遅く終了してもよい時刻
最早結合点時刻（ET）	各結合点の最も早い時刻
最遅結合点時刻（LT）	工期に影響することなく、各結合点が許される最も遅い時刻 _{R1}
フロート （Float）	**余裕時間**。結合点に2つの作業が集まる場合、それぞれの作業間における作業日数の差が時間的余裕（フロート）になる

トータルフロート （Total Float）	● 任意の作業内でとり得る最大の余裕時間 ● 最早開始時刻で始め、最遅終了時刻で完了する場合に生じる余裕時間 ● フリーフロート（FF）とディペンデントフロート（DF）の和 ● 当該作業の最遅終了時刻（LFT）から当該作業の最早終了時刻（EFT）を減じて求める _{H30・R2}
フリーフロート （Free Float）	● その作業で自由に使っても後続作業に影響を及ぼさない範囲の自由な余裕時間 _{H30・R2・5} ● 最早開始時刻で始めて、後続作業も最早開始時刻で始めても存在する余裕時間
ディペンデント フロート （DF）	● 後続作業のトータルフロートに影響を及ぼす時間的余裕 _{H30・R2} ● トータルフロートからフリーフロート（自由余裕時間）を減じて求める _{R1・3}
パス（Path）	作業経路
クリティカルパス （Critical Path）	● 最長パスで、最も時間がかかり、時間的余裕がない作業経路 ● トータルフロートが最小（ゼロ）のパスのことである ● CP上の作業が遅れると、全体工期に遅れが出るため、重点管理をする必要がある _{R2} ● CP以外の作業でも、フロートを使い切るとCPになる _{H30・R3} ● CPは必ずしも1本ではない ● 最早開始時刻（EST）と最遅完了時刻（LFT）が同じである場合、全く余裕のないイベントとなるため、クリティカルパスとなる _{R3}

用語の意味、計算方法を理解して覚える必要があります。計算問題を解きながら、理解を深めてください。

【3】 ネットワーク工程表の計算方法

　以下のネットワーク工程表を用いて、クリティカルパスなどの求め方を学習します。

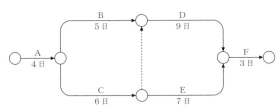

506

＜基本ルール＞

　前の作業の開始日に作業日数を加え、後続作業の**最早開始時刻**（最も早く開始できる日）を○数字で記入し、**前進計算**していきます。そのとき、作業の相互関係のみを示す「**ダミー**」に注意します。例えば、Ｂ作業は９日後に終了するが、Ｄ作業はダミーにより、Ｃ作業が終了する10日後が最早開始時刻で、⑩となります。

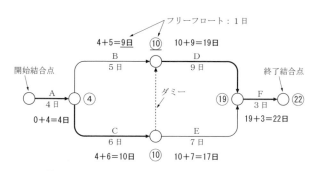

> **MEMO**
>
> 矢印が２つ以上ある結合点については、最大値をとる。したがって、Ｆ作業の最早開始時刻では、Ｄ作業（19日）とＥ作業（17日）なので、19日をとる。

＜クリティカルパス＞

　各作業の最早開始時刻を、○数字にて記入しながら前進計算します。クリティカルパスは、最初の作業から最後の作業に至る「**最長パス**」であるため、**A➡C➡ダミー➡D➡F**で、この工事全体の作業日数は22日となります。

H29

＜フリーフロート＞（Ｂ作業のフリーフロート）

　フリーフロートは、後続作業に影響せず、その作業で自由に使える余裕時間で、

（フリーフロート）＝（後続作業の最早開始時刻）−（当該作業の最早終了時刻）

で求められます。Ｄ作業の最早開始時刻は10日ですが、Ｂ作業の最早終了時刻は９日（最早開始時刻４日＋作業日数５日）ですので、Ｂ作業には10−9＝1（日）のフリーフロートがあります。

＜トータルフロート＞（E作業のトータルフロート）

　任意の作業間において、とり得る**最大の余裕時間**で、

（トータルフロート）＝（当該作業の最遅終了時刻）－（当該作業の最早終了時刻）

で求められます。E作業の最遅終了時刻は、F作業の最遅終了時刻である22日から3日を引いた19日となります。また、E作業の最早終了時刻は、最早開始時刻10日＋作業日数7日＝17（日）です。したがって、E作業のトータルフロートは、19－17＝2（日）となります。

MEMO

最遅終了時刻は、後続作業の最遅終了時刻から、当該作業の所要日数を減じて求める。

ネットワーク工程表

問：下記のネットワーク工程表において、クリティカルパスとC作業のフリーフロートを求めよ。

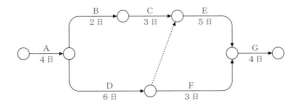

解説

　前の作業の開始日に作業日数を加え、後続作業の最早開始時刻（最も早く開始できる日）を○数字で記入し、**前進計算**していきます。そのとき、作業の相互関係を示す**ダミー**に注意します。

⑴　最初の作業から最後の作業に至る「最長パス」である**クリティカルパス**は、A ➡ D ➡ （ダミー）➡ E ➡ G であり、この工事全体の作業日数は、19日です。

⑵　**（フリーフロート）**＝（後続作業の最早開始時刻）－（当該作業の最早終了時刻）で、C作業の後続作業Eの最早開始時刻は10日ですが、C作業は最早で9日で終了するので、C作業には10－9＝1（日）のフリーフロート（後続作業に影響せず、その作業で自由に使える余裕）があります。

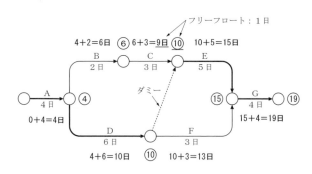

答：クリティカルパス　A➡D➡ダミー➡E➡G

　　工事全体の作業日数＝19日　C作業のフリーフロート＝1日

<参考>

　上記は「前進法」と呼ばれるネットワーク工程表の代表的な計算手法です。ただし、複雑な計算問題に短時間で対応するためには、以下の「前進後退法」を「鉄則」化した解法を身につけることをお勧めします。一見、機械的に見えると思いますが、計算間違いをすることなく、かなり複雑な問題にも短時間で対応できます。「前進法」をマスターした上で、余裕のある方は習得してください。

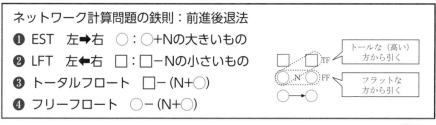

問題を解き始める前に、枠内の内容を簡略に用紙の余白に書いておくと迷いませんよ。

　鉄則にしたがった具体的な手順は以下のとおりです。

1．最初に最早開始時刻ESTを左から右に計算し◯印の中に記入します。
　　（左の◯の数値に作業日数Nを加えていきます）
2．最遅終了時刻LFTを右から左に計算し□の中に記入します。
　　（右の□の数値から作業日数Nを引いていきます）
3．設問に合わせて、トータルフロートやフリーフロートを求めます。
● トータルフロートは右上の□から（N+◯）を引く
● フリーフロートは右の◯から（N+◯）を引く

具体的に「鉄則」で以下のネットワークの計算を行います。

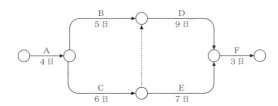

<準備>まずネットワークに◯と□を記入します。

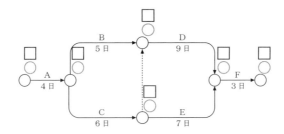

<鉄則１>最早開始時刻ESTを左から右に前進計算します。

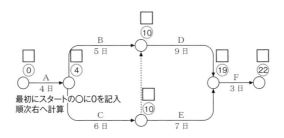

❶ スタートの○に0を記入します。

❷ 次の最早開始時刻は作業Aの日数が4日ですので、0＋4で4を記入、作業Eの最早開始時刻○は4＋6で10が入ります。

❸ 作業Dの最早開始時刻○は、作業Bから計算すると4＋5で9ですが、ダミーが作業Cからもきています。ダミー側からでは10ですから、大きい方の10が入ります。

❹ 作業Fの最早開始時刻○は、作業Dからは10＋9で19、作業Eからは10＋7で17ですから、大きい方の19が入ります。

❺ 最後は19＋3で22が入ります。

＜鉄則２＞最遅終了時刻LFTを右から左に後退計算します。

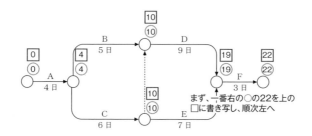

まず、一番右の○の22を上の□に書き写し、順次左へ

❶ 一番右の○の22を上の□に書き写します。そこから左に計算して、□に書き入れていきます。

❷ 作業E及びDの最遅終了時刻□は22－3＝19が入ります。

❸ 作業Bの最遅終了時刻□は19－9＝10が入ります。

❹ 作業Cの最遅終了時刻□は、2つの→が戻っていますので、19－7＝12と10を比較して、小さい方の10が入ります。

❺ 作業Aの最遅終了時刻□は10－5＝5と、10－6＝4で、小さい方の4が入ります。

❻ 最後は4－4＝0

このスタートがゼロに戻れば計算間違いがないことを確認できます。

<鉄則３>作業Bのフリーフロートを計算します。

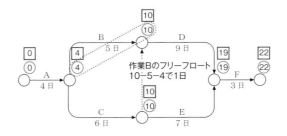

フリーフロートは右の○からNと一つ手前の○を引きます。

したがって、10 − 5 − 4 ＝ 1、作業Bのフリーフロートは１日となります。

<鉄則４>作業Eのトータルフロートを計算します。

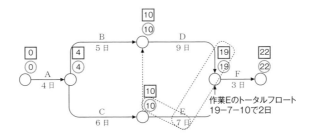

トータルフロートは右上の□からNと一つ手前の○を引きます。

したがって、19 − 7 − 10 ＝ 2、作業Eのトータルフロートは２日となります。

また、このネットワークの中での最も時間のかかる経路はA➡C➡ダミー➡
D➡Fとなり、この経路が**クリティカルパス**となります。

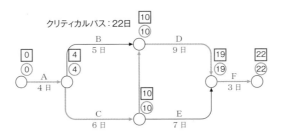

　以上のように機械的に、かつ、確実に工程検討することが可能です。ネット
ワーク手法は、本来このような機械的計算を行うために考案された手法です。

3 工程の進捗管理・短縮・合理化

1 山積み・山崩し

　作業に必要な所要日数を検討する段階で行う作業に、「山積み」「山崩し」「山均し」があります。

【1】山積み

　人員、部品、材料、工事用機械等の必要数量を工事種類ごと、作業日ごとに集計する作業のことです。

【2】山崩し

　工事に投入する作業員、施工機械、資機材などの資源供給量が<u>一定の資源量</u>を超えないように工程を調整することを<u>山崩しといいます。</u>

　<u>一般に山崩しには工期の延長が必要</u>です。
_{H30・R1}

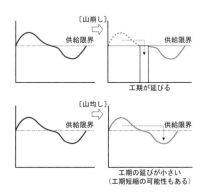

【3】山均し

　作業員、施工機械、資機材などの資源投入量のピーク部分が一定量を超えないように調整すると同時に、谷の部分を埋めて、<u>資源使用の均等化を図ること</u>を<u>山均しといいます。</u>
_{H30・R4・5}

❶ 山均しは工期を短縮できる可能性もあります。

❷ <u>山均しを図るには、工区割り、施工手順の合理化、作業の標準化などによる工程の規格化や均等化を図るといった、山均しを意図したシステマティックな工法を採用するなどの工夫が必要です。</u>
_{R2}

山積み、山崩し、山均しは、工程管理の重要な手法です。

② 進度管理曲線（バナナ曲線）

　各作業を最早開始日で開始した場合の工程進度の累積値と最遅開始日で開始した場合の累積値を同時に表示すると、その累積グラフで囲まれた形（進度管理曲線）ができます。この形がバナナに似ているため、バナナ曲線ともいわれ、この囲まれた領域の中に実績進度の累積値が入っていれば、工程は計画どおり進んでいることを示します。

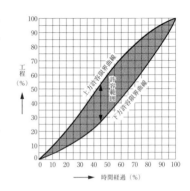

③ 工程短縮

❶ 算出した工期が指定工期を超える場合は、**クリティカルパス**上の作業について、**作業方法の変更**（作業の同期化・分割・集約化等）、**作業員（労働力）の増員、工事用機械の機種変更・台数増加、工法の変更**を検討し、工期短縮に向けた調整を行います。

❷ 工程短縮を図るために行う**工区分割**などは、工程の短縮・調整により生じる負荷が特定の専門工事業者等に集中せず、**負荷ができるだけ均等になるように調整**します。

❸ プレキャスト（PCa）化　工場生産により現場の作業を省く工法で、手すり壁付きのバルコニーなどの部材を検討します。

❹ 先組み工法　鉄筋の先組み工法は、鉄筋をあらかじめ組み上げ、クレーン等により建て込む方法で、作業効率が高く工期短縮が図れます。

❺ 水平積上げ方式　節ごとに建方を行っていく水平積上げ方式は、一般に工期短縮効果があります。

❻ 逆打ち工法　地上と地下が同時平行に進めることができ、全体工期の短縮に大きな効果があります。ただし、地下１階程度の工事の場合は工期短縮には結びつきません。

❼ ラス型枠工法　合板の代わりに特殊リブラス（鋼製ネット）を用いたせき板で、その解体が不要となるため、施工の省力化、工期短縮が可能で、地中梁や基礎に多く用いられます。

❽ 床型枠用鋼製デッキプレート（フラットデッキ）　捨て型枠のため解体が不要で、工期短縮につながります。

❾ ALCパネル、ECPパネルの採用。

❿ タイル打込みハーフPC板の採用。工場生産されたタイル打込み完了パネルであり、工期短縮につながります。

⓫ システム天井　工期短縮につながります。

4 合理化

【1】施工の合理化

❶ プレハブ化、ユニット化を採用することにより、施工精度、品質、生産性、作業環境の向上を図ります。

❷ 施工の自動化施工機械（建設ロボット）等の採用を図ります。

【2】高層建築の鉄骨工事の合理化

❶ 綿密な総合仮設計画を組み立て、揚重機の選定、配置計画に重点を置き、現場での搬入回数、揚重回数を削減し、運搬・移動及び揚重機の稼働率を向上させます。

❷ 鉄骨を地組みユニット化することにより、建方ピース数の削減を図ります。

【3】鉄骨工事の工程計画

❶ 建方歩掛り（1日当たり取付けピース数）
トラッククレーン：30〜35ピース
タワークレーン　：40〜45ピース

❷ タワークレーンの鉄骨建方作業占有率（高層建物）
補助クレーンを用いる場合　：0.5〜0.6程度
補助クレーンを用いない場合：0.4〜0.5程度

❸ 一般的建物の建方用機械の鉄骨建方作業占有率：0.6〜0.7程度

❹ 現場溶接における溶接工の平均能率（1人1日当たり）目安

➡ボックス柱：2本、梁：5カ所
H29

❺ ガスシールドアーク溶接による現場溶接の作業能率（1人1日当たり）

➡<u>隅肉溶接脚長6㎜換算で60〜80m</u>
R1・3・5

❻ トルシア形高力ボルトの締付け本数の作業能率

➡<u>1人で1日あたり250本</u>
R3〜5

❼ <u>タワークレーンの1回のクライミングに要する日数</u>➡<u>1.5日程度</u>
H29・R1・5

鉄骨工事に関連する歩掛りはよく出題されています。正確に覚えておきましょう。

「品質管理」からは2～3問程度出題されます。前半の「品質管理の基本」「用語」「各種管理図」などはなじみの薄い内容も多いと思いますが、実際には繰り返し出題されている問題が少なくありません。後半の躯体や仕上げの「試験・検査」は各工事との関連性が高く、応用問題でも出題されますので、第3編と関連づけながら学習することで高得点が望めます。

1 品質管理の基本

品質、品質管理は、JISでは、次のように定義されています。

品質（Quality） 本来備わっている特性の集まりが、要求事項を満たす程度（品物又はサービスが、**使用目的を満たしているかどうか**を決定するための評価の対象となる固有の**性質・性能の全体**）。

品質管理（Quality Control） 品質要求事項を満たすことに焦点を合わせた品質マネジメントの一部（**買手の要求に合った品質の品物又はサービスを経済的につくり出すための手段の体系**）。

MEMO
（　　）内の記述は旧JIS Z 8101による定義であるが、理解しておくこと。

1 品質管理の基本的な考え方

❶ 品質管理は、品質計画の目標のレベル（**顧客の要求品質**）を達成するために、そのレベルに見合った**管理**を行うことが重要です。以下のような管理は、工程、コストにも影響を及ぼし、望ましくなく、優れた品質管理とはいえません。

➡**必要以上に緻密な管理を行うこと**
_{H30・R2・4・6}
➡**品質の目標値を大幅に上回る品質を確保すること**
_{H30・R4・6}

❷ 品質に及ぼす影響の検討・品質のつくり込み・プロセスの改善・再発防止は、**施工段階よりも計画段階**、すなわち、**より源流のプロセス**において行う方が、**効果的かつ効率的**です。これを**源流管理**、フロントローディングともいいます。
_{H30・R2・4・6}

❸ 品質の管理・保証を検査のみで行うことには限界があり、そのつくり込みのプロセスにおいて品質を確保すること、すなわち工程（プロセス）の最適化を図ることの方が優れた品質管理です。

❹ 品質確保のための作業標準が計画できたら、工程がそのとおり行われているかどうかの管理、維持、改善が重要です。これをプロセスに基づく管理といいます。

R2

H30・R2・4・6

品質管理の基本はプロセス管理です。

❷ 施工における品質管理の基本的な留意事項

❶ 品質計画には、施工の目標品質、品質管理及び管理の体制などを具体的に記載します。

❷ 業務分担、責任及び権限を明確にします。

❸ 品質管理計画には、重点的に管理する項目や管理目標を設定し、管理目標は可能な限り数値で明示します。

❹ 目標品質を得るための管理項目を設定し、次工程に渡してもよい基準としての管理値を設定します。

❺ 試験又は検査を品質管理計画に基づき行います。

❻ どのような記録を作成し保管するかを品質管理計画段階で明確にします。

❼ 試験や検査よりプロセス管理に重点を置いた管理とします。

❽ 問題が生じた場合は、適切な処理を施し、その原因を検討し再発防止処置をとります。

2 | 品質管理用語・各種管理図

❶ 統計的品質管理に関する用語

❶ 計量値データ　単位があり、測って得られる連続量のデータ。例えば、製品重量・寸法、温度、時間等。

❷ 計数値データ　数えて得られるデータ。不適合品数等。

❸ 母集団　検討の対象となるアイテムの全体。

❹ サンプル　母集団から統計的な判断を行うためにサンプリングによって

取り出された要素。

❺ 母集団の大きさ　母集団に含まれるサンプリング単位の数。^{R1}

❻ 目標値　仕様書で述べられる、望ましい又は基準となる特性の値。

❼ ロット　等しい条件下で生産され、又は生産されたと思われる品物・サー^{H30・R2}
ビスの集まり。

❽ 誤差　観測値・測定結果から真の値を引いた値。^{R2}

❾ かたより　観測値・測定結果の期待値から真の値を引いた差。^{H30}

❿ ばらつき　観測値・測定結果の大きさがそろっていないこと、又は不ぞろ^{R2}
いの程度。**ばらつきの大きさ**を表すには、**標準偏差**などを用います。^{R2}

⓫ 不確かさ　測定結果又は試験結果に付随した、特定の測定の量又は試験の
特性に合理的に結び付けられ得る値のばらつきを特徴づけるパラメーター
のこと。

⓬ 標準偏差　データのばらつきの度合い。記号 σ で表します。計量値のデー
タが正規分布を示す場合には、平均値 ± 3 σ の範囲内に99.7％が入ります。

❷ 品質マネジメントシステムに関する用語

品質マネジメントシステムの基本及び用語は、JISに規定されています。

基本的な用語です。正誤判断できるくらいにはなっておきましょう。

❶ 品質　対象に本来備わっている特性の集まりが、要求事項を満たす程度。

❷ マネジメントシステム　方針及び目標、並びにその目標を達成するための
プロセスを確立するための、相互に関連する又は相互に作用する、組織の一
連の要素。^{H29}

❸ 品質マネジメント　品質に関して組織を指揮し、管理するための調整され
た活動。^{H29}

❹ 品質マニュアル　品質に関して組織を指揮し、管理するためのマネジメン
トシステムを規定する文書。^{R1}

❺ 品質保証　品質要求事項が満たされるという確信を与えることに焦点を
合わせた品質マネジメントの一部。

❻ 工程（プロセス）　インプットを使用して意図した結果を生み出す、相互

第4編 施工管理
3
品質管理

に関連する又は相互に作用する一連の活動。

❼ 工程（プロセス）管理　工程（プロセス）の結果である製品又はサービスの特性のばらつきを低減し、維持向上する活動。

❽ 不適合　要求事項を満たしていないこと。

❾ 是正処置　検出された不適合又はその他の検出された望ましくない状況の原因を除去するための処置。

❿ 予防処置　起こりうる不適合又はその他の望ましくない起こりうる状況の原因を除去するための処置。

⓫ 検証　客観的証拠を提示することによって、規定要求事項が満たされていることを確認すること。

⓬ 欠陥　意図された用途又は規定された用途に関する不適合（要求事項を満たしていないこと）。

⓭ レビュー　設定された目標を達成するための対象の適切性、妥当性又は有効性を確定するための活動。

⓮ トレーサビリティ　対象の履歴、適用又は所在を追跡できること。

⓯ プロジェクト　開始日及び終了日をもち、調整され、管理された一連の活動からなり、時間、コスト及び資源の制約を含む特定の要求事項に適合する目標を達成するために実施される特有のプロセス。

③ 各種管理図

各種管理図の名称と特徴、図の特徴もあわせて理解しておきましょう。

【1】パレート図

パレート図は、項目別に層別して出現頻度数の大きさの順に並べるとともに、累積和を示す図です。例えば、不適合品を不適合の内容の別に分類し、不適合品数の順に並べてパレート図をつくると不適合の重点順位がわかります。

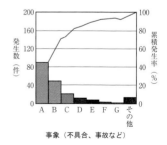

事象（不具合、事故など）

【2】特性要因図

特性要因図は、特定の結果と原因系の関係を系統的に表した図で、重要と思

われる原因への対策の手を打っていくために用います。その形状から「魚の骨」
とも呼ばれます。

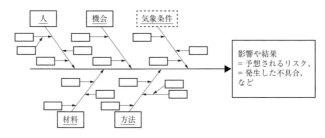

【3】ヒストグラム

ヒストグラムは、計量特性の度数分布のグラフ表示で、製品の品質の状態が規格値に対して満足のいくものか等を判断するために用います。

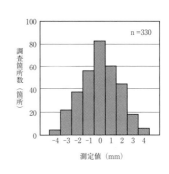

【4】管理図

管理図は、連続したサンプルの統計量の値を特定の順序で打点し、その値によってプロセスの管理を進め、変動を維持管理及び低減するための図です。プロセスの変動を視覚化して工程異常を検出するために用います。

❶ X管理図

サンプルの個々の観測値を用いて工程水準を評価するための計量値管理図です。一般に、平均値 ± 3σを上方管理限界線、下方管理限界線として設定します。

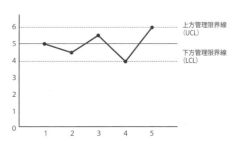

❷ X̄（エックスバー）管理図

群の平均値を用いて工程水準を評価するための計量値管理図です。

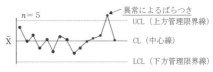

なお、群とは、処理ロット等、生産順序によって工程を時間的に区分したブ

521

ロックのことです。

※　統計値が上方管理限界と下方管理限界の間に納まり、中心線を挟んで適度に上下にば
　らついている状況が、統計的管理状態にあると判断される。

❸ R管理図

群の範囲（観測値の最大値と最小値の範囲）を用いて変動を評価するための
計量値管理図です。

❹ $\overline{X}$-R管理図

群ごとの平均値（$\overline{X}$）と範囲（R）を求めて、$\overline{X}$管理図とR管理図に別々に
打点し、$\overline{X}$管理図は群の平均値の変化（群間変動）、R管理図は群内のばら
つきの変化（群内変動）を主として管理するために用います。

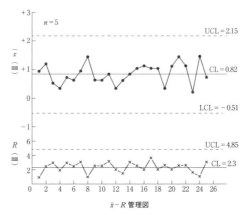

$\bar{x}$-R 管理図

❺ np（エヌピー）管理図

サンプルサイズが一定の場合に、所与の分類項目に該当する単位の数を評価
するための計数値管理図です。群の大きさ（サンプルデータ数）nと不適合
品率pを掛け合わせ、不適合品数npを算出して、群の大きさであるnが一定
のときに、不適合品数をもとに品質を管理します。

例えば、群の大きさ（＝サンプルデータ数）nが100個、不適合品率pが10%
のとき、不適合品数npは100×0.1=10個となります。

❻ s（エス）管理図

群の標準偏差を用いて変動を評価するための計量値管理図です。群の大きさ
（＝サンプルデータ数）が大きい場合には、範囲（R）では変動がわかりに
くくなるため、標準偏差（s）を利用する管理図です。

【5】 チェックシート

チェックシートは、欠点や不良項目などのデータをとるための記録用のものと、点検すべき項目をあらかじめ決めておいて、これに従って作業を確認する点検確認用のものがあります。
_{R1}

【6】 散布図

散布図は、対応する2つの特性を横軸と縦軸にとり、観測値を打点してつくるグラフで、主に2つの変数間の相関関係を調べるために用います。
_{R1・3・5}

一般には要因（原因）となる変数を横軸に、結果（値）を縦軸にプロットします。ほぼ直線上にあれば「正（負）の相関」、散在すれば「無相関」といい、関係性が一目でわかります。

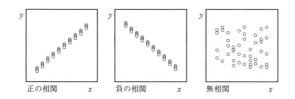

【7】 層別

層別とは、母集団をなんらかの特徴によりいくつかの層に分割することです。

【8】 系統図

系統図は、目的・目標などと手段や方策などを系統付けて展開した図です。
_{R5}

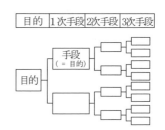

4 施工品質管理表 （QC工程表）

QC工程表は、製品・サービスの生産及び提供に関する一連のプロセスを図・表に表し、このプロセスの流れに沿ってプロセスの各段階で、誰が、いつ、どこで、何を、どのように（管理水準、管理の間隔・頻度など）管理したらよいかを一覧にまとめたものです。

QC工程表は建設工事においては、施工品質管理表と呼ばれます。

❶ 管理項目、検査項目は、**工種別又は部位別とし、施工工程の各段階（プロセ ス）のフロー**にしたがって記載します。
  ※ 作業重要度の高い順に並べるのではない。 [H29・R1]

❷ 品質管理は結果に大きな影響を与えるもの、効果の大きい重点問題に着目す る重点指向（志向）で行い、メリハリをつけて行います。したがって、管理 項目には、**重点的に実施すべき項目**を取り上げます。

❸ 工事監理者、施工管理者、専門工事業者、責任者、担当者、職長などの役割 分担（管理分担）を記載します。 [R1]

❹ 検査の時期、頻度、方法を明確に記載します。 [H29・R1]

❺ **管理値、管理水準を外れたときの処置、及び異常時の処置**をあらかじめ定め、 記載しておきます。 [H29・R1]

❻ 各作業の施工条件や施工数量は施工品質管理表に記載するものではなく、施 工計画書（工種別施工計画書）に記載すべき内容です。 [H29]

3 | 検査・試験の基本

1 検査・試験の基本と種類

　検査とは、適切な測定、試験などを伴った、観測及び判定による適合性評価 です。すなわち、品物又はサービスの1つ以上の特性値に対して測定、試験な どを行って規定要求事項と比較し、適合しているかどうかを判定する活動です。 設計図書に示す条件に対する適合性を証明するに足る資料を添えて記録を作成 します。 [H29]

検査・試験の基本用語です。正確に使い分けできるようになる必要があります。

【1】中間検査・受入検査
　中間検査　工程内検査、工程間検査ともいい、不良なロットが次工程に渡らな いように、事前に取り除くことによって損害を極力少なくするために行います。 [H29・R1・2・5]

受入検査　物品を受け入れる段階で、受入れの可否を一定の基準のもとで行う検査。具体的には、材料、部品、製品を依頼したものを受け入れる段階で種別ごとに行う検査で、生産工程に一定の品質水準のものを流すことを目的で行います。

購入検査　提出された検査ロットを購入してよいかどうかを判定するために行う検査で、受入検査のうち、品物を外部から購入する場合に行う検査です。

R1・3・5

【2】検査の方法による分類

全数検査方式　品物の個々について全数を検査するもので、工程の品質状況が悪く継続的に不良率が大きく、決められた品質水準に修正しなければならない場合や、わずかな不良品でも人命に危険が及んだり、大きな経済的損失となるときなどに適用されます。

抜取検査方式　定められたサンプルの大きさ、ロットの合格判定基準を含んだ規定の方式です。抜取検査では、対象となる有限の母集団（ロット）から、サンプルを抜き取って、測定、試験などを行って、その結果をロットの合否判定基準と比較して、そのロットの合格・不合格を判定します。品質が安定している場合に適用できます。

無試験検査　サンプルなどに試験を直接行わずに、品質情報・技術情報などに基づいて、ロットの合否判定を行うものです。工程が安定状態で品質状況が定期的に確認でき、不良品となるものがごくわずかであり、これがもし次工程に流れても、その損害が検査費用に比べて少なく、損失は問題にならない場合などに適用されます。

間接検査　供給者の検査システム及び提出された検査結果を評価し、試験することによる合否判定検査です。

➡受入検査、購入検査などで、供給側の実施したロットについての検査成績を、そのまま使用して確認することにより受入検査の試験・測定を省略する検査で、具体的には書類検査があります。

➡書類検査とは、供給者が検査した結果について、受入検査基準と比較して適切かどうかを書類で合否判断するものです。

➡技術的に十分な検討がなされ、長期にわたって供給側の検査結果がよく、かつ使用実績も良好な場合に適用できます。

R1

無試験検査と間接検査を混同しないよう、注意してください。

<u>巡回検査</u>　検査を行う時点を指定せず、検査員が随時工程を**パトロール**しな
<u>がら行う検査です。</u>
_{R1・3}

【3】検査の性質による分類

<u>破壊検査</u>　品物を破壊するとか、商品価値が下がるような方法で行う試験を
伴う検査です。

<u>非破壊検査</u>　<u>品物を試験してもその商品価値が変わらない検査</u>。一般に行わ
_{H30・R2}
れている大部分の検査がこの非破壊検査に属します。

4 躯体工事の検査・試験

1 鉄筋のガス圧接部の検査

　外観検査を全数検査で行い、外観検査の結果が合格とされた圧接部を対象に、
超音波探傷試験（非破壊検査）または引張試験（破壊検査）を抜取検査で行い
ます。

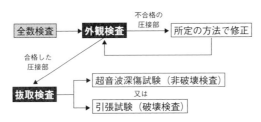

【1】外観検査

❶ 原則として圧接箇所、全数について検査を行います。

❷ <u>圧接部の状態（ふくらみの形状・寸法、圧接面のずれ、鉄筋中心軸の偏心量、</u>
<u>圧接部の折れ曲がり</u>、その他有害な欠陥の有無など）を目視、ノギスなどを
_{H30}
用いて測定します。

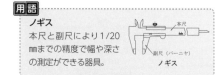

用語

ノギス

本尺と副尺により1/20
mmまでの精度で幅や深さ
の測定ができる器具。

❸ 圧接部のふくらみの径や長さが所定の形状になっていない場合、**再加熱**し、
圧力を加えて修正し、中心軸の偏心や圧接面のズレなどが規定値を超える場
合は、**切り取って再圧接**します。その後、再検査を行います。

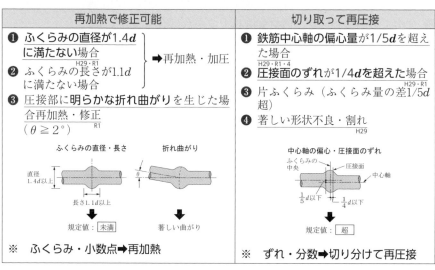

再加熱で修正可能	切り取って再圧接
❶ **ふくらみの直径が1.4dに満たない場合** H29・R1 ❷ **ふくらみの長さが1.1dに満たない場合** ➡再加熱・加圧 ❸ **圧接部に明らかな折れ曲がりを生じた場合再加熱・修正** ($\theta \geqq 2°$) R1	❶ **鉄筋中心軸の偏心量が1/5dを超えた場合** H29・R1・4 ❷ **圧接面のずれが1/4dを超えた場合** H29・R1 ❸ 片ふくらみ（ふくらみ量の差1/5d超） ❹ 著しい形状不良・割れ H29

ふくらみの直径・長さ　　　折れ曲がり

直径 1.4d以上

長さ1.1d以上

規定値：未満　　著しい曲がり

中心軸の偏心・圧接面のずれ

ふくらみの中央　　圧接面　　中心軸

$\frac{1}{5}d$以下　　$\frac{1}{4}d$以下

規定値：超

※ **ふくらみ・小数点➡再加熱**	※ **ずれ・分数➡切り分けて再圧接**

【注】d：鉄筋径（径が異なる場合は細い方の径）

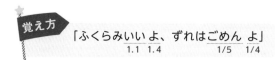

覚え方

「ふくらみいいよ、ずれはごめんよ」
　　　　1.1　1.4　　　　1/5　1/4

【2】超音波探傷試験

❶ 非破壊による抜取検査は、**超音波探傷試験**によります。

❷ 1組の作業班が1日に施工した圧接箇所を**1検査ロット**とし、**30カ所無作
為に抜き取って**検査を行います。 H30・R6
　➡**不合格となったロット**については、試験されていない**残り全数に対して超
音波探傷試験**を行って、個別の圧接箇所に対して判定します。 H30・R4

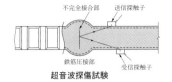
超音波探傷試験

【3】引張試験

❶ 1検査ロットに対して3個以上の試験片を切り取り、引張試験を行います。

❷ すべての引張強度が、**母材強度**以上であれば合格とします。

❷ コンクリートの受入れ検査

【1】スランプ試験

フレッシュコンクリートの**流動性の程度（コンシステンシー）**を表すものをスランプといい、現場の荷卸し地点にてスランプ試験を行います。

❶ 試験方法

円錐台形（上端内径10cm、下端内径20cm、高さ30cm）の形をした鋼製容器に、採取したフレッシュコンクリートをほぼ等しい量の3層に分けて充塡して、コーンを脱型したとき、自重による**中央部の垂下がり量**を計測します。この計測値を**スランプ値**といいます。

スランプ値：大	軟らかいコンクリート
スランプ値：小	硬練りのコンクリート

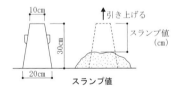
スランプ値

覚え方 「1、2、3でスランプ脱出」
10cm 20cm 30cm

❷ スランプ試験の注意事項

● スランプコーンを引き上げる時間は**2〜3秒**とします。

● 崩れたりして、形が不均等になった場合は、別の試料で試験をします。

● 許容差を外れた場合は、当該運搬車のコンクリートを返却するなどの措置を講じます。ただし、**同一運搬車**から**別の試料**を採取して再試験を行い、前回

の試験結果と併せて判断することもできます。

● 調合管理強度に応じたスランプ値

調合管理強度	スランプ値
33 N /mm²未満	18cm以下 _{R5}
33 N /mm²以上	21cm以下

● スランプの許容差

指定スランプ(cm)	許容差(cm)
8以上18以下	±2.5 _{R1・2・4・6}
21	±1.5※

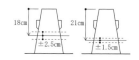

※　呼び強度27以上で、**高性能AE減水剤**を使用する場合は±2とする。

覚え方 「**さんざん みじめな**スランプ**一夜**で脱出して**ニッコリ**」
3 3 未 18 2 . 5

❸ スランプフロー

高流動コンクリートなど、非常に流動性の高いコンクリートは、スランプに代わり**スランプフロー**を用いて管理します。その目標値は**45cm以上65cm以下**とし、目標スランプフローが45、50、55mmの場合は±7.5cm、**60cmの場合は±10cm**、65cmの場合は－10cm＋5cmです。
R1・3

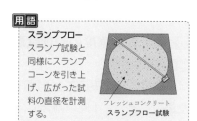
用語 スランプフロー
スランプ試験と同様にスランプコーンを引き上げ、広がった試料の直径を計測する。
フレッシュコンクリート
スランプフロー試験

【2】空気量試験

❶ 空気量は、コンクリートの全容積に対する空気の容積比で示し、**4.5%を基準値**とします。
R5

❷ **許容差は指定値に対して±1.5%**とします（荷卸し地点）。
R1・2・4

覚え方 「**空気読めず**に仕事も**いっこう**はかどらず」
4 . 5 1 . 5

内部にフレッシュコンクリート
空気量試験

【3】塩化物量試験

❶ 塩化物イオン量として0.30kg/㎥以下とします。やむをえず、これを超える場合は、鉄筋防錆上有効な対策を講じます。

❷ 同一試料からとった3個の分取試料についてそれぞれ1回ずつ測定し、その平均値から算定します。

R6

鉄筋の防錆対策 （塩化物Cl⁻量の規制）	細骨材中の塩化物含有量	0.04%以下 （NaCl、CaCl₂等）
	フレッシュコンクリート中の塩化物イオン量（塩化物の総量規制）	0.30kg/㎥以下 （塩化物イオン量Cl⁻） 防錆対策を講じる場合 0.60kg /㎥以下
アルカリシリカ反応の抑制対策 （アルカリ金属Na⁺、K⁺量の規制）	コンクリート中のアルカリ総量規制	3.0kg/㎥以下 （Na₂O換算）

覚え方　「ムリでも　無用の塩分おさえて、アルコールを見ない」
　　　　　0 . 0 4　　塩化物　0.3　　アルカリ総量　　　3

3 調合管理強度の管理試験

【1】試験回数

試験は、「打込み日ごと」「打込み区画ごと」「150㎥以下にほぼ均等に分割した単位ごと」に1回の割合で行い、この試験の3回分を1検査ロットとして合否を判定します。

【2】供試体の採取

1回の試験の供試体は、任意の「1台の運搬車」から3個の供試体を採取し、合計9個の供試体を作製します。

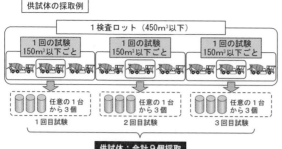

供試体の採取例

1検査ロット（450m³以下）

| 1回の試験 150m³以下ごと | 1回の試験 150m³以下ごと | 1回の試験 150m³以下ごと |

任意の1台から3個 — 1回目試験
任意の1台から3個 — 2回目試験
任意の1台から3個 — 3回目試験

供試体：合計9個採取

MEMO

1回の試験は3個の供試体を使用して行い、1検査ロットは、3回の試験（合計9個の供試体）とする。

検査＝3回の試験
➡ 各回3個×3回＝9個

建築物に使用するコンクリートが、調合計画通りに製造されているか否かを検査します。1台の生コン車から3個、3台の生コン車で合計9個採取します。

【3】 供試体の養生・判定基準

❶ 養生方法：標準養生とし、材齢は28日（4週）とします。

❷ 判定基準

		判定基準
(i)	1回の試験結果（供試体3個の平均値）	調合管理強度（指定の呼び強度）の85%以上
(ii)	1検査ロット（3回の試験結果の平均値＝9個の平均値）	調合管理強度（指定の呼び強度）以上

用語 **標準養生**

約20℃に温度調節された水中または飽和湿気中（湿度100%）において行う養生をいう。

4 構造体コンクリートの圧縮強度の検査

【1】 試験回数

1回の試験は、「打込み日ごと」「打込み区画ごと」「150m³以下にほぼ均等に分割した単位ごと」に1回の割合で行い、この1回の試験を1検査ロットとして合否を判定します。

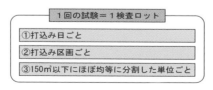

1回の試験＝1検査ロット

①打込み日ごと
②打込み区画ごと
③150m³以下にほぼ均等に分割した単位ごと

【2】供試体の採取

1回の試験（＝1検査ロット）の供試体は、適切な間隔をあけた「3台の運搬車」から1個ずつ採取し、合計3個の供試体を作製します。_{R2}

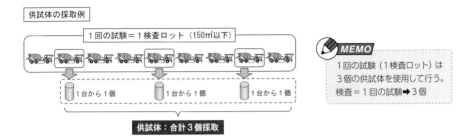

供試体の採取例

1回の試験＝1検査ロット（150㎥以下）

1台から1個　1台から1個　1台から1個

供試体：合計3個採取

MEMO

1回の試験（1検査ロット）は3個の供試体を使用して行う。
検査＝1回の試験 ➡ 3個

構造体（躯体）に打設されたコンクリートが、構造計画どおりの強度が得られているか否かを検査します。1台の生コン車から1個、3台の生コン車で合計3個採取します。

【3】供試体の養生・判定基準

❶ 養生方法

養生方法	試験材齢
標準養生または現場水中養生	28日（4週）
現場封かん養生	28日～91日以内のn日
コア	91日（13週）

供試体

外気温と同じ温度の水

ドラム缶など　供試体

供試体をビニールなどで包み、現場の日陰で養生

コア供試体

構造体

現場封かん養生　　現場水中養生　　コア供試体の採取

マスコンクリートは、セメント水和熱が蓄積されてコンクリート内部温度が上昇するため、構造体コンクリートの圧縮強度検査のための供試体は、標準養生、構造体温度養生、またはコア採取のいずれかとします。

❷ 判定基準

供試体の養生方法	試験材齢		判定基準
標準養生	28日		$X^{※} \geqq$ 調合管理強度 R2
現場水中養生	28日	平均気温20℃ 以上	
		平均気温20℃ 未満	$X \geqq$ 品質基準強度＋３N/mm²
現場封かん養生	28日超91日以内		

※　材齢日における１回の試験（３個の供試体）の圧縮強度の平均値（N/mm²）。

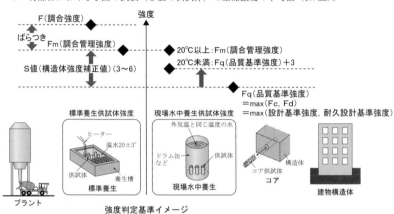

強度判定基準イメージ

判定基準の表は、このイメージ図と併せて理解し、覚えてください。超重要です。

5 鉄骨の溶接部の試験方法

　溶接部の健全性を確認するための非破壊試験方法は数種類あり、内部欠陥検出用と外部欠陥検出用に大別されます。

試験名	主な欠陥の検出位置
超音波探傷試験	内部欠陥
放射線透過試験	
浸透探傷試験	外部欠陥（表面欠陥）
磁粉探傷試験	
マクロ試験	

【1】 超音波探傷試験

　高い周波数の音波（超音波）を送受信する探触子を当
てて、内部で反射されて戻ってきた超音波が受信される
と、試験体内部に欠陥があることがわかります。主に、内
部欠陥の検出方法ですが、微細な球状欠陥（ブローホー
ル）の検出は困難です。

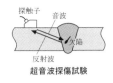

超音波探傷試験

【2】 放射線透過試験

　放射線が物質内部を透過していく性質を利用し、ブローホール等の内部欠陥
を検出する方法です。

R3

【3】 浸透探傷試験

　液体の毛細管現象を利用し、浸透液を浸透させて、表面欠陥を検出する方法
です。ただし、表面に開口した欠陥しか検出できません。

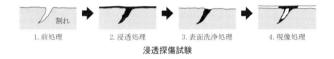

1. 前処理　　2. 浸透処理　　3. 表面洗浄処理　　4. 現像処理

浸透探傷試験

【4】 磁粉探傷試験

　磁性材料（鋼材）に磁場を与えると、欠陥部分で磁
束が表面空間に漏えいし、磁粉を散布すると欠陥部分
に磁粉が付着します。微細な表面欠陥を検出する方法
です。

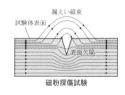

磁粉探傷試験

【5】 マクロ試験

　マクロ試験は、溶接部の断面や表面を研磨したり、腐食液（塩酸、硫酸等）
で処理をしてから、欠陥状況を肉眼又は低倍率の拡大鏡で調べる試験です。

⑥ 鉄骨の溶接部の検査

【1】 受入検査

　鉄骨製作工場での検査は、❶製作の途上および完了段階で鉄骨製作業者が自
主的に行う社内検査、❷製作途上の材料・部材に対して施工者が行う中間検査、

及び❸工場製作の完了した部材に対して施工者が行う受入検査に分けて実施します。

i 受入検査における溶接部の外観検査

- 検査対象範囲は、溶接部の全てとします。
- 検査方法は、**表面欠陥**および**精度**に対する**目視検査**とし、一般溶接部（完全溶込み溶接部以外）は目視で万べんなく検査します。基準を逸脱していると思われる箇所に対してのみ、適正な器具で測定します。
- **完全溶込み溶接部の外観検査は抜取検査**とし、300カ所以下で1検査ロットを構成し、検査ロットごとに合理的な方法で大きさ30個のサンプリングを行います。

ii 受入検査における溶接部の内部欠陥検査

- 検査対象範囲は、完全溶込み溶接部の全てとします。
- 検査方法は、**超音波探傷検査**によります。
- **超音波探傷検査は抜取検査**とします。300カ所以下で1検査ロットを構成し、合理的な方法で大きさ30個のサンプリングを行います。

【2】工事現場溶接部の検査

工事現場溶接部の検査は、外観検査、内部欠陥検査（超音波探傷検査）ともに**全数検査**とします。

鉄骨の溶接部と鉄筋のガス圧接部の検査

検査対象		検査内容		全数か抜取か
鉄骨の溶接部の受入検査（製作工場）	外観検査	目視検査（表面欠陥・精度）	溶接部全般	目視で万遍なく検査
			完全溶込み溶接部	**抜取**検査（1検査ロットから30カ所）
	内部欠陥検査	**超音波探傷検査**		
鉄骨の工事現場溶接部の検査	外観検査	目視検査（表面欠陥・精度）		**全数**検査
	内部欠陥検査	**超音波探傷検査**		
鉄筋のガス圧接継手の検査	外観検査	目視検査（圧接部の形状等）		**全数**検査
	内部欠陥検査	**超音波探傷検査**		**抜取**検査（1検査ロットから30カ所）

検査内容（名称）と全数か抜取りか、抜取箇所数まで正確に覚えてください。

7 スタッド溶接の検査・管理値

【1】15°打撃曲げ検査

❶ ハンマー打撃により15°曲げ、溶接部の割れなどの欠陥を確認します。

❷ 100本または主要部材1台に溶接した本数のいずれか少ない方を1ロットとして、1ロットにつき1本行います。

❸ 検査に合格したスタッドは、曲げたままで大丈夫です。

【2】仕上り高さ、傾きの基準

スタッド溶接後の仕上り高さと傾き

	管理許容差	限界許容差	測定方法
	$-1.5\text{mm} \leqq \Delta L$ $\leqq +1.5\text{mm}$	$-2\text{mm} \leqq \Delta L$ $+2\text{mm}$	スタッドが傾いている場合は、軸の中心でその軸長を測定する
	$\theta \leqq 3°$ R3・5	$\theta \leqq 5°$ H29	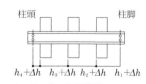

8 鉄骨工事の管理値

【1】鉄骨の製作精度

❶ 柱の長さ

● 長さ10m未満➡管理許容差±3mm（限界許容差±5mm）

● 長さ10m以上➡管理許容差±4mm（限界許容差±6mm）

❷ 梁の長さ

● フランジ又はウェブ部材の両第1孔心間で測定

● 管理許容差±3mm（限界許容差±5mm）
H30・R3

❸ 階高（一般階の階高）

● 梁仕口上フランジ上面間
R2

● 管理許容差±3mm（限界許容差±5mm）
R2・5

柱頭　　　　柱脚

$h_4 + \Delta h$　$h_3 + \Delta h$　$h_2 + \Delta h$　$h_1 + \Delta h$

● h_1、h_2、h_3、h_4は階層
● Δhは管理許容差又は限界許容差

【2】工事現場における鉄骨精度の基準

名　称		管理許容差	限界許容差
(i)	建物の倒れe	$e \leqq \dfrac{H}{4000} + 7\,mm$ かつ $e \leqq 30\,mm$	$e \leqq \dfrac{H}{2500} + 10\,mm$ かつ $e \leqq 50\,mm$
(ii)	現場継手階の階高の誤差$\varDelta H$	$-5\,mm \leqq \varDelta H \leqq +5\,mm$	$-8\,mm \leqq \varDelta H \leqq +8\,mm$
(iii)	柱の倒れe	$e \leqq 10\,mm$ かつ $e \leqq H/1000$	$e \leqq 15\,mm$ かつ $e \leqq H/700$
(iv)	柱据付け面の高さ$\varDelta H$ （ベースモルタル天端の高さの誤差$\varDelta H$）	$-3\,mm \leqq \varDelta H \leqq +3\,mm$	$-5\,mm \leqq \varDelta H \leqq +5\,mm$
(v)	構造用アンカーボルトのずれe	$-3\,mm \leqq e \leqq +3\,mm$	$-5\,mm \leqq e \leqq +5\,mm$
(vi)	建方用アンカーボルトのずれe	$-5\,mm \leqq e \leqq +5\,mm$ ~H30~	$-8\,mm \leqq e \leqq +8\,mm$

覚え方
「倒れても酔って ないよとミエを張りにっこり と ご まかす(i)」
4000　7　　30　　　　　2500　　10 50

覚え方
「乞う（高）ご期待(ii)走（柱）って先 頭(iii)ボルトの3連覇(v)」
5　　　　　　1000 10　　　3

覚え方
「限界は管理を1.5倍して四捨五入」

⑨ その他の躯体工事の試験・検査・管理値

【1】 構造体コンクリートの圧縮強度の推定

リバウンドハンマー（シュミットハンマー）を用いて、コンクリートの表面を打撃したときの反発度を測定し、その反発度から圧縮強度を推定します。

【2】 構造体コンクリートの精度

部材の位置・断面寸法の許容差は、特記のない場合は次表を標準とします。

項　目		許容差（mm）
位置	設計図書の位置に対する**各部材の位置**	**±20** _{H29・R3}
断面寸法	**柱、梁、壁の断面寸法、スラブの厚さ**	**0 ～ +20** _{R1・5}
	基礎及び基礎梁の断面寸法	0 ～ +50
柱、壁の傾斜		3/1,000未満

【3】 コンクリート仕上りの平たんさ

❶ 打放し仕上げや<u>塗装仕上げを行う壁面</u>の場合

　➡<u>壁の長さ３ｍにつき７ｍｍ以下</u>
　　　　　　　　_{H30}

❷ ビニル床シートなど仕上げが極めて薄く、良好な表面状態が必要な場合

　➡<u>３ｍにつき７ｍｍ以下</u>
　　　　　_{H29・R2・5}

左官工事の仕上りの平たんさの表も参考にしてください。

例題	**Q** 圧接部において、ふくらみの直径が規定値に満たなかったので、再加熱し、圧力を加えて所定のふくらみとした。
	A 〇

例題	**Q** 施工性を確保するために、調合管理強度が30N/㎟の普通コンクリートのスランプは、21㎝とした。
	A ✕　調合管理強度33N/mm²未満はスランプ値18㎝以下とする。

例題	**Q** 空気量を4.5％と指定したレディーミクストコンクリートにおいて、受入れ時の空気量が5.8％であったので、合格とした。
	A 〇

例題	**Q** 構造体コンクリートの1回の圧縮強度検査のための供試体は、生コン車1台から、排出直後と終了直前を除き、適当な間隔をあけて3個採取する。
	A ✕　適切な間隔をあけた3台の生コン車から1個ずつ採取し、合計3個作製する。

例題	**Q** 完全溶込み溶接部の内部欠陥検査は、超音波探傷試験により行った。
	A 〇

5 仕上げ工事の検査・試験

■ タイル工事の検査

【1】充填状況・接着状況の確認

❶ 外観検査は、タイル張り面の色調、仕上がり状態、欠点の有無等について、限度見本の範囲内であることを確認します。

❷ 密着張りにおける、張付けモルタルのタイル裏面への**充填性**の確認は、充填面積率90％以上とします。

❸ 接着剤張りのタイルと接着剤の**接着状況**の確認は、タイル張り直後にタイルをはがして行い、タイル裏面への接着剤の接着率が60％以上、かつ、**タイル全面に均等**に接着していれば合格とします。

【2】打音検査（打診検査）

❶ 屋外及び屋内の吹抜部等においては、**タイル用テストハンマー（打診用ハンマー）** を用いてタイル壁面を**全面**にわたりたたき、その音によってタイルのはく離や浮きを判断します。一般に正常音
_{H29・R5}

タイル用テストハンマー

（高く、硬い音）であれば浮きがなく、異常音（響くような低く大きな音）であれば浮きがあります。

❷ 検査時期は、タイル張り付け後、張付けモルタルまたは接着剤が**硬化した後**（一般的には、**施工後2週間以上経過後**）とします。
_{R2}

【3】引張接着試験

油圧式**接着力試験機**を用いてはがしたときの強度を測定します。

❶ 施工後2週間以上経過した時点で、引張接着強度を確認します。

❷ **100㎡以下ごと及びその端数につき1個以上**とし、かつ、全面積で**3個以上**とします。
_{H30・R2}

❸ 試験に先立ち、試験体周辺部を**コンクリート面まで切断**します。これは、タイルのはく落がモルタルとコンクリートの界面からはく落することが多いので、この部分まで試験するためです。
_{H30}

❹ 試験機のアタッチメントの大きさはタイルと同一サイズを標準とします。ただし、二丁掛けタイル等小口タイルより**大きなタイルの場合**は、力のかかり方が局部に集中し、正しい結果が得られないことがあるので、タイルを**小口平タイル程度の大きさに切断して試験**を行います。
_{H30・R2}

❺ セメントモルタルによるタイル後張り工法において、接着強度の全ての測定結果が0.4N/㎟以上、かつ、コンクリート下地と張付けモルタル（又は下地モルタル）の**接着界面**における破壊率が50％以下の場合を合格とします。接着剤張りの場合は、接着剤とタイル及び下地調整塗材との凝集破壊率が50％以上等で合格とし、接着強度は参考値とします。

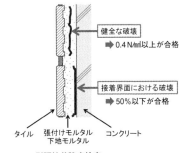

引張接着強度検査
（セメントモルタルによるタイル後張り工法）

タイル先付けプレキャストコンクリート工法においては、0.6N/㎟以上の場合を合格とします。

「100㎡につき1個、全体で3個以上」、「0.4N/㎟以上」、「界面破壊率50%以下」は特に重要です。

2 その他の仕上げ工事の試験・検査・管理値

❶ アスファルト防水工事において、下地コンクリートの乾燥状態に対する試験方法としては、高周波水分計による含水率測定、下地を不透膜で覆って一昼夜後の結露水を見る方法、コンクリートの打設後の経過日数による方法などがあります。
_{H29・R5}

❷ シーリング材の接着性試験は、同一種類のものであっても、製造所ごとに行います。シーリング材は、同一種類のものであってもシーリング材の製造所ごとにその組成が異なっていて、被着体との組合せによっては、接着性能に問題がおこる場合があるためです。
_{R5}

❸ 防水形仕上塗材仕上げの場合、塗厚の確保が防水等の性能に影響するため、仕上塗材の単位面積当たりの使用質量の確認を行います。

❹ アルミニウム製の建具や外壁パネル等の陽極酸化皮膜の厚さの測定は、渦電流式測定法又は顕微鏡断面測定法等により、平均皮膜厚さ（μm）の測定を行います。なお、複合皮膜の試験片は、陽極酸化皮膜に損傷を与えない方法で塗膜を除去して大丈夫です。
_{R5}
_{R1}

> **用語**
> **渦電流式測定法**
> 高周波電界によって表面に誘起される渦電流の大きさと磁界・金属表面の距離（皮膜の厚み）との電気的相関性を利用して、絶縁性皮膜の厚さを測る。

❺ プレキャストコンクリート部材の取付け位置における、目地幅の寸法許容差は、特記なき限り±5㎜とします。

❻ 現場における搬入した木材の含水率は、造作材・下地材においては、特記がなければ15%以下であることを出荷証明書により確認します。
_{H29・R2}
_{R1}

造作材、下地材15%以下、構造材20%以下です。

❼ 鉄鋼面など、錆止め塗料塗りの場合は、塗付け量又は塗膜厚が防錆性能に大

きく影響するため、工場塗装の場合は、電磁膜厚計などによる膜厚測定による確認を標準とします。
_{H29}

> **用語**
> **電磁膜厚計**
> 低周波交流電磁石を近づけると、電磁誘導が生じ、電圧が変化する。この変化を利用して皮膜の厚さを測る。

❽ 塗装素地は、アルカリ性の高い状態で塗装すると、塗膜の変色やエフロレッセンスなどが生じる可能性があるため、一般にセメント系下地のpHは9以下が望ましく、測定にはpHコンパレーターやリトマス試験紙などを使用します。
_{R1}

❾ 室内空気中に含まれるホルムアルデヒドなどの室内空気汚染物質の標準的測定方法には、パッシブ法やアクティブ法があります。
_{H29・R1・5}
パッシブ法は、パッシブ型採取機器により捕集剤を対象室内空気に24時間暴露し、吸引ポンプを用いずに空気中の分子拡散を利用して、化学物質を捕集する方法です。
アクティブ法は、吸引ポンプの吸引口に吸着剤を充填した捕集管を取り付け、空気を30分間吸引することで、化学物質を捕集する方法です。

❿ 吹付け硬質ウレタンフォーム断熱材の現場施工において、吹付け厚さの許容誤差は－0～+10㎜で、マイナス（厚み不足）は認められません。
_{H30・R2}

例題	**Q**	タイル後張り工法において、外壁のタイルの引張接着試験の試験体の数は、100㎡以下ごとにつき1個以上、かつ、全面積で3個以上とした。
	A	〇
例題	**Q**	タイル後張り工法において、工事監理者の指示により、外壁タイルの引張接着試験を行った場合、その引張接着強度が0.3N/㎟であったので合格とした。
	A	✕　引張接着強度が0.4N/m㎡以上かつ、接着界面における破壊率が50%以下を合格とする。
例題	**Q**	現場に搬入した木材の含水率は、出荷証明書により造作材・下地材においては、20%以下であることを確認した。
	A	✕　15%以下とする。

6 解体工事の騒音・振動対策

❶ 現場の周辺地域における騒音は**騒音規制法**の基準値（許容騒音レベル）範囲内に抑える必要があります。**特定建設作業**に該当する騒音の場合には**敷地境界上で85dB以下**とします。騒音・粉じん対策のため、**防音パネル**や**防音シート**等を建物外周部に足場等を利用して**隙間なく設けます**。
_{H30・R2}

騒音は85dB以下、振動は75dB以下です。

❷ **騒音拡散防止**のため、中央部のスパンを先に解体し、**外周スパンを残す**ように解体すると、外部への飛散物の防止に有効であるとともに、外周躯体を遮音壁として利用できます。
_{H30・R2・6}

❸ 振動測定

● 測定器の指示値が**周期的又は間欠的に変動**し、その指示値が**おおむね一定**
　➡ 変動ごとの指示値の**最大値の平均値を振動値**とします。
_{H30・R2・4・6}

● **不規則かつ大幅に変動**

　➡ **80%レンジの上端値**（原則として5秒間隔で50個の瞬時値を読み取り、レベルの小さい順に個数を数えて累積度数曲線を描いて求める）を振動値とします。

MEMO

不規則かつ大幅に変動する騒音の場合は、90%レンジの上端値を騒音値とする。

● 振動ピックアップの設置場所は、**緩衝物がなく**、かつ、**十分踏み固めた堅い場所**で、**傾斜及び凹凸がない水平面**を確保できる場所にします。

❹ 振動対策として、躯体を**転倒解体**する際に、転倒体が転倒する位置の床部分に、先行した解体工事で発生したガラや鉄筋ダンゴ等の**クッション材**を設置します。
_{R4}
_{H30・R2・4・6}

❺ **コンクリートカッター**は、ダイヤモンドチップを埋め込んだブレードの丸のこで、柱、梁、床、壁を適当な大きさに切断し、部材状のまま場外に搬出する部材解体や縁切り等に用います。

　➡ **振動と粉じんがほとんど発生せず**、騒音は高周波の音が発生するものの、防音シート等で**比較的容易に遮音できる**工法です。
_{R2・6}

　➡ **特に周辺環境保全に配慮**しなければならない**場合**に採用されます。
_{R2・4}

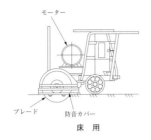

床　用

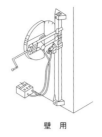

壁　用

第 4 章

安全管理

　安全管理からは4〜5問出題され、応用問題での出題もあります。「施工管理」の中では比較的なじみのある内容が多い範囲ですが、細かいところをしっかり押さえていないと思わぬところで失点します。労働安全衛生規則関連も含め、確実に身につけてください。

1 労働災害・安全管理の基本

1 労働災害の傾向

　労働災害における死亡者数について、建設業の占める割合は全産業の30%台を推移し、全産業の中で最も多くなっています。死亡災害の種類別の発生状況割合を平成19〜28年の10年間の平年値で表すと、概略以下のようになります。

災害の型	割合（％）	災害の型	割合（％）
墜落・転落 H30	42.7	クレーン等	2.5
建設機械等 H30	12.1	電気 H30	2.0
自動車等	11.9	爆発・火災等 H30	1.6
飛来・落下 H30	7.8	取扱運搬等	1.6
倒壊	5.0	落雷等	0.1
土砂崩壊等	3.8	その他	8.9

　自動車等（交通事故など）を除くと「墜落・転落」は4割以上と最も多く、それ以外では「建設機械等」（激突され・はさまれ・巻き込まれなど）「飛来・落下」「倒壊」「土砂崩壊等」が上位を占めます。一方で、「電気」（感電など）や「爆発・火災等」は多くありません。この傾向は覚えておきましょう。

> 表内の数値は覚える必要はありません。試験では「建設業」ではなく「建築工事」として出題されますが、上記傾向に大きな差異はありません。

2 労働災害の基本

【1】 用語

労働災害 労働者が業務遂行中に、業務に起因して受けた<u>業務上の災害のこと</u>で、業務上の負傷、疾病及び死亡をいい、<u>物的災害及び公衆災害は含まれません。</u>
_{R4·6}

労働者 所定の事業又は事務所に使用される者で、<u>賃金を支払われる者</u>をいいます。したがって、一人親方は含まれません。
_{R2·4}

休業日数 労働者が就業中に、労働災害又は負傷により<u>労働することができない日数</u>をいい、暦日数（日曜、祭日などは関係しないカレンダー上の日数）により算出します。したがって、<u>休日であっても休業日数に含まれます。</u>
_{R6}

労働損失日数 次の基準により算出します。

死亡・永久全労働不能…7,500日
_{R1·6}

永久一部労働不能………<u>身体障がい等級に応じて50〜5,500日</u>

（障がい等級は<u>労働基準監督署</u>が認定する）
_{R2}

一時労働不能……………<u>暦日の休業日数に $\dfrac{300}{365}$ を乗じた日数</u>
_{H29·R2}

重大災害 一時に３名以上の労働者が死傷又は罹病した災害のことです。
_{H29·R1·4}

> **用語**
> 暦日
> 一日一日の月日の経過を指し、日曜、祭日などは関係しないカレンダー上の日数を表します。

身体障害等級別労働損失日数表

身体障害等級（級）	1〜3	4	5	6	7	8	9	10	11	12	13	14
労働損失日数（日）	7,500	5,500	4,000	3,000	2,200	1,500	1,000	600	400	200	100	50

【2】 各種指標等

❶ 度数率

<u>100万延べ実労働時間当たりの労働災害による死傷者数</u>で、災害発生の<u>頻度</u>を表します。ただし、度数率は休業１日以上及び身体の一部又は機能を失う
_{H29·R2·6}
労働災害による死傷者数に限定して算出します。

$$度数率＝\frac{労働災害による死傷者数（人）}{延べ実労働時間数}×1,000,000（百万）$$

546

❷ 強度率

1,000延べ実労働時間当たりの延べ労働損失日数をもって、災害の重さの程度を表したものです。統計をとった期間中に発生した労働災害による延べ労働損失日数を同じ期間中の全労働者の延べ実労働時間数で割り、それに1,000を掛けた数値で表します。

$$強度率＝\frac{延べ労働損失日数}{延べ実労働時間数}×1,000（千）$$

❸ 年千人率

1年間の労働者1,000人当たりに発生した死傷者数の割合を示すものです。

$$年千人率＝\frac{1年間の死傷者数（人）}{1年間の平均労働者数（人）}×1,000（千）$$

度数率は労働災害の頻度（100万時間当たり何人の死傷者が発生したか）を、強度率は労働災害の重さ（1,000時間当たり何日労働災害で休んだか）を、年千人率は1,000人の労働者のうち、1年間で何人が労働災害を被ったかを表したものです。

❸ 日常の安全衛生活動

安全施工サイクルとは、日、週、月ごとに基本的な活動を定形化した安全衛生管理活動のサイクルを指します。改善・充実を図りながら継続的に実施します。

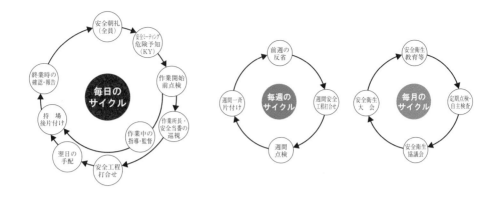

例	Q	強度率は、1,000延労働時間あたりの労働損失日数を表す。
題	A	○

例	Q	度数率は、災害発生の頻度を表すもので、100万延べ実労働時間当たりの延べ労働損失日数を示す。
題	A	× 度数率は、100万延べ労働時間当たりの労働災害による死傷者数である。

2 公衆災害防止

　公衆災害とは、工事の施工にあたって、当該工事の関係者以外の第三者（公衆）に対する生命、身体及び財産に関する危害並びに迷惑をいいます。したがって、公衆災害は、第三者が死亡、負傷した場合はもちろんのこと、第三者の所有する家屋、車両等の財産の破損、あるいは工事を施工する際に発生する公害等、社会通念上一般に許容しがたいものも含みます。

① 仮囲い・ゲート・通用口
【1】 仮囲い

　工事現場と外部とを区画する仮設構築物で、工事関係者以外の出入りを禁止したり、通行人などの第三者に対する災害の防止、盗難防止などを目的として設置します。

MEMO
仮囲いについての詳細は第4編第1章も参照。

❶ 既製の鋼製板や木製板などを主に使用し、**高さ1.8m（必要がある場合は3m）以上**とします。
<small>R1</small>

❷ 強風等により倒壊することがないよう十分に**安全な構造**とし、工事期間に見合った**耐久性**のあるものとします。

❸ 仮囲い下部の隙間は、背面に幅木を取り付けたり、土台コンクリートを打設して塞ぎます。道路に傾斜がある場合は、土台コンクリートを階段状に打設して、隙間が生じないようにします。
<small>R2・5</small>

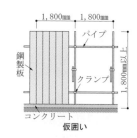

仮囲い

【2】ゲート・通用口

❶ 重量と風圧を軽減するためには、上部に網を張る構造にするのが望ましいです。

❷ 出入口、通用口などの扉は、**引き戸または内開き**とします。

❸ **施錠**できる構造とし、工事に必要がない限り**閉鎖**しておきます。

② 防護棚

　防護棚は、現場高所から落下物が外部に落下し、通行人などに危害を及ぼすことを防止するために、足場の外側にはね出して設ける落下物防止設備で、「朝顔」とも呼ばれます。

【1】設置

❶ 工事場所が地上10m以上の場合は1段以上、20m以上の場合は**2段以上**。
<small>H29・R1・4</small>

❷ 一般には、地上からの高さ4～5mの箇所に1段目を設け、2段目以上は下段の防護棚から10m以下の間隔で設けます。

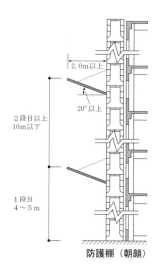

防護棚（朝顔）

【2】構造

❶ 外部足場から水平距離 2 m以上、水平面となす角度20度以上とします。
_{H29・R1・3・5}

❷ 敷板は、隙間がないもので、十分な耐力を有する適正な厚さとします。一般には、厚さ1.6mmの鉄板を敷板として用います。また、木板を使用する場合は厚さ30mm程度とします。
_{R2・4}

覚え方

「朝からニコニコ 仕事もいとわず」
朝顔　　2m　20°　4〜5m　10m

3 歩道防護構台

歩道防護構台は、歩道上の歩行者を飛来落下物から保護します。

❶ 雨水などは構台上で処理し、水が歩行者にかからないようにします。
_{R2}

❷ 歩行の安全のために照明を設けます。

❸ 道路上に防護構台を設置する場合や防護棚を道路上空に設ける場合
_{R2}

　➡道路管理者及び警察署長の許可を受けます。
_{H30}

4 工事用シート

工事用シートは、上部からの飛来落下物の防護、塗装・粉じんなどの飛散防止などを目的に、足場などの外面に張るものです。工事用シートには、通常、風圧力を緩和する「メッシュシート」「垂直ネット」が多く用いられます。

工事用シートの形状
（メッシュシートの例）

【1】メッシュシート

❶ 日本産業規格（JIS）及び仮設工業会の認定基準で定められた品質を満足しているものを使用します。種類は次の2つに区分されます。
_{H30}

| 防炎・1類 | シートだけで落下物による危険防止になるもの。 |
| 防炎・2類 | 落下物による危険防止の場合には金網が必要なもの。 |

❷ シートの取付けは、緊結材（ロープ）を使って縁部で行うものとし、**全ての はとめ**（ひもを通す小穴）について、間隔45㎝以下で、隙間やたるみがないように足場等に緊結します。
R1・3

● 鋼管足場などへの取付け

➡ 垂直方向5.5m以下ごとの間隔にて、水平支持材に取り付けます。

● 鉄骨の外周部への取付け

➡ 水平方向4m以下ごとの間隔にて、垂直支持材に取り付けます。

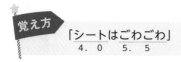

覚え方 「シートはごわごわ」
4. 0 5. 5

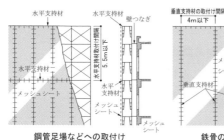

鋼管足場などへの取付け　　　鉄骨の外周部への取付け

❸ コンクリート打設時の飛散防止のための外部足場のシート養生は、コンクリート打設階より1m上げます。

【2】垂直ネット

❶ 垂直ネットは、外部足場が設置されメッシュシートが取り付けられるまでの間、または外部足場の設置の必要のない高層建築工事などにおいて、ボルト、工具などの小物の飛来落下物に対応するもので、日本産業規格（JIS）に適合した網目寸法13mm以上15mm以下のものとします。
R3

5 一般交通・通行・歩行者の安全確保

【1】歩行者の通行を制限する場合の処置

❶ 車道とは別に、幅0.90m以上、有効高さ2.1m以上の歩行者用通路を確保します。
R5

❷ 特に歩行者が多い箇所は幅1.5m以上とし、交通誘導警備員を配置する等、適切に歩行者を誘導しなければいけません。

【2】 一般交通を制限する場合

❶ 制限後1車線となる場合はその車道幅員は3m以上、2車線となる場合はその車道幅員は5.5m以上としなければいけません。

❷ 制限後1車線、往復の交互交通にする場合、その区間はできる限り短くし、交通渋滞しないよう、原則として交通誘導警備員を配置します。

1車線で3m以上、2車線で5.5m以上必要です。

【3】 荷受け構台等からの落下物の防止

荷受け構台等が現場の敷地境界に近接している場合

➡ 手すりや幅木を設ける等落下物による危害を防止します。

6 騒音・粉じん等防止

❶ 粉じん発生や場内表土がむきだしになることによる土埃の発生。

➡ 発生源を散水などにより湿潤な状態に保ちます。

➡ シート、パネルなどによる発生源の囲い込みや覆い等の処置。

❷ コンクリート解体工事における粉じん飛散防止のための散水は、破砕箇所等の発生部に直接散水するのが効果的ですが、破砕箇所だけではなく、破砕箇所周辺及び集積されているコンクリート塊にも行います。

❸ 解体工事においては、騒音・粉じん対策、物体の飛散・落下の防止のため、防音シートや防音パネル等を建物外周部（足場の外側面）に隙間なく設けます。

❹ 敷地境界線から水平距離が5m以内で、かつ、高さが3m以上の場所から、ごみその他飛散するおそれのある物を投下する場合は、ダストシュートなど、周辺に飛散することを防止するための措置を講じなければいけません。

7 その他

① 揚水した地下水を公共下水道に排出する場合は、事前に公共下水道の排水方式（合流式・分流式）及び排水経路、排水水質基準等を調査し、当該下水道及び河川の管理者等に届出を行い、かつ、土砂を含む水は、沈砂、ろ過施設等を経て排水しなければいけません。〔R3〕

② 地盤アンカーの先端が敷地境界外に出る場合、当該敷地所有者または管理者の許可を得ければいけません。〔R4〕

例題	**Q** 防護棚（朝顔）のはね出し材の突き出し長さは2m以上とし、水平面となす角度は15度とした。
	A ✕　角度は20度以上とする。

例題	**Q** 道路の通行を制限する必要があり、制限後の車線が2車線となるので、その車道幅員を5.5mとした。
	A ◯

3　作業主任者

　作業主任者は、危険有害な作業であって、特別の管理が必要な作業を行う場合に、当該作業に係る労働者の指揮、その他必要な業務を行うために選任されます。

> まず、どのような作業に作業主任者が必要かをしっかり覚えましょう。

1 作業主任者の選任

【1】 主な作業主任者と選任すべき作業

	名　称	選任すべき作業	
❶	高圧室内作業主任者	大気圧を超える気圧下における室内作業	
❷	ガス溶接作業主任者	アセチレンまたはガス集合装置を用いて行う溶接などの作業	
❸	土止め支保工作業主任者	**土止め（山留め）支保工**の切りばり・腹起しの取付け、取外しの作業	高さに関係なく選任
❹	型枠支保工の組立て等作業主任者	**型枠支保工**の組立て、<u>解体</u>の作業 R1・3	
❺	地山の掘削作業主任者	掘削面の高さが**２m以上**となる地山の掘削作業 R3	
❻	足場の組立て等作業主任者	吊り足場、張出し足場及び高さ**５m以上**の足場（単管足場、鋼管枠組足場、鋼管移動式足場等）の組立て・解体・変更作業 R1・3	高さ５m以上の場合：**選任**（吊り足場、張出し足場は高さに関係なく選任）
❼	建築物等の鉄骨の組立て等作業主任者	高さ**５m以上**の**金属製**の建築物の骨組または塔の組立て・解体・変更作業 R1	
❽	木造建築物の組立て等作業主任者	軒高**５m以上**の**木造**建築物における構造部の組立て・屋根下地もしくは外壁下地の取付け作業（※解体作業は不要）	
❾	コンクリート造の工作物の解体等作業主任者	高さ**５m以上**のコンクリート造の工作物（建築物含む）の<u>解体</u>・破壊の作業 R3	
❿	酸素欠乏危険作業主任者	酸素欠乏危険場所における作業	
⓫	有機溶剤作業主任者	屋内作業などで、有機溶剤、有機溶剤を**５%**を超えて含有するものを取扱う作業	
⓬	石綿作業主任者	石綿（アスベスト）もしくは石綿をその**重量の0.1%を超えて**含有する建材などを取扱う作業	
⓭	はい作業主任者	高さが**２m以上**のはいのはい付け又ははい崩しの作業	
⓮	金属アーク溶接等作業主任者	金属をアーク溶接する作業、アークを用いて金属を溶断する作業	

※　必要資格：❶⓬—免許　❶⓬以外—技能講習修了

※　コンクリート打設作業には作業主任者の規定はない。

用語

はい
倉庫、上屋又は土場に積み重ねられた荷の集団をいう。

【2】選任にあたっての留意点等

❶ 作業主任者の選任は、作業の区分に応じて**免許**を受けた者又は**技能講習修了**者のうちから行います。

❷ 作業を同一場所で行う場合において、作業主任者を2人以上選任したときは、それぞれの作業主任者の**職務の分担**を定めなければいけません。

❸ 事業者が作業主任者を選任したときは、作業主任者の氏名、作業主任者に行わせる事項を関係労働者に**周知**しなければいけません。

2 作業主任者の職務

【1】ほぼ共通する職務

❶ **作業方法の決定・直接指揮**

❷ 器具、工具、材料及び保護具等の**点検・不良品排除**

❸ 保護具等の使用状況の監視

【2】各作業主任者の主な職務のポイント

上記のとおり作業主任者の職務の多くは共通するものですが、若干相違点があります。以下の点に注意して押さえてください。

❶ 「作業の順序の決定」が規定されるのは、木造建築物の組立て**等作業主任者**だけです。

❷ 「作業計画として定めること」はいずれの主任者にも**規定**されていません。

❸ 主とする職務が「作業指揮」なのか「設備管理」なのかによって、交替制とした場合に、それぞれの作業班ごとの選任の要否が変わります。

❹ 「材料の欠点の有無の点検」は、土止め支保工、型枠支保工、足場組立の作業主任者だけの職務です。材料が仮設だからです。

＜土止め支保工作業主任者＞

土止め（山留め）支保工の切りばり、腹起しの取付け又は取外しの作業に必要な作業主任者で、次の職務を行います。

❶ **作業の方法**を決定し、作業を**直接指揮**する。

❷ 材料の欠点の有無並びに器具及び工具を**点検**し、不良品を取り除く。
_{H30・R4}

❸ 要求性能墜落制止用器具等及び保護帽の使用状況を**監視**する。
_{R5}

> 「要求性能墜落制止用器具等」とは、従来の安全帯を改称したもので、胴ベルト
> （１本つり）とハーネス型がある。原則としてハーネス型を使用する。

要求性能墜落制止用器具

＜地山の掘削作業主任者＞

　掘削面の高さが２ｍ以上となる地山の掘削の作業に必要な作業主任者で、次の職務を行います。

❶ 作業の方法を決定し、作業を直接指揮する。
　　　　　　　　　　　　　　H30・R4
❷ 器具及び工具を点検し、不良品を取り除く。

❸ 要求性能墜落制止用器具等及び保護帽の使用状況を監視する。

＜型枠支保工の組立て等作業主任者＞

　型枠支保工の組立て又は解体の作業に必要な作業主任者で、次の職務を行います。

❶ 作業の方法を決定し、作業を直接指揮する。
　　　　　　　　　　　　　　H29
❷ 材料の欠点の有無並びに器具及び工具を点検し、不良品を取り除く。

❸ 要求性能墜落制止用器具等及び保護帽の使用状況を監視する。
　　　　　　　　　　　　　　　　　　　　　　　R2・4

＜足場の組立て等作業主任者＞

　吊り足場、張出し足場又は高さが５ｍ以上の足場の組立て、解体又は変更の作業に必要な作業主任者で、次の職務を行います。

❶ 材料の欠点の有無を点検し、不良品を取り除く。

❷ 器具、工具、要求性能墜落制止用器具及び保護帽の機能を点検し、不良品を取り除く。

❸ 作業の方法及び労働者の配置を決定し、作業の進行状況を監視する。
　　　　　　　　　　　　　　　　　　　　　　　　H29
❹ 要求性能墜落制止用器具等及び保護帽の使用状況を監視する。

※ 「作業の順序の決定」「作業の直接指揮」は規定されていない。

※ 「悪天候時の作業中止」「作業区域内への立入禁止」は規定されていない。

※ 「組立時期、範囲、順序を労働者に周知させること」は規定されていない。
　　　　　　　　　　　　　　　　　　　　　　　　R5

＜建築物等の鉄骨の組立て等作業主任者＞

　高さが５ｍ以上の建築物の骨組み又は塔であって、金属製の部材により構成されるものの組立て、解体又は変更の作業に必要な作業主任者で、次の職務を行います。

❶ <u>作業の方法</u>及び**労働者の配置**を決定し、作業を**直接指揮**する。

❷ <u>器具、工具、要求性能墜落制止用器具等及び保護帽の機能</u>を**点検**し、不良品を取り除く。

❸ <u>要求性能墜落制止用器具等及び保護帽の使用状況を監視する。</u>
<small>R5</small>

※ <u>「作業計画として定めること」は規定されていない。</u>
<small>H29・R2・4</small>

＜木造建築物の組立て等作業主任者＞

　軒の高さが５ｍ以上の木造建築物の構造部材の組立て等の作業に必要な作業主任者で、次の職務を行います。

❶ <u>作業の方法</u>及び順序を決定し、作業を**直接指揮**する。

❷ 器具、工具、要求性能墜落制止用器具等及び保護帽の機能を**点検**し、不良品を取り除く。
<small>H29</small>

❸ 要求性能墜落制止用器具等及び保護帽の使用状況を監視する。

※ 「解体作業」は対象ではない。

※ 「作業の順序の決定」が規定されている。

※ 「材料欠点有無の点検・取り除き」は規定されていない。

＜有機溶剤作業主任者＞

　屋内作業などで、有機溶剤、有機溶剤を５％を超えて含有するものを取り扱う作業に必要な作業主任者で、次の職務を行います。

❶ 作業に従事する労働者が有機溶剤により汚染され、又はこれを吸入しないように、**作業の方法を決定し**、労働者を指揮する。

❷ <u>局所排気装置、プッシュプル型換気装置又は全体換気装置を１月を超えない期間ごとに</u>**点検**する。
<small>H29・R2・5</small>
<small>H29・R1</small>

❸ <u>保護具の使用状況を監視する。</u>

※ 「有機溶剤等の区分の掲示」は規定されていない。➡事業者が講ずる処置
<small>H29</small>
<small>H29</small>

＜石綿作業主任者＞

　石綿（アスベスト）又は石綿を重量比0.1％を超えて含有する製品を製造又は取り扱う作業に必要な作業主任者で、次の職務を行います。

❶ 作業の方法を決定し、作業を指揮する。

❷ 局所排気装置、プッシュプル型換気装置、除じん装置その他労働者が健康被害を受けることを予防するための装置を１カ月を超えない期間ごとに点検する。

❸ 保護具の使用状況を監視する。

※ 「敷地境界での計測」は規定されていない。
　　　　　　　　　　　　H30

＜はい作業主任者＞

　フォークリフト等を必要とする、高さが２ｍ以上のはい（倉庫、上屋又は土場に積み重ねられた荷の集団をいう。）のはい付け又ははい崩しの作業に必要な作業主任者で、次の職務を行います。

❶ 作業の方法を決定し、作業を直接指揮する。

❷ 器具及び工具を点検し、不良品を取り除く。

❸ 当該作業を行う箇所を通行する労働者を安全に通行させるため、必要な事項を指示する。
　　H30・R2

❹ はい崩しの作業を行うときは、はいの崩壊の危険がないことを確認した後に当該作業の着手を指示する。

❺ 作業箇所が床面から1.5ｍ超える時、昇降するための設備及び保護帽の使用状況を監視する。

※ 「労働者の安全通行」「崩壊危険の確認」が規定されている。

作業主任者名 / 職務内容	土止め支保工	型枠支保工の組立て等	地山の掘削	足場の組立て等	建築物等の鉄骨組立て等	木造建築物の組立て等
❶ 作業方法の決定	◯	◯	◯	◯	◯	◯※
❷ 労働者配置の決定				◯	◯	
❸ 作業の直接指揮	◯	◯	◯		◯	◯
❹ 作業進行状況の確認				◯		
❺ 材料の欠点の有無 点検と不良品の除去	◯	◯		◯		
❻ 器具・工具 点検と不良品の除去	◯	◯	◯	◯	◯	◯
❼ 墜落制止用器具等・保護帽 点検と不良品の除去				◯	◯	◯
❽ 墜落制止用器具等・保護帽 使用状況の監視	◯	◯	◯	◯	◯	◯

※　木造建築物の組立て等作業主任者の場合は、「作業の方法及び順序の決定」。

例題	**Q** 山留め支保工の切りばり及び腹起しの取付けについては、地山の掘削作業主任者を選任し、その者に作業の方法を決定させるとともに作業を直接指揮させなければならない。
	A ✕　地山の掘削作業主任者ではなく、土止め支保工作業主任者である。

例題	**Q** 足場の組立て等作業主任者については、高さ5m未満の枠組足場の解体作業であったので、選任しなかった。
	A ◯

4 足 場

　足場は、高所の作業床・通路として設ける仮設物で、関係法令に従い、工事の種類・規模・場所・工期などに応じた適切な材料・構造によって、堅固に設けます。

1 足場の種類

支柱式足場		吊り足場	機械足場	その他
本足場（棚足場）	一側足場（ひとかわ）			
●単管足場 ●枠組足場 ●くさび緊結式足場 ●張出し足場 ●丸太足場	●ブラケット一側足場 ●くさび緊結式一側足場	●吊り棚足場 ●吊り枠足場	●ゴンドラ ●高所作業車	●移動式足場（ローリングタワー） ●脚立足場

ローリングタワー

【1】 本足場

　壁面に平行に2列の支柱を立て、これに水平材をかけ渡し、足場板を敷いて作業床とする足場をいいます。

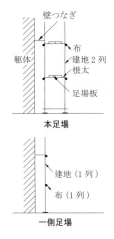

本足場

【2】 一側足場（ひとかわ）

　壁面に平行に1列の支柱を立て、これを水平材でつないで構成した足場で、本足場を組み立てることのできない狭小地において使用されます。

一側足場

【3】 吊り足場

　鉄骨梁などから吊り材により単管や足場板をつり下げ、作業床とする足場で、主に鋼材の溶接やボルト締めなどの鉄骨工事などに使用されます。

【4】機械足場

高層建築物の外装工事や既存建物の外壁の改修などの作業に、上部からつり下げて用いる**ゴンドラ**や、**高所作業車**などをいいます。

ゴンドラ　　　　　高所作業車の例

② 枠組足場

枠組足場は、あらかじめ工場で規格大量生産された鋼管を主材とした「建枠（たてわく）」及びその他鋼製部材を工事現場において組み立てる足場で、組立て・解体が容易で広く用いられています。

【1】用語

❶ **建枠**　２本の建地と腕木が一体となった門形鋼管で、支柱として用います。

❷ **交差筋かい**　建枠を連結するための鋼製の筋かいです。

❸ **床付き布枠（ゆかつきぬのわく）**　建枠に渡して作業床として用いることのできる鋼製の水平補強材のことです。

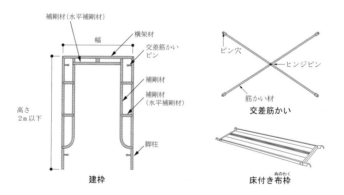

補剛材（水平補剛材）

幅　　　横架材

交差筋かいピン

補剛材

補剛材（水平補剛材）

高さ2m以下

脚柱

建枠

ピン穴　　　ヒンジピン

筋かい材

交差筋かい

床付き布枠（ぬのわく）

【2】設置規準

❶ **建枠の間隔（主枠間の間隔）**　けた行方向に1.85m以下とします。

❷ 建枠の最下端には、建枠のレベル調整のできる**ジャッキ形ベース金具**を用い、敷板の上に釘などで固定して足場の滑動・沈下を防止します。

❸ **壁つなぎの間隔**　水平方向８m以下、垂直方向９m以下とします。

❹ 最上層及び５層以内ごとに、水平材を設けます。

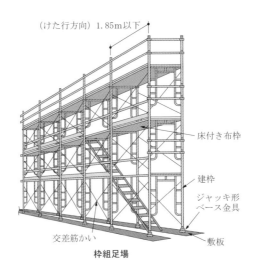

（けた行方向）1.85m以下

床付き布枠

建枠

ジャッキ形
ベース金具

交差筋かい

敷板

枠組足場

❺ 防音パネルを取付けた枠組足場の壁つなぎの取付間隔　垂直方向3.6m以下、水平方向3.7m以下に設けます。

【3】枠組足場の強度計算

計算の単純化のため、一般に次の仮定で強度計算を行います。

❶ 鉛直方向の荷重である足場の自重と積載荷重➡建地（建枠などの足場の垂直部材）で支持。

❷ 水平方向の風荷重➡壁つなぎで支持。

【4】高さの限度

高さの限度は、自重、積載荷重などに対する建地、建枠などの部材の強度の制約から決まり、標準的な目安は以下のとおりです。

	使用高さ	備　考
枠組足場	45m H29・R1・3	―
単管足場	31m 22m	積載1層 積載2層

③ 単管足場（くさび緊結式足場を含む）

　単管足場は、鋼製の単管を緊結金具（クランプ）を用いて、工事現場において組み立てる足場です。

クランプ

【1】用語

❶ 地上第一の布　足場などにおける横の水平材を「布」といい、地盤面から最初の水平材を「地上第一の布」といいます。

❷ 建地　足場などにおける縦の垂直材のことです。

❸ 壁つなぎ　倒壊・変形を防ぐため、建物に足場を連結し固定するものです。

MEMO
「布」：水平なものを意味する。➡布地・布板

MEMO
くさび緊結足場は単管足場に含まれる。

【2】設置規準

❶ 建地の間隔　けた行方向1.85m以下、はり間方向1.5m以下とします。

❷ 建地の脚部には、ベース金具を用いて敷板の上に釘などで固定し、根がらみ
を設け、足場の滑動・沈下を防止します。

❸ 地上第一の布　地上より2m以下の位置に設けます。

❹ 壁つなぎ間隔　水平方向5.5m以下、垂直方向5m以下とします。
H29・R1・2・5

❺ 建地間の積載荷重は、400kg以下とします。

❻ 建地の最高部から測って31mを超える部分の建地は、鋼管を2本組としH29
ます。ただし、建地の下端に作用する設計荷重（足場重量＋最大積載荷重）
H30・R2
が当該建地の最大使用荷重を超えないときは、この限りではありません。

壁つなぎの間隔	水平方向	垂直方向
枠組足場	8m以内	9m以内
単管足場	5.5m以内	5m以内

覚え方　「つなぎはワク ワク 公庫と銀行」
　　　　　枠　8m9m 5.5m　5m
　　　　※ゴロの順番は水平・垂直

❼ 幅1m以上の箇所においては、原則として、本足場を使用します（一側足場
は使わない）。

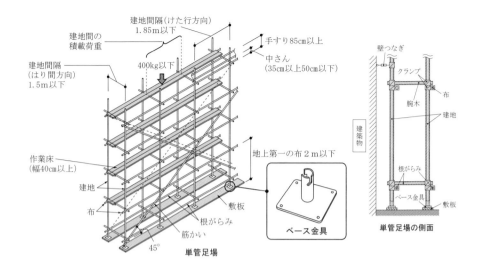

単管足場

ベース金具

単管足場の側面

4 吊り足場

　吊り足場は、吊り鎖（チェーン）、吊りワイヤロープなどの吊り材によって作業床が支持される足場で、吊り棚足場、吊り枠足場などがあります。

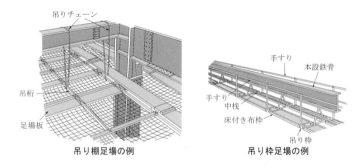

吊り棚足場の例　　　吊り枠足場の例

❶ 吊り足場の上で脚立、はしごなどを用いて作業させてはいけません。

❷ 作業床は、幅40cm以上とし、かつ、隙間がないようにします。
_{R1・6}

❸ 吊り材の安全係数

●吊りワイヤロープの安全係数：10以上

●吊り鎖（チェーン）、吊りフックの安全係数：5以上

※　安全係数は、吊り材の切断荷重の値を、吊り材にかかる「最大荷重」で除した値。安全係数が大きいほど、安全に対して余裕を見込んでいる。

吊り材の種類		安全係数
ワイヤロープ	吊り足場の吊りワイヤロープ	10以上 （大）
	クレーン等の玉掛け用ワイヤロープ	6以上
	杭打ち機等の巻上げ用ワイヤロープ	
吊り足場の吊り鎖（チェーン）、吊りフック		5以上 （小）

MEMO

「鎖はごつい5、ワイヤは傷みやすいので大きく必要。吊りワイヤは体を天にあずけるので10」

用語

玉掛け
部材などの重量物をクレーンなどで揚重する場合、つりやすくするためにワイヤロープなどを巻いて結束したり、クレーンのフックにかける作業をいう。「玉」は大切な物を意味する。

5 移動式足場・脚立足場など

【1】 移動式足場（ローリングタワーなど）

❶ 作業床の周囲は、人の墜落防止のため高さ85cm以上の手すり（「移動足場の安全基準に関する技術上の指針」では90cm以上）、高さ35cm以上50cm以下の中桟を、物の落下防止のため高さ10cm以上の幅木等を設けます。
_{R2・6}

❷ 移動式足場の上に作業員を乗せたまま移動してはいけません。

❸ 移動時以外は脚輪にブレーキをかけておきます。

【2】 脚立足場（うま足場）

❶ 3点で支持し、足場板の高さは2m未満とします。ただし、足場板を2枚重ねで使用する場合は、2点支持でも可とし、両端を脚立に固定します。

❷ 足場板の重ねは踏さん等の上で行い、重ね部分の長さは20cm以上とします。
_{R5}

❸ 支持点からの突出長さを10〜20cmとします。

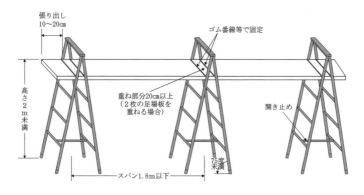

張り出し
10〜20cm

ゴム番線等で固定

高さ2m未満

重ね部分20cm以上
（2枚の足場板を
重ねる場合）

開き止め

スパン1.8m以下

75度
未満

⑥ 作業床

　作業床とは、高所作業を行う際、足場な
どを組んで設ける平らな部分のことです。
事業者は、足場（一側足場を除く）におけ
る高さ２ｍ以上の作業場所には、次に定め
る作業床を設けなければいけません。

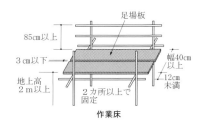

作業床

❶ 作業床は幅40㎝以上、床材間の隙間は３㎝以下、床材と建地との隙間は
12㎝未満とします（吊り足場の場合を除く）。
H30・R3・5

❷ 足場板の設置は、一般に突付けとするが、足場板を長手方向に重ねる場合は、
支点の上で重ね、その重ねた部分の長さは20㎝以上とします。

❸ 墜落防止措置（人の墜落）
　墜落により労働者に危険を及ぼすおそれのある部分には、次に掲げる設備
（囲い、手すり、覆いなど）を設けます。

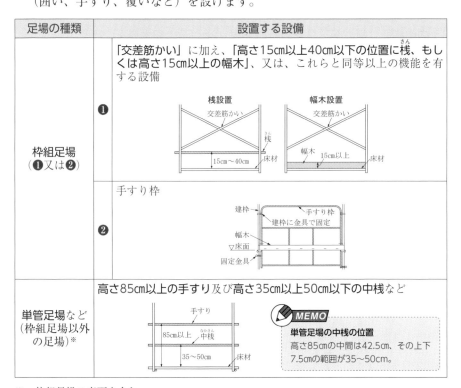

足場の種類		設置する設備
枠組足場 （❶又は❷）	❶	「交差筋かい」に加え、「高さ15㎝以上40㎝以下の位置に桟、もしくは高さ15㎝以上の幅木」、又は、これらと同等以上の機能を有する設備 桟設置　　　幅木設置
	❷	手すり枠
単管足場など （枠組足場以外の足場）※		高さ85㎝以上の手すり及び高さ35㎝以上50㎝以下の中桟など **MEMO** 単管足場の中桟の位置 高さ85㎝の中間は42.5㎝、その上下7.5㎝の範囲が35～50㎝。

※　枠組足場の妻面を含む。

作業床の規定は、労働者の安全確保のため、とても重要ですね。

❹ 落下防止措置（物体の落下）

作業のため物体が落下することにより、労働者に危険を及ぼすおそれのあるときは、高さ10㎝以上の幅木、メッシュシートもしくは防網またはこれらと同等以上の機能を有する設備を設けます。

手すり・床等の規定の比較

種　類		手すり高さ等	床（幅・隙間等）
作業床	枠組足場	85cm以上 中桟（35～50cm） 幅木（10cm以上）	幅40㎝以上 隙間３㎝以下 建地との隙間12㎝未満
	単管足場		
	作業構台		
	吊り足場	―	幅40㎝以上 隙間なく
通路	鉄骨上通路	95㎝以上 中桟 幅木（10cm以上）	幅60㎝以上
	切りばり上通路		隙間３㎝以下

７ 登り桟橋

　登り桟橋は、足場の昇降のために設ける「傾斜した通路」のことで、足場を構成する単管などで構成され、作業員が材料運搬などのため、安全に歩いて昇降できるように配慮する必要があります。

❶ 勾配は、30°以下とします。

　ただし、勾配が30°を超える場合は、次のいずれかとします。

●階段を設けます。

●高さ２m未満として、丈夫な手掛かりを設けます。

❷ 勾配が15°を超える場合は、踏桟、その他の滑り止めを設けます。

❸ 墜落防止措置

●墜落の危険のある箇所には、高さ85㎝以上の手すり及び高さ35㎝以上50㎝以下の桟を設けます。

●作業上やむをえない場合は、必要な部分に限り**臨時に取り外すことができる**ようにします。

❹ 高さ８m以上の登り桟橋には、７m以内ごとに踊場を設けます。

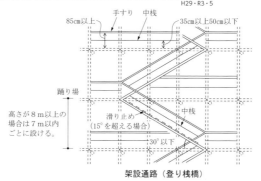

架設通路（登り桟橋）

⑧ はしごなど

【1】 はしご道

はしご道とは、昇降のためにはしごを用いた通路をいいます。

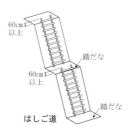

はしご道

❶ 丈夫な構造とし、踏だなを等間隔に設けます。

❷ はしごの上端は、**床から60cm以上突出**させます。

【2】 移動はしご

移動はしごとは、壁などに立てかけて用いる一般的なはしごです。

❶ **幅30cm以上の丈夫な構造**とします。

❷ 滑り止め装置を取り付け、転位防止措置を講じます。

例題	**Q** 高さ12mの枠組足場における壁つなぎの間隔については、垂直方向を8mとし、水平方向を9mとした。
	A ✕ 垂直方向9m以下、水平方向8m以下である。

例題	**Q** 吊り足場（ゴンドラの吊り足場を除く）において、吊り鎖及び吊りフックの安全係数が5以上となるように、作業床の最大積載荷重を定めた。
	A ○

例題	**Q** 単管足場における高さが2.5mの場所に設けた作業床において、墜落の危険がある箇所には、高さが70cmの手すり及び高さ40cmの中桟を設けた。
	A ✕ 手すりの高さは85cm以上である。

5 事業者の責務—労働安全衛生規則

　労働安全衛生規則には、労働者を守るためにさまざまな責務を事業者に課しています。全てを暗記することは現実的ではありません。よく出題される事項を整理して確実に覚え、得点につなげましょう。

1 教育等

❶ 労働者を雇い入れ、又は労働者の作業内容を変更したときは、安全又は衛生のため必要な事項について、教育を行わなければいけません（雇入れ時等教育）。
_{R2・6}

❷ 危険又は有害な業務で、一定のものに労働者をつかせるときは、当該業務に関する安全又は衛生のための特別の教育を行わなければいけません（特別教育）。

❸ 機体重量3t以上の車両系建設機械（ブルドーザー等）の運転業務は技能講習を修了した者に行わせなければいけません（3t未満は特別教育）。

用語 **特別教育** 危険または有害な作業に労働者をつかせるときに、事業者が行う安全又は衛生のための特別な教育である。	用語 **技能講習** 危険又は有害な特定の業務において、労働者の指揮等を行う作業主任者および就業制限業務に従事する者に必要な講習である。一般に専門の機関が実施する。

② 高さ・墜落防止・落下防止

① 足場の高さが2m以上の作業場所には、作業床を設け、墜落のおそれのある箇所には、高さ85㎝以上の手すり等及び中桟等を設けます。_{R1}

② 高さ又は深さが1.5mを超える箇所で作業を行うときは、労働者が安全に昇降するための設備等を設けなければいけません。

③ 高さが2m以上の箇所で高所作業を行うときは、作業を安全に行うため**必要な照度**（普通の作業：150ルクス）を保持しなければいけません。

④ 工事現場の境界線からの水平距離が5m以内、かつ**3m以上の高所から物体を投下**するときは、飛散防止のため適当な投下設備（**ダストシュート**など）を設け、監視人を置く等労働者の危険を防止するための措置を講じなければいけません。_{H30・R1・3}

③ 立入り禁止

① 以下の作業を行う区域内には、関係労働者以外の労働者の**立入りを禁止**する措置を講じなければいけません。

● 軒の高さが5m以上の**木造建築物の構造部材の組立て**（解体は含まれない）又はこれに伴う**外壁下地の取付け**_{H30}

● 高さが2m以上の足場の組立て・解体等_{H30}

● 高さが5m以上の鉄骨の組立て等_{H30}

● 高さが5m以上のコンクリート造工作物の解体等_{H30}

● 作業構台の組立て又は解体

● 型枠支保工の組立て又は解体

② クレーンを用いて作業を行うにあたって、次に該当するときは、つり上げられている荷の下に**労働者を立ち入らせてはいけません。**

● 吊りクランプ1個を用いて玉掛けした荷がつり上げられているとき。

● 1カ所に玉掛けをした荷がつり上げられているとき。

③ 移動式クレーンの**上部旋回体と接触**することにより労働者に危険が生ずるおそれのある箇所（旋回範囲内）に労働者を**立ち入らせてはいけません。**_{H29}

④ ゴンドラを使用して作業を行っている箇所の下方には、関係労働者以外の者

吊りクランプ

の立入りを禁止し、その旨を表示しなければいけません。

危険作業のエリア、落下物の危険性がある作業の下部等は立入り禁止の措置が必要です。

4 点検

❶ 山留め支保工を設けたときは、その後**7日**を超えない期間ごと、**中震以上の**地震の後及び**大雨**等に地山が急激に軟弱化するおそれのある事態が生じた後に、次の事項について**点検**し、異常を認めたときは、直ちに、**補強**し、又は補修しなければいけません。

● 部材の損傷、変形、腐食、変位及び脱落の有無及び状態

● 切りばりの緊圧の度合い

● 部材の接続部、取付部及び交差部の状態

❷ **吊り足場**における作業を行うときは、その日の**作業開始前**に、次の事項等について、**点検**し、異常があれば、直ちに補修しなければいけません。
_{H29・R5}

● 床材の損傷、取付け及び掛渡しの状態

● 緊結部、接続部及び取付部の緩みの状態

● 墜落防止設備の取外し及び脱落の有無

● 幅木等の取付け状態及び取外しの有無

　※ 「脚部の沈下及び滑動の状態」は、吊り足場においては構造上無関係である。
_{H29・R2}

❸ **作業構台**における作業を行うときは、その日の**作業開始前**に、作業を行う箇所に設けた**手すり等及び中桟等の取外し及び脱落の有無**について点検し、異常を認めたときは、直ちに補修しなければいけません。
_{H29・R2}

❹ **作業構台**の一部解体又は変更の後において、作業構台における作業を行うときは、作業開始前に、支柱、はり、筋かいなどの緊結部、接続部及び取付部のゆるみの状態について、点検を行わなければいけません。

❺ **車両系建設機械**を用いて作業を行うときは、**作業開始前に、ブレーキ及びクラッチの機能について点検**を行わなければいけません。また、ブームを上げ、その下で修理・点検を行うときは、**ブームが不意に落下することを防止する**ため、安全支柱、安全ブロック等を使用させます。
_{H29}

❻ つり上げ荷重が0.5 t 以上の移動式クレーンを用いて作業を行う場合、作業開始前に過負荷警報装置などの機能について点検を行わなければいけませ

ん。

❼ 積載荷重が0.25ｔ以上でガイドレールの高さが10ｍ以上の**建設用リフト**を用いて作業を行うときは、作業開始前に**ワイヤロープが通っている箇所の状態**について点検を行わなければいけません。

❽ ゴンドラを用いて作業を行うときは、作業開始前に、次の事項等について点検を行わなければいけません。

● ワイヤロープ及び緊結金具類の損傷及び腐食の状態

● 巻過防止装置その他の安全装置、ブレーキ及び制御装置の機能

● **ワイヤロープが通っている箇所の状態**

❾ ゴンドラについて、月１回以上の定期自主検査と作業開始前の点検を行わなければならず、定期自主検査を行ったときは、その結果を記録し、これを３
_{R2・6}
年間保存しなければいけません。

❿ 高所作業車を用いて作業を行うときは、作業開始前に、制動装置、操作装置
_{R2}
及び作業装置の機能について点検を行わなければいけません。

⓫ 繊維ロープを貨物自動車の荷掛けに使用するときは、使用開始前に、当該繊
_{H29・R2}
維ロープを点検し、異常を認めたときは、直ちに取り替えなければいけません。
_{R2}

山留め、足場、構台、車両系、クレーン、リフト等は作業開始前点検が必要になります。

5 悪天候・異常時対応

悪天候等の定義

強風：10分間平均風速が10ｍ/s以上

大雨：１回の降雨量が50㎜以上

大雪：１回の降雪量が25㎝以上

暴風：瞬間風速が30ｍ/s以上

中震：震度４以上

悪天候等の定義は、
正確に覚えましょう。

❶ 高さが２ｍ以上の箇所で作業を行う場合において、強風、大雨、大雪等の悪天候のため、当該作業の実施について危険が予想されるときは、当該作業に労働者を従事させてはいけません。
_{R1・4}

❷ 強風、大雨、大雪等の悪天候もしくは中震以上の地震又は足場の組立て、一

部解体もしくは**変更の後**において、足場における作業を行うときは、**作業開始前**に、次の事項等について、点検し、異常を認めたときは、直ちに補修しなければいけません。

- 床材の損傷、取付け及び掛渡しの状態
- 緊結部、接続部及び取付部の緩みの状態
- 墜落防止設備の取外し及び脱落の有無
- 幅木等の取付け状態及び取外しの有無
- 脚部の沈下及び滑動の状態

❸ 移動式クレーンを用いて作業を行うにあたって、**強風のため危険が予想される**ときは、その**作業を中止**しなければいけません。さらに、強風でクレーンが転倒するおそれのあるときは、ジブの位置を固定させる等によりクレーン転倒による労働者の危険を防止する措置を講じます。_{R1}

⑥ その他の事業者の責務

❶ 明り掘削の作業を行う場合において、掘削機械等による**ガス導管、地中電線路**などの損壊により労働者に危険を及ぼすおそれのあるときは、**掘削機械等を使用してはいけません**。_{R4}

❷ 常時使用する労働者に対し、**1年以内ごとに1回**、定期に、医師による**健康診断**を行わなければいけません。

❸ アーク溶接等（自動溶接を除く）の作業に使用する溶接棒等の**ホルダー**については、感電の危険を防止するため必要な**絶縁効力**及び**耐熱性**を有するものでなければ、使用させてはいけません。_{R4}

⑦ 特定元方事業者の責務

❶ 特定元方事業者と関係請負人との間及び関係請負人相互の間における**作業間の連絡及び調整**を随時行わなければいけません。_{R3・6}

❷ 特定元方事業者及び**全ての関係請負人が参加する協議組織**を設置し、会議を定期的に開催しなければいけません。_{R3・5}

❸ 工程表等の仕事の工程に関する計画並びに当該作業場所における**主要な機械、設備及び作業用の仮設の建設物の配置に関する計画を作成**しなければいけません。_{R3}

❹ 労働安全教育に対する指導及び援助については、当該教育を行う場所の提

供、当該教育に**使用する**資料の提供等の措置を講じなければいけません。

❺ 作業場所の巡視を、１日１回以上行わなければいけません。

特定元方事業者、すなわち、一般的には元請であるゼネコンが負う責務です。

6 事業者の責務─車両系建設機械・クレーン他

1 車両系建設機械

❶ 岩石の落下等により労働者に危険が生じるおそれのある場所で車両系建設機械を使用する際は、堅固な**ヘッドガード**を備えなければいけません。

❷ 運転者が運転席から離れるときは、バケット等の作業装置を**地上に降ろさな**ければいけません。

❸ **定期自主検査**を行ったときは、これを記録し、**３年間**保存しなければいけません。

2 定置式クレーン

❶ クレーンを操作する業務に労働者を就かせるときは、当該業務に関する安全又は衛生のための**特別教育**を行わなければいけません。クレーン関係の作業で必要な資格は以下のとおりです。

つり上げ荷重	１ｔ未満	１ｔ以上５ｔ未満	５ｔ以上
クレーン	特別教育		免許
移動式クレーン	特別教育	技能講習	免許

❷ つり上げ荷重が３ｔ以上の**落成検査**における荷重試験では、定格荷重の**1.25倍**に相当する荷重の荷をつり起こさなければいけません。

❸ 走行クレーン又は旋回クレーンと建設物又は設備との間に**歩道**を設けるときは、その幅を**60cm以上**としなければいけません。

❹ 使用を**廃止**したときは、遅滞なくクレーン検査証を**所轄労働基準監督署長**に返還しなければいけません。

3 移動式クレーン

❶ つり上げ荷重が３ｔ以上の移動式クレーンを設置しようとする場合、認定を受けた事業者を除き、あらかじめ、**移動式クレーン設置報告書**を労働基準監督署長に提出しなければいけません。

❷ つり上げ荷重が0.5ｔ以上の移動式クレーンを用いて作業を行うときは、労働者の配置及び指揮の系統を定めます。

❸ つり上げ荷重が**３ｔ以上**の移動式クレーンを用いて作業を行う際、その**移動式クレーン検査証**を当該クレーンに備え付けておかなければいけません。

❹ 移動式クレーンの運転について一定の**合図を定め**、**合図を行う者を指名**して、その者に**合図を行わせ**なければいけません。ただし、移動式クレーンの運転者に**単独で作業を行わせる**ときは、この限りではありません。
　　R5
　※　合図を定めるのは**事業者**であって、合図を行う者ではない。
　　　H29・R1・5

❺ つり上げ荷重が0.5t以上の移動式クレーンを用いて荷をつり上げるときは、外れ止め装置のあるフックを用いなければいけません。
　　H29・R1・5

❻ 作業の性質上やむを得ない場合、移動式クレーンの吊り具に専用の搭乗設備を設けて労働者を乗せることができます。

❼ **自主検査**の結果を記録し、これを**３年間保存**しなければいけません。

> クレーン関係は危険を伴う作業が多いため、多くの規定がありますね。

4 エレベーター

❶ 積載荷重が0.25ｔ以上1.0ｔ未満のエレベーターを60日以上設置しようとするときは、認定を受けた事業者を除き、あらかじめ**設置報告書**を労働基準監督署長に提出しなければいけません。

❷ 積載荷重が**1.0ｔ以上**のエレベーターを設置した場合、**落成検査**の荷重試験をエレベーターの積載荷重の1.2倍に相当する荷重の荷で行わなければいけません。

5 建設用リフト

❶ 積載荷重が0.25ｔ以上でガイドレールの高さが18m以上の建設用リフトを設置する場合は、工事開始日の30日前までに、**建設用リフト設置届**を所轄

労働基準監督署長に提出しなければいけません。

❷ 建設用リフトの**組立て又は解体**の作業を行う際は、**作業を指揮する者を選任**して、その者の指揮のもとに作業を実施させなければいけません。

❸ 運転の業務に労働者を就かせる際、当該業務に関する**特別の教育を受けた者**に行わせなければいけません。

6 玉掛け

❶ つり上げ荷重が**１ｔ以上**のクレーン、移動式クレーンの玉掛け業務について、玉掛け技能講習を修了した者に行わせなければいけません。なお、１ｔ未満の場合は、**特別教育**を行う必要があります。

❷ クレーン、移動式クレーンの**玉掛けワイヤロープの安全係数**については、６以上でなければ使用してはいけません。

❸ 次の各号のいずれかに該当するワイヤロープを玉掛け用具として使用してはいけません。

● ひとよりの間にワイヤロープの**素線が10％以上**切断しているもの

● **直径の減少が公称径の７％を超えるもの**（最低93％以上）

● キンク（よじれ）したもの

● 著しい形くずれ又は腐食があるもの

点検項目							
素線の断線		形くずれ		サツマ差しのゆるみ	キンク	さび	摩耗
普通断線	集中断線	形くずれ	くぼみきず				

7 ゴンドラ

❶ ゴンドラの操作の業務に労働者を就かせるときは、当該労働者に対し、当該業務に関する安全のための**特別の教育**を行わなければいけません。

❷ ゴンドラを使用する作業を、操作する者に単独で行わせる場合、事業者は合図を定めなくて大丈夫です。

❸ 墜落防止　要求性能墜落制止用器具等の取付け先は、以下のとおりとします。

● 吊り下げワイヤロープ１本（チェア型）➡ゴンドラ以外のもの（屋上の躯体

等）に取り付け

- ●吊り下げワイヤロープ2本（デッキ型）➡ゴンドラに取り付けて作業可能

❹ 作業場所で安全に作業するため**必要な照度**を保持しなければいけません。

❺ ゴンドラの**検査証の有効期間は1年**です。ただし、検査を受けた後設置されていないゴンドラであって、その間の**保管状況が良好**であると都道府県労働局長が認めたものについては、有効期間を**検査の日から起算して2年を超えず**、かつ、当該ゴンドラを設置した日から起算して1年を超えない範囲内で延長することができます。

8 高所作業車

作業床の高さが10m以上の高所作業車の運転業務を行う際、当該業務に係る技能講習を修了した者または厚生労働大臣が定める者に行わせなければいけません（10m未満は、特別教育）。

7　事業者の責務—酸欠・有機溶剤

1 酸素欠乏等危険作業

酸素欠乏　空気中の酸素の濃度が18%未満である状態。

❶ 作業開始前に、当該作業場における空気中の**酸素濃度を測定**しなければいけません。また、この**測定記録を3年間保存**しなければいけません。

❷ 酸素欠乏危険場所では、空気中の**酸素の濃度測定を行うため必要な測定器具**を備え、又は容易に利用できるような措置を講じておかなければいけません。

❸ 作業を行う場所の空気中の**酸素濃度を18%以上に**保つように**換気**しなければいけません。ただし、**純酸素**（酸素100%のガス）を使用して換気してはいけません。

MEMO

通常、空気中には酸素が20.9%含まれている。

❹ 所定の**技能講習を修了した者**のうちから**酸素欠乏危険作業主任者**を選任しなければいけません。
※　衛生管理者選任の規定はない。

❺ 酸素欠乏危険作業に労働者を就かせるときは、労働者に対して酸素欠乏危険作業特別教育を行わなければいけません。

❻ 酸素欠乏危険作業に労働者を従事させるときは、空気呼吸器等、はしご、繊維ロープ等、非常の場合に労働者を避難させ、又は救出するために必要な用具を備えなければいけません。

❼ 酸素欠乏の空気が流入するおそれのある地下ピット内における作業に労働者を従事させるときなどは、酸素欠乏の空気が作業を行う場所に流入することを防止するための措置を講じなければいけません。

酸素欠乏等危険作業には、ピット内作業等も含まれます。思ったより一般的に行われる作業ですね。

2 有機溶剤作業

❶ 有機溶剤業務に係る局所排気装置・プッシュプル型換気装置は、原則として1年以内ごとに1回、定期に、所定の事項について自主検査を行わなければいけません。
_{R1}

❷ 屋内作業場等において有機溶剤業務に労働者を従事させるときは、次の事項を、作業中の労働者が容易に知ることができるよう、色分け及び色分け以外の方法により、見やすい場所に掲示しなければいけません。
_{H29}

● 有機溶剤の区分

● 有機溶剤の人体に及ぼす作用
_{H29}

● 取扱い上の注意事項

● 中毒が発生したときの応急処置

❸ 特定元方事業者は、有機溶剤等の容器が集積されるときは、当該容器の集積箇所を統一的に定め、これを関係請負人に周知させなければいけません。

❹ 有機溶剤濃度の測定を必要とする業務を行う屋内作業場について、原則として6カ月以内ごとに1回、定期に、濃度測定を行わなければいけません。
_{R6}

❺ 有機溶剤業務に常時従事する労働者に対し、雇入れの際・配置替えの際・その後6カ月以内ごとに1回、定期に、所定の項目について医師による健康診断を行わなければいけません。
_{R1}

❻ 有機溶剤などを屋内に貯蔵するときは、有機溶剤等がこぼれ、漏えいし、しみ出し、又は発散するおそれのないふた又は栓をした堅固な容器を用いるとともに、その貯蔵場所に、次の設備を設けなければいけません。
_{R1}

● 関係労働者以外の労働者が立ち入ることを防ぐ設備

●有機溶剤の蒸気を屋外に排出する設備

8 工具等の携帯に関する法律

【1】 火薬取締法

びょう打ち機

➡火薬式は、火薬取締法・銃砲刀剣類所持等取締法の規制を受けます。

※　ガス式ピン打ち機（ガス式びょう打ち機）は火薬を用いないので、火薬取締法には抵触しない。
_{H30}

【2】 軽犯罪法

ガラス切り
_{H30}

➡正当な理由なく、のみ、ガラス切りその他他人の邸宅又は建物に侵入するのに使用される器具を隠して携帯することは禁止されています。

【3】 特殊開錠用具の所持の禁止等に関する法律（ピッキング防止法）

❶ 特殊開錠用具（ピッキング用具、サムターン回し等）

❷ マイナスドライバー（先端部幅が0.5cm以上で全長15cm以上）

❸ バール（作用部分のいずれかの幅2cm以上で長さ24cm以上）

❹ ドリル（電動・手動を問わず、直径1cm以上の刃が附属するもの）

　　❶は「所持」すること自体が、❷～❹は「業務その他正当な理由による場合を除いて、隠して携帯」することが禁止されています。

【4】 銃砲刀剣類所持等取締法（銃刀法）

➡業務その他正当な理由による場合を除き、「刃体の長さが6cmを超える刃物の携帯」は禁止されています。
_{H30}

第 **5** 編

法　規

　建設業法、労働安全衛生法は、二次検定で
も出題されますので、法規の中でも重点的に
学習する必要があります。その他の法令は、過
去に出題実績がある部分を中心に学習すること
で合格ラインを突破できるでしょう。

▶ **法 規**

法規からは12問出題され、そのうち8問を選択して解答します。建築基準法と建設業法の出題数が多いため、学習の中心となりますが、自分が得点しやすいと感じた法律を確実に固めていく意識が重要です。

第 1 章 ▎ **建築基準法**

建築基準法からは、法の総論と単体規定から主に出題されています。細かい規定が多いところですが、最も関連の深い法律ですので、しっかり学習すべき科目です。

---

1 ▎用語の定義

1 基本的な用語の定義

【1】建築物

建築物とは、次のいずれかに該当するもので、**建築設備**を含みます。

❶ 土地に定着する工作物のうち、屋根及び柱もしくは壁を有するもの

❷ ❶に附属する門もしくは塀
_{R1}

❸ <u>観覧のための工作物</u>
_{R3・5}

❹ <u>地下もしくは高架の工作物内に設ける事務所</u>、店舗、興行場、倉庫その他これらに類する施設
_{H29・R3}

建築物	仮設建築物（現場事務所、立体式の自走式自動車駐車場など）
	観覧のための建築物（屋根の有無を問わず、球場、競馬場など）
	地下街・高架下の事務所・店舗など
非建築物	鉄道及び軌道の線路敷地内の運転保安に関する施設並びに跨線橋、プラットホームの上家、貯蔵槽その他これらに類する施設 　　例：踏切番小屋、保線倉庫、サイロ、ガスタンク

 MEMO

特殊建築物は、主として、**不特定多数が使用する建築物**（学校、病院、劇場、百貨店、旅館、共同住宅など）、**危険物等を保有す**
_{R3・5}
る建築物（工場、倉庫など）、**周辺への配慮が必要な建築物**（火葬場、汚物処理場など）である。なお、**事務所**、銀行、郵便局、警察署は、**特殊建築物ではない。**
_{R1・3}

また、建築物を新築し、増築し、改築し、又は移転することを、一括して「建築」といいます。

【2】 主要構造部

主要構造部とは、**壁、柱、床、はり、屋根又は階段**をいいます。建築物の構
造上重要でない間仕切壁、間柱、附け柱、揚げ床、最下階の床、廻り舞台の床、
小ばり、ひさし、局部的な小階段、屋外階段その他これらに類する建築物の部
分は、主要構造部ではありません。

【3】 構造耐力上主要な部分

構造耐力上主要な部分とは、基礎、基礎ぐい、壁、柱、小屋組、土台、斜材
（筋かい、方づえ、火打材その他これらに類するものをいう）、床版、屋根版又
は横架材（はり、けたその他これらに類するものをいう）で、建築物の自重も
しくは積載荷重、積雪荷重、風圧、土圧もしくは水圧又は地震その他の震動も
しくは衝撃を支えるものをいいます。

用語の定義はよく出題されます。数値も含めて正確に覚えましょう。

2 その他の用語の定義

❶ 建築設備　建築物に設ける電気、ガス、給排水、換気、冷暖房、消火、排
煙、煙突、昇降機、避雷針等を建築設備といいます。

❷ 居室　居住、執務、作業、集会、娯楽等のために**継続的に使用**する室を居
室といいます（例：百貨店の売場等）。

❸ 延焼のおそれのある部分　原則として、隣地境界線、道路中心線又は同一
敷地内の2以上の建築物相互の外壁間の中心線から、1階は3m以下、2階
以上は5m以下の距離にある建築物の部分をいいます。

❹ 設計図書　建築物、敷地等に関する工事用の図面及び仕様書を設計図書と
いい、現寸図を除きます。

❺ 大規模の修繕　建築物の主要構造部の1種以上について行う過半の
修繕をいいます。修繕とは、傷んだり不具合の生じた部分を同じ材料、仕様
にて元の状態に戻すことです。

❻ 大規模の模様替　建築物の主要構造部の1種以上について行う過半の模
様替をいいます。模様替とは、材料・仕様を変更することです。なお、クロ
スの張替えは模様替えには該当しません。

❼ 敷地 　1の建築物又は用途上不可分の関係にある2以上の建築物のある一団の土地をいいます。
_{H29}

> **MEMO**
> 「**用途上不可分の関係**」とは、「住宅と倉庫・車庫」「共同住宅とごみ収集所・車庫」「旅館と浴場・東屋（あずまや）」「ホテルとチャペル・スポーツ施設」「学校と体育館・実習室等」などの関係のことをいう。

❽ 地階 　床が地盤面下にある階で、床面から地盤面までの高さがその階の天井の高さの$\frac{1}{3}$以上のものを地階といいます。
_{H29}

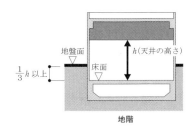
地階

❾ 耐水材料 　れんが、石、コンクリート、アスファルト、陶磁器、ガラス等の耐水性の建築材料のことです。

❿ 延べ面積 　延べ面積は、建築物の各階の床面積の合計で、地階の機械室や屋上部分の塔屋なども、規模にかかわらず延べ面積に含まれます。ただし、容積率の算定の基礎となる延べ面積は、次の部分を除きます。

● 自動車車庫で、建築物の床面積の$\frac{1}{5}$まで。
_{R1・3}
● 住宅・老人ホームの地階で、天井が地盤面から1m以下にある部分の床面積の$\frac{1}{3}$まで。
● 共同住宅の共用の廊下又は階段の床面積。

例題	Q	事務所の用途に供する建築物は、特殊建築物である。
	A	✕　特殊建築物ではない。特殊建築物は主に、学校・病院・劇場・百貨店・旅館・共同住宅等をいう。

例題	Q	建築物の構造上重要でない間仕切壁の過半の模様替は大規模の模様替である。
	A	✕　設問の間仕切りは主要構造部ではない。

2 建築確認

1 申請の提出先等

❶ 特定行政庁 建築主事又は建築副主事を置く市町村では**市町村長**、置かない市町村では**都道府県知事**がなります。特定行政庁は許可を承認する決済印を押す長（おさ）として勧告・命令をだすことができます。

❷ 建築主事・建築副主事 都道府県や市町村に所属する公務員（職員）で、建築確認申請・特定工程検査・建築許可・仮使用申請等を受けた時、実際に処理します（以下、「建築主事等」）。

❸ 指定確認検査機関 民間の確認検査機関で、確認検査員が所属しています。権限や業務は、特定行政庁や建築主事とほぼ変わりません。

❹ 建築審査会 建築主事を置く市町村および都道府県に設置されます。特定行政庁の諮問機関（アドバイザー）です。

2 確認の要否

建築主は、建築物の建築等をしようとする場合は、当該工事に着手する前に、その計画が建築基準関係規定に適合するものであることについて、**建築主事等又は指定確認検査機関の確認を受け、確認済証の交付を受けなければいけません**。

> **用語**
> **建築基準関係規定**
> 建築基準法と敷地・構造・建築設備等に関するその他法令（消防法、盛土規制法、省エネ法等）のことをいう。特定行政庁が許可を与える場合には、原則として建築審査会の同意が必要。

確認済証の交付が必要なケースをまとめると、次のようになります。

> 建築確認は重要な手続きです。②要否、③手続きのいずれも正確に理解して覚えましょう。

確認を要する行為

	種類	規模	工事種別
全　国 （都市計画区域外）	ⓘ 特殊建築物	床面積が200㎡超 _{R2}	建築 大規模の修繕 大規模の模様替 用途変更 _{R5}
	ⓘⓘ 大規模な木造建築物	階数3以上 _{H30・R4・6} 延面積500㎡超 高さ13m超 軒高9m超	建築 大規模の修繕 大規模の模様替
	ⓘⓘⓘ 大規模な非木造建築物	階数2以上 延面積200㎡超	
都市計画区域内	全ての建築物		建築

> **用語**
>
> **都市計画区域**
> 市街地から郊外まで、人や物の流れ・動きが集中しているエリアに関して、計画的に街づくりを進めていく区域のこと。都道府県が指定（複数の都道府県にまたがる場合は国土交通大臣）する。

❶ 増築等によって上記の規模に該当する場合、又は都市計画区域等で増築する場合は確認済証が必要ですが、防火・準防火地域外で、10㎡以内の増築等であれば、確認済証が不要となります。
_{H29・R2・5・6}

❷ 200㎡を超える特殊建築物に用途変更する場合は確認済証の交付を受けなければなりませんが、変更前と変更後の用途が、一定の類似の**用途**相互間に該当する場合は、原則として、確認済証の交付が不要となります。

❸ ⓘ～ⓘⓘⓘの建築物にエレベーターのような建築設備を設置する場合も、確認済証の交付を受ける必要があります。

❹ 高さが4mを超える広告塔は、確認の規定が準用される工作物ですので、その築造について確認済証の交付を受ける必要があります。
_{R6}

> **MEMO**
> 劇場と映画館、ホテルと旅館、下宿と寄宿舎等が、それぞれ**類似の用途**と規定されている。

例 題	**Q**	木造3階建の戸建て住宅を、大規模の修繕をしようとする場合においては、確認済証の交付を受けなければならない。
	A	○

❸ 確認の手続き

確認済証の交付を受けて工事を行う場合の手続きの流れは、原則として次のとおりです。

【1】 工事監理者を定める必要がある構築物

確認申請をするには、確認申請書を作成し、これに設計図書や建築計画概要書等を添付して申請しますが、次の規模の設計図書は、**一級建築士の設計・工事監理**が必要となります。

❶ 延べ面積500㎡超の学校、病院、劇場、映画館、集会所、百貨店等
❷ **高さ13m、軒高9m超の木造建築物**
　　　　　　　　　R3・6
❸ 延べ面積が300㎡超もしくは高さ13m、軒高9m超のRC、S造の建築物
❹ 延べ面積が1,000㎡を超えしかも階数が2以上の建築物
　　　　　　　　　　　　　　　　　R2・6

【2】 申請

確認申請書は、建築主事等又は指定確認検査機関のいずれかに提出します。建築主事等は、申請が建築基準関係規定に適合していることを確認したときは、申請者に確認済証を交付しなければいけません。これを受け、着工できることになります。

【3】 表示

確認済証の交付を受けた工事の施工者は、工事現場の見やすい場所に、建築主、設計者、工事施工者及び工事の現場管理者の氏名又は名称並びに当該工事に係る確認があった旨の表示をしなければいけません。
　　　　　　　　　　　　　　　　　　R1

【4】 中間検査

建築主は、確認済証の交付を受けて行う工事が特定工程を含む場合、特定工程に係る工事を終えたときは、その都度、建築主事等の検査（中間検査）を申請しなければいけません。

特定工程とは、階数が3以上の共同住宅の2階の床及びこれを支持するはりに鉄筋を配置する工事の工程等のことです。特定工程後の工程に係る工事は、**中間検査合格証**の交付を受けた後でなければ、これを施工してはいけません。
　　　　　H30・R2・4

【5】完了検査・使用開始制限

建築主は、確認済証の交付を受けた工事を完了したときは、完了した日から<u>4日以内</u>に到達するように、**完了検査**の申請をしなければならず、建築主事等又は指定確認検査機関は、完了検査の後に**検査済証**を交付します。

特殊建築物又は大規模な建築物の工事で、「避難施設等に関する工事」を含むものをする場合、建築主は、建築主事等の検査済証の交付を受けた後でなければ建築物を使用することができません。ただし、次のいずれかに該当する場合には、検査済証の交付を受ける前においても、仮に、使用することができます。

❶ <u>特定行政庁、建築主事又は指定確認検査機関が、安全上、防火上及び避難上支障がない等により認めたとき</u>
H29・R5

❷ <u>完了検査の申請が受理された日から7日を経過したとき</u>
H30・R5

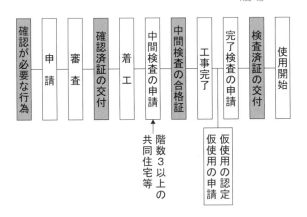

確認が必要な行為 → 申請 → 審査 → 確認済証の交付 → 着工 → 中間検査の申請（階数3以上の共同住宅等） → 中間検査の合格証 → 工事完了 → 完了検査の申請（仮使用の申請） → 検査済証の交付（仮使用の認定） → 使用開始

完了検査を受け、検査済証の交付を受けていなければ、原則として建物を使用することはできません。忘れたり、時期を間違えると大変なことになりますね。

例題

Q 鉄筋コンクリート造3階建共同住宅の3階の床及びこれを支持する梁に鉄筋を配置する工事の工程は、中間検査の必要な特定工程である。

A × 2階の床に鉄筋を配置する工事である。

3 適用除外・維持保全等

1 適用除外

【1】 全面的な適用除外

建築基準法の規定は、次のいずれかの建築物には、適用されません。

● 国宝、重要文化財等に指定され、又は仮指定された建築物

● 条例で現状変更の規制及び保存のための措置が講じられている建築物（保存建築物）で、特定行政庁が建築審査会の同意を得て指定したもの R1・3

【2】 既存不適格建築物

建築基準法の施行又は適用の際、現に存する建築物等が、建築基準法の規定に適合せず、又は適合しない部分を有する場合、当該建築物に対しては、建築基準法は適用されません。 R3

2 維持保全・届出等

【1】 維持保全

建築物の所有者、管理者又は占有者は、その建築物の敷地、構造及び建築設備を常時適法な状態に維持するように努めなければいけません。 R4

【2】 特定行政庁の命令

特定行政庁は、建築基準法令又は許可に付した条件に違反した建築物等について、当該建築物の建築主、工事の請負人等に対し、工事の施工の停止等を命ずることができます。 R2・4

MEMO

建築監視員も、左の特定行政庁の権限を行使することができる。

【3】 保安上危険な建築物等の所有者等に対する指導・助言

特定行政庁は、建築物の敷地、構造又は建築設備について、そのまま放置すれば保安上危険となり、又は衛生上有害となるおそれがあると認める場合、当該建築物又はその敷地の所有者等に対して、当該建築物又はその敷地の維持保全に関し必要な指導及び助言をすることができます。 R6

【4】著しく保安上危険な建築物等に対する除去勧告

特定行政庁は、飲食店等の特殊建築物で床面積が200㎡を超え、又は3階以上でその用途に供する部分の床面積の合計が100㎡を超え、200㎡以下の建築物等の劣化が進み、そのまま放置すれば**著しく保安上危険**となり、又は、著しく衛生上有害となるおそれがあると認める場合、相当の猶予期限を付けて、所有者等に対し除却、移転等を**勧告**することができます。

_{R1・2}

【5】定期報告

特定行政庁が指定する一定の特殊建築物等の所有者は、**定期**に、一級建築士、二級建築士等、又は建築物調査員にその状況の調査をさせて、その結果を**特定行政庁に報告**しなければいけません。

_{R4}

【6】報告の請求

特定行政庁、建築主事又は**建築監視員**は、建築物の所有者等に、建築物の敷地、構造、建築設備もしくは用途、建築材料もしくは施工の状況等に関する**報告**を求めることができます。

_{H30・R2・4・6}

【7】建築等の届出

床面積が10㎡を超える建築物を**除去**しようとする場合、建築物を建築する場合は建築主が、又は除却の工事を施工する場合は**施工者**が、**建築主事**を経由して、その旨を**都道府県知事**に届け出なければいけません。

_{H30・R4・6}

例題

Q 建築主事は、建築基準法令の規定に違反した建築物に関する工事の請負人に対して、当該工事の施工の停止を命じることができる。

....

A ✕ 　建築主事ではなく特定行政庁の権限である。

---

4 防火地域等の建築物

❶ 防火地域内では、3階以上又は延べ面積100㎡を超える建築物は、**耐火建築物**又はこれと同等以上の延焼防止性能を有するものとしなければいけません。

❷ 準防火地域では、地階を除く４階以上又は延べ面積1,500㎡を超える建築物は、耐火建築物もしくはこれと同等以上の延焼防止性能を有するものとしなければいけません。

- ●防火地域　➡市街地の中心部等に指定される。幹線道路沿いに一定の幅の防火帯として路線上に指定される場合もある。
- ●準防火地域➡中心部周辺の建築物が密集している市街地等に指定される。

5 | 防火区画等

　大規模な建築物で火災が発生した場合、火災を局所的にとどめるため、一定の部分ごとに耐火構造等の床・壁または防火設備等で区画することを**防火区画**といい、面積区画、高層区画、竪穴区画、異種用途区画に大別されます。

- ●防火設備　➡防火戸など、20分遮炎性能（火災を有効にさえぎる性能）を有するもの。
- ●特定防火設備➡ダンパーなど、遮炎性能が60分と強化されたもの。
- ●耐火構造　➡壁、柱、床その他の建築物の部分の構造のうち、耐火性能（１〜３時間、火災による建築物の倒壊及び延焼を防止する性能）を有するもの。RC造、S造、れんが造など。
- ●準耐火構造➡壁、柱、床その他の建築物の部分の構造のうち、準耐火性能（45分間程度、通常の火災による延焼を抑制する性能）を有するもの。
- ●不燃材料　➡建築材料のうち、不燃性能（20分間、通常の火災で燃焼しない性能）を有するもの。コンクリート、金属、ガラス、せっこうボードなど。
- ●難燃材料　➡建築材料のうち、５分間、燃焼せず、かつ損傷を生じないもので、有害な煙又はガスを発生しないもの。難燃合板5.5mm以上、せっこうボード７mm以上など。

【1】 面積区画

　主要構造部を耐火構造とした建築物で延べ面積が1,500㎡を超えるものは、スプリンクラー設備等を設けなければ、原則として、1,500㎡以内ごとに1時間準耐火基準に適合する準耐火構造の床もしくは壁又は特定防火設備で区画しなければいけません。ただし、劇場、映画館、体育館、工場などは除きます。

<small>H29・R1・5</small>

MEMO
面積区画には、左の規定のほか、建築物の構造によって、1,000㎡区画、500㎡区画が必要なものがある。

【2】 高層区画

　建築物の11階以上で床面積の合計が100㎡を超えるものは、100㎡以内ごとに耐火構造の床・壁又は防火設備で区画しなければいけません。

<small>R1・3</small>

MEMO
高層区画には、左の規定のほか、仕上げや下地を不燃化し、特定防火設備とすることによって、200㎡区画、500㎡区画と緩和される。

- ●防火設備➡防火戸などで20分遮炎性能を有するもの。
- ●特定防火設備➡遮炎性能が60分と強化されたもの。

【3】 竪穴区画

　主要構造部を準耐火構造等とした建築物で、地階又は3階以上の階に居室を有するものの竪穴部分（吹抜きや階段、昇降機の昇降路等）は、原則として、他の部分と準耐火構造の床・壁又は防火設備で区画しなければいけません。

<small>R5</small>

MEMO
竪穴区画には、3階以下で延べ面積200㎡以内の住宅の例外等が詳細に規定されている。

<small>R1・3</small>

【4】 異種用途区画

　建築物の一部が一定の異なる特殊建築物の場合、その部分とその他の部分とを準耐火構造の床又は壁、もしくは特定防火設備で区画しなければいけません。ただし、所定の警報設備を設ける場合は区画が不要となります。

<small>R1</small>

【5】給水管等が区画を貫通する場合

　給水管、配電管等が**防火区画を貫通**する場合、管と防火区画との隙間をモルタルその他の<u>不燃材料</u>で埋めなければいけません。

　また、<u>換気、冷暖房設備の風道（ダクト）</u>が防火区画を貫通する場合、貫通する部分又はこれに近接する部分に、火災で煙が発生し又は温度が急激に上昇した場合に<u>自動的に閉鎖する特定防火設備等（防火ダンパー）を設置する必要があります。</u>
_{H29・R3・5}
_{R5}

【6】界壁・外壁

❶ 長屋又は共同住宅の各戸の界壁は、**準耐火構造**とし、強化天井である場合等を除き、小屋裏又は天井裏に達せしめなければなりません。

❷ 防火地域又は準防火地域内にある建築物で、外壁が耐火構造のものについては、その外壁を隣地境界線に接して設けることができます。

【7】無窓居室の防火上の区画

　次のいずれかを満たす開口部を有しない**無窓居室**を区画する主要構造部は、原則として<u>耐火構造又は**不燃材料**</u>でつくらなければいけません。
_{R3}

施行令 111条	一号：採光上有効な開口部面積が居室の床面性の$\frac{1}{20}$以上であること
	二号：開口部の大きさが、直径１m以上の円が内接できるか、又は幅75cm、高さ1.2m以上であり、避難上有効な構造であること

防火に関してはよく出題されます。不十分であると社会的な問題になりますね。

例 題	**Q** 給水管が準耐火構造の防火区画を貫通する場合は、その隙間を準不燃材料で埋めなければならない。
	A ✕ 不燃材料が必要。

6 　内装制限

　火災の拡大や有害ガスの発生といった事態が生じると人命にかかわるため、こうした事態を防止し、避難を確実にするため、一定の建築物等の内装について規制がされています。

【1】 内装制限の対象となる建築物

❶	自動車車庫・自動車修理工場 H30
❷	地階に居室を有する特殊建築物（店舗・飲食店等） H30
❸	ⓘ 階数が2以上の住宅の最上階以外の階にある調理室 ⓘⓘ 住宅以外の用途の建築物にある調理室 ※ 　いずれも主要構造部が耐火構造のものを除く H30
❹	一定の規模以上の特殊建築物等

※　学校は規模にかかわらず内装制限の適用を受けない。
※　学校であっても調理室は内装制限を受けるが、主要構造部が耐火構造のものは受けない。
※　自動車車庫、自動車修理工場は、構造・床面積に関係なく内装制限を受ける。
※　地階に設ける飲食店、百貨店、劇場等は、構造、床面積に関係なく内装制限を受ける。

【2】 内装の規制方法

　規制されるのは、【1】の建築物の「居室内の壁（床から1.2mを除く）と天井」と居室から地上に通じる「廊下や階段の壁と天井」です。
H30

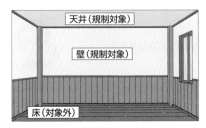

居室等に対する規制の考え方
　火災時の逃げ遅れなどに配慮し、就寝利用の建物や不特定多数が利用する建物などの居室を規制対象とする。

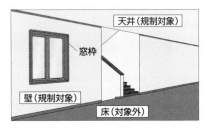

通路等（廊下・階段）に対する規制の考え方
　火災時における確実な避難を実現するため、左記のような内装制限の対象となる居室から、地上に通ずる廊下・階段等を規制対象とする。

例題

Q 内装制限を受ける百貨店の売場から地上に通ずる主たる廊下の室内に面する壁のうち、床面からの高さが1.2m以下の部分は、内装制限を受けない。

A ✕ 居室から地上に通じる廊下の壁は全て規制の対象。

---

7 避難関係の規定

【1】 非常用の照明装置

一定の特殊建築物や階数が3以上で延べ面積が500㎡を超える建築物等の居室、廊下、階段等で照明装置の設置を通常要する部分には、非常用の照明装置を設けなければいけません。ただし、一戸建の住宅・共同住宅の住戸や病院の病室、<u>学校等</u>はこの限りではありません。
_{R2・4}

> **MEMO**
> 非常用の照明装置には、**予備電源**をつけなければならない。

【2】 非常用の進入口

<u>高さ31m以下の部分にある3階以上の階には、原則として、**非常用の進入口**を設けなければいけません。</u>
_{R6}

【3】 非常用の昇降機

<u>高さ31mを超える建築物には、非常用の昇降機を設けなければいけません。</u>
_{R2}

【4】 廊下の幅

<u>小学校〜高等学校の廊下の幅は、両側に居室がある場合は2.3m</u>、その他は1.8m以上とし、100㎡を超える病院や共同住宅の共用廊下は、<u>両側に居室で1.6m</u>、その他1.2m以上としなければいけません。
_{R4・6}

【5】 2以上の直通階段

<u>避難階（地上等）以外を集会場や映画館等に供する場合、2方向避難を確保するため、避難階に通じる2以上の**直通階段**（直接避難階に通じる階段）を設けなければいけません。</u>
_{R2・6}

【6】 出口の戸の施錠装置

　避難階段から屋外に通ずる出口等の戸の施錠装置は、原則として、屋内から
かぎを用いることなく解錠できるものとし、かつ、戸の近くの見やすい場所に
その解錠方法を表示しなければいけません。

【7】 映画館等の出口の戸

　劇場、映画館、集会場等の客席からの出口の戸は、内開きとしてはいけません。

R2・4

8　その他の規定

【1】 居室の開口部

　居室には、換気のため、原則として居室の床面積の$\frac{1}{20}$以上の窓等の開口部を
設けなければいけません。

　また、採光の確保のため、原則として住宅の居室には、居室の床面積の$\frac{1}{7}$以
上の割合の窓等を設けなければいけません。

　ただし、照明設備等で所定の照度が確保できる場合は、床面積の$\frac{1}{10}$までの範
囲で開口部を設けることができます。

【2】 階段

❶ 住宅の階段の蹴上げは23cm以下、踏面は15cm以上
　とすることができます。また、回り階段の踏面の寸
　法は、踏面の狭い方の端から30cmの位置において
　測ります。
　R4・6
❷ 階段・踊場の幅は、原則として75cm以上とされま
　すが、映画館や学校は140cm以上とされています。
❸ 階段に代わる傾斜路の勾配は、$\frac{1}{8}$を超えてはいけ
　ません。

【3】 天井の高さ

　居室の天井の高さは、2.1m以上でなければいけません。なお、天井の高さは、
室の床面から測り、1室で天井の高さの異なる部分がある場合は、その平均の
高さによります。

【4】 バルコニー等の手すり

屋上広場又は2階以上の階にあるバルコニー等の周囲には、高さが1.1m以上の手すり壁、さく又は金網を設けなければいけません。

【5】 便所

下水道法に規定する処理区域内では、便所は、公共下水道に連結された水洗便所以外の便所としてはいけません。

| 例題 | Q | 非常用の照明装置は、火災時において温度が上昇した場合でも光度が低下しないものであれば、予備電源を設ける必要はない。 |
| | A | ✕　予備電源が必要。 |

　建設業法は、建設業者の許可制を軸に、請負契約の適正化等を図ることによって、建設工事の適正な施工と発注者の保護を図っています。出題される箇所はおおむね絞ることができるため、得点を稼げる科目です。

1　用語の定義（2条）

　建設工事とは、土木建築に関する工事で次の29業種のいずれかとなります。建設業の許可は、この29業種ごとに必要となります（3条2項）。
（○印は、営業所ごとに設置すべき管理者に資格が求められる**指定建設業**で、7業種あります）

1	土木一式工事	○	16	ガラス工事	
2	建築一式工事	○	17	塗装工事	
3	大工工事		18	防水工事	
4	左官工事		19	内装仕上工事	
5	とび・土工・コンクリート工事		20	機械器具設置工事	
6	石工事		21	熱絶縁工事	
7	屋根工事		22	電気通信工事	
8	電気工事	○	23	造園工事	○
9	管工事	○	24	さく井工事	
10	タイル・れんが・ブロック工事		25	建具工事	
11	鋼構造物工事	○	26	水道施設工事	
12	鉄筋工事		27	消防施設工事	
13	舗装工事	○	28	清掃施設工事	
14	しゅんせつ工事		29	解体工事	
15	板金工事				

❶ **建設業**とは、元請、下請その他いかなる名義をもってするかを問わず、建設工事の完成を請け負う営業をいいます。

❷ **建設業者**とは、許可を受けて建設業を営む者をいいます。

❸ **下請契約**とは、建設工事を他の者から請け負った建設業を営む者（元請業者）と他の建設業を営む者（下請業者）との間で当該建設工事の全部又は一部について締結される請負契約をいいます。

❹ 発注者とは、建設工事（他の者から請け負ったものを除く）の注文者をいい、「元請負人」とは、下請契約における注文者で建設業者であるものをいい、「下請負人」とは、下請契約における請負人をいいます。

2 許可制度

1 許可の区分

建設業を営もうとする者は、2以上の都道府県の区域内に営業所を設けて営業をしようとする場合は国土交通大臣の、一の都道府県の区域内にのみ営業所を設けて営業をしようとする場合は、当該営業所の所在地を管轄する都道府県知事の許可を受けなければいけません（3条1項）。

R2・6

この許可は、下請代金の額に応じて、特定建設業の許可と一般建設業の許可に分けられます（施行令2条）。建築一式工事以外（防水工事、内装仕上工事など）を請う建設業者であっても、特定建設業者となることができます。

R3

R5・6

特定建設業の許可	1件の工事において、下請け金額の合計が4,500万円以上（建築工事業の場合は7,000万円以上）となる工事を施工する場合 H30・R2・4・6
一般建設業の許可	上記以外

また、次の軽微な建設工事のみを請け負うことを営業とする者は、そもそも許可不要とされます（施行令1条の2）。

MEMO

同一の建設業を営む者が工事の完成を2以上の契約に分割して請け負うときは、正当な理由で分割したときを除き、各契約の請負代金の額の合計額で軽微か否か判断する。

❶ 請負代金が500万円（建築一式工事は1,500万円）未満の工事

H29・R1・4

❷ 延べ面積が150㎡未満の木造住宅の建設工事

H29・R1・5

特定と一般の許可の区分と、国土交通大臣と知事との許可権者の区分を混同しないようにしてください。

 覚え方

「特定の大きな　仕事は先行して早めに仕込もう」

特定建設業　　　7,000 4,500　専任　　8,000　4,000

第5編 法規

2

建設業法

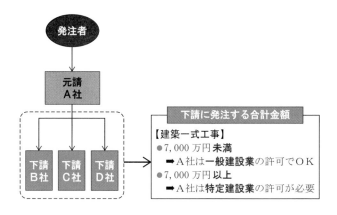

2 許可の手続き

【1】許可の申請（5条・6条）

許可申請書には、次の事項を記載しなければいけません。

1	商号又は名称
2	**営業所**の名称及び**所在地**
3	法人の場合は、資本金額及び役員等の氏名
4	個人の場合は、その者の氏名
5	営業所ごとに置かれる営業技術者の氏名
6	許可を受けようとする建設業
7	兼業している場合は、兼業の種類

許可を受けた者が、1～5の事項に変更が生じたときは、30日以内に、許可権者（国土交通大臣又は都道府県知事）に対して変更の届出をしなければいけません（11条）。
_{R5}

MEMO
許可申請時には、申請書とともに工事経歴書や直近3年の各年度の工事施工金額を記載した書面等を添付しなければならない。

【2】許可の基準（7条）と欠格要件

国土交通大臣又は都道府県知事は、許可を受けようとする者が次の基準に適合していると認めるときでなければ、許可をしてはいけません。

MEMO
特定建設業の許可を取得するためには、8,000万**円以上**の請負代金を履行するに足りる**財産的基礎**を有することが許可の基準の1つとされる。
_{H30・R3・6}

1	建設業に関する **5年**以上等の経営業務の管理責任者としての経験がある者を有していること H30・R2
2	営業所ごとに **専任の技術者**（10年以上の実務経験者等）を有していること R4
3	請負契約に関して不正又は不誠実な行為をするおそれが明らかな者でないこと
4	請負契約を履行するに足る財産的基礎又は金銭的信用を有していること

許可を受けた者は、2の専任の技術者に変更が生じたときは、2**週間以内**に、許可権者に対して所定の書面を提出しなければいけません（11条）。

また、次の欠格要件に該当する場合、許可を受けることはできません。

1	破産手続開始の決定を受けて復権を得ない者
2	不正の手段により許可を受けたこと又は営業停止処分に違反したこと等によりその**許可を取り消され**、その取消しの日から**5年**を経過しない者
3	上記の取消し処分を免れるために廃業の届出を行った者で当該届出の日から**5年**を経過しない者
4	上記の届出があった場合に、許可の取消処分に係る聴聞の通知前60日以内に当該法人の役員等であった者で、当該届出の日から**5年**を経過しない者
5	**営業の停止**を命ぜられ、その停止の期間が経過しない者
6	**営業を禁止**され、その禁止の期間が経過しない者
7	禁錮以上の刑に処せられ、その刑の執行を終わり、又はその刑の執行を受けることがなくなった日から**5年**を経過しない者
8	**建設業法又は一定の法令の規定に違反**して罰金の刑に処せられ、その刑の執行を終わり又はその刑の執行を受けることがなくなった日から**5年**を経過しない者
9	暴力団員による不当な行為の防止等に関する法律に規定する暴力団員でなくなった日から**5年**を経過しない者
10	心身の故障により建設業を適正に営むことができない者
11	営業に関し成年者と同一の能力を有しない未成年者でその法定代理人が上記のいずれかに該当する者
12	法人でその役員、支配人又は建設業に係る支店・営業所の代表者のうちに、上記のいずれかに該当する者のあるもの
13	個人でその支配人又は建設業に係る支店・営業所の代表者のうちに、上記のいずれかに該当する者のあるもの
14	暴力団員等がその事業活動を支配する者
15	許可申請書類中に重要な事項について虚偽の記載をした者、又は重要な事実の記載を欠いた者

許可を受けた者は、上記の事項に該当したときは、**2週間以内**に、許可権者に対して届出をしなければいけません（11条）。

3 許可の効力・更新等（3条3項以下）

　建設業の許可の有効期間は**5年**であり、**5年ごとに更新**を受けないと効力を失います。
_{H29}

【1】更新申請の期間

　更新は、有効期間満了の日前**30日**までに許可申請書を提出しなければいけません。
_{R1}

【2】更新後の許可

　更新の申請があった場合、従前の許可の有効期間の満了の日までに更新の処分がされないときは、従前の許可は、許可の有効期間の満了後もその処分がされるまでの間は、なお効力を有します。

　その後、許可の更新がされたときは、その許可の有効期間は、従前の許可の有効期間の満了の日の翌日から起算することになります。

【3】許可区分の変更

　一般建設業の許可を受けた者が、更新等の際に特定建設業の許可を受けたときは、一般建設業の許可は効力を失います。
_{R1・5}

【4】許可の条件（3条の2）

　国土交通大臣又は都道府県知事は、許可に条件を付し、及びこれを変更することができます。この条件は、建設工事の適正な施工の確保及び発注者の保護を図るため必要な最小限度のものに限り、かつ、当該許可を受ける者に不当な義務を課することとならないものでなければいけません。

【5】附帯工事（4条）

建設業者は、許可を受けた建設業に係る建設工事を請け負う場合、当該建設工事に附帯する他の建設業に係る建設工事を請け負うことができます。

H29・R3・5

MEMO
附帯工事の範囲内であれば、29業種の区分による許可を受けていない工事も請け負うことができる、という意味である。

【6】事業年度末の届出等（11条）

建設業者は、**事業年度経過後4カ月以内**に、工事経歴書、及び直前3年の各事業年度における工事施工金額を記載した書面等を、許可権者に提出しなければいけません。

また、使用人の数等を記載した書面に変更が生じたときは、事業年度経過後4カ月以内に、許可権者にその旨を届け出なければいけません。

【7】廃業等の届出（12条）

建設業者が次のいずれかに該当したときは、下記の届出義務者は、30日以内に、許可権者に対して届出をしなければいけません。

	事　由	届出義務者
1	死亡	相続人
2	合併消滅	役員だった者
3	破産手続き開始の決定	破産管財人
4	合併・破産以外の理由による法人の解散	清算人
5	廃止	本人

MEMO
事業承継の認可（17条の2、17条の3）
建設業者に事業譲渡・合併・分割又は相続が生じた場合、原則として、許可権者の認可を受けることによって、承継人は許可に基づく地位を承継することができる。

【8】許可の取消し

建設業者が許可基準を満たさなくなったり、欠格要件に該当したような場合は、許可権者はその許可を取り消さなければいけません。

許可を受けてから1年以内に営業を開始せず、又は引き続いて1年以上営業を休止した場合も同様です。

H29・R1・3

例
題

Q 建設業の許可を受けようとする者は、その営業所ごとに、一定の資格又は実務経験を有する専任の技術者を置かなければならない。

A ○

---

3 請負契約

建設工事の請負契約の当事者は、各々の対等な立場における合意に基いて公正な契約を締結し、信義に従って誠実にこれを履行しなければいけません（18条）。

1 請負契約の内容（19条）

請負契約の当事者は、契約の締結に際して次の事項を**書面に記載**し、**署名又は記名押印**をして相互に交付しなければいけません（IT活用も可）。

1	工事内容	9	工事により第三者が損害を受けた場合における賠償金の負担に関する定め
2	請負代金の額	10	注文者の提供する資材、建設機械の貸与等に関する定め
3	工事着手及び完成の時期	11	検査の時期及び方法並びに引渡しの時期　H29
4	施工しない日、時間帯の定めをする場合、その内容	12	工事完成後における請負代金の支払の時期及び方法
5	前金払、出来形部分の支払の定めをするときは、その支払の時期及び方法	13	請負人の担保責任、当該責任の履行に備え講ずべき保証保険契約の締結等の定めをするときは、その内容
6	一方から工事の中止等の申出があった場合の損害の負担等に関する定め	14	履行の遅滞等の場合における**遅延利息、違約金**その他の**損害金**　R1・5
7	天災等の不可抗力による損害の負担に関する定め	15	契約に関する**紛争の解決方法**　R3
8	価格等の変動に基づく請負代金又は工事内容の変更	16	その他省令で定める事項

MEMO
こうした書面に代えて、相手方の承諾を得て、電子情報処理組織を使用する方法その他の情報通信の技術を利用する方法によることもできる。

MEMO
1～16の事項を変更する場合、変更内容を書面に記載し、署名又は記名押印して相互に交付しなければならない。

604

② 現場代理人、監督員の選任等に関する通知（19条の2）

❶ 請負人は、請負契約の履行に関し<u>工事現場に現場代理人、監督員を置く場合</u>は、現場代理人の権限に関する事項及び現場代理人の行為について<u>注文者の請負人に対する意見の申出の方法等</u>を、<u>書面により注文者に通知</u>しなければいけません。
H29・30・R2・5

❷ 注文者は、工事現場に<u>監督員を置く場合</u>、その権限に関する事項及びその行為についての請負人の注文者に対する意見の申出の方法を、<u>書面により請負人に通知</u>しなければいけません。
R3・5

③ 注文者に対する禁止事項（19条の3〜19条の5）

【1】 不当に低い請負代金の禁止

注文者は、自己の取引上の地位を不当に利用して、その注文した建設工事を施工するために通常必要と認められる原価に満たない金額を請負代金の額とする請負契約を締結してはいけません。

【2】 不当な使用資材等の購入強制の禁止

注文者は、請負契約の締結後、自己の取引上の地位を不当に利用して、その注文した建設工事に使用する資材、機械器具又はこれらの購入先を指定し、これらを請負人に購入させて、<u>その利益を害してはいけません</u>。
H29

【3】 著しく短い工期の禁止

注文者は、その注文した建設工事を施工するために通常必要と認められる期間に比して<u>著しく短い期間を工期</u>とする請負契約を締結してはいけません。

【4】 建設工事の見積り等（20条）

建設業者は、建設工事の請負契約を締結するに際して、工事内容に応じ、工事の種別ごとの材料費、労務費その他の経費の内訳並びに工事の工程ごとの作業及びその準備に<u>必要な日数</u>を明らかにして、建設工事の見積りを行うよう努めなければいけません。

また、<u>建設工事の注文者から請求</u>があったときは、<u>請負契約が成立す</u>

> **MEMO**
> 左の見積期間は、工事一件の予定価格が500万円に満たない工事については1日以上、500万円以上5,000万円に満たない工事は10日以上、5,000万円以上の工事については、15日以上とされます。
> H30・R2・4

るまでの間に、建設工事の見積書を交付しなければいけません。

_{R1・3}

【5】 契約の保証（21条）

　請負契約において請負代金の全部または一部の**前金払**をする定がなされたときは、注文者は建設業者に対して、前金払をする前に保証人を立てることを請求できます。ただし、政令で定める軽微な工事についてはこの限りではありません。**軽微な工事**とは、建築一式工事の請負代金が1,500万円未満（一式以外の場合は500万円未満）、延べ面積150㎡未満の木造住宅等をいいます。

_{R5}

【6】 一括下請負の禁止（22条、令6条の3）

　建設業者は、共同住宅を**新築**する建設工事を請け負った場合、常に、**一括して他人に請け負わせてはいけません**。

_{H29・R1・5}

　共同住宅の**新築以外**の建設工事である場合、元請負人があらかじめ発注者の書面による**承諾**を得たときは、一括下請けをすることができます。

【7】 下請負人の変更請求（23条）

　注文者は、請負人に対して、建設工事の施工につき著しく不適当と認められる下請負人があるときは、その変更を請求することができます。ただし、あらかじめ注文者の書面による**承諾**を得て選定した**下請負人**については、変更の請求をすることが**できません**。

_{H30・R2・5・6}

【8】 工事監理に関する報告（23条の2）

　請負人は、その請け負った建設工事の施工について工事監理をしている建築士から工事を設計図書のとおりに実施するよう求められた場合において、これに**従わない理由**があるときは、直ちに、注文者に対して、書面によりその理由を**報告**しなければいけません。

_{R3}

請負契約は、誰が誰に対して負う義務か、どのような条件があるかに注意して理解してください。

4 元請負人の義務

元請負人とは、発注者と直接請負契約を締結した建設業者です。

元請負人は、その請け負った建設工事の施工に必要な工程の細目、作業方法その他元請負人において定めるべき事項を定めようとするときは、あらかじめ、下請負人の意見をきかなければいけません。
_{R2・4・6}

【1】下請代金の支払（24条の3）

元請負人は、請負代金の出来形部分に対する支払又は工事完成後における支払を受けたときは、下請負人に対して、所定の下請代金を、当該支払を受けた日から1月以内で、かつ、できる限り短い期間内に支払わなければいけません。
_{R1・3}

この場合、元請負人は、下請代金のうち労務費に相当する部分については、現金で支払うよう適切な配慮をしなければいけません。

また、元請負人は、前払金の支払を受けたときは、下請負人に対して、資材の購入、労働者の募集その他建設工事の着手に必要な費用を前払金として支払うよう適切な配慮をしなければいけません。
_{R1・3}

【2】検査及び引渡し（24条の4）

元請負人は、下請負人からその請け負った建設工事が完成した旨の通知を受けたときは、通知を受けた日から20日以内で、かつ、できる限り短い期間内に、その完成を確認するための検査を完了しなければいけません。
_{R1・4}

また、検査によって工事完成を確認した後、下請負人が申し出たときは、直ちに、当該建設工事の目的物の引渡しを受けなければいけません。
_{R1}

【3】不利益取扱いの禁止（24条の5）

元請負人は、規定に違反する行為があるとして下請負人が国土交通大臣等、公正取引委員会又は中小企業庁長官にその事実を通報したことを理由として、当該下請負人に対して、取引の停止その他の不利益な取扱いをしてはいけません。

【4】特定建設業者の下請代金の支払期日等（24条の6）

❶ 特定建設業者が注文者となった下請契約における下請代金の支払期日は、下請負人が完成した工事目的物の引渡しの申し出の日から起算して50日を経過する日以前において、かつ、できる限り短い期間内において定めなければ

いけません。

❷ 特定建設業者が注文者となった下請契約において、下請代金の**支払期日が定**
められなかったときは、下請負人が完成した工事目的物の引渡しを申し出た
日が（❶に違反して支払い期日が定められたときは、引渡しを申し出た日か
ら起算して50日を経過する日が）、下請代金の支払期日と定められたものと
みなします。
_{R3}

下請代金支払い時期の決め方		支払期日
支払期日を定めた場合	目的物の引渡しの申し出の日から50日以内で、できるだけ早い時期	定めた支払期日
	上記に違反した期日	引渡しを申し出た日から50日を経過する日
支払期日を定めなかった場合		引渡しを申し出た日

【5】 **施工体制台帳及び施工体系図の作成等（24条の8）**

❶ 特定建設業者は、**下請契約の請負代金の額が4,500万円**（建築一式工事の場
合は**7,000万円**）以上になるときは、当該建設工事について、下請負人の**商**
号又は名称、当該下請負人に係る建設工事の**内容**及び**工期**等の事項を記載し
た**施工体制台帳を作成**し、**工事現場ごとに備え置き**、発注者の請求に応じて
閲覧に供しなければいけません。

❷ 施工体制台帳を備えた場合、各下請負人の施工の分担関係を表示した**施工体**
系図も作成し、これを当該工事現場の**見やすい場所**に掲げなければいけませ
ん。
_{H30・R3・5}

❸ 施工体制台帳に記載された下請負人は、その請け負った建設工事を**他の建設**
業者に請け負わせたときは、その建設業者の**商号又は名称**、工事の**内容**及び
工期等を特定建設業者に**通知**しなければいけません。

元請負人には、下請負人を守るために、多くの義務が課せられていますね。

4 主任技術者・監理技術者

1 主任技術者等の設置

建設工事の施工の技術上の管理をつかさどるため、工事現場には次のように各技術者を設置しなければいけません（26条～26条の3）。

	元請負業者	下請業者
全ての現場	主任技術者 R4	
下請契約の**請負代金**の額が**4,500万円** （建築工事業の場合は**7,000万円**）以上の現場 _{H29・30・R2・6}	専任の監理技術者	主任技術者 H30
請負契約の**請負代金**の額が**4,000万円**（建築一式工事の場合は**8,000万円**）以上で、 ❶ 公共性のある施設 ❷ 不特定多数が利用する重要施設 _{R6}	原則：専任の監理技術者 例外：技術者補を置いた現場は、2カ所まで監理技術者が兼任できる _{R4}	専任の 主任技術者
特定専門工事（請負金額**4,000万円**未満で、土木一式、建築一式工事以外の所定のもの）で、元請と下請に合意のあるもの _{R5}	主任技術者※	不要 R5

※ 当該特定専門工事と同一の種類の工事に関し1年以上**指導監督的な実務の経験**が必要。

MEMO

2カ所の現場を兼任できる監理技術者を、**特例監理技術者**という。

主任技術者等の設置の規定は、数値も含め理解した上で、正確に覚えてください。

2 主任技術者及び監理技術者の職務等（26条の4）

主任技術者及び監理技術者は、工事現場における建設工事を適正に実施するため、施工計画の作成、工程管理、品質管理その他の技術上の管理及び当該建設工事の施工に従事する者の技術上の指導監督の職務を誠実に行わなければいけません。
R4

> **MEMO**
>
> 専任の技術者を設置すべき建設工事のうち密接な**関係のある二以上の建設工事**を同一の建設業者が同一の場所又は近接した場所において施工するものについては、**同一の専任の主任技術者**がこれらの建設工事を管理することができる（施行令27条2項）。
> H30・R2

3 監理技術者

一級建築士や一級建築施工管理技士等の一級の資格を有する者で、所定の実務経験を有し、かつ過去5年以内に行われた国土交通大臣の登録を受けた講習を受講したことによって監理技術者証の交付を受けた者を、監理技術者といいます。監理技術者証の有効期間は5年で、この有効期間は申請により更新します。
R4
H29・30・R6

また監理技術者講習の有効期間については、令和3年の改正により、講習を受講した日の属する年の翌年から起算して5年後の年末（12月31日）までとなりました。

例題

Q 特定建設業者は、発注者から直接請け負った建設工事を施工するときは、下請契約の請負代金の額にかかわらず、当該建設工事に関する主任技術者を置かなければならない。

A ✕　下請金額により、監理技術者が必要となる。

　労働基準法は、労働者が人たるに値する生活を営むため、労働条件に関する最低の基準を定めた法律です。出題箇所は絞れますので、深入りしないように学習しましょう。

1 労働条件の基本

　労働条件は、労働者と使用者が、対等の立場において決定すべきもので、互いに労働協約、就業規則及び労働契約を遵守し、誠実に各々その義務を履行しなければいけません。

【1】均等待遇（3条）

　使用者は、労働者の国籍、信条又は社会的身分を理由として、賃金、労働時間その他の労働条件について、差別的取扱をしてはいけません。

【2】男女同一賃金の原則（4条）

　使用者は、労働者が女性であることを理由として、賃金について、男性と差別的取扱いをしてはいけません。

【3】強制労働の禁止（5条）

　使用者は、暴行、脅迫、監禁その他精神又は身体の自由を不当に拘束する手段によって、労働者の意思に反して**労働**を強制してはいけません。

【4】中間搾取の排除（6条）

　何人も、法律に基いて許される場合の外、業として他人の就業に介入して利益を得てはいけません。

【5】公民権行使の保障（7条）

　使用者は、労働者が労働時間中に、選挙権その他公民としての権利を行使し、又は公の職務を執行するために必要な時間を請求した場合においては、拒んではいけません。ただし、権利の行使又は公の職務の執行に妨げがない限り、請

611

求された時刻を変更することができます。

友人、知人だからといって、労働基準法を無視して労働契約を結ぶと、後々大変な事態になりかねません。

2 労働契約

労働基準法で定める基準に達しない労働条件を定める労働契約は、その部分については無効となります。この場合、無効となった部分は、労働基準法で定める基準によることになります。
_{H30}

【1】契約期間等（14条）

労働契約の期間は次のように制限されています。

期間を定めない場合	労働者はいつでも解約申入れができるが、使用者は解雇の自由が制限される
期間を定める場合	❶ 原則として**3年以内**で定める 　　_{H30・R4} ❷ 専門的知識がある者、60歳以上の者は**5年以内** 　　_{R2} ❸ 建設工事など、有期事業（事業の完了に必要な期間を定めるもの）はその期間

長期間、労働者が不利益な雇用契約に拘束されないよう、期間を定める場合は上記のような規制がある。

【2】労働条件の明示（15条）

使用者は、労働契約の締結に際し、労働者に対して賃金、労働時間その他の労働条件を明示しなければならず、明示された労働条件が事実と相違する場合、労働者は、即時に労働契約を解除できます。

【3】労働契約に関係する使用者の遵守事項（16条以下）

賠償予定の禁止	使用者は、労働契約の不履行について**違約金**を定め、又は**損害賠償額**を予定する契約をしてはならない。
前借金相殺の禁止	使用者は、前借金その他労働することを条件とする前貸の債権と賃金を**相殺してはならない**。
強制貯金	使用者は、労働契約に附随して**貯蓄の契約**をさせ、又は**貯蓄金を管理する契約**をしてはならない。
解雇制限	使用者は、労働者が業務上負傷し、又は疾病にかかり療養のために**休業する期間及びその後30日間**並びに産前産後の女性が法の規定により休業する期間及びその後30日間は、解雇してはならない（やむを得ない事由により**事業の継続が不可能となった場合等を除く**）。 R4
解雇の予告	使用者は、労働者を解雇しようとする場合においては、少くとも30日前にその予告をしなければならない。30日前に予告をしない使用者は、30日分以上の平均賃金を支払わなければならない。また、試の**使用期間中**の者であっても、**14日を超えて引き続き**使用されるに至った者を解雇しようとする場合も、原則として、少なくとも30日前にその予告をしなければならない。 H29・R2
退職時等の証明	労働者が、退職の場合において、使用期間、賃金又は退職の事由等について**証明書**を請求した場合、使用者は、遅滞なくこれを交付しなければならない。 H30
金品の返還	使用者は、労働者の死亡又は退職にあたり、権利者の請求があった場合は、**7日以内**に**賃金**を支払い、積立金、貯蓄金その他名称の如何を問わず、労働者の権利に属する**金品**を返還しなければならない。 R2・4
退職時の旅費負担	労働条件が相違することで労働契約を解除するにあたり、就業のために住所を変更した労働者が、契約解除の日から14日以内に帰郷する場合、使用者は、必要な**旅費**を負担しなければならない。 R4

MEMO
労働者の委託を受けて貯蓄金を管理するときは、労働組合又は労働者の過半数を代表する者と書面で協定を結び、行政官庁に届け出なければならない。

MEMO
試の使用期間中の者も、14日を超えて引き続き使用される場合は、解雇予告の規定が適用される。

【4】賃金（24条以下）

賃金は、❶**通貨**で、❷**直接労働者**に、❸**その全額**を、❹**毎月1回以上**、❺**一定の期日**を定めて、支払わなければいけません。これは賃金支払いの5原則といわれています。

※ 労働をすることを条件とする前貸の債権小切手等と、賃金を相殺することはできない。

> **MEMO**
> 労働基準法上、賃金とは、賃金、給料、手当、賞与その他名称の如何を問わず、労働の対償として使用者が労働者に支払う全てのものをいう。

【5】労働時間・休日等（32条以下）

❶ 労働時間

使用者は、労働者に、休憩時間を除き1週間について40時間を超えて、労働させてはなりません。また、休憩時間を除き1日について8時間を超えて、労働させてはなりません。労働時間は、事業場を異にする場合においても労働時間に関する規定の適用については通算します。

時間外労働に対しては、原則として以下の割合の割増賃金を支払う必要があります。

労働条件	通常の賃金に対する割増率
時間外労働	1.25倍
法定休日労働	1.35倍
深夜労働	1.25倍
時間外労働＋深夜労働	1.5倍
休日労働＋深夜労働	1.6倍

※ 坑内労働その他所定の健康上特に有害な業務（削岩機等の使用によって身体に著しい振動を与える業務など）については、1日について2時間を超えて労働時間を延長してはならない。なお、クレーンの運転の業務はそれに該当しない。

❷ 休憩・休日

使用者は、労働時間が6時間を超える場合においては少なくとも45分、8時間を超える場合においては少なくとも1時間の休憩時間を労働時間の途中に一斉に与えなければならず、休憩時間は労働者に自由にさせなければいけません。また、使用者は、労働者に対して、毎週少なくとも1回の休日を与えるか、又は4週間を通じて4日以上の休日を与えなければいけません。

❸ 36協定（サブロク協定）

使用者は、労働組合又は労働者の過半数を代表する者と書面による協定をし、これを行政官庁に届け出た場合、上記❶❷にかかわらず、その協定で労働時間を延長し、又は休日に労働させることができます。ただし、延長時間

は、原則として**月45時間、年360時間**の限度時間の範囲に限られます。

> **MEMO**
> 「36協定」を結ばず、行政官庁に届け出ることを怠り、従業員に対して時間外労働をさせた場合は、労働基準法違反として「**6カ月以下の懲役または30万円以下の罰金**」が科せられることになっている。

❹ 労働時間、休憩及び休日に関する規定は、事業の種類にかかわらず<u>監督、管理の地位にある者又は機密の事務を取り扱う者</u>については**適用がありません**。
_{H29}

❺ 使用者は、**災害**その他避けることのできない事由によって、**臨時の必要がある場合**、行政官庁の許可を受けて、その必要の限度において、法令に定められた労働時間を延長し、又は休日に労働させることができます。

❻ 使用者は、雇入れ日から起算して<u>6箇月間継続勤務し全労働日の**8割以上**出</u>^{R5}<u>勤した労働者</u>に対して、**10労働日**の有給休暇を与えなければいけません。
_{R5}

---

3 | 年少者・女性

【1】 年少者（56条以下）

　使用者は、児童が満15歳に達した日以後の最初の3月31日が終了するまで、原則としてこれを使用してはいけません。

> **MEMO**
> 劇団・子役等の場合、所定の例外がある。

また、親権者又は後見人は、未成年者に代って労働契約を締結してはならず、その賃金を未成年者に代わって受け取ることはできません。

　使用者は、原則として満18歳に満たない者を**午後10時から午前5時までの**間において使用してはなりません（**16歳以上の男性**を**交替制**で使用する場合を除く）。また、使用者は、<u>満18歳に満たない者</u>に、次のような業務に就かせてはいけません。
_{R3·6}
_{R3}

❶ <u>クレーン運転業務</u>
_{R3}

❷ <u>クレーンの**玉掛け業務**（2人以上で行う玉掛けにおける補助作業を除く）</u>
_{R3}

❸ 動力駆動する土木建築用機械の運転業務

❹ 土砂崩壊のおそれのある場所、**深さ5m以上**の地穴での作業

❺ <u>**高さ5m以上**の場所で、**墜落危険性**のあるところにおける業務</u>

❻ <u>**足場の組立、解体又は変更の業務**（地上又は床上における**補助作業**を除く）</u>
_{R3·6}
_{R3}

❼ 以下の数値以上の**重量物**を取り扱う作業［単位:kg］

年　齢	断続作業		継続作業	
	男	女	男	女
満16歳未満	15	12	10	8
満16歳以上・満18歳未満	30	25	20	15

玉掛けや足場の組立て・解体等の危険な業務に満18歳未満の者を就かせてはいけません。例外も含めて正確に覚えましょう。

【2】女性（64条の3以下）

❶ 危険有害業務の就業制限

使用者は、妊娠中の女性及び産後1年を経過しない女性（「妊産婦」）を、重量物を取り扱う業務、有害ガスを発散する場所における業務その他妊産婦の妊娠、出産、哺育等に有害な業務に就かせてはいけません。

また、女性労働基準規則第3条により、全ての女性に対して、本規定を準用する旨を定めています。

❷ 有害業務

女性労働基準規則2条では、上記の有害業務について具体的に定めており、たとえば、<u>重量物</u>について満18歳以上の女性は、<u>継続業務では20kg</u>、断続作業では30kg以上としています。

❸ 産前産後

使用者は、6週間（多胎妊娠の場合にあっては、14週間）以内に出産する予定の女性が休業を請求した場合においては、その者を就業させてはいけません。

使用者は、産後8週間を経過しない女性を就業させてはいけません。ただし、産後6週間を経過した女性が請求した場合、医師が支障がないと認めた業務に就かせることは、差し支えありません。

また、使用者は、妊娠中の女性が請求した場合においては、他の軽易な業務に転換させなければいけません。

❹ 育児

生後満1年に達しない子を育てる女性は、通常の休憩時間のほか、1日2回、各々少なくとも30分、その子を育てるための時間を請求することができます。

また、女性に限らず労働者は、子が満1歳（所定の要件を満たせば1歳6カ

月又は2歳）に達するまで、育児休業を取得することができます（育児休業法）。

❺ 満18歳以上で妊娠中の女性労働者を、次の業務に就かせてはいけません。

● 動力により駆動される土木建築用機械の運転

● 足場の組立て、解体又は変更の業務（地上又は床上における補助作業を除く）

4 災害補償その他

【1】療養補償

労働者が業務上負傷し、又は疾病にかかった場合、使用者は、その費用で必要な療養を行い、又は必要な療養の費用を負担しなければいけません。

【2】休業補償

労働者が上記の療養により労働できないために賃金を受けない場合、使用者は、労働者の療養中平均賃金の$\frac{60}{100}$の休業補償を行わなければいけません。

【3】請負事業に関する例外

建設事業が数次の請負によって行われる場合においては、災害補償についてはその元請負人を使用者とみなします。

例題	**Q** 使用者は、労働時間が6時間を超える場合には、少なくとも30分の休憩時間を労働時間の途中に与えなければならない。
	A ✕ 45分の休憩が必要。

例題	**Q** 賃金（退職手当を除く）の支払いは、労働者本人の同意があれば、銀行によって振り出された当該銀行を支払人とする小切手によることができる。
	A ✕ 賃金はその全額を通貨で支払わなければならい。

例題	**Q** 労使合意の契約があれば、労働をすることを条件とする前貸の債権と賃金を相殺することができる。
	A ✕ 前借金と給与は相殺が禁止される。

労働災害の防止を目的とするこの法律では、職場の安全衛生管理体制と危険防止措置が重要になります。試験でもこの点から出題されていますので、論点を絞って学習してください。第4編第4章と重複する部分もありますが、関連づけて学習してください。

1 管理体制

労働安全衛生法では、事業場を1つの適用単位として、各事業場の業種、規模等に応じて、総括安全衛生管理者、安全管理者など、以下の各管理者等の選任を義務づけています。

> **MEMO**
>
> 総括安全衛生管理者、安全管理者、衛生管理者、産業医及び安全衛生推進者の選任は、その選任すべき事由が発生した日から14**日以内**に選任し、遅滞なく所轄の**労働基準監督署長**へ報告する必要がある。

1は原則的な規定、**2**が通常の現場（元請、下請混在）の規定です。混同しないようにしてください。

1 原則的な管理体制

【1】 総括安全衛生管理者

建設業の場合、常時100人以上の労働者を使用する事業場について、事業を実質的に統括管理する者を「総括安全衛生管理者」として選任し、その者に安全管理者、衛生管理者を指揮させるとともに、労働者の危険または健康障害を防止するための措置等の業務を**総括管理**させることとなっています。
_{H30・R3・5}

【2】 安全管理者

建設業の場合、常時50人以上の労働者を使用する事業場ごとに、「安全管理者」を選任し、その者に安全衛生業務のうち、安全に係る技術的事項を管理させることとなっています。
_{H29・R1}

【3】 衛生管理者

　常時50人以上の労働者を使用する事業場では衛生管理者を選任し、安全衛生業務のうち、衛生に係る技術的事項を管理させることとなっています。
H29・R1・3

> 常時50人以上の労働者を使用する事業場では、安全委員会、衛生委員会又は安全衛生委員会を設けなければならない。
> H30

【4】 産業医

　常時50人以上の労働者を使用する事業場では、一定の医師のうちから「産業医」を選任し、労働者の健康管理等に当たらせることとなっています。
R1・3・5

　また、事業者は、産業医から労働者の健康を確保するため必要があるとして勧告を受けたときは、その内容等を衛生委員会又は安全衛生委員会に報告しなければいけません。
R5

【5】 安全衛生推進者

　常時10人以上50人未満の労働者を使用する事業場では、安全衛生推進者を選任し、労働者の危険または健康障害を防止するための措置等の業務に当たらせることとなっています。
H29・R1・3・5

安全衛生管理体制

当該事業場の労働者数（人）	10〜	50〜	100〜
建設業	安全衛生推進者	安全管理者	
		衛生管理者	
		産業医	
			総括安全衛生管理者

2 元請・下請混在の管理体制

　元請と下請が混在する事業場においては、次の者を選任することとなっています。

【1】統括安全衛生責任者

　元請負人と下請負人とを合わせて常時**50人以上**従事する事業場について、特定元方事業者は統括安全衛生責任者を選任し、元請、下請が混在する事業場の安全・衛生を統括管理させることになっています。
_{R2・4・6}

【2】元方安全衛生管理者

　統括安全衛生責任者を選任した特定元方事業者は、その事業場に専属の元方安全衛生管理者を選任し、その者に技術的事項を管理させなければいけません。
_{H30・R2・4・6}
なお、元方安全衛生管理者は統括安全衛生責任者が指揮します。
_{R4}

【3】店社安全衛生管理者

　常時20人以上50人未満の労働者を使用する事業場では、建設業の元方事業者は、労働災害を防止するため、実務経験8年以上等の者_{H30}から**店社安全衛生管理者**を選任しなければいけません。

MEMO
店社とは、本社、支店などを指す。

【4】安全衛生責任者

　統括安全衛生責任者を選任すべき場合、特定元方事業者**以外**の請負人で、当該仕事を自ら行うものは、安全衛生責任者を選任し、その者に**統括安全衛生責任者との連絡**その他所定の事項を行わせなければいけません。
_{H30・R2・5}

MEMO
安全衛生責任者になるにあたり、資格は特段必要とされていない。
_{R4・6}

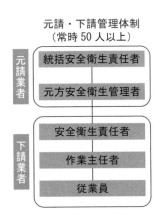

元請・下請管理体制
（常時50人以上）

元請業者
- 統括安全衛生責任者
- 元方安全衛生管理者

下請業者
- 安全衛生責任者
- 作業主任者
- 従業員

2 安全衛生教育等

1 特定元方事業者の構ずべき措置

❶ 特定元方事業者は、その労働者及び関係請負人の労働者の作業が同一の場所において行われることによって生ずる労働災害を防止するため、次の措置を講じなければいけません。

ⅰ 協議組織の設置及び運営を行うこと

ⅱ 作業間の連絡及び調整を行うこと

ⅲ 作業場所を巡視すること

ⅳ 関係請負人が行う労働者の安全又は衛生のための教育に対する指導及び援助を行うこと

ⅴ 仕事を行う場所が仕事ごとに異なることを常態とする業種で、所定の事業を行う特定元方事業者は、仕事の**工程に関する計画**及び作業場所における**機械、設備等の配置に関する計画**を作成するとともに、当該機械、設備等を使用する作業に関し関係請負人がこの法律又はこれに基づく命令の規定に基づき講ずべき措置についての指導を行うこと

❷ 事業者が講ずべき措置

ⅰ 事業者は、中高年齢者等の特に配慮を必要とする者については、これらの者の心身の条件に応じて適正な配置を行うように努めなければいけません。

ⅱ 事業者は、常時使用する労働者に対し、**1年以内**ごとに1回、定期に、所定の項目について医師による**健康診断**を行わなければいけません。

2 安全衛生教育

　事業者は、次の場合に、その従事する業務に関する安全・衛生のための教育を行わなければいけません。

❶ 労働者を雇い入れた場合、又は作業内容を変更した場合は、次の事項のうち労働者が従事する業務に関する安全又は衛生のための教育をしなければいけません。

ⅰ 機械等、原材料等の危険性又は有害性及びこれらの取扱い方法に関すること

ⅱ 安全装置、有害物抑制装置又は保護具の性能及びこれらの取扱い方法に関すること

ⅲ 作業手順に関すること　等

ただし、十分な知識及び技術を有していると認められる労働者については、これらの教育を省略することができます。
_{H30・R3}

❷ 次の危険又は有害な業務に就かせる場合は、特別な教育をしなければならず、事業者は、特別教育の受講者、科目等の記録を作成して、これを**3年間**保存しておかなければいけません。

ⅰ 研削といしの取替え又は取替え時の試運転の業務

ⅱ つり上げ荷重が5ｔ未満のクレーンの運転、又はつり上げ荷重が1ｔ未満の移動式クレーンの運転業務
_{R5}

ⅲ アーク溶接機を用いて行う金属の溶接、溶断等の業務　等

なお、特別教育を必要とする業務に従事させる労働者が、当該教育の科目の全部又は一部に関し**十分な知識及び技能**を有すると認められるときは、当該科目についての特別教育を**省略**することができます。
_{R4}

❸ 新たに職務につくこととなった職長等、労働者を直接指導・監督する者（**作業主任者は対象外**）に対し、次の事項の教育をしなければいけません。
_{H30・R2・4・6}

ⅰ **作業方法の決定**及び労働者の配置に関すること

ⅱ 労働者に対する指導又は監督の方法に関すること

ⅲ 異常時等における措置に関すること　等

❹ ❶〜❸のほか、安全衛生の水準の向上を図るため、危険又は有害な業務に現に就いている者に対し、その従事する業務に関する安全又は衛生のための教育を行うように努めなければいけません。
_{H30・R4}

❶はいわゆる「雇入れ時教育」、❷は「特別教育」、❸は「職長教育」です。

3 就業制限

　事業者は、下記の業務区分に従い、右欄の所定の免許又は技能講習を修了した者でなければ、当該業務に就かせてはいけません。

　また、これらの業務に就くことができる者は、業務に従事する際、**免許証**その他その**資格を証する書面**を携帯していなければいけません。

R2・6

※　「写し」は不可。

業務内容	作業内容		資格			備　考
			免許	技能講習	特別教育	
クレーン運転	つり上げ荷重　５ｔ以上		○ R1・3			安衛令20条・ク則22条
	５ｔ未満				○ R1・5	安衛則36条・ク則21条
移動式クレーン運転	つり上げ荷重　５ｔ以上		○ H29・R1・6			安衛令20条・ク則68条
	１ｔ以上５ｔ未満			○		安衛令20条・ク則68条
	１ｔ未満				○	安衛則36条
玉掛け	つり上げ荷重　１ｔ以上			○		安衛令20条・ク則221条
	１ｔ未満				○	安衛則36条・ク則222条
車両系建設機械運転	●整地運搬積込用機械（ブルドーザー等） ●掘削用機械 ●基礎工事用機械（杭打ち機等） ●解体用機械	機体重量３ｔ以上		○ R3		安衛令20条・安衛則41条
		機体重量３ｔ未満			○	安衛則36条
	コンクリートポンプ車操作				○	安衛則36条
車両系荷役運搬機械運転	不整地運搬車	最大積載量１ｔ以上		○ H29・R3・5		安衛令20条
		１ｔ未満			○	安衛則36条
	フォークリフト	最大荷重　１ｔ以上		○ H29・R1・5		安衛令20条・安衛則41条
		１ｔ未満			○	安衛則36条
建設用リフト運転					○	安衛則36条
エレベーター運転						ク則151条・運転方法周知

高所作業車運転	作業床高さ　10m以上		○ H29・R1・3・6		安衛令20条・安衛則41条
	10m未満			○	安衛則36条
ゴンドラ	操作			○	安衛則36条
	合図				ゴ則16条・事業者が指名

例題

Q 常時50人以上の労働者が同一の場所で作業する建築工事の下請負人は、元方安全衛生管理者を選任しなければならない。

A ✕　元請が選任する。

例題

Q 事業者は、常時50人の労働者を使用する事業場では、安全衛生推進者を選任しなければならない。

A ✕　10人以上50人未満の場合に選任する。

3 作業主任者

　事業者は、労働災害の危険のある一定の作業を命ずる場合、その業務を行う労働者の中から作業主任者を選任し、作業方法や労働者の配置の決定・労働者の指揮などを行わせます。

　作業主任者として選任されるためには当該作業に関する免許を受けるか、または技能講習を修了していなければいけません。作業主任者を選任すべき主な作業は、次のとおりです。

	名　称	選任すべき作業
❶	型枠支保工の組立て等作業主任者	型枠支保工の組立て、解体の作業
❷	地山の掘削作業主任者	掘削面の高さが２m以上となる地山の掘削作業
❸	足場の組立て等作業主任者	「吊り足場」「張出し足場」「高さ５m以上の足場」の組立て・解体・変更作業
❹	建築物の鉄骨の組立て等作業主任者	高さ５m以上の金属製の建築物の骨組みまたは塔の組立て・解体・変更作業
❺	木造建築物の組立て作業主任者	軒高５m以上の木造建築物における構造部材の組立て・屋根下地もしくは外壁下地の取付け作業（**解体は対象外**）

624

| ⑥ | コンクリート造の工作物の解体等作業主任者 | 高さ5m以上のコンクリート造の工作物（建築物含む）の解体・破壊の作業（**打設は対象外**） |

※　作業主任者の選任及び職務については、第4編第4章第3節を参照。

4　計画の届出

　事業者は、次のとおり、危険もしくは有害な作業、危険な場所等で機械の設置等をするときは、その計画を所定の期日までに、労働基準監督署長に届け出なければいけません。

	申請・届出の名称と内容			提出時期	提出先
❶	建築物・機械等設置届	吊り足場	60日以上設置するもの	工事開始の30日前	労働基準監督署長
		張出し足場			
		足場で高さ10m以上（枠組足場、移動式足場、架設通路等）			
		型枠支保工で高さ3.5m以上			
❷	クレーン設置届	つり上げ荷重3t以上のもの			
❸	エレベーター設置届	積載荷重1t以上のもの			
❹	建設用リフト設置届	ガイドレールの高さが18m以上で、積載荷重0.25t以上のもの			
❺	ゴンドラ設置届	—			
❻	建設工事計画届	建築物の建設、改造、解体又は破壊	高さ31m超（面積は不問）	工事開始の14日前	
		工作物（鉄塔など）の建設、改造、解体又は破壊			
		地山の掘削	高さ10m以上		
		耐火建築物等に吹付られた石綿等の除去等作業			

ここでは、廃棄物処理法といわゆる建設リサイクル法から出題されます。
いずれも出題される論点は限られています。

1 廃棄物の処理及び清掃に関する法律 (廃棄物処理法)

◢ 用語の定義

廃棄物とは、ごみ、粗大ごみ、燃え殻、汚泥、ふん尿、廃油、廃酸、廃アルカリ、動物の死体その他の汚物又は不要物であって、固形状又は液状のもの(放射性物質及びこれによって汚染された物を除く)をいいます。

【1】産業廃棄物と一般廃棄物

産業廃棄物とは、事業活動に伴って生じた燃え殻、汚泥、廃油、廃酸、廃アルカリ、廃プラスチック類その他政令で定める廃棄物をいいます。政令では、建設業にかかわる紙くず、木くず、陶磁器くず、ガラスくず、金属のくず、コンクリートの破片等も産業廃棄物として定められています。

これら産業廃棄物に該当しない廃棄物を、一般廃棄物といいます。

たとえば、現場事務所から排出される図面、書類や、建設現場から排出された建設発生土は、産業廃棄物ではありません。

【2】特別管理廃棄物

廃棄物のうち、爆発性、毒性、感染性その他の人の健康又は生活環境に係る被害を生ずるおそれがある性状を有するものを特別管理廃棄物といい、一般廃棄物、産業廃棄物をそれぞれ政令で定めています。

◢ 廃棄物の処理

【1】事業者の責務

事業者は、その事業活動に伴って生じた廃棄物を自らの責任において適正に処理しなければいけません。

R1

いわゆる「排出業者責任」と呼ばれるものです。

【2】産業廃棄物処理の許可

産業廃棄物の収集又は運搬を業として行おうとする者は、当該業を行おうとする区域を管轄する**都道府県知事の許可**を受けなければいけません。ただし、事業者自ら**産業廃棄物を運搬**する場合や、『**専ら再生利用の目的**となる産業廃棄物』のみの収集・運搬を業として行う者は、**許可不要**です。
_{H29・R1・3・5}

MEMO
上記を一般に「専ら物」といい、古紙、くず鉄、空びん、古繊維をいう。

【3】処理手続き

事業者は、自らその産業廃棄物の運搬又は処分を行う場合、産業廃棄物の収集、運搬及び処分に関する産業廃棄物処理基準に従わなければいけません。

❶ 運搬車の車体に、**産業廃棄物運搬車**である旨を見やすいように**表示**し、かつ、当該運搬車に所定の書面を備え付けておく必要があります。
_{H29・R3}

❷ 事業者は、産業廃棄物の運搬又は処分を他人に**委託**する場合、受託した者に対し、産業廃棄物の引渡しと同時に、産業廃棄物の種類及び数量、受託者の氏名又は名称等を記載した**産業廃棄物管理票を交付**し、その写しを**5年間保存**しなければいけません。
_{R1・3}

❸ 委託契約は、書面により行い、委託契約書には、次に掲げる事項についての条項が含まれていなければいけません。

　ⅰ 委託する産業廃棄物の種類及び数量

　ⅱ 運搬の最終目的地の**所在地**

　ⅲ 処分又は再生を委託するときは、その処分又は再生施設の所在地、方法及び施設の処理能力　等
_{H29}

　ⅳ 委託契約書及びその他の書面は、その契約の終了の日から**5年間保存**しなければいけません。
_{H29・R1・5}

　多量排出事業者は、当該事業場に係る産業廃棄物の減量その他その処理に関する計画の実施の状況について、環境省令で定めるところにより、**都道府県知事に報告しなければいけません。**
_{R5}

【5】 産業廃棄物処理施設の設置

　汚泥の処理能力が１日当たり10㎥を超える**乾燥処理施設**（天日乾燥施設にあっては100㎥）など所定の**産業廃棄物処理施設を設置**しようとする者は、管轄する**都道府県知事の許可を受けなければいけません。**
_{R3・5}

運搬と処分、それぞれについて契約を結ぶ必要があります。

	Q	建築物の地下掘削工事に伴って生じた建設発生土は、産業廃棄物である。
例題	A ✕	建設発生土は、産業廃棄物ではない。
例題	Q	事業者は、工事に伴って発生した産業廃棄物を自ら運搬する場合、管轄する都道府県知事の許可を受けなければならない。
	A ✕	自ら運搬・廃棄する場合は許可不要。

2 建設リサイクル法

　建設工事に係る資材の再資源化等に関する法律（建設リサイクル法）は、特定の建設資材について、**分別解体等**による**再資源化等**を図ることを主目的とした法律です。

　なお、「再資源化等」とは、建設資材廃棄物の**再資源化及び縮減**をいいます。ここで縮減とは、**焼却、脱水、圧縮**その他の方法により建設資材廃棄物の**大きさを減ずる**行為をさします。
_{R4}

1 分別解体等

特定建設資材を用いた建築物等に係る解体工事又はその施工に特定建設資材を使用する新築工事等であって、次の建設工事の規模以上の受注者又は自主施工者は、正当な理由がある場合を除き、分別解体等をしなければいけません。

工事種類		分別解体を要する基準（対象建設工事）	備　考
建築物	解体	床面積80㎡以上	同一の業者が2以上の契約に分割して請け負う場合は、1つの契約とみなす
	新築・増築	床面積500㎡以上	
	修繕・改修	請負代金1億円以上	
建築物以外		請負代金500万円以上	

※　特定建設資材とは、コンクリート、コンクリートと鉄からなる建設資材、木材、アスファルト・コンクリートの4種が定められている。

※　分別解体等とは、建設資材の廃棄物を種類ごとに**分別しつつ解体工事を計画的に施工する**行為、又は工事に伴い副次的に生ずる建設資材の**廃棄物をその種類ごとに分別しつつ建築工事**を施工する行為をいう。

※　再資源化とは、建設資材廃棄物について、資材又は原材料として利用できる状態にする行為と、燃焼可能性のあるものについて、熱を得ることに利用できる行為をいう。

2 再資源化の実施

❶ 建設業を営む者は、設計、建設資材の選択、施工方法等を工夫することにより、建設資材廃棄物の発生を抑制するとともに、分別解体等及び再資源化等に要する費用を低減するよう努めなければいけません。

❷ 建設業を営む者は、建設資材廃棄物の再資源化により得られた建設資材を**使用**するよう**努め**なければいけません。

❸ 対象建設工事を発注しようとする者（発注者）から直接当該工事を請け負おうとする建設業を営む者（元請負人）は、発注しようとする者に対し、分別解体等の計画など所定の事項について、書面を交付して説明しなければいけません。

❹ 対象建設工事の**請負契約**の当事者（発注者、元請、下請）は、分別解体等の方法、解体工事に要する費用等を書面に記載し、署名又は記名押印をして相互に**交付**しなければいけません。

❺ 対象建設工事の**発注者**又は**自主施工者**は、工事に着手する日の**7日前**までに、分別解体等の計画など所定の事項を**都道府県知事**に届け出なければいけ

ません。

7日前までに届け出ないと着工できません。主体は発注者ですが、施工者も注意しておかないと大変なことになりますね。

❻ 対象建設工事の元請業者は、特定建設資材廃棄物の再資源化等が完了したときは、その旨を発注者に**書面**で**報告**するとともに、再資源化等の実施状況に関する記録を作成し、**保存**しなければいけません。

| 例題 | Q | 建築物の耐震改修工事であって、請負代金の額が7,000万円の工事は、分別解体等をしなければならない建設工事に該当する。 |
| | A | ✕　改修工事は1億円以上が基準。 |

| 例題 | Q | 対象建設工事の元請業者は、特定建設資材廃棄物の再資源化等が完了したときは、その旨を都道府県知事に報告しなければならない。 |
| | A | ✕　知事ではなく発注者に報告する。 |

第 6 章　その他関連法規

　ここでは、主として2年に1問程度出題される各種の法律を学習します。まずは全体を概観し、取り組みやすいと感じたものから学習を進めてみましょう。

1　騒音規制法

　騒音規制法は、くい打機など、建設工事のうち、著しい騒音を発生する作業を規制対象としています。具体的には、都道府県知事等が規制地域を指定するとともに、環境大臣が騒音の大きさ等の基準を定めており、市町村長は規制対象となる特定建設作業に関し、必要に応じて改善勧告等を行う、という内容になっています。

1　規制対象

　規制の対象となる**特定建設作業**とは、建設工事として行われる作業のうち、著しい騒音を発生する作業で、次のものをいいます。

1	**くい打機（もんけんを使用する場合を除く）、くい抜機又はくい打くい抜機**を使用する作業。ただしアースオーガー併用、圧入式を除く H30・R4
2	びょう打機を使用する作業
3	**さく岩機**を使用する作業（1日の移動距離が50mを**超えない**作業に限る） H30・R2・6
4	**空気圧縮機**（原動機の定格出力が15kW以上のものに限る）を使用する作業 R2・4・6
5	コンクリートプラント又はアスファルトプラントを設けて行う作業
6	バックホウ（原動機の定格出力80kW以上）を使用する作業 H30・R2・6
7	トラクターショベル（原動機の定格出力70kW以上）を使用する作業 R4・6
8	ブルドーザー（原動機の定格出力40kW以上）を使用する作業 R2

※　いずれも作業を**開始した日に終わるもの**（つまり1日で終わるもの）を除く。
※　6～8は環境大臣が指定する低騒音型を除く。

2　施工者の届出

　都道府県知事が定めた指定地域内において特定建設作業を伴う建設工事を施工しようとする者は、開始の日の**7日**前までに、次の事項を市町村長に届け出

なければいけません。

ただし、災害その他非常の事態の発生により特定建設作業を緊急に行う必要がある場合は、速やかに届出をすれば足ります。

① 氏名又は名称及び住所並びに法人にあっては、その代表者の氏名

② 建設工事の目的に係る施設又は工作物の種類

③ 特定建設作業の**場所**及び**実施の期間**

④ **騒音の防止の方法**

⑤ その他環境省令で定める事項

特定建設作業の届出を忘れてしまうと、実質的に作業ができなくなります。重要ですね。

③ 規制基準と改善命令等

原則的な騒音規制は次のとおりです。

規制の種類	第1号区域（比較的静穏な区域）	第2号区域（その他の区域）
騒音の大きさ	敷地境界において85デシベルを超えないこと	
作業時間帯	午後7時～午前7時に行われないこと	午後10時～午前6時に行われないこと
作業期間	1日当たり10時間以内	1日当たり14時間以内
	連続6日以内であること	
	日曜日その他の休日でないこと	

市町村長は、特定建設作業に伴って発生する騒音が上記の基準に適合しないことにより周辺の生活環境が著しく損なわれると認めるときは、工事施工者に対し、期限を定めて、騒音防止方法を改善し、又は作業時間の変更を勧告することができます。この勧告に従わない場合、命令とすることもできます。

例題
Q 特定建設作業を伴う建設工事を施工しようとする者は、作業の実施の期間や騒音の防止の方法等の事項を、市町村長に届出をしなければならない。

A ○

2　振動規制法

　振動規制法の体系は騒音規制法と同じです。所定の区域を指定し、その指定区域内で著しい振動を発生する作業を規制対象としています。具体的には、都道府県知事等が規制地域を指定するとともに、振動の大きさ等の基準を定め、市町村長は規制対象となる特定建設作業に関し、必要に応じて改善勧告等を行う、という内容になっています。

1　規制対象

　規制対象となる**特定建設作業**とは、建設工事として行われる作業のうち、著しい振動を発生する作業で、次のものをいいます。

1	**くい打機**（もんけんを使用する場合を除く）、**くい抜機**又は**くい打くい抜機**を使用する作業　※**圧入式、油圧式は対象外**
2	**鋼球**を使用して建築物その他の工作物を**破壊**する作業
3	舗装版破砕機を使用する作業（1日の作業の2地点間の最大距離が50mを超えない作業に限る）
4	**ブレーカー**を使用する作業（1日の作業の2地点間の最大距離が50mを超えない作業に限る）ただし、**手持ち式**は**除く**。

※　いずれも作業を**開始した日に終わるもの**（つまり1日で終わるもの）**を除く。**

2　施工者の届出

　指定地域内において特定建設作業を伴う建設工事を施工しようとする者は、<u>開始の日の**7日前**まで</u>に、次の事項を**市町村長**に**届け出**なければいけません。ただし、災害その他非常の事態の発生により特定建設作業を緊急に行う必要がある場合は、速やかに届出をすれば足ります。

❶　氏名又は名称及び住所並びに法人にあっては、その代表者の氏名
❷　建設工事の目的に係る<u>**施設**又は**工作物**の**種類**</u>
❸　特定建設作業の**種類、場所、実施期間**及び**作業時間**
❹　<u>振動の防止の方法</u>
❺　<u>**付近見取図、工事工程表**の添付等</u>

3 規制基準と改善命令等

原則的な振動規制は次のとおりです。

規制の種類	第１号区域（比較的静穏な区域）	第２号区域（その他の区域）
振動の大きさ	敷地境界において75デシベルを超えないこと _{R1・3}	
作業時間帯	午後７時〜午前７時（夜間）に行われないこと _{R1・3}	午後10時〜午前６時に行われないこと
作業期間	１日当たり10時間以内 _{R3}	１日当たり14時間以内
	連続６日以内であること _{R1・3}	
	日曜日その他の休日でないこと _{R1}	

※ 第１号区域とは、住居の環境のため静穏の保持を必要とする区域で学校、保育所、病院、患者の収容施設を有する診療所、図書館及び特別養護老人ホームの敷地の周辺おおむね80mの区域内など。_{R3}

騒音は85dB、振動は75dB以下です。混同しないよう注意してください。

　市町村長は、特定建設作業に伴って発生する振動が上記の基準に適合しないことにより周辺の生活環境が著しく損なわれると認めるときは、工事施工者に対し、期限を定めて、振動防止方法を改善し、又は作業時間の変更を勧告することができます。この勧告に従わない場合、命令とすることもできます。

例題

Q 特定建設作業の振動が、特定建設作業の場所の敷地の境界線において、85dBを超える大きさのものでないことが規制基準とされる。

A ✕　75dBを超えないこととされている。

3 宅地造成及び特定盛土等規制法

　この法律は、宅地造成、特定盛土等又は土石の堆積に伴う崖崩れ・土砂の流出等による災害を防止するため、主として規制区域内の宅地造成や特定盛土等について、許可制や届出制といった規制をするものです。

1 用語の定義

【1】宅地の定義

　宅地とは、農地や公共施設の敷地以外の土地です。すなわち、農地、採草放牧地及び森林並びに道路、公園、河川その他政令で定める公共の用に供する施設の用に供されている土地以外の土地をいいます。

【2】宅地造成の定義

　宅地造成とは、**宅地以外の土地を宅地**にするために行う盛土その他の土地の**形質の変更**で、次のいずれかに該当するものをいいます。

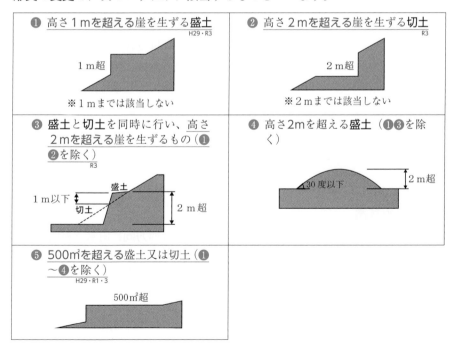

❶ 高さ1mを超える崖を生ずる盛土
H29・R3
1m超
※1mまでは該当しない

❷ 高さ2mを超える崖を生ずる切土
R3
2m超
※2mまでは該当しない

❸ 盛土と切土を同時に行い、高さ2mを超える崖を生ずるもの（❶❷を除く）
R3
盛土
1m以下
切土
2m超

❹ 高さ2mを超える盛土（❶❸を除く）
30度以下
2m超

❺ 500㎡を超える盛土又は切土（❶～❹を除く）
H29・R1・3
500㎡超

635

【3】 特定盛土等の定義

　特定盛土等とは、宅地又は農地等において行う盛土その他の土地の形質の変更で、当該宅地又は農地等に隣接し、又は近接する宅地において災害を発生させるおそれが大きいものもので、上記❶〜❺に該当するものをいいます。

> 宅地造成の定義を前図も含めて正確に理解し、覚えてください。なお、宅地造成と特定盛土等及び土石の堆積をあわせて、「宅地造成等」ということも覚えておきましょう。

【4】 崖の定義

　崖とは地表面が水平面に対し**30°を超える角度**をなす土地で硬岩盤（風化の著しいものを除く）以外のものいいます。

2 規制区域内の許可制

　都道府県知事が指定した宅地造成等工事規制区域内で宅地造成等に関する工事をしようとする工事主は、工事着手前に、**都道府県知事**の許可を受けなければいけません。

　また、許可を受けた者は、工事完了後に、都道府県知事の検査を受けなければならず、検査に適合しているときは検査済証が交付されます。

　なお、工事は、擁壁や排水施設の設置等、宅地造成等に伴う災害を防止するため必要な措置が講ぜられたものでなければならず、このうち、次の措置については、所定の**資格者の設計**が必要となります。

高さが5mを超える擁壁の設置
切土又は盛土をする土地の面積が1,500㎡を超える土地における排水施設の設置

R5

3 技術的基準

❶ 切土又は盛土をする場合、崖の地盤面は、**崖の反対方向**に雨水その他の地表水が流れるように**勾配**を付ける必要があります。

R1・5

❷ 切土をした後の地盤に滑りやすい土質の層があるときは、**地滑り抑止ぐい等**を設置する必要があります。

❸ 原則として崖面は**擁壁**を設置して覆います。この擁壁は、鉄筋コンクリート造、無筋コンクリート造又は練積み造等とする必要があります。

❹ 擁壁には、排水をよくするため、壁面の面積３㎡以内ごとに少なくとも１個の水抜き穴を設け、裏面の水抜穴周辺には砂利その他必要な資材を用いて透水層を設けなければいけません。

❺ 規制区域内で、高さ２mを超える擁壁又は排水施設の除却工事を行おうとする者は、工事着手日の14日前までに、都道府県知事に届け出なければいけません。

_{R5}

_{R1・5}

> **例題**
>
> **Q** 宅地以外を宅地にするため、切土をする土地の面積が300㎡であって、切土をした土地の部分に高さが2.0mの崖が生ずるものは、宅地造成に該当する。
>
> **A** ✕　２mを超えていないので宅地造成ではない。

4 消防法

　消防法は、防火設備や防火管理者を規定することによって、火災の予防と鎮圧を目的とします。試験では防火設備の種類や防火管理者の職務を中心に出題されています。

1 防火対象物と特定防火対象物

　劇場や百貨店、共同住宅のような不特定多数が出入りする建築物については、火災の被害が拡大するおそれがあるため、これを防火対象物として消防法で規制しています。また、このうち共同住宅のように利用者が比較的特定されているものを除いた劇場等は、特定防火対象物として、より厳しい規制が課せられています。

2 消防の用に供する設備

　所定の防火対象物には防火管理者を選任しなければならず、消防の用に供する設備をその設置基準に基づいて設置しなければいけません。

　消防の用に供する設備は、消火設備、警報設備及び避難設備とされ、それぞれ次のようなものがあります。

消火設備	消火器、屋内消火栓、スプリンクラー、水噴霧消火設備、泡消火設備、屋外消火栓設備　等
警報設備	自動火災報知設備、漏電火災警報器、非常ベル等　等
避難設備	すべり台、避難はしご、救助袋、誘導灯　等

　また、消火活動上必要な施設として、排煙設備、連結散水設備、連結送水管、非常コンセント設備及び無線通信補助設備が規定されています。

3 設置基準

【1】消火器具

　消火器具は、床面からの高さが1.5m以下で、水等の消火剤が凍結、変質、又は噴出するおそれが少ない箇所に設けなければいけません。

【2】屋内・屋外消火栓

　屋内又は屋外消火栓は、各部分からホース接続口までの**水平距離**について次のような定めがあります。なお、1号消火栓は2名以上で操作するもので、2号消火栓は1人で操作できるものです。

		各部分からホース接続口までの水平距離
屋内消火栓設備	1号	25m以下（2名で使用）
	2号	15m以下（1名で使用）
屋外消火栓設備		40m以下

【3】消防用水

　消防用水は、**消防ポンプ自動車**が2m以内に接近することができるように設け、その防火水槽には、**適当の大きさの吸管投入孔**を設けなければいけません（有効**水量**は20㎥以上）。

【4】連結送水管

　地階を除く階数が7以上の特定建築物には**連結送水管**を設けなければならず、**11階以上の建築物に設置する連結送水管については、非常電源を附置した加圧送水装置**を設ける必要があります。

【5】 排煙設備

排煙設備は、火災が発生した場合に生ずる煙を有効に排除することができるもので、**手動起動装置**又は火災の発生を感知した場合に作動する**自動起動装置**を設ける必要があります。また、排煙設備には、**非常電源**を附置させなければいけません。

各種設置基準はよく出題されます。数値も含め正確に覚えましょう。

4 その他

【1】 防炎対象物

高層建築物、地下街又は劇場等の防火対象物に使用する防炎対象物品（どん帳、カーテン、展示用合板、じゅうたん、工事用シート等）は、所定の**防炎性能**を有するものでなければいけません。

【2】 届出・検査

特定防火対象物の関係者は、所定の**消防用設備等**を設置したときは、設置に係る工事が完了した日から**4日以内**に**消防長**又は**消防署長**に届け出なければならず、この届出により検査を受けなければいけません。

【3】 危険物取扱者

危険物は、第1類〜第6類に分類されます。危険物取扱者の免許の種類により取扱いできる危険物は、以下の3種類です。

甲種危険物取扱者	全ての危険物
乙種危険物取扱者	免状において指定された類の危険物（2種3類）
丙種危険物取扱者	ガソリン、灯油、軽油、第3又は第4石油類、動植物油類

例題

Q 消防用水は、消防ポンプ自動車が2m以内に接近することができるように設ける。

A ○

5 道路交通法

　道路交通法からは、積載物の許可に関する問題が出題されています。この点に絞って学習するのが賢明でしょう。

1 積載の制限

　自動車の乗車人員又は積載物の重量、大きさもしくは積載の方法の制限は、次のとおりです。

❶ 乗車のために設備された場所以外の場所に人を乗車させ、又は乗車もしくは積載のために設備された場所以外の場所に荷物を積載して車両を運転してはいけません。

　ただし、<u>貨物自動車で貨物を積載しているもの</u>にあっては、<u>当該貨物を看守</u><u>するため必要な最小限度の人員</u>をその荷台に乗車させて運転することができます。
_{H30・R2・4}

❷ 普通自動車の乗車人員は、自動車検査証に記載された乗車定員を超えてはいけません。

❸ 積載物の長さ、幅又は高さ及び重量は、それぞれ次に掲げる長さ、幅又は高さ等を<u>超えないこと</u>とされています。

ⅰ **長さ**　自動車の長さにその**長さの** $\frac{2}{10}$ **の長さを加えたもの**（車体の前後から自動車の長さの $\frac{1}{10}$ の長さを超えてはみ出さないこと）
_{H30・R2・4}

ⅱ **幅**　自動車の幅にその**幅の** $\frac{2}{10}$ **の幅を加えたもの**（車体の左右から自動車の幅の $\frac{1}{10}$ の幅を超えてはみ出さないこと）
_{H30・R2}

ⅲ **高さ**　3.8m
_{H30・R2・4}

ⅳ **重量**　自動車検査証等に記載された**最大積載重量**
_{R4}

❹ 警察署長の許可

　貨物が分割できないため、上記の積載重量等を超えることとなる場合、出発地の**警察署長**の許可を得て、運転することができます。

❺ 積載した貨物の長さ又は幅が制限を超える場合、その貨物の見やすい箇所に、昼間にあっては、0.3㎡以上の大きさの**赤色の布**を、夜間にあっては、赤色の灯火又は**反射器**をつけなければいけません。

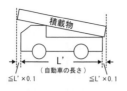

積載物の長さ≦L' × 1.2

前後の貨物の
はみ出し≦L' × 0.1

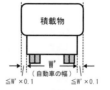

積載物の幅≦W' × 1.2

左右の貨物の
はみ出し≦W' × 0.1

長さと幅は $\frac{2}{10}$、はみ出しは $\frac{1}{10}$、高さ3.8mは、実務的にも重要な数値ですね。

例題

Q 積載する自動車の最大積載重量を超える資材を運搬する場合、出発地を管轄する警察署長（出発地警察署長）の許可を必要とする。

A ○

さくいん

TAC PG